ISBN 978-0-259-36167-1
PIBN 10662438

1 MONTH OF
FREE
READING

at

www.ForgottenBooks.com

By purchasing this book you are eligible for one month membership to ForgottenBooks.com, giving you unlimited access to our entire collection of over 1,000,000 titles via our web site and mobile apps.

To claim your free month visit:

www.forgottenbooks.com/free662438

ALTSÄCHSISCHES ELEMENTARBUCH

VON

Dr. F. HOLTHAUSEN

O. Ö. PROFESSOR AN DER UNIVERSITÄT ZU KIEL.

———

ZWEITE VERBESSERTE AUFLAGE

HEIDELBERG 1921

CARL WINTER'S UNIVERSITÄTSBUCHHANDLUNG

Verlags-Nr. 1629.

Printed in Germany

Vorwort.

Während die erste, im Jahre 1899 erschienene Auflage dieses Buches auf Grund der neuen Funde eine Menge neuen und wichtigen Stoffes verzeichnen konnte, ist dies jetzt leider nicht der Fall. Außer den Trierer Segensprüchen und Glossen sind nur einige unbedeutende Denkmäler ans Licht gekommen, dagegen ist die Zahl der dem Altsächsischen gewidmeten Untersuchungen stark gewachsen. Ich habe diese, soweit der Plan des Werkchens es erlaubte, gewissenhaft verwertet, ohne im Übrigen in der Anordnung und Verteilung des Stoffes wesentliche Änderungen vorzunehmen. Am meisten Neues wird man in der Laut- und Formenlehre finden, während die Syntax im ganzen unverändert geblieben ist. Dem Wunsche der Kritik entsprechend sind jetzt öfter Hinweise auf die Literatur den einzelnen Paragraphen beigegeben worden, auch auf die treffliche Mittelniederdeutsche Grammatik von A. Lasch (Halle 1914) habe ich öfter Bezug genommen, wo mir dies angebracht erschien.

In der Bezeichnung der altsächsischen Langvokale ist insofern eine Änderung vorgenommen worden, als ich das as. $\bar{e}$ = urgerm. $\bar{e}^2$ jetzt durch bloßes $\bar{e}$, ohne Punkt darüber, ausgedrückt habe, das lange e = german. ai jedoch durch $\hat{e}$; entsprechend ist as. $\bar{o}$ = urgerm. $\bar{o}$ durch $\bar{o}$, as. $\bar{o}$ = urgerm. au durch $\hat{o}$ wiedergegeben worden. Auch afries. $\bar{a}$ = germ. au hat den Zirkumflex erhalten. Ich hoffe durch diese Neuerung eine ebenso einfache wie leicht erlernbare Bezeichnung gefunden zu haben. Was die Aussprache der später umgelauteten Vokale sowie der inlautenden Spiranten s und d betrifft, so bedaure ich wegen mangelhafter Beherrschung der Rutz-Sieversschen Methode keine sichere Entscheidung fällen zu können und habe an den bisherigen Anschauungen der Grammatiker in diesen Punkten festgehalten. Auch bezüglich der Heimatsfrage sind wir m. E. für die meisten as. Denkmäler immer noch auf bloße Mutmaßungen angewiesen, oder können selbst solche nicht einmal wagen.

Unter die Lesestücke sind jetzt noch die beiden neugefundenen Trierer Segensprüche in hergestellter altsächsischer Form, sowie das

Bruchstück eines Glaubensbekenntnisses aufgenommen worden; in den poetischen Texten sind die metrischen Akzente der ersten Auflage geblieben, um Anfängern die richtige Deklamation der Verse zu erleichtern. Den fremdsprachlichen Index habe ich fallen lassen, das altsächsische Register aber dafür erweitert und insofern anders geordnet, als jetzt die Verba nicht mehr rein alphabetisch, sondern, wenn mit Präfixen zusammengesetzt, nach der Betonung geordnet sind.

Das Manuskript für die Neuauflage wurde schon zu Ostern 1920 abgeliefert, der Druck begann Ende Juli desselben Jahres und hat sich bis jetzt hingezogen. Infolgedessen mögen mir einige Neuerscheinungen auf dem Gebiete der as. Grammatik entgangen sein, obwohl ich eifrig danach gefahndet habe. Hoffentlich ist aber nichts wichtiges darunter! — Daß sich trotz größter Sorgfalt bei der Korrektur, eine Anzahl Druckfehler eingeschlichen haben, mag in der Schwierigkeit der Unterscheidung so kleiner Typen und Nebenzeichen seine Entschuldigung finden. Ich verdanke einen Teil der Berichtigungen Herrn Dr. F. R. Schröder, der die Aushängebogen durchzusehen die Freundlichkeit hatte.

Das altsächsische Elementarbuch war schon vor dem Weltkriege ausverkauft. Dessen Erschütterungen verhinderten ein früheres Erscheinen der Neuauflage, der unglückliche Ausgang zwang den Verlag zur größten Sparsamkeit in der Ausstattung, die ja leider gegen diejenige der ersten Auflage weit zurücksteht. Ich hoffe trotzdem, daß mein Buch in der verbesserten Form sich die alten Freunde bewahren und neue dazu erwerben wird, sowie daß es auch weiterhin dem so erfreulich aufblühenden Studium des Niederdeutschen als zuverlässige Grundlage dienen kann.

Kiel, den 1. Juli 1921.

F. Holthausen.

Inhalt.

Einleitung.

Erster Hauptteil: Lautlehre.

Zweiter Hauptteil: Formenlehre.

Erster Abschnitt: Deklination

Vierter Hauptteil: Lesestücke.
Prosa.

Verzeichnis der Abkürzungen.

(Vgl. auch S. 1 f. und S. 225.)

ae. = altenglisch.
as. = altsächsisch.
AfdA. = Anzeiger für deutsches Altertum.
afries. = altfriesisch.
ahd. = althochdeutsch.
aisl. = altisländisch.
BB. = Bezzenbergers Beiträge.
engl. = englisch.
franz. = französisch.
germ. = germanisch.
Germ. = Germania.
Gl(l). — Glosse(n).
got. = gotisch
griech. = griechisch.
Grundr. = Grundriß.
Hs(s). = Handschrift(en).
idg. = indogermanisch.
IF. = Indogerman. Forschungen.
ital. — italienisch.
lat. = lateinisch.
me. — mittelenglisch.

mhd. = mittelhochdeutsch.
mlat. = mittellateinisch.
mnd. = mittelniederdeutsch.
ndd. — niederdeutsch.
ne. — neuenglisch.
nhd. = neuhochdeutsch.
niederd — niederdeutsch.
nnd. — neuniederdeutsch.
nnl. — neuniederländisch.
PBrB. = Paul und Braunes Beiträge.
Reallex. — Reallexikon d. germ. Altertumskunde.
roman. — romanisch.
schwed. — schwedisch.
stimmh. — stimmhaft.
stimml. — stimmlos.
UG. — Streitbergs Urgerm. Grammatik.
urgerm. = urgermanisch.
ZfdA. = Zeitschr. f. deutsches Altertum.
ZfdPh. = Zeitschr. f. deutsche Philologie.

Berichtigungen und Nachträge.

S. 3, Z. 1 gehört auf S. 4 unter Gallee. — S. 5 unter Krüer
l. CXXV. Vgl. dazu Frings, AfdA. 40, 12; Feist, Herrigs Arch.
134, 161; Helm, Lit. Bl. 37, 349; Jellinek, D. Lit. Ztg. 36, 2245. —
Zu § 3a vgl. noch W. Seelmann, As. und mnd. Diminutiva,
Jahrb. 46, 51. — Zu § 6 Anm. vgl. Much, Reallex. 4, 60. — S. 10,
§ 10, Z. 3 l. 'zwei' st. 'drei'; in der letzten Zeile l. 'erst' st. 'letzt.'
— S. 18, § 29, 6 l. ahd. *mānōd.* — ib. 9 l. *dâd* 'tot'. — S. 19, 12
streiche *hīr* (vgl. unter 5). — S. 29, § 75c) l. *ụ̄.* — S. 30, § 75, 3,
Anm. I. got. *sēhvun.* — ib. § 76, Anm. 1. Zu *old* vgl. Lasch § 93.
— S. 31, § 78. Vgl. noch Lasch § 138—140. — S. 32, § 82, Anm. 2.
Nach Lasch § 76 ist *ar* für *er* nördl. und ostfäl. Zu *sos* vgl. ib.
§ 41. — Zu S. 33, § 84, am Ende, vgl. noch *tins* 'Zins' (Lasch § 138).
— ib. Anm. 1, Z. 4 v. u. *(mūdspelli)* vgl. Braune, PBrB. 40, 444. —
S. 34, § 86 l. *stoppo* 'Krug, Eimer' (vgl. PBrB. 45, 297). — ib. Anm.
Über *hanig* = westf. *hānich* vgl. Jostes, Jahrb. 11, 90. — S. 35,
Anm. 3. Vgl. noch *giworrid* 'verwirrt, betrübt' nach Sievers,
PBrB. 44, 502. — S. 39, § 91. Vgl. noch *thrēsla* 'Drechsler' Oxf.
Gl. (ahd. *drāhsil*). — S. 38, Z. 1 l. 'Wenn *ō* vor *a* in *ū*.' — ib. § 96
l. *mūlbôm.* — S. 40, § 103 Anm. 1. Über *fiur* vgl. Bartholomae,
PBrB. 41, 272. — S. 41, § 106. Vgl. noch *sīnu* 'sieh' (C 5578) und
-ā < *-aha* 'Wasser' in Ortsn. — S. 44, § 121 l. Lasch S. 128. —
S. 45, § 125. Vgl. noch *hĭdigŏ* 'heute' Beda. — S. 49, § 138, 1.
Ausnahme: *thrēsla* 'Drechsler' (ahd. *drāhsil*). — S. 51, Z. 3. Schon
im Spätgriech. κυρικόν. — S. 64, § 177 Anm. Vgl. lüneburg. *sunk.* —
S. 67, § 187. Dissimilatorischer *n*-Schwund erscheint in *al(e)moson*
'Almosen' Fr. H. neben *alemonsnon* (so!). — S. 68, § 192 Anm. Vgl.
§ 257b und Anm. 2. — S. 73 oben. Vgl. auch Braune, Ahd. Gr.²
§ 169 Anm. 3. — S. 74, § 215. Vgl. noch *thrēsla* 'Drechsler' (ahd.
drāhsil). — S. 75, § 218 Anm. 1, Z. 3 erg. *j.* — S. 78, § 230 Anm.
l. *hŏdigu.* — S. 79, § 232. Zu *ei* < *egi* vgl. Lasch § 126 f. — § 233.

Die Grundform von *êkso* ist eher **aiguso* (vgl. got. *bērusjōs* 'Eltern'
und das lat.-germ. *Magusano*. — S. 82, § 243 erg. *bakkerī* 'Bäcker'. —
S. 83, § 247. Vgl. noch *klīda* 'Flechtwerk' < mlat. *clēta* (vgl. auch
§ 93). — S. 84, § 251 Anm. Über *i-* (mnd. *e-*) vgl. Lasch § 221, VI.
— S. 85, § 253, 4. *hiudu* kann auch direkt aus *hiudagu* verkürzt
sein. — S. 86, Z. 3 l. *Folk-mār.* — S. 95, § 272 Anm. Das Mask.
akkar gehört zu § 269. — S. 99, Z. 2 l. *thiodo*, Z. 5 *sēliđa.* — § 284
l. *lôgna.* — S. 100, Z. 6 I. *hêlli.* — S. 115, § 330, 1. Vgl. auch *frô
mīn* Ludw. Lied V. 30. — S. 122, § 346, f) l. *êndi-.* — S. 140, Z. 3
v. u. l. 'Hel.' — S. 148, Z. 2. So noch *armskapan* 'elend' Hel. —
S. 152, § 429. Vgl. noch *gīnan* 'gähnen' Werd. Gl. — § 430, Z. 2
v. u. l. *snīđan* und *snêd*, Z. 1 v. u. l. *têh* und *lêh.* — S. 154, § 434
Anm. 1, Z. 3 l. *'m* resp. *n'.* — § 436. Vgl. noch **skeldan* 'schelten'
(nach der Ess. Gl. *skeldari* 'maledicus'). — S. 155, § 438 vgl. noch
*tredan 'treten' (nach *trāda* 'Tritt' und mnd. *treden*). — S. 156, § 439
vgl. noch **metan* 'messen' (nach *gimet* 'Maß', *metod* 'Geschick,
Schöpfer' und mnd *meten*). — § 442 l. *gifaran*; *hladan* hatte ursprüngl.
grammat. Wechsel, vgl. got. *hlaþan.* — § 445. Gemination im Präsensstamme zeigt **bakkan* 'backen' (vgl. *bakkeri* 'Bäcker'). — § 446.
Vgl. noch C. Karstien, Die redupliz. Perfekta des Nord- und Westgermanischen. Gießen 1921. — S. 158 oben: vgl. noch *bannan*
'bannen' (nur Inf. belegt). — § 449. Vgl. noch **blāsan* 'blasen' (nach
blāsa 'Blase' und mnd. *blāsen*). — S. 159, § 454. Vgl. noch Frings,
AfdA. 40. 12 ff. — S. 165, Z. 1 erg. noch *libda.* — S. 166, § 467,
2 l. 'Opt. *êhti*'. — § 469b, 1, Anm. Z. 3 I. 'sind'. — § 514, 3,
Z. 4 l. *farkôpon.*

Einleitung.

Erstes Kapitel.

Literaturangaben.

I. Zeitschriften.

1. AfdA. = Anzeiger für deutsches Altertum u. deutsche Literatur.

Arkiv = Arkiv för nordisk filologi.

Bzz. Beitr. = Beiträge zur Kunde der indogerm. Sprachen, von A. Bezzenberger.

Centr.bl. = Literarisches Centralblatt.

D. Lit. Ztg. = Deutsche Literaturzeitung.

Engl. Stud. = Englische Studien.

Germ. = Germania.

IF. = Indogermanische Forschungen.

IF. Anz. = Anzeiger dazu.

Jahrb. = Jahrbuch des Vereins für niederdeutsche Sprachforschung.

Jahresber. = Jahresberichte über die Erscheinungen auf dem Gebiete der german. Philologie. Leipzig.

JEGPh. = Journal of English and Germanic Philology.

Korr.bl. = Korrespondenzblatt des Vereins für niederd. Sprachforschung.

K. Z. = Kuhns Zeitschrift für vergleich. Sprachforschung.

Lit.bl. = Literaturblatt für german. u. roman. Philologie.

MLN. = Modern Language Notes.

Mod. Phil. = Modern Philology.

PBrB. = Paul u. Braunes Beiträge zur Geschichte der deutschen Sprache u. Literatur.

ZfdA. = Zeitschrift für deutsches Altertum u. deutsche Literatur (vgl. AfdA.).

Holthausen, Altsächsisches Elementarbuch. 2. Aufl.

ZfdPh. = Zeitschrift für deutsche Philologie.

ZfdW. = Zeitschrift für deutsche Wortforschung.

Anm. Die wissenschaftliche Literatur über das As. wird verzeichnet in den Jahresberichten über die Erscheinungen auf dem Gebiete der german. Philologie, sowie in der Bibliographie der IF. von 1891—1906 und im Idg. Jahrbuch seit 1913.

II. Grammatische Gesamtdarstellungen.

2. Behaghel, O. Geschichte der deutschen Sprache, *in* Pauls Grundriß der german. Philologie; 4. Aufl. Straßburg 1916.

Braune, W. Abriß der ahd. Grammatik mit Berücksichtigung des Altsächs., 5. Aufl. Halle 1913.

Gallée, J. H. Altsächsische Grammatik. 1. Hälfte. Laut- u. Flexionslehre. Halle 1891. (*Vgl.* Roediger, AfdA. 20, 238; Kauffmann, Germ. 37, 368; Schlüter, Jahrb. 17, 149.)

— dass. 2. Aufl. 1910 (*vgl.* Behaghel, Lit.bl. 1911, Sp. 5; Kauffmann, ZfdPh. 43, 239; Heinertz, D. Lit. Ztg. 32, 535; Kluge, ZfdW. 12, 323).

Holthausen, F. Altsächs. Elementarbuch. Heidelberg 1899 (*vgl.* Schlüter, Jahrb. 25, 152; Behaghel, Lit.bl. 21, 8; Henry, Revue critique 48, 326; Franck, Arkiv 17, 198; Kluge, D. Lit. Ztg. 21, 2787; N. N., Centr.bl. 51, 492; van Helten, Museum 9, 312; Jellinek, ZfdPh. 32, 520; Bremer, Anglia-Beiblatt 15, 165).

Roediger, M. Paradigmata zur altsächs. Grammatik. 2. Aufl. Berlin 1893 (*vgl.* Jellinek, AfdA. 20, 398; Schlüter, Jahrb. 18, 160).

Schlüter, W. Vokalismus, Konsonantismus u. Formenlehre des Altsächs., *in*: Laut- u. Formenlehre der altgerman. Dialekte, herausg. von F. Dieter. Leipzig 1900 (*vgl.* Holthausen, Engl. Stud. 32, 78).

Schmeller, A. Synopsis vocabulorum saxon. grammatica, *in seinem* Glossarium saxonicum (*s. unten*), S. 173 ff.

Anm. Über die Forschung auf dem Gebiete des As. bis 1900 orientieren W. Seelmann in Ergebnisse u. Fortschritte der germanist. Wissenschaft im letzten Vierteljahrhundert. Berlin 1902, S. 74 f., sowie E. Steinmeyer, ib. 219 ff. (As. Literatur).

III. Einzeluntersuchungen.

1. Laut- und Formenlehre.

3. Althof, A. Grammatik altsächs. Eigennamen in westfäl. Urkunden des 9. bis 11. Jahrhs. Paderborn 1879.

Ders. Zur Heliandgrammatik, ib. 15, 337.

Beckmann, P. Korveyer u. Osnabrücker Eigennamen des IX.—XII. Jahrhs. Dissert. von Münster. Bielefeld 1904.

Behaghel, O. Zum Heliand u. zur Heliandgrammatik. Germ. 27, 415; 31, 377.

Behrmann, A. Die Pronomina personalia u. ihr Gebrauch im Heliand. Diss. Marburg 1879.

Braune, W. Bruchstücke der as. Bibeldichtung. Heidelberg 1894, S. 12 ff., 65 ff.

Ders. Zu den Trierer Zaubersprüchen. PBrB. 36, 551.

Bremer, O. Urgerman. *a* in unbetonter Silbe, IF. 14, 363.

Ders. Die german. 'Brechung', ib. 26, 148.

Brugmann, K. Das schwache Prät. PBrB. 39, 84.

Burckhardt, F. Untersuchungen zu den griechischen u. latein.-romanischen Lehnwörtern in der altniederd. Sprache. Dissert. von Göttingen. Berlin 1905.

Collitz, H. Die Behandlung des ursprüngl. auslaut. *ai* im Got., Ahd. und As., Bezz. B. 17, 1 (*vgl.* Jellinek, AfdA. 19, 33).

Ders. Waldeckisches Wörterbuch. Norden u. Leipzig 1902 (*darin S. 68* ff. Über den Dialekt des Hel. u. der Freckenhorster Heberolle*).

Ders. The Home of the Heliand. Public. of the Mod. Lang. Assoc. of N. America. 26, 123.

Ders. Das Analogiegesetz der westgerm. Ablautsreihen. MLN. 20, 65.

Ders. Segimer oder german. Namen in kelt. Gewande. JEGPh. 6, 253.

Ders. Das schwache Prät. u. seine Vorgeschichte. Göttingen 1912 (*vgl.* Wood, JEGPh. 12, 150; Meillet, Bull. de la soc. de ling. 60, 83; Heinsius, Museum 20, 425; Behaghel, Lit.bl. 1915, 185; Sverdrup, IF.Anz. 35, 5).

Ders. Bemerkungen zum schwachen Prät. IF. 34, 209.

Curme, G. O. The Origin and Growth of the Adj. Declension in Germanic. JEGPh. 9, 439.

Damköhler, E. Die adverb. Formen *hir* und *hēr* in der Münch. Heliandhs. Korr.bl. 25, 52 (*vgl.* v. Unwerth).

Ders. Die Präpos. *von* in der Münch. Heliandhs. Jahrb. 30, 74.

Feist, S. Die sogen. reduplizierenden Verba im Germanischen. P. Br. Beitr. 32, 447 u. 569.

Franck, J. Der Diphthong *ea*, *ie* im Ahd. ZfdA. 40, 1.

Ders. *consta* im Heliand. ib. 46, 329.

Ders. Anzeige von Collitz, Waldeck. Wörterb. AfdA. 29, 181.

Gallée, H. J. Graphische Varianten im Heliand. PBrB. 13, 376.

Ders. Altsächs. Sprachdenkmäler. Leiden 1894.

Ders. Zur as. Grammatik. ZfdPh. 29, 145.

Geffcken, Gertr. Der Wortschatz des Heliand. Diss. Marburg 1912.

Gombault, W. Fr. De umlaut in oudsaks. en oudnederfrank. geschriften. Utrechter Diss. Arnhem 1897 (*vgl.* Behaghel, Lit.bl. 1898, 57).

Gröger, O. Die ahd. und as. Kompositionsfuge. Zürich 1911 (Abhandl. der Gesellsch. für deutsche Sprache in Zürich XI).

van Hamel, G. Anlaut. *v* im As. PBrB. 42, 296.

van Helten, W. L. Grammatisches. PBrB. 15, 455; 16, 272; 17, 272. 550; 20, 506; 21, 437; 28, 497; 29, 344; 30, 213; 34, 101; 35, 273; 36, 435.

Ders. Zur as. Grammatik. IF. 5, 182; 347.

Ders. Zur Entwicklung der german. Komparativ- n. Superlativsuffixe. ib. 16, 63.

Ders. Zum german. Zahlwort. ib. 18, 84.

Ders. Zu german. *ē*. ib. 23, 92.

Ders. Zu den sogen. reduplizierenden Präterita im German. ib. 23, 103.

Ders. Zur pronominalen Flexion im Altgerm. ib. 26, 174.

Ders. Zur german. Grammatik. ib. 27, 278.

Ders. Zur Etymologie von *waila, wela, wola.* ZfdW. 13, 74.

Hirt, H. Zu den german. Auslautsgesetzen. IF. 6, 47.

Ders. Zur Verbalflexion. ib. 17, 278.

Hoffmann, O. Das Prät. der sogen. redupliz. Verba im Nord- u. Westgerm., *in* ΓΕΡΑΣ. Göttingen 1903, S. 33.

Hoffmann-Krayer. Anzeige von Collitz, Waldeck. Wörterb. Lit.bl. 25, 56.

Holthausen, F. Über *uo = ŏ* im Heliand. PBrB. 13, 373.

Ders. Der Wortschatz des Heliand. ZfdA. 41, 303.

Ders. Zur as. Wortkunde. Jahrb. 37, 49.

Ders. Altsächsisches. PBrB. 43, 353.

Ders. Zum Heliand. ib. 44, 338.

Holtzmann, A. Altdeutsche Grammatik. 1. Bd., 1. Abt. Die spezielle Lautlehre. Leipzig 1870. (*Darin:* VII. As. Lautlehre. S. 135.)

Hortling, J. Studien über die ō-Verba im As. Diss. Helsingfors 1907 (*vgl.* Sundén, Minnesskrift till Prof. A. Erdmann, Uppsala 1913, S. 300).

Janko, J. German. *ē* und die sogen. redupliz. Präterita. IF. 20, 229 (*vgl.* Meillet, Rev. crit. 1907, 2, 86).

Jellinek, M. H. Miszellen. PBrB. 14, 157.

Ders. Über einige Fälle des Wechsels von *w* und *g* im As. und Ags. ib. 580.

Ders. Zum Heliand. ib. 15, 301.

Ders. Die dialektischen Verhältnisse des Monacensis. ib. 435.

Johansson, K. F. Got. *aiþþau* u. Verwandtes. Bezz. Beitr. 13, 120.

Jostes, Fr. Saxonica. ZfdA. 40, 129.

Kauffmann, Fr. Die Rhythmik des Heliand. PBrB. 12, 283.

Ders. Die Heimat des Helianddichters. ib. 356.

Klinghardt, H. Zur Vorgeschichte des Münchener Heliandtextes. ZfdPh. 28, 433.

Kögel, R. Die schwachen Verba der 2. u. 3. Klasse. PBrB. 19, 304.

Ders. Über *w* und *j* im Westgerm. ib. 523.

Ders. Zur as. Grammatik. IF. 3, 276.

Ders. Geschichte der deutschen Literatur bis zum Ausgange des Mittelalters. Ergänzungsheft zu Bd. 1. Die as. Genesis. Straßbg. 1895, S. 9 ff. — 2. Teil, ib. 1897. S. 444 u. 595 ff.

Ders. Althoch- und niederdeutsche Literatur, ed. Bruckner, *in* Pauls Grundriß der germ. Phil. II, 1, 2. Aufl., S. 29 ff. u. 158 ff. Straßburg 1901—9.

Krüer, Fr. Der Bindevokal u. seine Fuge im schwachen deutschen Präteritum bis 1150. Palaestra XXV. Berlin 1914.

Later, K. De latijnsche woorden in het oud- en middelnederduitsch. Diss. Utrecht 1903 (*vgl.* Franck, IF. Anz. 17, 82; Burckhardt, AfdA. 32, 167; J. K., Taal 14, 396; Salverda de Grave, Museum 12, 96).

Leitzmann, A. Saxonica. PBrB. 25, 567; 26, 245.

Liehl, R. Mittelvokale u. -losigkeit vor *m, n, l* u. *r* in den ältesten as. u. ahd. Sprachdenkmälern. Diss. Freiburg 1913.

Löwe, R. Das starke Prät. des German. K. Z. 40, 266.

Ders. Haplologie im schwachen Prät. des German., ib. 45, 334.

Ders. Ahd. *w* im Auslaut, ib. 339.

Luft, W. Latein. und kelt. *e* im German. ZfdA. 41, 234.

Ders. Die latein. Diminutiva auf *-ell* und *-ill* im Deutschen. ib. 241.

Mackel, E. Die Aussprache der altgerman. langen *e*- und *o*-Laute, ib. 40, 254.

Mutschmann, H. Die Entwicklung von Nasal vor stimmloser Spirans im Niederd. PBrB. 32, 544.

Nörrenberg, K. Ahd. *v* = *f.* PBrB. 40, 165.

Paul, H. Die Vokale der Flexions- und Ableitungssilben in den ältesten german. Dialekten, ib. 4, 315.

Ders. Zur Geschichte des german. Vokalismus, ib. 6, 1. 257; 12, 548.

Ders. Beiträge zur Geschichte der Lautentwickelung u. Formenassociation, ib..6, 538.

Prokosch, E. Beiträge zur Lehre vom Demonstrativpron. in den altgerm. Dialekten. Diss. Leipzig 1907.

Schlüter, W. Untersuchungen zur Geschichte der as. Sprache. I. Teil. Die schwache Deklination in der Sprache des Heliand u. der kleineren as. Denkmäler. Göttingen 1892 (*vgl.* Jellinek, AfdA. 21, 13).

Ders. Zu den as. Bibelbruchstücken. Jahrb. 20, 106.

Scholl, E. Die flexivische Behandlung der fremden Eigennamen in den ahd. u. as. Denkmälern. Diss. Zürich 1906.

Schröder, E. Urkundenstudien eines Germanisten. Mitteil. des Inst. für österr. Geschichtsforschung 18, 27.

Seelmann, W. Nordthüringen. Jahrb. 12, 1.

Shumway, D. B. Indo-europ. *i* and *e* in Germanic. Mod. Phil. 3, 386.

Sievers, E. Die redupliz. Präterita. PBrB. 1, 504.

Ders. Die starke Adjektivdeklination, ib. 2, 98.

Ders. Zur Akzent- und Lautlehre der german. Sprachen, ib. 4, 522; 5, 82.

Ders. Zur Flexion der schwachen Verba, ib. 8, 90.

Ders. Der ags. Instrumental, ib. 324.

Ders. Zur Verbalflexion, ib. 9, 561.

Ders. Nochmal das geschlossene *ē*, ib. 18, 409.

Ders. Zum Heliand, ib. 44, 501.

Steinmeyer, E. Glossen zu Prudentius. ZfdA. 16, 18.

Stewart, C. T. The Nom. Sgl. of weak Substantives in Old High German, Bezz. Beitr. 23, 433.

Streitberg, W. Zum schwachen Prät. IF. 35, 197.

von Unwerth, N. Zur Geschichte der indogerm. *es/os*-Stämme in den altgerm. Dialekten. PBrB. 36, 1.

Ders. Altsächs. *hīr*, ib. 40, 156.

U r d a h l , M. On certain *u*-Diphthongs in the Heliand. Bezz. Beitr. 29, 115.

W a d s t e i n , E.   Altsächs. Worterklärungen.   ZfdA. 24, 131.

Ders.   Zum Heliand, *in* Minnesskrift till Prof. A. Erdmann, Uppsala 1913, S. 220.

W a l d e , A.   Die german. Auslautsgesetze.   Halle 1900 (*vgl.* Franck, ZfdA. 28, 42; Michels, ZfdPh. 34, 114; Hirt, Arkiv 18, 369; Jellinek, ZföstG. 52, 1077; Janko, IF. Anz. 17, 55; Bartholomä, Lit.bl. 1905, 145).

W e h r l e , H.   Die deutschen Namen der Himmelsrichtungen und Winde.   ZfdW. 7, 61; 221.

W e s s é n , E.   Om de starka verbens präteritiparticip. Språkvetenskapliga sällskapets förhandlinger. Uppsala 1916, S. 56 ff. bes. 86 ff.

v a n   W i j k , N.   Germanisches.   IF. 22, 250.

2. Wortbildung.

3a.   B a u m a n n , Fr. H.   Die Adjektivabstrakta im älteren Westgerman.   Diss. Freiburg 1915.

B e r n e r , N.   Die mit der Partikel *ge-* gebildeten Wörter im Hel.   Diss. Lund 1900.

B r u g m a n n , K.   Pronominale Bildungen der idg. Sprachen. Ber. der sächs. Ges. der Wiss., Phil.-hist. Kl. 60, 11.

G r ö g e r , O.   Die ahd. und as. Kompositionsfuge *(s. unter 1).*

H o r t l i n g , J.   Zur as. Nominalbildung: *l*-Formation.   Mém. de la soc. néophil. de Helsingfors 6 (1917), S. 127 ff.

H u c k o , M.   Bildung der Subst. durch Ableitung u. Zusammensetzung im As.   Diss. Straßburg 1904.

·   L ö w e , R.   Die german. Iterativzahlen.   K. Z. 47, 95.

M i c h e l , K.   Die mit -i- abgeleiteten denominativen Verba im Altgerm.   Diss. Gießen 1912.

R ö d d e r , E. K.   Wortlehre des Adjektivs im As.   Bulletin of the Univ. of Wisconsin, Nr. 50. Phil. and hist. Ser. Vol. I, no. 4. Madison 1901 (*vgl.* Seemüller, D. Lit.-Ztg. 1907, 2141; Wood, Mod. Lang. Notes 17, 395; Jellinek, AfdA. 29, 324; Behaghel, Lit.bl. 25, 98).

W e s s é n , E.   Zur Geschichte der german. *n*-Deklination.   Diss. Uppsala 1914.

3. Syntax.

4.   D e l b r ü c k .   Der german. Optativ im Satzgefüge.   PBrB. 29, 200.

Ders.   Beiträge zur german. Syntax.   PBrB. 36, 355.

Ders.   Das schwache Adj. u. der Artikel im Germ.   IF. 26, 187.

Ders. Zu den german. Relativsätzen, *in den* Abhandlungen der phil.-hist. Klasse der kgl. sächs. Gesellsch. der Wissensch. Bd. 27, no. 19, 675. Leipzig 1909.

Ders. Germanische Syntax. I. Zu den negativen Sätzen, ib. Bd. 28, no. 4, 1910.

Ders. German. Syntax. II. Zur Stellung des Verbums, ib. Bd. 28, no. 7, 1911.

Ders. German. Syntax. V. German. Konjunktionssätze, ib. Bd. 36, no. 4, 1919.

Höjberg, J. E. Eine Untersuchung über die Wortstellung im Hel. Kempen 1910 (*s.* Kock, D. Lit.-Ztg. 36, 3106).

Holmberg, J. Zur Geschichte der periphrast. Verbindung des Verbum subst. mit dem Part. Präs. im kontin. German. Diss. Uppsala 1916 (*vgl.* Jahresber. 38, 1. Teil, S. 131).

Kock, E. A. Die niederd. Relativpronomen. Lunds univers. årsskrift, Bd. 39, afd. I, no. 3. Lund 1904.

Kunze, O. Die Bindungen von Haupt- und Nebensatz im Hel. und der as. Genesis durch Mittel des Satzakzents. Diss. Leipzig 1911.

Löffler, K. Das Passiv bei Otfried u. im Hel. Tübinger Diss. Leipzig 1905 (*vgl.* Helm, Jahresber. der germ. Phil. 29, 1, S. 11 1).

Lörcher, E. Unechte Negation bei Otfried u. im Hel., PBrB. 25, 543.

Mourek, V. E. Zur Negation im Altgerm. Sitzungsber. der böhm. Ges. der Wiss. Nr. XIX. Prag 1903.

Neckel, G. Über die altgerm. Relativsätze. Palästra 5. Berlin 1900 (*vgl.* Kock, Arkiv 18, 92; Mourek, AfdA. 27, 137).

Reimann, J. Die altniederdeutschen Präpositionen. Progr. Danzig 1891.

Ries, J. Die Stellung von Subjekt u. Prädikatsverbum im Heliand. (Quellen u. Forsch. 41.) Straßburg 1880.

Ders. Zur as. Genesis. II. Zur Wortstellung. ZfdA. 40, 270 ff.

Steig, R. Über den Gebrauch des Infinitivs im Altniederd. ZfdPh. 16, 307 ff., 470 ff.

Steitmann, R. Über Raumanschauung im Heliand. Diss. Leipzig 1894.

Stoelke, H. Die Inkongruenz zwischen Subj. und Präd. im Englischen und in den verwandten Sprachen. Anglist. Forschungen von Hoops, Heft 49. Heidelberg 1916.

van Swaay, H. A. J. Het prefix *ga- gi- ge*, zijn geschiedenis, en zijn invloed op de «Actionsart» etc. Diss. Utrecht 1901. (*Vgl.*

Behaghel, Lit.bl. 24, 3 f.; Borgeld, Museum 10, 7; Frank, IF. Anz. 14, 32 ff.; Wustmann, AfdA. 29, 187 ff.)

Vendryes, J. Sur l'emploi de l'infinitif au génitif dans quelques langues indo-européennes. Mém. de la soc. de ling. 16, 247 ff. Paris 1911.

. Wagner, R. Die Syntax des Superlativs im Gotischen, Altniederdeutschen, Althochdeutschen etc. Berlin 1910 [= Palästra XCI] (*vgl.* Schatz, D. Lit.-Ztg. 1910, 2848; Piquet, Rev. germ. 6, 626).

IV. Wörterbücher.

5. Gallée, J. H. Vorstudien zu einem altniederd. Wörterbuche. Leiden 1903 (*vgl.* Collitz, JEGPh. 6, 472 ff.).

Schade, O. Altdeutsches Wörterbuch. 2. Aufl. Halle 1882. *(Enthält auch den größten Teil des altsächs. Wortschatzes.)*

Schmeller, J. A. Glossarium saxonicum etc. München, Stuttgart und Tübingen 1840.

Ferner die Glossare von Behaghel, Braune *und* Heyne *zu ihren Ausgaben des Heliand, der Genesis u. der kl. Denkm., sowie das Glossar zu* Wadsteins *Ausgabe der kl. Denkm.*

Zweites Kapitel.
Stellung und Einteilung des Altsächsischen.

---

6. Unter Altsächsisch (as.) oder Altniederdeutsch (and.) versteht man die Sprache der niederdeutschen Stämme (Sachsen) zwischen Rhein und Elbe, Nordsee und Harz vom 9. bis zum 12. Jahrhundert. Später heißt die Sprache mittelniederdeutsch (mnd.).

Anm. Der Name Sachsen (as. *Sahson*, d. b. Schwertmänner, zu *sahs*) bezeichnete ursprünglich bloß einen kleinen Stamm östlich der unteren Elbe an der Nordsee, wurde aber später auf die sämtlichen niederdeutschen Stämme übertragen. Zum Unterschied von den nach Britannien ausgewanderten Angelsachsen werden die festländischen Sachsen auch als Altsachsen bezeichnet.

7. Die Grenzen des As. waren: im Norden die Eider; im Osten eine Linie *(limes saxonicus)* von Kiel bis Lauenburg an der Elbe über Segeberg, dann dieser Fluß bis zur Einmündung der Saale und letztere bis zur Einmündung der Unstrut (bei Naumburg); im Süden der Unterlauf der Unstrut etwa bis Roßleben, dann eine

Linie Allstedt, Sangerhausen, Nordhausen, Duderstadt bis Hedemünden
an der Werra und von Münden bis südlich von Olpe; im Westen
eine Linie von hier über Elberfeld, Werden, Essen, Dorsten, Bocholt,
Doetinchem, Gorssel (nördlich von Zütfen), Apeldoorn bis Elburg
an der Zuiderzee. Die Nordseeküste von der Zuiderzee bis zur Weser-
mündung hatten die Friesen inne.

8. Der Südosten des Gebietes wurde jedoch teils von
Slaven bewohnt (in der Altmark und im Wendlande), teils von
friesischen Stämmen (besonders im Stromgebiet der Bode in
den alten thüringischen Gauen Nordthüringen und Schwaben). Erst
allmählich ist dieselbe der sächsischen Mundart gewichen.

Anm. Über die Grenze in älterer Zeit vgl. Tümpel, Die
Mundarten des alten niedersächs. Gebietes zwischen 1300 und 1500
etc. in PBrß. 7, 1 ff., 609 f.; Heinr. Meyer, Die alte Sprachgrenze
der Harzlande. Dissert. Göttingen 1892; über die Völkerverhältnisse
im südöstl. Sachsen und die Sprache der genannten Gaue W. Seelmann im Jahrb. 12, 1 ff., H. Hartmann, Grammatik der ältesten
Mundart Merseburgs. I. Der Vokalismus. Berliner Dissert. Norden
1890, sowie E. Schröder, Urkundenstudien eines Germanisten, IV.
Die Corveyer Traditionen, in den Mitteilungen des Instituts für österr.
Geschichtsforschung, 18, 27 ff.

9. Das im Norden durch Friesen und Dänen, im Osten durch
Slaven, im Süden und Westen durch Franken begrenzte Gebiet der
Sachsen zerfiel in vier Stämme oder Landschaften: 1. Westfalen,
lat. *Westfalahi*, 2. Engern, lat. *Angrarii* (zu beiden Seiten der Weser),
3. Ostfalen, lat. *Ostfalahi*, und 4. Nordalbinger oder Nordleute (jenseits der Elbe); letztere wieder in Stormarn (um Hamburg), Holsten,
lat. *Holtsāti*, d. h. 'Waldsassen' (im Norden) und Dietmarschen (an
der Westküste). Vgl. die Gaukarten Nr. 31 ff. in Spruner-Menkes
Handatlas für die Geschichte des Mittelalters etc. 3. Aufl. Gotha 1880.

10. Das Sächsische bildet mit dem Niederländischen (Nieder-
fränkischen), dem Friesischen und Englischen die niederdeutsche
Gruppe der westgerman. Dialekte, steht aber den drei letzteren näher.
In manchen Punkten (besonders in bezug auf die Vokale der Endsilben) ist es jedoch dem Hochdeutschen ähnlicher und bildet so
gewissermaßen einen Übergangsdialekt zwischen diesem einer- und
den letztgenannten Dialekten anderseits.

11. Die wichtigsten Übereinstimmungen zwischen As., Afries.
und Altengl. sind:

1. der Ausfall der Nasale *m* und *n* vor den Spiranten *f*, *s* und
þ (= *th*), z. B. *fîf* 'fünf', *ûs* 'uns', *kūđ* 'kund';

2. der Zusammenfall der drei Personen des Plurals aller Tempora und Modi des Verbs in je eine Form, vgl. den Ind. *bindad*, *bindad* 'binden, bindet', *bundun* 'banden, bandet' usw.

Drittes Kapitel.
Die Quellen des Altsächsischen.

I. Die Denkmäler.

12. Wir kennen die as. Sprache aus Handschriften des 9. bis 12. Jahrhunderts. Die Quellen bestehen — abgesehen von Eigen- und Ortsnamen —: a) aus zwei größeren Dichtungen, dem Hēliand und der Genesis; b) aus den sogen. «kleineren Denkmälern», nämlich: 1. zusammenhängenden poetischen und prosaischen Texten, 2. Interlinearversionen und Glossen zu latein. Schriften, 3. einzelnen Wörtern und Wendungen in lat. Urkunden.

1. Die größeren Dichtungen.

13. Der H ē l i a n d (Hēl.) ist ein geistliches Epos von fast 6000 alliterierenden Langzeilen, eine poetische Bearbeitung der Evangeliengeschichte bis zur Himmelfahrt, verfaßt auf Veranlassung Ludwigs des Frommen wohl um 830 von einem unbekannten Dichter. Es ist in zwei (ziemlich) vollständigen Hss., der Bamberg-Münchener (Monacensis, M) und der Londoner (Cottonianus, C) erhalten, ferner bruchstückweise in einem Prager Fragment (P) und in der Vatikanischen Genesis-Hs. (V). Von diesen gehören M, P (Vers 958 bis 1006) und V (Vers 1279—1358) noch dem 9., C schon dem 10. Jahrhundert an. — Zur Heimatsfrage vgl. Steinmeyer, Ergebn. u. Fortschritte, S. 222 ff.

Ausgaben.

14. *Für das Studium kommen folgende Ausgaben in Betracht:*
1. Heliand, herausgegeben von Ed. S i e v e r s , Halle 1878. (= Germanist. Handbibliothek, herausg. von Jul. Zacher IV.) *Enthält einen Paralleldruck von M und C nebst Quellenangabe, Einleitung, Formelverzeichnis und erklärenden Anmerkungen. Unentbehrlich. Vgl. dazu Germ. 24, 76 ff. und Rödigers Anzeige im AfdA. 4, 267 ff.*
2. H. u. Genesis, herausg. von O. B e h a g h e l, 2. (resp. 3.) Aufl. Halle 1910. (Altdeutsche Textbibliothek, herausg. von H. Paul 4.) *Gute Handausgabe mit kritischem Text, bibliographischer Einleitung und knappem Glossar. Für praktische Zwecke am geeignetsten.*

_3. H. nebst den Bruchstücken der as. Genesis, mit ausführ-
lichem Glossar, herausg. von M. H e y n e , 4. Aufl. Paderborn 1905.
(= Bibliothek der ältesten deutschen Literaturdenkmäler II.) *Handausgabe mit normalisiertem Text, Lesarten und reichhaltigem, aber
nicht fehlerfreiem Glossar. — Vgl. hierzu und zur vor. Ausgabe die
Rez. von Sievers,* ZfdPh. 16, 106 ff..

4. Die altsächs. Bibeldichtung (Heliand und Genesis). Erster
Teil: Text, herausg. von P a u l P i p e r , Stuttgart 1897. (= Denk-
mäler der älteren deutschen Literatur. Erster Band.) *Handausgabe
mit normalisiertem krit. Text, Lesarten, reichen erklärenden An-
merkungen, sowie einer Einleitung mit vollständiger Bibliographie.
Vielfach unzuverlässig. Vgl. Behaghel in* Lit.bl. 18, 401 ff.; *Karsten,*
Journal of Germ. Phil. 1, 508; *Franck,* ZfdA. 25, 21 ff.; *Jellinek,*
D. Lit.-Ztg. 1898, 921 ff.; *Kauffmann,* ZfdPh. 32, 509 ff.

15. *Die Bruchstücke P und V sind herausgegeben:*
P. Ein neuentdecktes Blatt einer Heliandhandschrift. Von
H. L a m b e l. (Mit einer Tafel.) Wien 1881. (= Sitzungsber. der
phil.-hist. Cl. der k. Akad. der Wissensch., 97. Bd., II. Heft, S. 613 ff.,
Jahrg. 1880.) — *Vgl. dazu:* Germ. 26, 256, *sowie die unten genannte
Kollation von P. Piper.*

V. Bruchstücke der altsächs. Bibeldichtung aus der Bibliotheca
Palatina. Herausg. von K. Z a n g e m e i s t e r und W. B r a u n e. Heidelberg 1894. (= Neue Heidelberg. Jahrb. 4, 205 ff., *worin auch 6 Lichtdrucktafeln.*)

Kollationen aller Hdlbss. sowie der Genhs. veröffentlichte P. Piper,
Jahrb. 22, 17 ff.

16. Die G e n e s i s d i c h t u n g (Gen.) ist — nach Sievers —
von einem Nachahmer des Helianddichters unter starker Benutzung
von dessen Werke im 9. Jahrh. verfaßt; sie behandelt in drei Abschnitten von zusammen etwas über 330 allit. Langversen a) die
Erzählung vom Sündenfall (erhalten nur ein Fragment aus Adams
Klagerede); b) die Unterredung Gottes mit Kain, der Eltern Trauer
um Abel, Seths Geburt und Nachkommenschaft bis Enoch, Kains
Nachkommenschaft und die Verderbtheit der Menschen, die Prophe-
zeiung vom Antichrist; c) den Besuch des Herrn bei Abraham, die
Zerstörung Sodoms, Lots Errettung.

17. Das 1894 entdeckte Denkmal wurde herausgegeben 1. von
Zangemeister und Braune in dem § 15 genannten Buche; 2. von
Behaghel, Heyne u. Piper in ihren Heliandausgaben. Die Hs. ist von
drei verschiedenen Händen geschrieben, vgl. Sievers, ZfdPh. 27, 534 ff.

2. Die kleineren Denkmäler.

A. Zusammenhängende Texte.

Ausgaben.

18. Gallée, J. H. Altsächs. Sprachdenkmäler. Leiden 1894, *nebst* Faksimilesammlung, ebd. 1895. — *Letztere ist ganz vortrefflich, erstere aber unzuverlässig und fehlerhaft, nur die Einleitungen zu den einzelnen Stücken besitzen Wert (vgl. Steinmeyer, AfdA. 22, 266 ff., Jellinek, D. Lit.-Ztg. 1896, Sp. 744 ff., Kauffmann, ZfdPh. 33, 495 f., Kluge, Eng. Stud. 22, 262).*

Wadstein, E. Kleinere altsächs. Sprachdenkmäler mit Anm. u. Glossar. Norden u. Leipzig 1899 (= Niederd. Denkm. VI).

Eine fast vollständige, auf neuen Lesungen beruhende Ausgabe; vgl. Steinmeyer, AfdA. 26, 201 ff.; Kauffmann, ZfdPh. 33, 496 ff.; Schlüter, Jahrb. 26, 148 ff.; Gallée, Museum 8, Nr. 11; Leitzmann, Herrigs Archiv 105, 381 ff.; Kluge, ZfdW. 1, 349 f.; Behaghel, Lit.bl. 22, 5 ff.; Wrede, D. Lit.-Ztg. 22, 160 ff.

Die meisten Texte sind auch gedruckt bei Müllenhoff u. Scherer, Denkmäler deutscher Poesie u. Prosa, 3. Ausg. 2 Bde. Berlin 1892 (MSD.), *sowie bei E. Steinmeyer,* Die kleineren althochdeutschen Sprachdenkmäler, Berlin 1916 (Spd.).

19. Die einzelnen Denkmäler sind folgende:

1. Zwei Segensprüche (Wien. Seg.) in einer Wiener Hs. des 10. Jahrhs. W(adstein) S. 19; MSD. S. 17, Nr. IV, 4 und 5; Spd. S. 372 und 374.

2. Zwei Segensprüche (Trier. Seg.) in einer aus dem Kloster Himmerod (Eifel) stammenden Trierer Hs. des 10. Jahrhs., veröffentlicht von *Roth u. Schröder,* ZfdA. 52, 169 ff. u. 396 (vgl. *Braune,* PBrB. 36, 551 ff.); *Steinmeyer,* Spd. S. 367 ff.; 378.

3. Die Bruchstücke einer Auslegung von Psalm IV·und V (Ps.) in einer aus Gernrode stammenden Dessauer Hs. des 9. bis 10. Jahrhs., W. 4 ff.; MSD. 233 ff. — *Vgl. dazu Koegel,* Gesch. der deutschen Lit. II, 2, 566 ff.

4. Der Essener Beichtspiegel (Beicht.) in einer aus Essen stammenden Düsseldorfer Hs. des 10. Jahrhs., W. 16 f.; MSD. 236 ff.; *Steinmeyer,* Spd. S. 318. — *Vgl. dazu Koegel a. a. O. S. 545 ff.; Wilmanns, Gött. gel. Anz.* 1893, 538.

5. Die Übersetzung einer Homilie Bedas über das Allerheiligenfest (Bed.) in einer aus Essen stammenden Düsseldorfer Hs. des 10. Jahrhs., W. 18 f.; MSD. 233. — *Vgl. dazu Koegel a. a. O. S. 564 ff.*

6. Bruchstücke eines Glaubensbekenntnisses (Gl.) aus einer Kölner Hs., gedr. von *Steinmeyer*, Kl. ahd. Sprachdenkm. S. 364.

7. Das Essener Heberegister (Ess. H.) in derselben Hs. wie Nr. 5; W. 21 f.; MSD. 232 f.

8. Ein Stück aus dem ältesten Werdener Heberegister (Wer. H.) in einer Werdener Hs. des 10. Jahrhs., W. 23; MSD. 2, 371.

9. Das Freckenhorster Heberegister (Freck. H.) in einer vollständigen Münsterschen Hs. (M.) des 11. sowie einer fragmentarischen, jetzt verschollenen, Kindlingerschen (K.) des 10. Jahrhs., W. 24 ff. *Ferner die Ausgabe von E. Friedlaender:* Codex Traditionum Westfalicarum I, Die Hebereg. des Klosters Freckenhorst. Münster 1872. — *Vgl. Jostes*, Germ. 34, 297 ff.; *Jellinek*, PBrB. 15, 301 ff.; *Koegel a. a. O.* 572 f.; *Platte*, Zeitschr. f. vaterländ. Gesch. 55, 128 ff.

10. Das Hildebrandslied (Hild. L.) in einer Fuldaer Hs. zu Kassel aus dem Anfang des 9. Jahrhs., *bei Braune*, Althochd. Lesebuch, 7. Aufl. Halle 1911, S. 80 ff.; *Steinmeyer*, Spd. 1 ff.; *Holthausen*, Beowulf, 5. Aufl. Heidelberg 1920, 1, 114 ff. — *Diese Abschrift einer ahd. Vorlage enthält viele altsächs. Formen.*

11. Eine Münzinschrift: *hīr steid te biscop. Jelithis pening* (Münz.) von Gittelde am Harz, Kreis Gandersheim, aus dem Anfang 11. Jahrhs., herausgeg. von E. Schröder, AfdA. 28, 174.

B. Interlinearversionen und Glossen.

20. *Ausgabe von* Wadstein; *nur wenige sind später hinzugekommen.*

1. Dresdener Virgilgll. (Dresd. Gl.) in einem Fragment des 10.—11. Jahrhs., ed. *Manitius*, AfdA. 29, 278.

2. Eltener Matthäusgll. (Elt. Gl.) in einer aus Elten bei Emmerich stammenden Lindauer Hs. des 10. Jahrhs., W. 48 ff.

3. Essener Evangeliargll. (Ess. Gl.) in einer Essener Hs. des 10. Jahrhs., W. 48 ff.

4. Gandersheimer Gll. (Gand. Gl.) in einem Koburger Plenar des 12. Jahrhs., W. VI ff.

5. Gll. zu Gregors Homilien (Greg. Gl.) in einer Essener Hs. des 11. Jahrhs. zu Düsseldorf, W. 62 ff.

6. Gll. zum Indiculus superstitionum et paganiarum (Ind.) in der Handschrift des Taufgelöbnisses, W. 66. — Vgl. dazu *Leitzmann*, PBrB. 25, 586 ff.; *Holthausen*, Jb. 37, 50.

7. **Lamspringer** Gll. (Lam. Gl.) zu Poëta Saxo, zur Passio St. Adalberti und zu Juvencus in einer Wolfenbüttler Hs. des 11. Jahrhs., W. 67 ff.

8. **Leidener Vegetiusgll.** (Leid. Gl.) des 11. Jahrhs., W. 68.

9. **Orosiusgll.** in einer aus St. Bertin stammenden Hs. zu Boulogne-sur-Mer des 11. Jahrhs., ed. *Holder*, ZfdW. I, 72.

10. **Oxforder Gll.** zu Virgil, Servius, Isidor nebst Gruppengll. (Oxf. Gl.) des 11. Jahrhs., W. 106 ff. u. XIV.

11. **Bibel- u. Mischgll.** in einer aus St. Peter (im Schwarzwald) stammenden Karlsruher Hs. des 10. Jahrhs. (Pet. Gl.), W. 73 ff. — Vgl. dazu *Wadstein*, Korr.-Bl. 22, 84; *Peters*, ib. 33, 6 (über *giskertan*).

12. **Prudentiusgll.** in einer Werdener Hs. und einem Fragment (Wer. Gl.) zu Düsseldorf aus dem 10. Jahrh., W. 89 ff., 105.

13. **Prudentiusgll.** in einer Pariser Hs. (Par. Gl.) des 11. Jahrhs., W. 88.

14. **Straßburgergll.** zu Isidor u. Premo (Straß. Gl.) in einer 1870 verbrannten Hs. des 10. Jahrhs, W. 106 ff.

15. **Trierer Pflanzen-, Fisch- u. alphabet. Gl.** (Trier. Gl.) in der unter § 19, 2 genannten Hs., *gedr. a. a. O.*; *von Schlutter*, Anglia 35, 145 ff. (*rgl.* S. 426 *und* ZfdW. 13, 323).

16. **Wiener Virgilgll.** (Wien. Gl.) des 11. Jahrhs., W. 115.

C. Wörter und Wendungen in lat. Urkunden.

21. *Solche finden sich besonders in den* Werdener Urkunden.

1. Heberegister A der Abtei Werden, *herausg. von* Lacomblet, Archiv für die Geschichte des Niederrheins, II. Düsseldorf 1857, S. 209 ff. (*Vgl. Crecelius*, Germ. 13, 106 ff.; 18, 215 ff.)

2. Index bonorum et redituum monasteriorum Werdinensis et Helmostadensis etc. ed. W. Crecelius, Elberfeldae 1864. (*Vgl. Crecelius a. a. O. 217 ff.*)

Unter «Lexikalisches» verzeichnet Althof, Gram. as. Eigenn. S. 86, eine Anzahl Wörter aus lat. Urkunden. Heyne hat die wichtigsten Wörter der Urkunden seinem Glossar zu den kl. altndd. Denkmälern (Paderborn 1877) einverleibt.

II. Herkunft und Dialekt der as. Denkmäler.

22. Über die Herkunft der meisten größeren Denkmäler ist nichts bekannt, nur von V wissen wir, daß die Hs. aus **Mainz** stammt. — Von den kleineren Denkm. befand sich die Karlsruher Hs. (Nr. 11) seit 1781 im Kloster St. **Petri** im Schwarzwald, die

Lindauer Hs. (Nr. 2) im Kloster Elten bei Emmerich am Nieder-
rhein. Über die Herkunft der Segensprüche sowie der Leidener,
Oxforder, Straßburger und Wiener Gll. ist nichts bekannt.

23. Die übrigen Stücke befanden oder befinden sich auf sächs.
Boden: so stammen der Beichtspiegel, die Bedaübersetzung, das
Essener Heberegister, die Evangeliar- und Gregorgll. (Nr. 3 und 5)
aus Essen, das Werdener Heberegister und die Prudentiusgl. (Nr. 12)
aus der Abtei Werden an der Ruhr, die große Heberolle aus
dem Kloster Freckenhorst im westfäl. Münsterlande (Kreis Waren-
dorf), die Wolfenbütteler Gl. (Nr. 7) aus dem Kloster Lamspringe
im Kreise Alfeld (Reg.-Bez. Hildesheim); die Bruchstücke der Psalmen-
auslegung befanden sich früher im Kloster Gernrode, können aber,
da sie vor die Gründung desselben (961—963) hinaufreichen, nicht
dort geschrieben sein.

24. Die Essener Denkmäler enthalten Formen, die der heutigen
Mundart nicht entsprechen; die Werdener Mundart bildet einen Übergangsdialekt zwischen Niederdeutsch und Ripuarisch mit starkem
Anklang an letzteres und kann nicht die Heimat der as. Teile der
Prud. Gl. sein. Das Werdener Hebereg. entbehrt beweisender Formen, um es der Abtei zu- oder abzusprechen. Das Freck. Hebereg.
sowie die Lamspringer Gl. endlich zeigen ausgesprochen friesischen
Charakter, der ihre Heimatsbestimmung erschwert. Ich kann mich
daher weder den Lokalisierungsversuchen von Jostes (ZfdA. 40, 129 ff.)
noch denen Koegels (Gesch. d. deutsch. Lit. 1, 2, S. 545 ff.) anschließen
und muß die Frage nach der Herkunft dieser Denkmäler unent-
schieden lassen. Vgl. auch Tümpel, Niederd. Stud. S. 130 ff., sowie
Steinmeyer, Ergebn. u. Fortschr. der germ. Wiss. S. 226 ff.

Anm. Da die Klosterinsassen gewiß nicht immer aus der Um-
gegend ihres Klosters stammten, und bei dem Fehlen einer gemeinsamen Schriftsprache jeder natürlich in seinem Dialekt schrieb, läßt
sich wohl denken, daß Schriftstücke an einem Orte entstanden, der
eine andere Mundart hatte als der Schreiber.

25. Wenn auch eine sichere Heimatsbestimmung der as. Denkmäler nicht möglich ist, so lassen sich doch auf Grund wesentlicher
Übereinstimmungen zwei Gruppen zusammengehörender Stücke aufstellen:

1. Die Heliand- und Genesishss. PVCM, von denen sich P und V
besonders nahestehen und weiterhin mit C eine besondere Gruppe
bilden, während M in mehreren wichtigen Punkten allein steht (vgl.
Braune, Bruchst. S. 12 ff.; Schlüter, Jahrb. 20, 106 ff.). Zu C stellen
sich ferner die Ess. Gl. (Schlüter, Unters. S. 91 und 238), zu M die

Oxf. Gl. (Schlüter, a. a. O. 88, 92, 121 und 254) in bemerkenswerten Einzelheiten.

2. Die übrigen Denkmäler.

26. Der charakteristische Unterschied zwischen diesen beiden Gruppen ist der Dat. Sing. M. N. der st. Pron.-Deklination, der im Hêl. und in der Gen. ursprünglich auf *-m* ausgeht, z. B. *im* 'ihm', *gōdum* 'gutem', in den übrigen Denkmälern dagegen auf *-mu, -mo*, das jedoch durch die Schreiber z. T. auch in die Hss. der ersteren Gruppe eingeführt ist. Alle anderen Übereinstimmungen und Verschiedenheiten zwischen den einzelnen Denkmälern sind daneben als sekundär zu bezeichnen.

Anm. Da die Heliandhss. VPC wie die Werdener Urkk. die Zeichen *ð* und *đ* gebrauchen und C eine Reihe fränkischer Formen, besonders mehrfache Bildung der 3. Pers. Pl. Ind. Präs. auf *-nt*, aufweist, so ist es nicht unmöglich, daß die Urhs. aus Werden stammt, womit aber über den ursprünglichen Dialekt nichts ausgesagt werden soll! Vgl. Schlüter, Laut- und Formenlehre, S. 29.

27. Da die erhaltenen as. Denkmäler aus verschiedenen Zeiten, von verschiedenen Orten und verschiedenen Verfassern resp. Schreibern stammen, ist es nicht zu verwundern, daß sie eine bunte Mannigfaltigkeit von orthographischen und dialektischen Eigentümlichkeiten aufweisen. Oft findet sich nicht einmal bei ein und derselben Hs. in der Bezeichnung der Laute Konsequenz, sei es, daß der Schreiber keiner festen Regel folgt, sei es, daß sie selbst — oder ihre Vorlage — von verschiedenen Händen geschrieben ist. Zuweilen, und das gilt besonders von den Hêlhss., liegt uns auch offenbar eine Übertragung aus einem andern Dialekt vor, wobei der eine fremde Mundart sprechende Abschreiber seinem Original bald mehr oder weniger treu folgt, bald dessen Formen in die abweichenden seiner Sprache umsetzt. Wenn dies sogar mehrmals geschieht, muß zuletzt natürlich ein sehr wenig einheitliches Resultat die Folge sein.

III. Fremde Elemente in den as. Denkmälern.

28. Verschiedene as. Denkmäler enthalten mehr oder weniger zahlreiche ihnen fremde Bestandteile, nämlich teils friesische (vgl. § 8), teils englische (angelsächsische), teils hochdeutsche Sprachformen, deren Vorhandensein sich entweder durch die Tätigkeit nichtsächsischer Schreiber oder durch Mischung verschiedener Quellen, Umschrift aus einem andern Dialekt und dergl. erklärt. Besonders die Glossen zeigen oft stark gemischte Sprache.

Anm. Vgl. die Worte Steinmeyers, ZfdA. 16, 10: «Es ist dies
eine neue Bestätigung einer Beobachtung, die wir oft zu machen
Gelegenheit haben, der nämlich, daß alle uns erhaltenen Glossen,
soweit sie eine ihnen vorangehende historische Entwickelung vor-
aussetzen — und das ist bei den allermeisten der Fall — oder was
dasselbe sagt, soweit sie abgeschrieben und erweitert sind, nicht
eine wirklich gesprochene Mundart vertreten, sondern Elemente verschiedener vereinigen.   Sie sind daher für Dialektuntersuchungen
nur mit Vorsicht zu verwerten und die Forschung kann als festen
Boden bloß die ältesten Denkmale etwa bis zur Mitte des 9. Jahrhs.
betrachten, weil bei diesen teils wegen der volleren Formen, teils
wegen des kürzeren Zeitraumes, der seit ihrer Entstehung verflossen
ist, jede Mischung ungleich schärfer in die Augen fällt.»

29.   Friesische Eigentümlichkeiten sind (vgl. PBrB. 40, 156):

1. Der Übergang von *a* zu *e*, z. B. *steph* 'Stab' Oxf. Gl., *gles*
'Glas' Straß. Gl., *herd* 'hart' C, *erm* 'Arm' Oxf. Gl.

2. Der Übergang von *a* vor Nasalen in *o*, z. B. *hond* 'Hand',
bi-vongen 'befangen', *gi-somwardon* 'sich verschwören' Par. Gl.

3. Der Eintritt von *ē* für *ā*, z. B. *gēr* 'Jahr' M, Bed., Freck.
H., *lēsun* 'lasen' C, *gimēlad* 'gemalt' Oxf. Gl., *grē* 'grau' Oxf. und
Lam. Gl., *swēslīc* 'eigen' Par. Gl., *sciēp* 'Schaf' Straß. Gl.; M. zeigt hier-
für mehrere Beispiele.

4. Der Übergang von *ai* zu *â*, z. B. *hâlag* 'heilig' MC, *lârᵅ*
'Lehre' Gen.

5. Der Übergang von *ē* zu *ī* in *hīr* 'hier' MCV, Ess. Ev. Gl.,
Fr. H., Wer. Gl.

6. Der Übergang von *ān* zu *ōn*, z. B. *mōnoth* 'Monat' Straß. Gl.
(ahd. *mānōt*), *wōnian* 'wähnen' Par. Gl.; *ruomon* 'streben' dagegen
(Hêl., Gen.) steht mit ahd. *rāmēn* vielleicht im Ablautsverhältnis.

7. Der Übergang von *an* zu *ō* in *ōthar* 'ander', *sōð* 'wahr'.

8. Der Übergang von *eo*, *io* in *ia*, z. B. *diap* 'tief' (vgl. § 101 f.).

9. Der Übergang von *au* in *â*, z. B. *bâm* 'Baum' M, *âst* 'Ost',
bâna 'Bohne' Freck. H., *dâgol* 'geheim' Greg. Gl. (ahd. *tougal*), *gihâfdað*
'enthauptet' Lam. Gl., *brâd* 'Brot' Oxf. u. Pet. Gl., *hâp* 'Haufe' Straßb.
Gl., *dâd* 'Tod' Ind., *râd* 'rot' Par. Gl., *flât* 'Floß' Pet. Gl.   Häufiger
sind diese *â* besonders in M und Freck. H.

10.   -*a* statt sonstigem -*o* in Endungen, z. B. im Gen. Pl. *kinda*
'Kinder' M, *guodara* 'guter' C, *sundigara* 'sündiger' Straß. Gl.; im
Nom. Sg. M. der schwachen Stämme, besonders im Kompar. und
Superl., z. B. *guoda* 'gute' V, *menniska* 'menschlich' M., *wârsàga*
'Wahrsager' C, *swiboga* 'Schwibbogen' St. Pet. Gl., *skatha* 'Schade'
Ess. Gl., *hamustra* 'Hamster' Straß. Gl., *betera* 'besser' VMC, *mesta*

'meiste' MC, *lésta* 'letzte' Ess. Gl., *unrehtara* 'ungerechter' Wer. Gl.; bei Adv. wie *ferahtlīka* 'fromm' Gen.

11. *-e* statt sonstigem *-a* in verschiedenen Endungen, z. B. *tunge* 'Zunge' M, *herte* 'Herz' M, *pannę* 'Pfanne' Oxf. Gl.; Gen. Sing. *thiade* 'Volkes' M, *bâneͤ* 'der Bohne' Oxf. Gl.; Akk. Sing. *skole* 'Schar' M; Nom. Akk. Plur. *dûffe* 'Tauben' Lam. Gl., *furke* 'Gabeln' Oxf. Gl.; *ine* 'ihn' M, *ūse* 'unser' M, Seg. A; *inne* 'innen' MC, *fore* 'vor' Ess. Gl.

12. Der Übergang von *ĕ* zu *ĭ*, z. B. *filis* 'Fels', *giƀan* 'geben'; *hīr* 'hier'.

13. Die Palatalisierung von *k-* vor *e*, vgl. § 242.

14. Die kurze Form des D. Sg. MN. der Pron. Dekl. wie *im*, *them*, *thesum*, *hwem*, *aldum*.

15. Vereinzelte Formen wie *men* 'Männer', *hū* 'wie', *miđ* 'mit'.

30. Eine Anzahl ags. Formen zeigt C, z. B. *æfter* 'nach', *of* 'von', *on* 'an', *scealt* 'sollst', *weard* 'Wart', *steorra* 'Stern', *drihtnes* 'des Herren', *tēmig* 'leer' (as. *tōmig*), *fīsid* 'bestrebt' (as. *fūsid*), *mōdor* 'Mutter' u. a.

31. Zahlreiche hochdeutsche Formen erscheinen besonders in den Glossen, da diese z. T. auf hd. Grundlage beruhen; am meisten finden sie sich in den St. Petrier und Wer. Gll. Im Vokalismus zeigt sich das hochd. Element besonders in *ei* und *au (ou)* für as. *ê* und *ô* in Wörtern wie *Stein*, *Auge*, im Konsonantismus in der Lautverschiebung, in der Erhaltung des *n* vor Spiranten, z. B. *uns* für *ūs* 'uns', sowie des *r* im Auslaut, wie *wir* für *wī* 'wir'. In der Formenlehre ist die mehrfach in C und in den Glossen vorkommende Form der 3. Pers. Pl. Ind. Präs. auf *-nd* oder *-nt* (statt *-d*, *-t*) eine hochd. oder niederfränk. Bildung; fränkisch ist ferner der D. Pl. auf *-in* in C, vgl. § 296, 3.

Viertes Kapitel.
Die Schrift.

32. Die as. Sprachdenkmäler sind uns in der sog. karolingischen Minuskel überliefert, woneben aber auch Unziale und Halbunziale vorkommt, besonders bei Überschriften und am Anfang von Abschnitten, Sätzen und Versen. Vgl. W. Arndt-Bloch, Lateinische Schrift, in Pauls Grundriß I², S. 263 ff. und die Lichtdrucktafeln von Gallées as. Sprachdenkmälern.

Anm. Das kleine *s* hat in der as. Schrift meist die lange Form: *ſ; u* und *v* werden unterschiedlos gebraucht, *x* ist im As. ungebräuchlich, indem statt dessen die Verbindung *cs* steht; *y* erscheint fast nur in Fremdnamen.

33. Da die latein. Schrift zur Bezeichnung der as. Laute nicht ausreichte, entlehnte man aus dem angelsächsischen Alphabete das Zeichen *đ* für die dentale Spirans (engl. *th*) und schuf nach diesem Vorbilde noch *ƀ* für die labiale stimmhafte Spirans (engl. *v*). Beide kommen aber regelmäßig und häufig nur im Heliand und in der Genesis vor. Vereinzelt finden sich noch die Verbindungen *æ, ę* für *e*, sowie *ŏ* und *ŭ* für den Diphthongen *uo*, seltener für *u* (vgl. Leitzmann, PBrB. 26, 265).

Anm. 1. Die Buchstaben *ƀ* und *đ* finden sich auch in den Namen der Werdener Heberegister; *đ* vereinzelt in Hild. sowie in den Ess. und Wer. Gl. — Der Querstrich ist in C häufig von einer zweiten Hand hergestellt.

Anm. 2. In Endungen steht *æ* zuweilen in MC für *a* oder *e*, selten für *ê* in C; *ę* je 1 mal in Gen., Hild. L. und Par. Gl., 3 mal in C, 4 mal in den Oxf. Gl., z. B. *brungę* 'Brünne'; *ŏ* findet sich — als Korrektur — öfters im Anfang von C, ferner hin und wieder in Gen., Beicht., Bed., Ess., Greg. und Wer. Gll.; *ŭ* je einmal in M und Gen.

Anm. 3. Abkürzungen sind in as. Wörtern nicht häufig und bestehen hauptsächlich in einem Querstrich über einem Buchstaben, um ein folgendes *m* oder *n* auszudrücken, z. B. *quā = quam* 'kam', *haī = harm* 'Harm', *sculū = sculun* 'sollen'; weniger oft bezeichnet ein *đ* die Silbe *et*, z. B. *hiđ = hiet* 'hieß', ferner ein ~ durch den Schaft des *d* oder hinter *t* die Silbe *er*, z. B. *undt = under* 'unter', *gesuest~ = gesuester* 'Geschwister', endlich ' die Silbe *us*, z. B. *ham'tra = hamustra* 'Hamster'. Zuweilen bedeutet *đ* nicht die Spirans (engl. *th*), sondern ist eine Abkürzung, vgl. *gisomwarđ = -wardon, īlinđ = īlindemu* Par. Gl. Häufiger sind Abkürzungszeichen in lat. Wörtern, vgl. *ihs̄ = Iesus* (griech. ĪHC), *ihm̄* oder *ihū = Iesum*, *scē = sancte* u. ä. Vgl. Schlüter, Unterss. 1, 146; Braune, Bruchst. S. 36.

Anm. 4. In den Glossen wird zuweilen nur der Anfang oder Schluß eines Wortes geschrieben, wenn über die Ergänzung kein Zweifel bestehen kann, z. B. in den Ess. Gl. *and = andwordida* 'antwortete', *fi ma thingo = filo managero thingo* 'sehr vieler Dinge', *de = derian* 'schaden', *(rin)nid, (forh)tid* Wer. Gl.

34. Ziemlich häufig dient der A k u t, seltener der Z i r k u m f l e x, zur Bezeichnung der V o k a l l ä n g e, z. B. *hét* 'heiß'; er findet sich sogar bei Diphthongen, wie in *guód* 'gut', *bréost* 'Brust'. Vereinzelt

wird Vokallänge durch Doppelschreibung ausgedrückt, z. B. *gibood*
'gebot' Gen., *noon* 'Nachmittag' C.

　　Anm. 1. Sehr oft steht der Akut in der Hs. V, ferner findet
er sich in M, C, Segen 2, Wer. und Freck. H., in den Elt., Ess.,
Pet., Straß. und Wer. Gll. In M rühren die Akzente von einem
Korrektor her, vgl. die Ausg. von Sievers S. 12.

　　Anm. 2. Durch Versehen ist der Akut zuweilen auf einen
benachbarten Buchstaben gesetzt, wie in *uúin* = *uuín* 'Wein', nicht
selten findet er sich auch über kurzem Vokal, z. B. *uuárd* 'ward' u. ä.

　　Anm. 3. In den Ess., Elt. und Wer. Gll. steht sowohl auf
kurzem wie auf langem Vokal — sogar auf Konsonanten! — ein
Akzent, der weiter keine Bedeutung hat, z. B. *áftógán* 'exemptus',
wenn er auch zuweilen vielleicht die Tonsilbe bezeichnen mag,
wie in *lúgenari* 'Lügner' u. a. Vgl. P. Sievers, Die Akzente in ahd.
u. as. Hss. (Palaestra 57), Berlin 1909 und dazu v. Unwerth, AfdA.
35, 114 ff.

　　35. Um die Lesung zu erschweren, wird in Glossen (z. B. den
Essener) häufig Geheimschrift («Steganographie») angewandt,
wobei statt der Vokale der im Alphabet folgende Konsonant steht,
vgl. *thfmp* = *themo* 'dem'.

　　36. Die as. Schrift trägt vielfach mehr den Charakter einer
Silben- und Satzschrift als den einer Wortschrift, indem einerseits
Worte getrennt erscheinen, wie *ge-hugd* 'Gedächtnis', *bifun-dan* 'er-
forscht', andererseits Proklitika und Enklitika mit dem betonten
Worte zusammengeschrieben werden, z. B. *anhélli* 'in der Hölle',
thögihôrdun 'da hörten', *hēwas* 'er war', *gisahhē* 'sah er', *sindôk*
'sind auch' u. ä. Oft erscheinen sogar ganze Gruppen von Worten
ungetrennt, z. B. *habdaimthār* 'hatte (sich) da', *thuotesedlahnêg* 'da
neigte sich zum Untergang', *satimthuoéndiswīgoda* 'saß (sich) da und
schwieg'. Die gedruckten Ausgaben pflegen die heutige Wort-
trennung ohne Rücksicht auf die Hs. durchzuführen.

　　37. Die Interpunktion besteht in den as. Hss. meist aus
dem einfachen Punkt (. oder ·), der jedoch nicht nur am Satzende
steht, sondern auch oft zur Trennung einzelner Wörter und kleinerer
Satzteile benutzt wird. In den Dichtungen markiert er ziemlich regelmäßig Cäsur und Versschluß. — Seltener tritt daneben ein Se-
mikolon (;) oder ein *r*-ähnliches Zeichen auf.

Erster Hauptteil.
Lautlehre.

***

Fünftes Kapitel.
Die Aussprache des Altsächsischen.

***

38. Die Aussprache des As. beruht auf der Geltung der latein. Buchstaben vom 9. bis 12. Jahrh.; danach kommen für die Bestimmung des Lautwertes der Schriftzeichen die verwandten german. Dialekte, ferner orthographische Schwankungen in den as. Denkmälern, endlich der Lautwandel vom As. bis auf die lebenden niederdeutschen Mundarten in Betracht.

I. Die einzelnen Laute.
1. Einfache Vokale.

39. Kurze und lange Vokale sind wohl zu unterscheiden, besonders ist die vom Nhd. abweichende Kürze in offener (vokalisch auslautender) Silbe zu beobachten, vgl. *faran* 'fahren', das weder wie *farran* noch wie *fāran* gesprochen werden darf. — Die Länge wird in diesem Buche durch einen Querstrich oder Zirkumflex über dem Vokalzeichen ausgedrückt: *slāpan* 'schlafen', *dôd* 'tot', vgl. § 42 f.

40. Kurzes *a, i, o, u* und langes *ā, ī, ū* sind wie im Nhd. zu sprechen. Das seltene *y* hatte wohl die Geltung von *i*. — *I* drückt aber auch den Konsonanten *j* (engl. *y*) aus, *u* auch den Halbvokal *w* (engl. *w*), sowie die labiale Spirans (nhd. *f* und *w*), vgl. unter 3.

41. Kurzes *e* bezeichnet einen offenen Laut wie in nhd. *Herz*, z. B. *beran* 'tragen', *é* dagegen den geschlossenen Laut von *e* in frz. *état*, z. B. *ésil* 'Esel'. — Im Inlaut vor *a* und *o* steht *e* auch = *i* in konsonantischer Funktion, vgl. *biddian, biddean* 'bitten'.

42. Langes *ê* bezeichnet das aus german. *ai* entstandene *e* wie in *stên* 'Stein', *ē* dagegen german. *ē*, wie in *hēr* 'hier'.

43. Langes *ô* bezeichnet den aus german. *au* entstandenen Vokal, z. B. in *lôs* 'los', *ō* dagegen german. *ō*, wie in *fōr* 'fuhr'.

44. Die Unterscheidung von *e, é, ê, ē, ô* und *ō* findet sich in den Hss. nicht, sondern ist nur von uns eingeführt, um den phonetischen und den etymologischen Wert der Vokalzeichen *e* und *o* zu bestimmen. Näheres über die Aussprache vgl. in Kap. 6.

2. Diphthonge.

45. Die as. Diphthonge sind ursprünglich alle fallende, d. h. auf dem ersten Elemente betont. Von denselben ist *au*, z. B. in *hauwan* 'hauen', ungefähr = *au* in nhd. 'Haus'; *ei, ea, eo, eu* beginnen mit geschlossenem *e (é); uo, iu, io, ia, ie* spreche man der Schreibung gemäß. Beispiele: *ei* 'Ei', *deap, deop* 'tief', *heu* 'hieb', *stuol* 'Stuhl', *biudis* 'bietest', *diop, diap, diep* 'tief'.

A n m. 1. Man hüte sich, *ei, eu, ie* wie im nhd. 'Eis' (= *ais*), 'Leute' (= *loitə*), 'Bier' (= *bīr*) zu sprechen oder Verbindungen wie *ea, eo, io* etc. zweisilbig zu lesen!

A n m. 2. Anlautendes *eo, io, ie* wurde später zum steigenden Diphthongen mit dem Ton auf der zweiten Stelle, also zu *jó, jé,* wie in *eo* 'je'.

3. Konsonanten.

46. Im Inlaut zwischen Vokalen sind einfache und doppelte Konsonanten wohl zu unterscheiden und letztere wie im Ital. und Schwed. gespalten, d. h. mit deutlicher Druckgrenze innerhalb der Gemination zu sprechen, z. B. *kun͡-n̄i* 'Geschlecht'. Auslautende Doppelkonsonanten, wie in *mann* 'Mann', sind bloß graphisch von den einfachen verschieden.

47. Die Zeichen *f, k, l, m, p, q, t* sind wie im Nhd. auszusprechen; *b* und *d* sind — außer vielleicht im Auslaut — stimmhafte Medien, wie im Franz. und Engl.

A n m. Zuweilen hat jedoch inlautendes *f* die Geltung von *ƀ* oder *v*, z. B. *wulfas* 'Wölfe'.

48. Das durchstrichene *ƀ* (*ƀ*) drückt die stimmhafte labiodentale Spirans aus = nhd. (nordd.) *w*, franz., engl. *v*, z. B. in *siƀun* '7'.

49. *C* hat einen doppelten Lautwert:

1. ist es = nhd. *k*; 2. = nhd. *z*, letzteres nur in latein. Lehnwörtern vor *e* und *i*, z. B. *pálencea* 'Pfalz', *krūci* 'Kreuz', *leccia* 'Lektion' (= *lektsia*). Im ersteren Falle wird in diesem Buche dafür *k* gesetzt.

50. Das seltene *ch* hat im allgemeinen die nhd. Geltung als stimmlose gutturale Spirans, z. B. in *vīftech* '50'; in Fremdwörtern wie *păscha* 'Ostern', *Malchus* u. ä. wurde es wie *k* gesprochen. Diese Aussprache hat es auch gelegentlich in as. Wörtern, wenn es = *k* steht.

51. Das durchstrichene (selten im Wortanlaut gebrauchte) *d (đ)* bezeichnet die interdentale oder postdentale Spiràns (= engl. *th*) und hatte einen doppelten Lautwert:

1. als **stimmhafte** Spirans inlautend im Silbenanlaut in stimmhafter Umgebung. z. B. *brōđer* 'Bruder', ferner im Silbenauslaut vor *d*, z. B. *kūđda* 'kündete'; 2. als **stimmlose** in allen übrigen Fällen, z. B. *erđ-rīki* 'Erdreich', *bad* 'Bad'.

52. *G* hat einen mehrfachen Lautwert:

1. als **stimmhafte Media** (= franz. *g* in *garçon*) anlautend, sowie inlautend nach. wurzelhaftem *n* und in der Gemination, z. B. *gaf* 'gab', *singan* 'singen', *sēggian* 'sagen'; 2. als **Tenuis** (= *k*) auslautend nach *n*: *lang;* 3. als **stimmh. guttur. Spirans** (wie in nordd. 'Tage') im Silbenanlaut inlautend vor guttur. Vokalen und Konsonanten, z. B. *fugal* 'Vogel', Pl. *fuglos*, desgl. im Silbenauslaut vor *d*: *sagda* 'sagte'; 4. als stimmh. **palatale** Spirans inlautend vor hellen Vokalen, z. B.. *sēgina* 'Netz'; *gi* steht darum oft = *j*, z. B. *giāmar* 'Jammer'; 5. als **stimml. guttur. Spirans** im Auslaut, z. B. *dag* 'Tag' (spr. *dach*), *berg* 'Berg'. In jüngeren Denkmälern wie der Fr. H. findet sich hier auch *hc, gh, ch* gesetzt.

53. *H* bezeichnet:

1. den nhd. **Hauchlaut** *h:* a) im Anlaut vor Vokalen und Kons., z. B. *hūs* 'Haus', *hrōpan* 'rufen', *hlinon* 'lehnen', *hnap* 'Napf', *hwat* 'was' (vgl. ne. *what*); b) im Inlaut zwischen Vokalen, z. B. *sehan* 'sehen'; c) zwischen Liq. und Vok., z. B. *bifelhan* 'befehlen'; 2. inlautend vor Konsonanten und auslautend die guttur. stimml. **Spirans** *(ch)*, z. B. *sehs* '6', *naht* 'Nacht', *mahlian* 'sprechen', *lēhni* 'unbeständig', *thoh* 'doch'.

54. *N* bezeichnet im allgemeinen den **dentalen** (alveolaren) Nasal; nur vor wurzelhaftem *g* und *k* ist es **guttural**, vgl. *lang* 'lang', *thênkian* 'denken'.

55. *Ph* ist eine seltene Verbindung und wie *f* (vgl. nhd. 'Epheu') auszusprechen, z. B. *phano* 'Fahne' Par. Gl.

56. *Qu* ist zu sprechen wie im Englischen, d. h. als *k* + konsonantischem *u (w)*, z. B. *quađ* 'sprach'.

57. *R* ist mit der Zungenspitze (wie im Italienischen) zu sprechen, z. B. *rôd* 'rot'.

58. *S* ist **stimmhaft** (wie in nordd. *lesen*) inlautend im Silbenanlaut in stimmhafter Umgebung und im Silbenauslaut vor *d*,

z. B. *lesan* 'lesen', *lôsda* 'löste', sonst stimmlos (wie in nhd. *das*),
z. B. *sunu* 'Sohn', *besmo* 'Besen', *hūs* 'Haus'.

Anm. Man hüte sich, anlautendes *s* vor Vokal stimmhaft, oder anlaut. *st* und *sp* nach nhd. Weise als *scht* und *schp* zu sprechen!

59. *Th* ist im An- und Auslaut stimmlose Spirans (wie engl. *th* in *thin*), z. B. *thank* 'Dank', *bath* 'Bad', inlautend im Silbenanlaut bei stimmhafter Umgebung dagegen stimmhaft, z. B. in *werthan* 'werden', desgleichen im Silbenauslaut vor *d*, z. B. *kūthda* 'kündete'. Vgl. das über *đ* gesagte!

60. *U* steht auch in kons. Funktion für *f*, *v* oder *w* (s. diese).

61. *V* (auch *u* geschrieben) ist im Anlaut — auch im zweiten Teile von Kompositis — stimmlose Spirans wie in nhd. *Vater*, z. B. *van* 'von'; im Inlaut (wo es mit *ƀ* wechselt) dagegen stimmhafte labiodentale Spirans, z. B. *sivon* '7'.

62. *W* (meist *uu* oder *u* geschrieben) ist kons. *u* wie engl. *w*, z. B. *winter*, *twentig* '20'.

63. *Z* hat in as. Wörtern den nhd. Wert *ts*, z. B. *bèzto* 'beste', *Liuzo* Eigenn.; im Anlaut von Fremdnamen, wie *Zacharias*, dagegen ist es als stimmloses *s* zu sprechen, wie die Alliteration mit *s* beweist.

Anm. Statt *z* findet sich in Eigennamen auch *dz*, vor *i* auch *c* und *dc*, z. B. *Liudzo*, *Lancikin*, *Liudciko*.

II. Silbentrennung.

64. Für die as. Silbentrennung gelten bei **einfachen Wörtern** folgende Regeln:

1. ein Konsonant zwischen zwei Vokalen gehört zur folgenden Silbe, z. B. *fa-ran* 'fahren';

2. von **zwei** Konsonanten gehört der erste zur vorhergehenden, der zweite zur folgenden Silbe, wenn dieselben keinen Silbenanlaut bilden können, z. B. *ster-ƀan* 'sterben', *wun-da* 'Wunde'; andernfalls ist eine doppelte Aussprache möglich, z. B. *nād-la* 'Nadel' neben *frō-ƀra* 'Trost';

3. dasselbe gilt von **drei- und mehrfachen** Konsonantengruppen, z. B. *hun-grian* 'hungern', *fast-non* 'befestigen', aber *blik-smo* oder *bliks-mo* 'Blitz';

4. bei **Doppelkonsonanz** liegt die Druckgrenze innerhalb des gespaltenen Lautes, z. B. *fal-lan* 'fallen', *ak-kar* 'Acker'.

65. Zusammensetzungen werden nach ihren Bestandteilen getrennt gesprochen, wenn dieselben noch für das Sprachgefühl erkennbar sind, z. B. *mên-êđ* 'Meineid', *land-uovo* 'Landbauer'; dagegen tritt bei Verdunkelung der ursprünglichen Bildung natürliche

Silbentrennung ein, vgl. *á-ðunst* 'Mißgunst', *hun-derod* '100' < *hund-rad*, vgl. Geffcken, S. 82 f.

Anm. Entscheidend für die as. Art der Silbentrennung sind — außer den Schlüssen, die sich aus den lebenden ndd. Dialekten ziehen lassen — Fälle wie *ef-no* neben *e-ðan* 'eben' einerseits, *á-ðunst* neben *af-únnan* 'mißgönnen' andererseits, wo die Behandlung der labialen Spirans die Aussprache zeigt. Schwankend ist der Gebrauch von *ð-f* vor *n* und *l*, vgl. die Lautlehre § 222.

III. Wortakzent.

66. Nach der Stärke des Nachdrucks, mit der die einzelnen Silben eines Wortes gesprochen werden, unterscheidet man im As. wie in den andern germanischen Sprachen eine d r e i f a c h e Betonung: H a u p t t o n ('), N e b e n t o n (') und U n b e t o n t h e i t. Zur Bestimmung derselben sind sowohl die verwandten Dialekte wie auch die Entwickelung des As. selbst heranzuziehen; wichtige Aufschlüsse gibt auch die Metrik der poetischen Denkmäler.

1. Hauptton.

A. Einheimische Wörter.

67. Der Hauptton liegt im einfachen Worte und bei den Nominalkompositis auf der ersten Silbe, z. B. *fírina* 'Frevel', *héðan-ríki* 'Himmelreich', *álo-mahtig* 'allmächtig', *mís-dād* 'Missetat', *ánd-wordi* 'Antwort', *thúrh-frêmid* 'vollkommen', *wiðar-mōd* 'feindselig', *áf-grund* 'Abgrund', *óðar-mōdig* 'übermütig'.

68. Von den mit der Vorsilbe *bi-* zusammengesetzten Nominalkompositis folgen die Wörter *bí-gihto* 'Beichte', *bí-hêt* 'Drohung', *bí-livan* 'Lebensmittel', *bí-smer* 'Spott', *bí-sprāki* 'Verleumdung' der Hauptregel, während sonst die mit *bi-*, *gi-*, *far-* zusammengesetzten Nominalkomposita sowie alle Verbalkomposita den Ton auf der ersten Silbe des z w e i t e n Teiles der Zusammensetzung tragen, vgl. *bi-téngi* 'verbunden', *gi-lô'ðo* 'Glaube', *far-wúrht* 'Sünde', *ant-fáhan* 'empfangen', *a-látan* 'erlassen', *wiðar-stándan* 'widerstehen', *ful-gángan* 'folgen'.

69. Auch die mit *ant-* (= ae. *hund-*, got. *-hund*) gebildeten Zahlwörter *ant-síðunta* '70', *ant-áhtoda* '80', sowie die zusammengesetzten Präpositionen und Adverbia, wie *an-éðan* 'neben', *bi-fóran* 'vorn', 'vor', *te-sámne* 'zusammen', haben den Hauptton auf dem zweiten Teile. Über *innan* vgl. § 74, 6.

70. Schwankend ist die Betonung der mit *un-* zusammengesetzten Wörter, vgl. *ún-rīm* 'Unzahl', *ún-swōti* 'unsüß', *ún-skuldig* 'unschuldig', neben *un-spúod* 'Böses', *un-swôti*, *un-gi-wittig* 'unverständig', *un-wérid* 'unbekleidet', vgl. Rieger in ZfdPh. 7, 18 Anm.; ZfdA. 19, 45.

71. Abgeleitete Wörter behalten die Betonung des Grundwortes, z. B. *ánd-wordian* 'antworten', *fúl-lêstian* 'helfen' (zu *fúl-lêst*); *a-bólgan-hêd* 'Zorn'.

B. Fremdwörter.

72. In eingebürgerten griechischen und lateinischen Fremdwörtern ist der ursprüngliche Akzent geblieben, wenn er auf der ersten Silbe stand, z. B. *krúci* 'Kreuz', *bĭskop* 'Bischof', *stráta* 'Straße', sonst ist er nach germanischer Weise auf die erste Silbe zurückgezogen, vgl. *diuƀal* 'Teufel' (aus *diábolus*), *kástel* 'Burg' (= *castéllum*), *páradīs* 'Paradies'. Dasselbe gilt von Namen wie *Mária, Élias, Ándreas, Béthania* u. a., vgl. Kauffmann in PBrB. 12, 349 ff. Schwanken herrscht bei *Erodes*, das *Érodes* und *Eródes* betont wird.

2. Nebenton.

73. Ein Nebenton (wie in nhd. 'Háusvàter') kann ruhen:

1. Auf der Wurzelsilbe des zweiten Gliedes zweigliedriger Nominalkomposita, wenn diese noch deutlich als Zusammensetzungen gefühlt werden, z. B. *héri-tògo* 'Herzog', *wár-sàgo* 'Wahrsager', *grám-hùgdig* 'feindselig', sei er nun durch den Einfluß der Simplizia oder aus dem ursprünglichen Haupton des zweiten Elementes entstanden. In Fällen wie *gód-spĕl* 'Evangelium' kann er auch aus den mehrsilbigen Formen, z. B. Gen. *gód-spèlles*, übertragen sein. Wie sich aus der Metrik des Hēl. und der Gen. ergibt, ist die Behandlung der einzelnen Zusammensetzungen sehr verschieden, so stehen ohne Nebenton: *hê'r-dōm* 'Herrscherwürde', *wér-old* 'Welt', *ê'n-fald* 'einfältig', *twé-lif* '12', *ún-reht* 'Unrecht', aber *lík-hamo* 'Leib' kommt mit und ohne Nebenton vor. — Die Endungen *-līk* '-lich' und *-skêpi* '-schaft' gelten als nahezu unbetont: *wis-līk* 'weise', *dróht-skêpi* 'Herrschaft'.

2. In dreigliedrigen Nominalkompositis auf der ersten Silbe des dritten Gliedes, z. B. *ór-lag-hwìla* 'Schicksalsstunde', *firi-wit-lìko* 'neugierig', *ún-bi-thàrƀi* 'unnütz'.

3. In einfachen dreisilbigen Wörtern auf der langen Mittelsilbe nach langer Wurzelsilbe, vgl. *dárnùngo* 'heimlich', *méndìslo* 'Freude', *sórgòndi* 'sorgend'.

4. Nur ausnahmsweise auf kurzen Mittelsilben oder positionslangen Endsilben nach langer Wurzelsilbe, wie *górnòda* 'trauerte', *kê'sùres* 'Kaisers', *wáldànd* 'Herrscher'.

Anm. Über den Nebenton in Fremdnamen vgl. PBrB. 12, 350 f.

IV. Satzakzent.

74. Die Betonung der einzelnen Satzteile läßt sich aus den metrischen Gesetzen der beiden as. Dichtungen, besonders aus der Anwendung der Alliteration, wenigstens für die Poesie, deutlich erkennen. Die wichtigsten Regeln sind:

1. Wenn z w e i N o m i n a in einer grammatischen Verbindung stehen, wird stets das e r s t e stärker betont, z. B. *wórd godes* 'das Wort Gottes' = *gódes word*, *léngron hwīla* 'längere Zeit', *sibun wintar* '7 Jahre', *himil éndi erđa* 'Himmel und Erde'; sind es d r e i Nomina, so wird außer dem ersten dasjenige am stärksten betont, das nicht mit dem vorhergehenden eine Nominalformel bildet, vgl. *fágar fólk⁀godes* 'das schöne Gottesvolk' mit *grōt⁀kraft gódes* 'Allgewalt Gottes'.

2. Das N o m e n ist s t ä r k e r betont als das V e r b u m finitum, z. B. *Énoch was hie hêtan* 'Enoch war er geheißen'; doch kann bei S c h i l d e r u n g e n im zweiten Halbvers der Langzeile das voranstehende V e r b u m den Hauptton tragen, z. B. *náhida moragan* 'es nahte der Morgen'.

3. Von z w e i zueinander im Abhängigkeitsverhältnis stehenden V e r b e n ist das r e g i e r t e s t ä r k e r betont als das regierende, vgl. *hēt sie thō sámnon* 'hieß sie da sammeln'.

4. Einfach s t e i g e r n d e A d v e r b i a sind vor Adjektiven und Adverbien meist unbetont, wie *swīđo frúod* 'sehr klug', *swīđo thiulīko* 'sehr demütig', B e g r i f f s a d v e r b i a dagegen betont, vgl. *bíttro gihugida* 'bitter gesinnt'; A d v e r b i a l p r ä p o s i t i o n e n sind vor dem Verb betont, nach demselben aber unbetont: *siu im áfter geng* 'sie ging ihm nach', *woldon im hnígan tuo* 'wollten sich vor ihm neigen'. — N o m i n a l a d v e r b i a sind stärker betont als das Verb, vgl. *frāgoda niudlīko* 'fragte eifrig', dagegen stehen Pronominaladverbia des Ortes und der Zeit sowie solche wie *ofto* 'oft', *sān* 'alsbald', *nū* 'nun', *eo* 'immer' ohne Akzent (vgl. dagegen *éo-wiht* 'etwas').

5. P e r s o n a l p r o n o m i n a (desgl. *man* 'man') sind selten betont, die Possessiva stehen an Tonstärke vor den Personalia; ähnlich stehen die unbestimmten Adjektiva *manag* 'manch', *mikil* 'groß', *all* 'all' und *ōđar* 'ander' gewöhnlich vor dem Nomen enklitisch. Demonstrativa können gelegentlich haupttonig sein, vgl. *an the̅'m dagum* 'in dén Tagen', *hiudu* 'heute' aus *hiu dagu*; desgl. hat *self* 'selbst' den Ton: *mī sélbon* 'mir selbst'.

6. P r ä p o s i t i o n e n, Konjunktionen und Partikeln sind gewöhnlich unbetont, doch ziehen erstere vor dem Pronomen den Ton auf sich: *áftar mī* 'nach mir', *úntthat* 'bis daß', *áftar thiu*

'danach', ebenso wenn sie nachstehen: *ihar mídi* 'damit', *ina áno* 'ohne ihn'. Eigentümlich ist die Betonung *ínnan breostum* 'in der Brust', wo Zusammenziehung aus *inne an* vorliegt. Vgl. UG. § 141; Kluge in Pauls Grundr. I², § 96—101.

Sechstes Kapitel.
Die Entwickelung der westgerm. Vokale im Altsächsischen.

75. Das westgermanische Vokalsystem umfaßt folgende Laute:
a) kurze: *a, e, i, o, u;*
b) lange orale: *ā, ē, ī, ō, ū;*
c) lange nasale: *ą̄, į̄, ų̄;*
d) Diphthonge: *ai, au, eu, iu.*

75 a. Dazu ist zu bemerken:

1. *e* und *i* sind doppelter Herkunft und daher als *e¹* und *e²* resp. *i¹* und *i²* zu scheiden. Unter *e¹* und *i¹* verstehen wir alte indogermanische *e* und *i*, z. B. in *beran* 'tragen': lat. *ferre, fisk* 'Fisch': lat. *piscis*, unter *e²* und *i²* erst sekundär aus *i* resp. *e* entstandene *e* und *i*. Und zwar ist *i > e* geworden vor *a* der folgenden Silbe, wenn kein Nasal + Kons. oder kein *j* dazwischen stand, z. B. Stamm *wera-* 'Mann': lat. *viro-* (aber nhd. *nisten < *nistjan* neben *Nest* = lat. *nīdus < *nizdos*); andererseits *e > i* geworden vor Nasal + Kons. oder *i, j* in der folgenden Silbe, vgl. *bindan* 'binden': lat. *offendimentum* 'Binde', *wirkian* 'wirken': *werk* 'Werk' (gr. ἔργον, älter ϝέργον = *wérgon*), *biris* 'trägst': *beran*.

Anm. Von dieser Regel gibt es jedoch Ausnahmen, z. B. *skip* 'Schiff', *fisk* 'Fisch', *witan* 'wissen' mit *i* statt *e*.

2. *o* ist stets aus *u* entstanden, wenn in der folgenden Silbe ein *a* stand und das *u* nicht durch Nasal + Kons. oder durch *j* geschützt war, vgl. *budun* 'sie boten': *gibodan* 'geboten', aber *gibundan* 'gebunden' und *giburian* 'sich zutragen', *huggian* 'denken': Prät. *hogda*.

Anm. Auch von dieser Regel gibt es Ausnahmen, z. B. *wulf* 'Wolf', *cuman* 'kommen' u. a.

3. Langes reines *ā* entspricht got. *ē¹*, skand. und ahd. *ā*, z. B. as. *rādan*, ahd. *rātan*, aisl. *rāða*: got. *rēdan* 'raten'; im Fries. ist es zu *ē*, im Ae. zu *ǣ* oder *ē* geworden: afr. *rēda*, ae. westsächs. *rǣdan*, kent.-nordhumbr. *rēdan*; vor Nasalen erscheint es im Fries. und Ae.

als $\bar{e}$, vgl. got. *mēna*, aisl. *māni*, as. ahd. *māno*, afr. ae. *mōna* 'Mond'.
— Dagegen ist $\bar{e}$ in allen german. Dialekten geblieben: *hēr* 'hier',
nur im Ahd. wird es früh zu *ea, ia, ie* diphthongiert, im Fries. geht
es dialektisch in $\bar{\imath}$ über. Es war also ein geschlossenes $\bar{e}$, während
das erstgenannte ursprünglich offen (*ǣ*) war und erst im Gotischen
die geschlossene Qualität annahm und mit $\bar{e}^2$ zusammenfiel. Jenes
bezeichnet man gewöhnlich als $\bar{e}^1$, letzteres als $\bar{e}^2$.

Anm. Im Ae. bleibt $\bar{a}$ unter gewissen Bedingungen, vgl. *māgas*
'Verwandte', Sgl. *mǣg, mēg*, oder *sāwun* 'sahen' = got. *sêhvun*.

4. Nasales $\bar{q}$ war im Urgerm. aus *aŋ* vor *h* entstanden, z. B.
got. *brāhta* 'brachte' < *braŋhta* (vgl. *bringen*). Im Westgerm. dürfte
es noch nasal geblieben sein, da es im Ae. und Afr. zu $\bar{o}$ wurde:
ae. *brōhte*, afr. *brochte*. Im As. und Ahd. dagegen is es mit dem $\bar{a}$
= got. $\bar{e}$ zusammengefallen: *brāhta*. Ebenso gab es nasale $\bar{\imath}$ und $\bar{q}$,
z. B. in got. *þeihan*, as. *thīhan* 'gedeihen' (Part. Prät. as. *githungan*),
got. Prät. *þūhta* zu *þugkjan (= þuŋkjan)* 'dünken'. Sie haben im
Westgerm. ebenfalls ihre Nasalität verloren.

5. Der Diphthong *eu* wurde im Westgerm. vor *i* und *j* zu *iu*,
vgl. as. *biudis* 'bietest', vor *a* erhielt es sich zunächst und ging dann
in *eo, io* über: Inf. *beodan, biodan* 'bieten' (got. *biudan*).

I. Betonte Vokale.
1. Die Einzellaute.
A. Kurze Vokale.
1. *a*.

76. Westgerm. *a* ist gewöhnlich geblieben, vgl. *akkar* 'Acker',
halon 'holen', *salt* 'Salz'; *gast* 'Gast', *ahto* 'acht', *gaf* 'gab', *fan* 'von';
fadar 'Vater', *staď* 'Gestade'. — In lat. Lehnwörtern vertritt es altes
a, z. B. *áltari* 'Altar', *álmōsna* 'Almosen' (rom. *almosna*), *fakla* 'Fackel'.
Wegen Dehnung des *a* vgl. § 106.

Anm. 1. Vereinzelt findet sich schon Übergang in *o* vor *ld*,
der erst im Mnd. Regel wird, z. B. *old* 'alt' Straß. Gl. — Wegen *e*
für *a* vgl. § 29, wegen ags. *æ, ea, o* vgl. § 30.

Anm. 2. Neben *fan* steht *fon*, vgl. § 127.

77. Durch *i* oder *j* der folgenden Silbe ist *a* zu *e* umgelautet,
vgl. *gast* 'Gast' — Pl. *gesti, faran* 'fahren' — *fėrid* 'er fährt', *sėndian*
'senden' (got. *sandjan*), *ėldi* 'Alter' etc.; desgl. in lat. Lehnwörtern
wie *engil* 'Engel' (lat. *angelus*), *sėgina* 'Netz' (lat. *sagēna*), *kėlik* 'Kelch'
(lat. *calix*). Vgl. auch § 126.

Anm. 1. In Zusammensetzungen ist der Umlaut eingetreten,
wenn sie einheitlich empfunden wurden, wie *twė-lif* 'zwölf', *hwėr-gin*

'irgendwo', woneben in M einmal *hwargin* steht. Dagegen heißt es
hardlīko 'streng' u. dgl.   Er fehlt in jüngeren Lehnwörtern wie
martir 'Märtyrer', *abdiska* 'Äbtissin', *kapsilin* 'Kapsel', *lavil* 'Becken',
scamil 'Schemel'.

. Anm. 2. Der Umlaut ist jünger als die Synkope (§ 137 ff.)
und fehlt deshalb in Formen wie *sanda* 'sandte' (got. *sandida*), *gast*
'Gast' (germ. **gastiz*), *hald* 'mehr' (got. *haldis*); Fälle wie *sénda* sind
Neubildungen ; das Adv. *lĕng* (aus **laŋgiz*) 'länger' ist durch das Adj.
léngiro beeinflußt. — In *dænnia* 'Tanne' Oxf. Gl. steht *æ* für *é*.

78. Das Umlauts-*é* geht öfter durch Assimilation an das folgende *i* in *i* über, vgl. *hinginna* 'Hängen' M., *filis* 'Fels' C, *giriwan*
'bereiten' C, *stidi* 'Stätte' Lam. Gl., *binithi* C = *banedi* 'Totschlag',
biri 'Beere', *miri* 'Meer' Oxf. Gl., *biki* 'Bach', *stidi*, *pinnig* 'Pfennig',
ivenin 'von Hafer' (lat. *avēna*) und *twilif* '12' Fr. H.   Vielleicht liegt
hier jedoch ein Frisonismus vor, vgl. § 83.

Anm. Durch vorhergehendes *w* ist dies *i* in Fr. H. zuweilen zu
u (ü?) geworden: *twulif* (vgl. § 84, Anm. 3).

79. Der Umlaut wird verhindert durch die Verbindung *h* +
Kons., vgl. *mahlian* 'sprechen', *trahni* 'Tränen', *mahtig* 'mächtig',
nahtigala 'Nachtigall' etc.   Vor *rw* und *rd* herrscht in M Schwanken,
vgl. *garwian* 'bereiten', *gigarwi* 'Kleidung', *awardian* 'verderben',
neben seltenem *gérwian* (4 mal) und einmaligem *awérdian*, aber stets
gihérdid 'verhärtet', *hérdislo* 'Härte' und 9 mal *férdi* neben *fardi*
(D. Sg., N. Pl. von *fard* 'Fahrt').   Die andern Denkmäler zeigen hier
stets Umlaut; nur die Petr. Gl. bieten auch *gigaruwi*.   Über *ande* =
éndi 'und' Fr. H. vgl. Busch, ZfdPh. 10, 179 ff.

Anm. Selten sind Formen wie *mehtig* 'mächtig' Ess. Gl., *gi-
méhlida* 'Vermählte' ib. und Elt. Gl., *stéhli* 'Stahl', *wêhsitafla* 'Wachstafel' Wer. Gl.   Das einmalige *unbitharði* 'unnütz' M neben sonstigem
-thérði ist wohl an *tharf* 'Bedürfnis' angelehnt.

80. Sonst ist der Umlaut häufig durch Neubildungen . beseitigt
worden, besonders in M, vgl. *handi* 'Hände', *gastion* 'Gästen', *habbiad*
'sie haben', *fallid* 'fällt', *kraftig* 'kräftig', *gifagiritha* 'Schönheit'
Wer. Gl. *(fager)*, *mannisko* 'Mensch' (zu *man*). Stets fehlt der Umlaut
im Opt. Prät.: *habdi* 'hätte' (nach *habda*) etc.

Anm. 1. In der 3. Pers. Sing. Ind. Präs. haben MC ebenso oft
é wie *a*.   Optative wie *féldi* 'fällte', *wéndi* 'wendete' stellen sich zu
den Indikativen *félda*, *wénda*, wo Umlaut durch Einfluß des Präsensstammes vorliegt (§ 77 Anm. 2).

Anm. 2. In Infinitiven wie *samnian* 'sammeln', *ladian* 'laden'
C tritt kein Umlaut ein, weil das *i* hier für *oi* steht, vgl. die Neben-

formen *-oian, -on*; ebenso fehlt er vor sekundärem *i*, wie in *manig*
'manch' neben *manag* (got. *manags*).

81. Ein *i* der dritten Silbe bewirkt keinen Umlaut der Wurzelsilbe, vgl. *magadi* 'Maide', *agastria* 'Elster', *farandi* 'fahrend', *dragari* 'Träger', *karkari* 'Kerker' (lat. *carcerem*), *cakeli* 'Eiszapfen' Oxf. Gl.
In Fällen wie *adali, edili* 'Adel', 'edel', *fremidi* 'fremd' (ahd. *framadi*),
menigi 'Menge' (got. *managei*), *banedi, binidi* 'Totschlag', liegt eher
Suffixablaut vor.

Anm. In *gest-seli* 'Saal' neben *gast-* ist wohl der Plural *gesti*
von Einfluß gewesen, oder das *a* ist an das folgende *e* angeglichen.

2. *e.*

82. Westgerm. *e* ist geblieben, sei es idg. *e*, wie in *beran*
'tragen', *etan* 'essen', *sehs* 'sechs', *trewe* 'dem Baume', oder idg. *i*
mit *a*-Umlaut, wie in *wer* 'Mann', **nest* 'Nest', *tweho* 'Zweifel', *wehsal*
'Wechsel', *spek* 'Speck'. — Dem hochd. *i* steht as. *e* gegenüber in
den alten *u*-Stämmen *heru* 'Schwert', *fehu* 'Vieh', *werd* 'Wirt', *quern*
'Mühle' (ahd. *quirn*), *wedar* 'Widder'. — In Lehnwörtern vertritt es
meist altes *e*, z. B. *fern* 'Hölle' (lat. *infernum*), *tempel* 'Tempel', *degmo*
'Zehnte' (lat. *decimus*), aber auch altes *i*, vulgärlat. *e*, wie in *segnon*
'segnen' (lat. *signāre*), *senap* 'Senf' (lat. *sinapis*). — Wegen Dehnung
vgl. § 106.

Anm. 1. In den *u*-Stämmen stand *e* ursprünglich nur vor *o*,
a (= got. *au*) der Endung, *i* dagegen stets vor *i* und *u*; Reste dieses
Wechsels finden sich in *fihu* 1 C und *wirdskepi* 'Bewirtung' ib.,
vgl. auch § 84 Anm. 1.

Anm. 2. Vor *r* findet sich vereinzelt Übergang des *e* in *a*,
so in C *baraht* 'glänzend' und *farah* 'Leben', in Bed. *warold* 'Welt'.
Dies *a* kann sogar nach *w* zu *o* werden: *worold* Ess. Gl. Vereinzelt
steht *trasa* 'Schatz' Wer. Gl. neben *tresur* Hel. (franz. *trésor*) und
soster, suster 'Sechter' (lat. *sextārius*) Ess. H. im Anschluß an dialekt.
sos, sös, süs = *ses, sehs* '6', das heute im N. und O. des ndd. Gebietes
herrscht, vgl. Jahrb. 37, 49.

83. Altes *e* ist zu *i* geworden: a) vor *m* in *niman* 'nehmen';
b) öfter in *giba* 'Gabe' C, *giban* 'geben' C, Bed., Fr. H., *gilp* 'Hohn'
C, vereinzelt in *wig* 'Weg' C und *fiteriun* M 'Fesseln' = *feteron* C;
c) vor *a, o*, auch bei Schwund eines dazwischenstehenden *h*, z. B.
kneo, knio 'Knie', *treo, trio* 'Baum', *eorid* M, *ierid* C 'Reiterzug'
(got. *aihva-*), *farfioth* M = *-fehod* C 'rafft hinweg', *tian* '10' Ess. H.
= *tehan* Hel.

Anm. MCPs. und Ess. Gl. haben einigemal *neman;* bei gelegentlichen *i* vor *r* in C (z. B. *wirk* 'Werk', *gewirthan, giwirthot*)

liegt vielleicht «umgekehrte Schreibung» vor, da *ir* in C öfters zu
er geworden ist (§ 84 Anm. 2). Sonst beruht hier wie unter b) wohl
das *i* auf wfries. oder nfrk. Lautgebung. Vgl. Kögel, AfdA. 19, 227;
Siebs, Pauls Grundr. I², S. 1191 f.

3. *i*.

84. Altes *i* bleibt, sei es idg. *i*, wie in *biti* 'Biß', *bittar* 'bitter',
it 'es', *quik* 'lebendig', *fisk* 'Fisch', *nidar* 'nieder', *wika* 'Woche',
widowa 'Witwe', *witan* 'wissen', *giwritan* 'geschrieben', *hlinon* 'lehnen',
skip 'Schiff', *hinan* 'hinnen', *bibon* 'beben', *likkon* 'lecken', *klibon*
'kleben', oder idg. *e* vor *i*, *j*, *u* oder vor Nasal + Kons., wie in *biris*
'trägst', *liggian* 'liegen', *sihu* 'ich sehe', *filu* 'viel', *nigun* 'neun',
bindan 'binden', *singan* 'singen', oder endlich aus *e* infolge von Tonlosigkeit entstanden, wie in *ik* 'ich', *mid* 'mit'. — In Lehnwörtern
steht es 1. für altes *i*, wie in *biskop* 'Bischof', *missa* 'Messe', *pik*
'Pech' (lat. *picem*), *bikeri* 'Becher' (lat. *bicārium*), *kirika* 'Kirche'
(κυριακόν, mit υ als *i* gespr.); 2. für *ĕ* vor *u*, *i* und Nasalverbin-
dungen, z. B. *sikur* 'sicher' (lat. *sēcūrus*), *pinkieston* 'Pfingsten' (lat.
pentecoste), *minta* 'Minze' (lat. *menta*). — Wegen Dehnung des *i* vgl.
§ 106 f.

Anm. 1. Neben *skild* 'Schild' haben die Oxf. Gl. *skeld* (alter
u-Stamm), der Ps. Co. *frethu* 'Friede' neben *frithu*, wozu § 82 Anm. 1
zu vergleichen ist; neben *dōdsisas* 'Totenklagen' Ind. steht *ses(s)pilon*
Beicht., Wer. Gl. Die Trier. Gl. bieten *quec-bôm* 'caricius'. Von
likkon 'lecken' zeigt C auch *e*-Formen, Ps. bietet *levindig* 'lebendig',
neben *mid* steht in C 12 mal *met*, in der Fr. H. 2 mal *med* (vgl. aisl.
med). Auf Ausgleichung beruht wohl das *e* in *stekul* 'rauh'
Wer. Gl. (ae. *sticol*, ahd. *stehhal* und as. *stekan*), *seldlik* 'wunderbar'
(zu ae. *seldan* 'selten'), *emnist* Superl. von *eban* Ps., *ferristo* 'fernste'
zu *ferr*, *nessiklīn* 'Würmchen' (zu *nesso*), *ênsedlio* 'Einsiedler' Elt.
und Ess. Gl. (zu *sedal* 'Sitz'), *geldit* 'gilt' Ess. H., Fr. H. und ähn-
liche vereinzelte Formen. *Stemna* 'Stimme' steht für *stebna* (got.
stibna), *tempel* 'Tempel', *temperon* 'temperare', *leccia* 'Lektion' haben
als späte Lehnwörter den Übergang von *e* zu *i* nicht mitgemacht,
eigentümlich ist das *e* in *mūdspelli* 'Weltuntergang' (ahd. *mūspilli*).
Schreibfehler sind vereinzelte *e* in C: *bettar* 'bitter', *melderon* 'mil-
deren', *sebun* '7'. Über die Erhaltung des *i* vor *a* vgl. Collitz, MLN.
20, 65 ff.

Anm. 2. Vor *r* ist *i* mehrfach schon zu *e* getrübt, vgl. *herdos*
'Hirten' C, *gerstin* 'gersten' ib., Fr. H., *gernean* 'begehren' C, *werkean*
'wirken' ib., Ps., Beicht., *werthid* 'wird' Ess., Pet. Gl., *giwerthirid*
'verglichen' Elt., Ess. Gl., *biskermiri* 'Beschirmer' Wer. Gl., *biskermian*
'beschirmen' ib., *errislo* 'Irrtum' Ess., Wer. Gl., *werson* 'verderben'

(ahd. *wirsōn*) ib., *werthig* 'würdig' ib., *verskang* 'Frischling' Fr. H., *kerika* 'Kirche' Bed. In einigen Fällen kann auch Ausgleichung vorliegen, z. B. bei *werkean (werk), skermian (skerm), gerstin (gersta).* In *giwarki* 'Werk' Wer. H. ist sogar *a* eingetreten, vgl. § 82 Anm. 2. Anm. 3. Der Übergang von *i* zu *u* (d. i. *ü*) in *sundon* 'sind' Fr. H. ist die Folge von Unbetontheit; dagegen in *gisustruoni* C 'Geschwister' und *gisustrithi* Ess. Gl. liegt Einfluß von *w* vor, vgl. mnd. westfäl. *süster* 'Schwester'. Vgl. Lasch, Mnd. Gr. § 172.

85. Bemerkenswert ist die Behandlung von *ij* + Vokal: dem got. **hlija* 'Hütte' entspricht *hlea, hleo* 'Schutz', dem Fem. **þrijōs* '3': as. *thria, threa* (so wechselt auch *sia* 'sie' mit *sea*); *ī* zeigen *blī* 'Farbe' Str. Gl. (ae. *bléoh*), *frī* 'Weib' (aisl. *Frigg*, ae. *fréo*), *frīlīk* 'edel' (got. *freis*, ae. *fréo*), *frīehan* 'lieben' C (got. *frijōn*, ae. *fréoȝan*), dazu *friund* 'Freund' (got. *frijōnds*), das einsilbig geworden ist, wobei der Diphthong mit *iu* < germ. *eu* zusammenfiel. C hat einmal *friond* (nach *fiund*). Dagegen erscheint got. *fijands* 'Feind' als *fiund*.

4. *o*.

86. Westgerm. *o* bleibt, z. B. *opan* 'offen', *bodo* 'Bote', *dohtar* 'Tochter', *forhta* 'Furcht', *gold* 'Gold', *tholon* 'dulden', *word* 'Wort', *thorfta* 'bedurfte', *storm* 'Sturm' (ae. *storm*), *ford* 'Furt' (ae. *ford*), *fohs* 'Fuchs' (ae. *fox*), *lohs* 'Luchs' (ae. *lox*). — In lat. Lehnwörtern vertritt es teils lat. *o*, z. B. *porta* 'Pforte', *ork* 'Krug' (lat. *orca*), *kostarari* 'Küster' (mlat. *costūrārius*), *kok* 'Koch', teils vulgärlat. *o* = lat. *u*, z. B. *stoppo* 'Stopfen' (lat. *stuppa*), *kop* 'Kopf' (lat. *cuppa*), **kopar* 'Kupfer' (lat. *cuprum*), *kosp* 'Fessel' (griech. *kuspos*). — Wegen des Wechsels mit *u* vgl. § 88 f.

.Anm. 1. Das offene *o* ist durch Entrundung öfters, besonders vor *r*, in *a* übergegangen, z. B. in M *far* 'vor'; in C: *gibaran* 'geboren', *bifara* 'vor', *farahta* 'Furcht' (mehrmals); in Fr. H.: *tharp* 'Dorf' (vgl. über heutiges *darp* AfdA. 20, 326), *Narth-* 'Nord-'; vor andern Konsonanten: *lada* 'Lode', 'Schößling' Oxf. Gl.; *hanig* 'Honig' Fr. H., *af* 'ob' M, Wer. Gl.; *bifalahan* 'befohlen' C, *githalos* 'duldest' ib. sind vielleicht Schreibfehler. Vgl. Lasch, Mnd. Gr. § 85 ff. — *hers* 'Roß' Seg. A, Oxf. Gl. ist friesisch.

Anm. 2. In C ist öfter *uo* für *o* geschrieben, z. B. *guod* für *god* 'Gott'; desgleichen *afguod* 'Abgott' Wer. Gl., *thuoh* 'doch' Gen.

5. *u*.

87. Westgerm. *u* bleibt, z. B. *uƀil* 'übel', *luft* 'Luft', *buggian* 'kaufen', *kust* 'Wahl', *budun* 'boten', *guldin* 'golden', *wurdun* 'wurden', *kumbal* 'Zeichen', *wunda* 'Wunde', *jung* 'jung'. — In Lehnwörtern vertritt es bald lat. *ŭ*, wie in *skutala* 'Schüssel', *furka*

'Forke', *fruht* 'Frucht' (lat. *frūctus*), bald lat. *o* vor *i* oder Nasal +
Kons., z. B. *muddi* 'Mütte' (lat. *modius*), *munita* 'Münze' (lat. *monēta*),
pund 'Pfund' (lat. *pondo*), *Bunna* 'Bonn' (lat. *Bonna*). In *judeo* 'Jude'
(lat. *Jūdæus*) ist wohl schon vulgärlat. vor dem Ton Kürzung eingetreten. Wegen der Dehnung vgl. § 106 f.

88. Nicht selten steht as. *u* einem *o* der andern Dialekte
gegenüber, wie in *full* 'voll', **wulla* 'Wolle', *wulf* 'Wolf', *smultro*
'heiter' (ae. *smolt*), *turf* 'Torf', *hurst* 'Horst', *spurnan* 'treten' (zu
Sporn), *fugal* 'Vogel', *juk* 'Joch', *kluflôk* 'Knoblauch', *uppa* 'oben',
meist in der Nachbarschaft von Labialen und Gutturalen, besonders
vor *m*, vgl. *kuman* 'kommen', *ginuman* 'genommen', *sum* 'ein', *sumar*
'Sommer', *fruma* 'Nutzen', *gumo* 'Mann' (ahd. *gomo*). Vgl. v. Helten,
PBrB. 34, 101 ff., 126.

Anm. 1. Eine Anzahl Wörter schwanken zwischen *u* und *o*:
so hat C 4 mal *froma*, CM einmal *binoman*, desgleichen Ps., Ess.
und Elt. Gl.; C selten *gomo*, 2 mal *guomo*; *wunon* 'wohnen', *giwuno*
'gewohnt', *wunodsam* 'erfreulich' haben in P stets, in M öfter *u* als
in C, Bed. bietet *gewonohêd* 'Gewohnheit'; neben *huneg* 'Honig' Oxf.
Gl. steht *honeg* Ess. H., *honig, hanig* Fr. H.; M hat 1 mal hochd. *fol*
'voll', C 1 mal D. *fuldu* für *foldu* 'Erde', 1 mal *murnie* 'sorge' (vgl.
ae. *murnan*) neben *mornian*, V 1 mal *husk* für *hosk* 'Spott', M *kussu*
(vgl. *cussian*), C *kossu* 'Kusse' (ae. *coss*), C hat meist *droht* 'Volk',
PM stets *druht*, aber *drohtin* 'Herr' zeigt stets *o*, außer im Seg.-A.;
gegenüber *drohting* C 'Brautführer' zeigen M, Oxf. und Wie. Gl.
druhting; M hat *drukno* 'trocken', C *drokno*. Hier sind wohl teils
dialektische Eigentümlichkeiten, teils Einflüsse benachbarter Laute,
teils Ausgleichungen der Grund des Schwankens. Man kann z. B.
einen ursprünglichen Wechsel von *froma : frumu*, *honang : hunung*
etc. annehmen; *ginoman* ist vielleicht Neubildung nach Formen wie
giboran, *drukno* Anlehnung an das Verbum *druknian*, *tulgo* 'sehr'
gehört zu got. *tulgus*, in *droht* liegt wohl (wie in Got.) Einfluß des
h vor. Vgl. Collitz, MLN. 20, 65 ff.; Lasch, Mnd. Gr. § 153. Nach
Sievers beruht das *o* von *drohtin* auf Tieftonigkeit.

Anm. 2. Formen wie *konsta* 'konnte' sind Neubildungen nach
dorsta etc., C hat 1 mal regelrecht *kunsti* Opt., M 1 mal *farmunste*,
C *-muonstun*. Ausgleichung nach dem Sing. *hogda* zeigen *hogdun*
'dachten', Opt. *hogdin*, desgleichen schließt sich *thorfti* 'bedürfte' an
den Sing. Ind. *thorfta* an usw.

Anm. 3. Vor *r* ist *u* zu *o* geworden in *worthun* 'wurden'
Bed., *thoro* 'durch' Gen., *Vorkonbikie* 'Forkenbeck' (neben *furka*),
workid 'wirkt' Ps., *orlag* 'Krieg', *orlôf* 'Urlaub' (neben *urlagi, urkundeo* 'Zeuge', *urhêtto* 'Kämpfer' Hild., *urdêli* 'Urteil', *urthank*
'Beweis'), *forhtian* 'fürchten', *ênwordi* 'einstimmig' M (*-wurdi* C),

hrênkorni 'reines Korn' (neben *-kurni*), *forđrun* 'Vorfahren' M,
forthe[ron] Gr. Gl. = *furđron* C (ahd. *fordiron*), in *for, fur* 'vor',
forn, furn 'vormals', *forma, furma* 'erste' (ae. *forma*), wo C meist
u hat; doch liegt hier vielleicht Anlehnung ans Grundwort vor, d. h.
an *forhta* 'Furcht', *word* 'Wort', *korn* 'Korn', *forđ* 'fort', *fora* 'vor'
und *furi* 'für'. In *duru* C = *doru* PMC 'Tore', *durun* M = *doron*
C 'Türen' kann sowohl *r*-Einfluß, wie Vermischung von *dor* 'Tor'
und *duru* 'Tür' (vgl. *duru-warderi* 'Türwärter' Wer. Gl.) angenommen
werden. In *wordu* 'Worte' Instr. und *word* Pl. (< *wordu* liegt
Ausgleichung vor. Vgl. Lasch, Mnd. Gr. § 61 ff., 152.

Anm. 4.   Einige *i* in C vor folgendem *i*, wie in *firisto* 'erste',
wirdi 'würde' u. a. sind wohl Schreibfehler.   Umgekehrt steht auch
u für *i*: *barwurđig* 'ehrwürdig' in derselben Hs.

B. Lange Vokale.
1. *ą̆*.

89.   Westgerm. nasaliertes *ā* (germ. *aŋ + h*) ist im As. wohl
schon rein orales *ā*, vgl. *wāh* 'Böses' (got. *un-wāhs*), *fāhid* 'fängt',
brāhta 'brachte', *thāhta* 'dachte', *āhtian* 'ächten' (zu ae. *ōht* 'Acht').

Anm.   Eine (ags.?) Umlautsform erscheint einmal in M:
ēhtin 'ächteten'.

2. *ā* (germ. *æ*).

90.   Germ. *æ* ist im As. ebenfalls zu *ā* geworden, z. B. *dād*
'Tat', *lātan* 'lassen', *māno* 'Mond', *gāđun* 'gaben', *blāwon* 'blauen'
Wer. Gl.

Anm.   Wegen anglofries. *ē* für *ā* vgl. § 29, 3.

91.   Ob in einigen Formen in MC *ē* vor folgendem *i* schon
den Umlaut bezeichnet, oder als anglofries. Form aufzufassen ist,
bleibt unsicher; vgl. in M: *bēdi* 'bäte', *mēri* 'herrlich', *lētid* 'läßt';
giwēdi 'Kleidung' (im ganzen 7 Fälle), in C: *mēri, lētit, gōdsprēki*
'wohlredend', *gidēdi* 'täte'.   Bed. zeigt *ē* in *bēdi* 'bäte' und *gēfi* 'gäbe',
die Wer. Gl. einmal in *gewēde*, die Ess. in *giwēgi* 'sugerat', die Fr. H.
in *kiēsos* = *kēsios* Pl. 'Käse' (lat. *cāseus*), die Par. Gl. *swēslic* 'eigen'.
Sonst steht vor *i* und *j* durchgehends *ā*: *bādi, mārian*, vgl. § 115.

Anm.   Der Wechsel von *ā* und *ê* in *stān* 'stehen', 3. Sing. Ind.
Präs. *stêd*, sowie *gān : gêd* 'gehen' beruht dagegen auf urgerm. Wechsel
von *æ* und *ai*, vgl. Lasch, Mnd. Gr. § 120.

3. *ē*.

92.   Westgerm. *ē* ist im As. geblieben, wofür jedoch VPC und
Seg. A fast durchgängig nach fränkischer Art *ie* aufweisen, z. B. *hēr*,
hier 'hier', *lēf* 'krank', *mēda* 'Lohn'; ferner Präterita wie *rēd* 'riet',
lēt 'ließ', *hēt* 'hieß' u. a.; endlich Pronominalformen wie *hē* 'er', *thē*
'der', *hwē* 'wer', wo die Länge durch Dehnung (§ 107) entstanden

ist. — Mit diesem *ē* erscheinen auch Lehnwörter, z. B. *brēf* 'Brief'
(lat. *breve*), *spēgal* 'Spiegel' (lat. *speculum*), *fēfra* 'Fieber' Ess. Gl.,
prēstar 'Priester' (afrz. *prestre*), *tieglan* 'Ziegel' (lat. *tēgula*) Petr. Gl.,
wo es lat. *e* in offener Silbe (roman. *ẹ*) oder lat. *ē* entspricht.

Anm. 1.   Ein fries. *hīr* steht neben *hēr* vereinzelt in C, 36 mal
in M (V. 1105—1312 und 1568—2326), je 1 mal in den Ess. Gl. und
auf der Münze. Es ist die einzige Form in der Fr. H. Vgl. dazu
v. Unwerth, PBrB. 40, 156.

Anm. 2.   M hat nur 3 *ie* in *hier*, *riedi* und *thie*, C mehrfach *ē*, V ein *mēda*. Daß die Pronomina in VPC öfters *ē* neben *ie*
zeigen, beruht wohl auf Unbetontheit. Seg. A hat 2 *thie* 'der' neben
unbetontem *the*, die Wer. Gl. 1 *hie*. Im Hild. erscheinen *hætti* 'hieße',
laet 'ließ' und *lẹttun* 'ließen' vielleicht für *ea* der hochd. Vorlage?

4. *ī*.

93.   Altes *ī* bleibt, sei es ursprünglich, wie in *swīn* 'Schwein',
stīgan 'steigen', *tīr* 'Ruhm' oder (nach § 85) aus *ij* entstanden, wie
in *fīond* (got. *fijands*), *frī* 1. 'frei', 2. 'Weib' (aisl. *Frigg*), oder schließlich = urgerm. *iŋ* + *h*, wie in *līhto* 'leicht', *thīhan* 'gedeihen' (Part.
githungan). — In lat. Lehnwörtern vertritt *ī* lat. *ī*, z. B. in *wīn* 'Wein',
skrīban 'schreiben', oder lạt. *ē*, z. B. in *fīrion* 'feiern' (zu lat. *fēria*),
pīna 'Pein' (lat. *pēna*, *poena*), **sīda* 'Seide' (lat. *sēta*).

5. *ō*.

94.   Westgerm. *ō* ist im As. geblieben, aber in VPC und
einigen kl. Denkm. fast durchgehends nach fränkischer Art zu *uo*
diphthongiert, vgl. *flōd*, *fluod* 'Flut', *stōl*, *stuol* 'Stuhl', *brōdar*, *bruodar* 'Bruder', *kō*, *kuo* 'Kuh', *stōd*, *stuod* 'stand', *hōdian* 'hüten'. —
Es steht auch in den Lehnwörtern *kopa* 'Kufe', *nōn* 'Nachmittag'
(lat. *nōna*), **scōla* 'Schule' (lat. *schōla*).

Anm. 1.   In M steht jedoch auch 12 mal *uo*, 1 mal *ů*, in C
40 mal *ō*, V hat nur vereinzeltes *ō*. Nur *ō* zeigen Hild., Seg. A, Ess.
und Fr. H., Elt., Petr., Gand., Par. und Straß. Gl., überwiegend *ō*
Beicht. und Oxf. Gl. (je 3 *uo*), überwiegend *uo* Bed., Ps. Co. und
Ess. Gl. (hier 3 mal soviel *uo* als *ō*), fast stets *uo* Trier. Seg. u. Gl. (1 *oe*),
während in den Greg. und Wer. Gl. *ō* und *uo* sich ziemlich gleich stehen.
Statt *uo* ist in Bed., Beicht., Ess., Greg. und Wer. Gl. nicht selten *ŏ*
gesetzt, desgleichen öfters im Anfang von C. Wenn dem *ō* ein *w*
vorhergeht, läßt sich aus der Schreibung *uo* oder *uuo* meist nicht
erkennen, ob *ō* oder *uo* gemeint ist, z. B. in *uuosti* 'wüst'; nur selten
erscheint das unzweideutige *uuuo*.

Anm. 2.   Daß *thō* 'damals' und *tō* 'zu' öfters mit *o* erscheinen,
wo man *uo* erwarten sollte, erklärt sich aus ihrer häufigen Unbetontheit.

95. Wenn vor *ō* in *ū* übergegangen ist in Formen des Verbums *dōn* 'tun' (vgl. den Inf. *dūan*, das Part. *gidūan* neben *gidōn* u. a.), so liegen hier wohl friesische Formen vor.

Anm. M hat hier 21 mal *ū*; mit *ūa* mischt sich dann *uo* in den diphthongierenden Denkmälern durch Ausgleichung. Der Übergang von *ōa* in *ūa* entspricht dem von *ea* in *ia*.

6. *ū*.

96. Germ. *ū* bleibt, z. B. *dūƀa* 'Taube', *hūs* 'Haus', *sūgan* 'saugen', *trūon* 'vertrauen', *būan* 'wohnen' (nhd. *bauen*), *frūa* 'Frau', *nū* 'nun', *hū* 'wie' V, Ess. Gl. — Mit diesem *ū* ist das aus urgerm. *uŋ + h* entstandene zusammengefallen, z. B. *thūhta* 'dünkte', *ūhta* 'Morgenfrühe'. — In lat. Lehnwörtern vertritt *·ū*: a) lat. *ū*, z. B. *klūstar* 'Verschluß' (ml. *clūstrum*), *mūr* 'Mauer'; b) lat. *ō*, z. B. *sūƀri* 'rein' (lat. *sōbrius*), *mūlbōm* 'Maulbeerbaum' (lat. *mōrus*), *Sidūnio* 'Sidonier' Ess. Gl., *Rūma* 'Rom', *ūla* 'Topf' (lat. *ōla*); c) lat. *u*, z. B. *krūci* 'Kreuz' (lat. *crucem*). — Wegen Verkürzung vgl. § 108.

Anm. *ȳ* erscheint als *i*-Umlaut von *ū* in *fȳr* 'Feuer' und *ȳrias* 'wilde Umzüge' Ind. Hier liegen wohl anglofries. Formen vor.

C. Diphthonge.
1. *ai*.

97. Germ. *ai* ist im As. — außer vor *j* — zu *ê* kontrahiert, vgl. *wê* 'Weh' (got. *wai*), *êwan* 'ewig' (zu got. *aiws*), *dêl* 'Teil', *êr* 'Bote' (got. *airus*), *lêmo* 'Lehm' (ahd. *leimo*), *stên* 'Stein', *drêf* 'trieb' (got. *draif*), *êđ* 'Eid', *lêstian* 'leisten', *fêh* 'bunt' (got. *faihs*), *lêƀon* 'übrig bleiben' (ahd. *leibēn*), *lêđon* 'leid tun', *mêr* 'mehr' (got. *mais*), *fêgi* 'dem Tode nahe' (nhd. *feige*), *grêp* 'griff' (ahd. *greif*), *wêt* 'ich weiß', *êk* 'Eiche', *bêdian* 'zwingen' (got. *baidjan*). — Desgleichen in lat. Lehnwörtern wie *kêsur* 'Kaiser', *mêstar* 'Meister' (lat. *magister*), *ênkoro* 'Anachoret', *êmbar* 'Eimer' (lat. gr. *amphora*) mit Anlehnung an *ên* 'ein'. Wegen Verkürzung des *ê* vgl. § 108.

Anm. In M findet sich 4 mal *ea* in *nigiean* 'kein', in C einigemal *æ*, *ae*, im Hild. 2 mal *ę*, 1 mal *æ* statt *ê* geschrieben; ein paar *ie*, wie *hieri* C 'Volk' (ahd. *hêri*), *hiet* ib. 'heiß', *bier* 'Bär', 'Eber' Fr. H. (engl. *boar*) sind wohl Schreiberversehen, wie auch einige *i*, z. B. *bīthion* C 'beiden', *mīra* C 'mehr' u. a. *ei* in M und den Glossen ist hochd., einige *ia* in den Wer. Gl. (*liasa* 'Geleise', *kiasur* 'Kaiser') beruhen vielleicht auf fehlerhafter Diphthongierung von *ê* der Vorlage.

98. Vor *j* ist *ai* mit *i*-Umlaut des *a* zu *ei* geworden, z. B. *hnêihida* 'wieherte' Wer. Gl. (Hs. *hnethida*, zu ae. *hnægan*, mnl. *neien*), *ei* 'Ei', G. Pl. *éiero*, *eiiero*, *léia* 'Fels', *twêio* 'zweier' u. a., vgl. § 175. — In *mêiar* 'Meier' entspricht der Diphthong lat. *ái (máior)*.

2. *au.*

99. Westgerm. *au* ist — außer vor *w* — zu *ô* kontrahiert,
z. B. *dôian* 'sterben' (aisl. *deyia*), *bôm* 'Baum', *lôn* 'Lohn' (got. *laun*),
lôf 'Laub', *dôth* 'Tod' (got. *dauþus*), *lôs* 'los' (got. *laus*), *hôh* 'hoch'
(got. *hauhs*), *gilôbian* 'glauben', *dôđes* 'Todes', *ôra* 'Ohr' (got. *ausô*),
bôgian 'beugen', *dôpian* 'taufen', *gôt* 'goß' (got. *gaut*), *ôk* 'auch', *rôd*
'rot' (got. *rauþs*). — Desgleichen das *au* von lat. Lehnwörtern: *sômari*
'Saumtier', *kôp* 'Kauf'.

Anm. 1. Versehentlich steht einigemal in C und Ess. Gl. *uo*
statt *ô*, z. B. *buoknian* 'bezeichnen'. Wegen fries. *â* vgl. § 29, 9.

Anm. 2. Auch das durch Vokalisierung von auslautendem *w*
entstandene *au* (§ 167) ist zu *ô* kontrahiert, vgl. *gô* 'Gau', *frô-līko*
'fröhlich', *frô-môd* 'frohgemut' zum Stamme *frawa-*; wegen der
Nebenformen *frâ*, *frao* und *fraho*, *frô* 'Herr' vgl. § 106 und 167.

100. Vor *w* ist *au* geblieben, z. B. *thau* 'Sitte' (ae. *þéaw*), *glau*
'klug' (got. *glaggwô*), *glauwi* 'Klugheit', *hauwan* 'hauen', *skauwon*
'schauen' (vgl. § 168), *ou* erscheint nur in *tou* 'das Tau' Wer. Gl. und
dou 'der Tau' Par. Gl., vgl. Lasch, Mnd. Gr. § 192.

3. *eu.*

101. Germ. *eu* ist — außer vor *w* — vor *a, e, o* der folgenden
Silbe zu *eo, io* geworden, woraus später *ea, ie* hervorgeht, z. B.
thiorna 'Dirne', *riomo* 'Riemen', *thionost* 'Dienst', *liof* 'lieb', *breost*
'Brust', *leoht* 'Licht', *heođan* 'klagen' (got. *hiufan*), *liodan* 'wachsen',
kiosan 'wählen', *dior* 'Tier' (got. *dius*), *fliogan* 'fliegen', *diop* 'tief',
niotan 'genießen', *siok* 'siech', *wiodon* 'jäten'.

102. Mit diesen *eo, io* ist das *eo, io* der im Got. reduplizierenden
Präterita, wie *hriop* 'rief', das aus *ew* entstandene *eo* von Wörtern
wie *kneo* 'Knie' (§ 167), das aus *êo* hervorgegangene *eo* 'je' etc.
(§ 108) und schließlich das durch Schwund eines intervokalen *w* oder
h entstandene *eo, ea* in *fior* '4' (ae. *féower*), *eorid* 'Reiterei' (zu got.
aíƕa-) und *te(h)an* 'zehn' teilweise zusammengefallen; *meri-griotun*
'Perlen' C = *mere-grîton* M (lat. *margarīta*) zeigt volksetymolog. Anlehnung an *griot* 'Grieß, Sand' (vgl. ahd. *meri-grioz*).

Anm. 1. In VPMC herrscht *io* vor, danach kommt *eo* in VMC
(in M häufiger als in C); Hild. hat 1 *eo*; *ia* ist nicht selten in VM,
geht aber durch in Bed., Beicht., Ps., Ess. H., Ess. Gl. (neben 1 *ie*)
und Wer. Gl.; *ie* ist recht häufig in C (neben 1 *ia*) und steht ausschließlich in den Lam. und Straß. Gl. sowie in der Fr. H., während
ihm in den Oxf. Gl. 2 *ia* gegenüberstehen; *ea* findet sich vereinzelt
in VMC, C weist 4 *eu* und 5 *iu* auf. Vgl. Lasch, Mnd. Gr. § 111 ff.

Anm. 2. Anlautendes *ie* ist in *geder* 'Euter' Oxf. Gl. mit Akzentversetzung zu *ié, jé* geworden (vgl. *jō* aus *io* § 107). Wegen des *g* vgl. § 170.

103. Vor *i* und *j* dagegen ist altes *eu* zu *iu* geworden, vgl. *biudis* 'bietest', *kiusid* 'er wählt', *diurian* 'preisen', *liuhtian* 'leuchten', *fiuhtie* 'Fichte', *liudi* 'Leute', *hliuning* 'Sperling', *bium* 'bin'. Desgleichen erscheint es vor *u*: *biudu* 'ich biete' und in dem Fremdwort *diuƀal, -il* 'Teufel' (lat. *diabolus*).

Anm. 1. Vereinzelte *u* für *iu* in C, wie *durlīk* 'teuer', *luhtian* 'leuchten', sind entweder Schreibfehler, oder *u* ist hier als langes *ü* (die spätere Entwicklung von *iu*) zu lesen; das gleiche gilt von *hŏdigŏ (= hiudigu)* 'heutig' und *luidi* Bed. In der Fr. H. steht jedoch häufiger *thrū* '3' als *thriu*. In *fiur* 'Feuer' ist *iu* aus altem *ūi* entstanden, in *hiudu* 'heute' war es ursprünglich zweisilbig (Stamm *hi-*), desgleichen in *friund* 'Freund' (got. *frijōnds*) und *thriu* '3' (got. *þrija*).

Anm. 2. Durch Ausgleichung steht zuweilen *iu* statt *eo, io* und umgekehrt, vgl. *niud* 'Verlangen', *giniudon* 'sich erfreuen', wohl nach *niud-līko* 'eifrig', oder *niuson* 'versuchen' nach *niusian, sniumo, sliumo* 'schleunig' (1 mal *sniomo* C) nach dem Adj. **sliunig* oder dem Verb (got. *sniumjan*). Das zweimalige *thiud* 'Volk' wird Schreibfehler sein. — Das Umgekehrte ist häufiger, z. B. *liohtean* MC 'leuchten' nach *lioht* 'Licht', *gisioni* M (neben *-siuni*) 'Erscheinungen' nach *giseon* n. C 'Anblick', *diorlīk* P 'teuer' nach dem Adv. **dioro*, desgleichen *thiestre* C 'finster, düster' nach dem Adv. **thiestro*. Neben diesen vereinzelten Fällen, die vielleicht Schreibfehler sind, ist nur *liodi* 'Leute' öfter belegt, nämlich einigemal in PC und 10 mal in V (gegen 8 *iu*); hier ist auch wohl Anlehnung an *thiod* 'Volk', sowie an das Verbum *liodan* 'wachsen' anzunehmen. Vgl. Braune, Bruchst. S. 12, 2; Urdahl, B. B. 29, 115 ff.

Anm. 3. In der Nominalflexion ist durch Ausgleichung der Vokal des Nom. Sg. durchgeführt, z. B. *liof* 'lieb', D. Pl. *lioƀun, thiod* 'Volk', D. *thiodu*.

104. Im Auslaut und vor *w* bleibt *eu*, wenn ein *a, e, o* in der nächsten Silbe steht oder gestanden hat, vgl. *heu* 'hieb', *treu-haft* 'treu', *treuwa* 'Treue', *hreuwan* 'leid sein', *gibreuwan* 'brauen', *beuwod* 'Ernte'. Neben *eu* 'euch', *euwa* 'euer' steht auch *iu, giu, iuwa*, vgl. § 326 f.

105. Wenn auf dies *w* ein *i* folgt, steht *iu*, z. B.: a) bei urgerm. *euwi: triuwi* 'treu', *hriuwig* 'bekümmert', *bliuwid* 'bleut'; b) bei urgerm. *ewj: niuwi* 'neu', *thiu(wa)* 'Magd' (got. *þiwi*). Vgl. unten § 168.

Anm. 1. *Hreuwig* C ist an *hreuwan, hreuwag* angelehnt, *hriuwon* 'bekümmert sein' an *hriuwig, triuwa* 'Treue' Gen. an *triuwi* (oder hochdeutsch). *Kleuwīn* Oxf. Gl. 'Knäuel' ist wohl durch **kleuwa* (ahd. *kliuwa*) beeinflußt.

Anm. 2. Statt *niuwi* steht *nīgi* in *nīgean* 'erneuen' M, *nīgemo* 'neuem' Fr. H., *Nīanhūs* 'Neuenhaus' Ess. H., vgl. § 168.

2. Allgemeine Lautgesetze der betonten Vokale.
A. Dehnung.

106. Kurze Vokale werden gedehnt: a) bei Schwund eines *w* oder *h*, z. B. *frā* 'froh' (Stamm *frawa-*), *slā* 'schlag' *(= slah)* Elt. Gl., *gimālda* = *gimahalda* 'sprach' C, *vē* = *fehu* 'Vieh' Ess. und Fr. H., *fēlīk* 'probatica' (zu *fehu* 'Vieh') Ess. Gl.; b) bei Ausfall eines folgenden Nasals vor Spiranten, z. B. *fīf* 'fünf', *ūs* 'uns' etc. (weitere Beispiele s. § 191). Während dabei *i* und *u* unverändert bleiben, geht *a* entweder in *ā*, oder in *ō* über, und zwar in *ā* vor *f*, vgl. *hāf* 'lahm', *sāfto* 'sanft', in *ā* oder *ō* vor *đ*, z. B. *āđar, ōđar* 'ander', *fāđi, fōđi* 'Gang', *nāđian* 'wagen', *māđmundi* 'sanftmütig', *rōther* 'Rind', **smōđi* 'geschmeidig', *sōđ* 'wahr', in *ō* vor *s*: **gōs* 'Gans'.

Anm. *Fōđi* findet sich nur einmal in M, das sonst wie C *ā* zeigt; *āđar* 3 mal in M, 2 mal in C, 1 mal in Gen., sonst lautet es stets *ōđar*; neben *sōđ* steht *suođ* in der Gen. Das Mnd. und Nd. bieten noch *gās, gōs* 'Gans' und *smōde* 'geschmeidig' (zu engl. *smooth*).

107. Auch im Auslaut einsilbiger Wörter, wenn sie im Satze betont sind, werden kurze Vokale gedehnt, z. B. *hī, hē* 'er' (aus **hiz*), *hwē* 'wer', *mī* 'mir', *thū* 'du', *nū* 'nun', desgleichen bei Akzentversetzung: *giō* 'je' aus *eo, io* (§ 108 b).

Anm. Das aus *i, e* entstandene *ē* kann in *ie* übergehen, vgl. § 92.

B. Kürzung.

108. Obwohl bei der mangelhaften Schreibung in den Hss. die Quantität der Vokale nicht sicher zu bestimmen ist, läßt sich in zwei Fällen Kürzung annehmen (vgl. Lasch § 68), nämlich:

a) Vor Geminata, z. B. *hluttar* 'lauter', *ettar* 'Gift' (nhd. *Eiter*), *ellevan* 'elf' (got. *ainlif*), *emmar* 'Eimer', *lilli* 'Lilie' (lat. *līlium*).

b) Unmittelbar vor Vokal derselben Silbe, z. B. *eo, io* 'je', 'immer' (got. *aiw*), *hweo* M 'wie' (got. *hvaiwa*), *seola, siola, siala* 'Seele' (got. *saiwala*), *thea, thia* 'die' (got. *þai + a*).

Anm. 1. Ob auch in Fällen wie *thāhta* 'dachte', *ēld* 'Feuer', *ūhta* 'Morgenfrühe', *fruht* 'Frucht' (lat. *frūctus*) schon Kürzung eingetreten ist, läßt sich aus der Schrift allein nicht entscheiden. Da-

gegen beweist der Übergang von *eo* (aus *êo*) in *io*, *ia*, *ie* klar die
Kürze des Vokals. Das *ê* ist geblieben in *sêo*, *hrêo* durch den Einfluß der Cas. obl., wie Gen. *sêwes*.

Anm. 2. Die gewöhnliche Form ist *seola*, woneben in M 4
siola, Ps. hat *siala*. *Gio* ist das häufigste in MC, danach kommt *eo*,
io M, *io* CGen., während C nur 1 *eo*, VGen. 2 *gio*, C 3 *iu* hat; *io*
findet sich auch in Ps., *ia* in den Greg. und Oxf. Gl. *Neo* 'nie'
herrscht neben *nio* in M, letzteres in C, das daneben 2 *neo* und 1
nie zeigt; Ps. hat *nia*, das auch 1 mal in M erscheint, Hild. 1 *neo*,
die Ess. Gl. 1 *nio*, 2 *nia*, die Greg. Gl. 3 *nia*, 1 *niet* 'nicht' (aus
niowiht); mit *wiht* zusammen ist *eo* die häufigste Form, in MC, woneben in C 5 *io* und 4 *gio*, in M 2 *gio* erscheinen; in Ps. und Wer.
Gl. steht vor den Pronomina *gihwelik*, *gihwethar* und *gihwē* stets *io*,
in der Fr. H. *ia* und *ie*, während die Ess. Gl. 2 *iemar* 'immer' neben
getheswes 'irgend eines' bieten. *Io* kann sowohl *io* wie *jō* sein, *gio*
nur letzteres; *ia*, *ie* lassen auch die doppelte Lesung *ia*, *ie* und *já*,
jé zu, letztere erscheint gesichert durch *ge*. Vgl. hierzu § 107 und
geder 'Euter' § 102 Anm. 2. Zu den Formen der Dreizahl vgl. § 379
Anm. 4.

C. Konsonantische Einflüsse.

109. Durch folgendes *r* ist *e* zuweilen zu *a*, *i* öfters zu *e*, *o*
zu *a* und *u* nicht selten zu *o* geworden, vgl. § 82 Anm. 2, § 84
Anm. 2, § 86 Anm. 1 und § 88 Anm. 3.

110. Vor *ld* ist *a* selten zu *o* geworden: *old* 'alt', vgl. § 76
Anm. 1.

111. Vor *s* ist *e* vereinzelt zu *o*, *u* geworden, vgl. § 82 Anm. 2.

112. Vor *h* ist *u* zuweilen in *o* übergegangen, vgl. § 88 Anm. 1
(drohtin).

113. Nach *w* ist *a* gelegentlich zu *o*, *i* zuweilen zu *u* geworden, vgl. § 82 Anm. 2 *(worold)*, § 78 Anm. und § 84 Anm. 3.

114. Wegen des Einflusses von Labialen und Gutturalen auf
benachbartes *o* vgl. § 88.

D. Umlaut.

115. Der *i*-Umlaut wird nur bei *a* regelmäßig, bei *ā* zuweilen
durch die Schrift bezeichnet, vgl. § 77 ff. und § 91. Da jedoch im
Mnd. und Nnd. auch bei *ê*, *ŭ*, *ō* und *ô* der Umlaut erscheint, muß
dieser mindestens im späteren As., und zwar vor dem Schwinden
des *j*, resp. dem Übergang von unbet. *i* > *e* eingetreten sein, also in
Fällen wie *hwêti* 'Weizen', *fullian* 'füllen', *brūdigumo* 'Bräutigam',
bōtian 'büßen', *gi-lôƀian* 'glauben', vgl. nnd. *weite*, *füllen*, *brüme*,
böten, *glöven*. Vgl. Holst, Ark. f. nord. fil. 18, 210 ff.; Marquardsen,
PBrB. 33, 455 ff.; Lasch, Mnd. Gr. § 42 ff.

II. Nebentonige und unbetonte Vokale.

1. In Vorsilben (Präfixe und Proklitika).

1. *a.*

116. Vortoniges *a* ist gewöhnlich erhalten, z. B. in dem Verbal-
präfix *a-* in *abiddian* 'erbitten', ferner in *af-*, *an-*, *and-*, *at-*, z. B.
afsĕbbian 'wahrnehmen', *aneƀan* 'neben', *antkĕnnian* 'erkennen',
atsamne 'zusammen'.

Anm. Daß *a-* Länge gehabt, läßt sich nicht erweisen; neben
af- haben CP einmal fries. *of-* in *ofstapan* 'betreten', CM in *ofsittian*
'besitzen', desgleichen die Ess. und Werd. Gl. als Adverb, gegen den
ursprünglichen Gebrauch als unbetonter Form (vgl. Lasch, Mnd. Gr.
§ 38, 3). C zeigt 4 *on* (ags.?); Gen. 1 *ent-*, Trier. Seg. B 1 *ant-*,
2 *ent-*, Oxf. Gl. 2 *un-* in *ungeldan* 'entgelten', *umbĕtte* 'stieg ab' (zu
*und-ƀêtian), für *at-* steht *t-* in *tôgian* 'zeigen' (got. *at-augjan*); geschwunden ist *a* auch in *fr-etan* 'fressen'.

2. *e, i.*

117. In der Präpos. *bi* 'bei' und dem Präfix *bi-* 'be-' überwiegt
im allgemeinen noch *i*, erhalten wohl durch den Einfluß des Ad-
verbs *bī*; die Elt. und Werd. Gl. zeigen öfter *e* als *i*, Bed. und Ps.
nur *be*. — Geschwunden ist das *i* in *bûtan* M, *botan* VC 'außer',
woneben M auch *biûtan* hat, vgl. § 122. In *biskop* 'Bischof' aus
lat. *episcopus* ist der *e*-Schwund gemeingerm.

118. Bei *gi-* 'ge-' zeigen VPC und die meisten kl. Denkm.
überwiegend *i*, selten *e* (V 18 mal), Beicht. hat stets, M bis V. 1020
mit drei Ausnahmen *gi-*, dann bis 2400 mehr *ge-*, schließlich wieder
vorherrschend *gi-*; *ge-* ist in der Überzahl in Bed., Ps. und Straß.
Gl., die einzige Form in der Ess. H.

Anm. Ein zweites *gi* 'und' steht je einmal in C neben *ge*,
gię (= *je*), wofür sich auch *ja* (*gia*) findet, und im Trier. Seg. A
in *gi ôk* 'und auch'.

119. Die Präposition *te*, *ti* 'zu' erscheint meist mit *e*, nur
selten in VM, häufiger in C (65 mal), stets in dem Trier. Seg. B,
2 mal im Hild. mit *i*. Daneben steht das Adv. *tô*, das auch einigemal in C, einmal im Hild., oft in der Fr. H. statt der Präp. vorkommt. — Als Präfix lautet es fast immer *te*, z. B. *tesamne* 'zusammen', nur C Gen. haben je ein *tigĕgnes* 'entgegen'. Vgl. Lasch,
Mnd. Gr. S. 128. — Das Präfix *te-* 'zer-', z. B. in *tefallan* 'zerfallen',
dagegen hat nur selten *i*: 2 mal in M, je 1 mal in C, Oxf. und Straß. Gl.

120. *Ni* 'nicht' ist die herrschende Form im Hel., die einzige
in PGen., doch steht daneben im Hel. schon häufig *ne*, was in den
andern Denkm. die gewöhnliche oder alleinherrschende Form ist;

bei Proklise ist vor Vokalen Elision eingetreten: *nis(t)* 'ist nicht',
nêt = niwêt CM 'weiß nicht', *nên* 'nein', *neo, nio* 'nie', *neƀo* 'wenn
nicht'.

121. Die Konjunktionen *ef* 'wenn', 'ob' (ahd. *ibu*, got. *iba),
efđo, -a* und *ettho* 'oder' (ahd. *eddo*, ae. *eþþa*) haben unbetonte Formen mit *o, a: of* M, Greg. Gl., *af* M, Wer. Gl., *ofthe* Wer. Gl., *ohtho*
M, *atha* Trier. Seg. B.   Vgl. Lasch, Mnd. Gr. § 128.

Anm. zu den §§ 116—121. Die ursprüngliche Gestalt des
Vokals ist nicht stets mit Sicherheit auszumachen, weshalb oben
auch von der Aufstellung von «Grundformen» abgesehen wurde.
Die 12 mal in C, 1 mal in M, vereinzelt in der Fr. Heb. erscheinende
Präposition *met, med* 'mit' neben sonstigem *mid, mid* kann sowohl
betonte Form (vgl. gr. μετά, aisl. *meþ*) sein wie Schwächung von *i*
zu *e* zeigen.   Vgl. auch *ed-windan* 'rotare' Par. Gl., wo *ed-* einem
ae. *ed-*, aber got. *id-, iþ*, aisl. *id-*, ahd. *ita-, iti-* entspricht.

3. *o, u.*

122. Für *b(i)ūtan* 'außer' M zeigen VC *botan*, was sich nur
aus unbetontem *bŭtan* erklären läßt (vgl. ne. *but* neben *about*).

123. Das Präfix *for-* 'ver', z. B. in *forlātan* 'verlassen', herrscht
in den Trier. Seg. und Oxf. Gl. und hat in C häufiger diese Form als
far-, das hingegen in V und in M von V. 1304 an vorherrscht, in
Beicht., Elt. und Straß. Gl. die einzige Form ist. Die Ess., Greg.
und Werd. Gl. zeigen *far-* und *fer-*, Ps., Bed. und Seg. A nur *fer-*,
das auch schon einmal in Gen. auftritt. — *Pravendi* 'Präbende' Fr.
H. entspricht mlat. *prōvenda.*

2. Mittelvokale.
A. Die Entwickelung der alten Mittelvokale.
a. Kurze.
1. *a.*

124. Kurzes *a* ist vielfach erhalten, vgl. *gamal* 'alt', *ōđar*
'ander', *aftar* 'nach', *hêlag* 'heilig', *samad* 'zusammen', *bindan* 'binden', *giboran* 'geboren', *opan* 'offen', *thiodan* 'König'. Doch wechselt
a häufig durch Assimilation an folgende, seltener an vorhergehende Vokale mit *e, o, u*, z. B. *heƀan* 'Himmel', G. *heƀenes*, *ōtheremo* 'anderem', *hêlogo* 'heilige', *fravolo* 'hartnäckig' Wer. Gl. neben
fraviḽico ib. (zu ahd. *fravali*, ae. *fræfele), hunderod* '100' Fr. H.,
oponon 'öffnen', *hamuron* 'Hämmern', *gōdumu* 'gutem' (got. *gōdamma),
kullundar* 'Koriander' Pet. Gl., *oƀor, oƀar* 'über', *theodone* 'dem König'.
Auch Komposita zeigen diese Erscheinung, vgl. *līkhomo* C 'Leichnam',

desgleichen Lehnwörter wie *kêsar, -ur* 'Kaiser' (lat. *Caesar*). Vgl.
auch § 127.

Anm. 1. C zeigt oft, M nur 2 mal, die kl. Denkm. meist *e* in
ōðar, vgl. *ōthar* Fr. H. neben *ōtheremo, ōthera* Greg. Gl., *ōtherimu*
Ps.; *ōdor* in C ist wohl ags.

Anm. 2. In M und Oxf. Gl. ist *e* durch Ausgleichung oft für
a eingetreten, vgl. die zahlreichen Formen wie *gibunden* 'gebunden'
u. ä. (nach *gibundene(s)* etc.). Vielleicht liegt aber Ablaut vor, vgl.
ae. *gebunden,* aisl. *bundenn, -inn.*

125. Die Schwächung von *a* zu *e* ist noch selten, so haben C
und Bed. je ein *-ed* statt *-ad* im Pl. Präs. Ind., das aber im Ps. schon
häufiger ist, die Greg. Gl. *newen* 'sondern' = *newan* C, die Fr. H.
ambeht 'Amt' neben *ambaht;* nicht selten steht *after* für *aftar; thar*
'da' erscheint in M 1 mal, in Ps. 4 mal zu *ther* geschwächt, desgleichen
that 'das' in C 2 mal zu *thet:* beides in unbetonter Stellung, *kamera*
'Kammer' Pet. Gl. neben *kamara* Wer. Gl. Zuweilen wird dies *e* zu *i*
z. B. *tehin* M, *tein* Fr. H. '10'. Vgl. Lasch, Mnd. Gr. § 80 ff., 118.

Anm. 1. Bei Formen wie *lesed* 'lesen' für *lesad* u. a. könnte
man auch Assimilation annehmen. *Aftar* ist die einzige Form in
VPM und im Wien. Seg., *after* in C und Beda., während die Gen.
gleich oft *-ar* und *-er* zeigt. Das Suffix *-werd* C neben *-ward* M
zeigt keine Schwächung, sondern hier liegt Ablaut vor.

Anm. 2. Der Wechsel von *a* und *i* im Suffix *-ag,* z. B.
manag: -ig (got. *manags*) beruht auf Analogie.

126. Umlaut eines unbetonten oder nebentonigen *a* ist be-
sonders häufig in MC bei vorhergehendem *j,* z. B. *hôrien* 'hören', *te*
frummienne 'zu vollbringen', *nėriend* 'Retter', desgleichen bei den
Suffixen *-nėssi* '-nis' (got. *-nassus*) und *-skėpi* '-schaft', sowie dem
Lehnwort *pálėncea* 'Palast' (mlat. *palantium*); dagegen haben die
Part. Präs. keinen Umlaut: *berandi* 'tragend', außer bei *ja*-Stämmen.
Ebenso heißt · es *magadi* 'Mädchen', *ágastria* 'Elster', *ginuftsamida*
'Fülle' etc. In Kompositis erscheinen *-bêki* 'Bach', *-stėdi* 'Stadt',
-bėri 'Beere' stets umgelautet, dagegen herrscht Schwanken bei
ẹlilandig 'fremdländisch' neben *ẹlilėndi* 'Fremde', vor *rd* bleibt *a* in
tuowardig 'zukünftig', vgl. § 79 f.

Anm. Dies *ė* wechselt mit *i,* vgl. *-biki, -stidi* Fr. H. und *-skipi*
besonders in C 1—2000, Beicht., Wer. Gl., vgl. § 78.

127. Vor *ld* sowie nach *w* und *v* ist *a* öfters zu *o* geworden,
vgl. *hagastold* C = *hagustald* M 'Diener', *werold, -uld* 'Welt', *viffold*
'fünffach' Wer. Gl., *vivoldaran* 'Falter' Straßb. Gl.; *Mẹinword* 'Mein-
ward' Fr. H., *pāvos* 'Papst' (lat. *papa*). Ähnlich ist *a* vor *p* in *u*
übergegangen in *hanup* 'Hanf' Trier. Gl. (ahd. *hanaf*). Vor *n* ist in

VC zuweilen *o* eingetreten, z. B. *werðon* 'werden', *lāton* 'lassen',
êwon- 'ewig', aber das in MC nicht seltene *fon* 'von' neben *fan* ist
wohl die unbetonte Form, vgl. Lasch, Mnd. Gr. § 38, 2.

Anm. 1. C hat nur 21 *fon*, in M herrscht es bis V. 1497
ausschließlich, tritt dann aber nur noch 5mal auf. In P und Gen.
steht je 1 *fon* neben 6 *fan*. Die kl. Denkm. kennen nur *fan, van*.
Das einigemal in C erscheinende *thon* 'dann' dürfte fries. Schreibung sein, vgl. Lasch, a. a. O. § 38, 4.

Anm. 2. Zuweilen beruht *o* auf Assimilation, z. B. *gebodon*
'geboten' C, *oðona* 'oben' ib., vgl. § 124.

Anm. 3. Wenn neben *fîand* 'Feind' Ps. (vgl. got. *fijands*) in
VM meist *fiund*, in C vorherrschend *fiond* steht, so liegt hier ohne
Zweifel Beeinflussung durch *friund* 'Freund' (got. *frijōnds*) vor. M
hat 1 *feond*, C 1 *fîend* und einige *fiund*.

2. e.

128. *E* ist entweder geblieben, wie in *fader* 'Vater', *blindera,
-u, -o* 'blinder' G. D. Sg. F. und G. Pl., *gumen* 'Mannes' C, *dages*
'Tages', oder (besonders vor *r*) in *a* übergegangen. — Assimilation
zeigt sich in der häufigen Endung *-oro* für *-ero*, vielleicht auch in
karkari 'Kerker' (lat. Acc. *carcerem*).

Anm. C bevorzugt *e*. Vereinzelte Formen wie *brōðor* Gen.
dohtor 'Tochter', *muodor* 'Mutter' C, sind Anglosaxonismen. Als *i*
erscheint lat. *e* in *lavil* 'Becken' Wer. Gl. (lat. *labellum*), wohl in Anlehnung an die Wörter auf *-il*.

3. i.

129. *I* ist in der Regel erhalten, vgl. *himil* 'Himmel', *mikil*
'groß', *angêgin* 'gegen', *firina* 'Sünde', *hliuning* 'Sperling', *twêlif* '12',
hêlið 'Held', *nimid* 'Hain', *êgiso* 'Schrecken', *frônisk* 'herrschaftlich',
êrist 'erst', *hôðid* 'Haupt', *nêrida* 'rettete'; desgleichen in Fremdwörtern: *kêlik* 'Kelch' (lat. *calicem*), *kirika* 'Kirche' (gr. κυριακόν),
êsil 'Esel' (lat. *asinus*), *kêtil* 'Kessel' (lat. *catinus*). Schwächungen
zu *e* sind in den Helhss. noch selten, später häufiger.

Anm. 1. C hat 4 *e*: *mikel, mune-lic* 'lieblich' und 2 Prät.
auf *-eda*, M nur 4: *hête-lic* 'feindselig', *mêre-grîta* 'Perle', *gêgen* und
1 Prät., Gen. 3 *e*: *gêgen, êngelos* 'Engel' und 1 Prät.; sonstige Fälle
sind *vîftech* '50' Ess. H., *ellevan* '11' Fr. H. (got. *ainlif*); *kiêtel* 'Kessel'
ib., *pêllel* 'Seidenstoff' Gan. Gl. (lat. *palliolum*) u. ä. Selten sind Assimilationen wie *mikulun* C, eigentümlich ist *muna-lic* 1 M.

Anm. 2. Im Komparativ ist *i* selten erhalten, z. B. *êldiron*
'Eltern', *mildira* 'milder'; meist ist dafür *e* oder *a* eingetreten, vgl.
die Flexionslehre § 366 ff.

4. *o, u.*

130. Altes *u* bleibt gewöhnlich in *evur* 'Eber', *ārundi* 'Botschaft', *alung* 'ewig' M 2619, *akus* 'Axt' (vgl. got. *aqizi*), *ernust* 'Ernst', *hornut* 'Hornisse', *miluk* 'Milch', wechselt mit *o* in *widuwa* 'Witwe', *ginuwar* 'dort', *radur* 'Himmel', *angul* 'Angel', *hatul* 'feindselig', *sibun* '7', *nigun* '9', *fastunnea* 'Fasten', *abuh* 'übel', *silubar* 'Silber', *rakud* 'Tempel', *metud* 'Geschick', *fridu-barn* 'Friedenskind', *lagu-strôm* 'Meerflut'; desgleichen in Flexionsendungen wie -*un* im D. Pl. und Pl. Ind. Prät., worüber die Formenlehre zu vergleichen ist. — In lat. Lehnwörtern entspricht *o* lat. *o* in *biskop* 'Bischof', *pinkoston* Ess. H. 'Pfingsten' (lat. *pentecoste*), während *fillul* 'Patensohn' (lat. *filiolus*) *u* zeigt. *Diubal* 'Teufel' (lat. *diabolus*) hat in M auch *diubul*, in Bed. *diuvil*. Altes *u* steht in *quāgul* 'Lab' (lat. *coāgulum*) und *muscula* 'Muschel'.

Anm. In Zusammensetzungen steht öfter *o* für *u*, z. B. *fehoskatt* 'Geldstück', und zwar hat C 36 *u*, 1? *o*, M 33 *u*, 9 *o*. Nur 2mal hat hier C *a*. Sonst sind Schwächungen zu *a* und *e* selten, vgl. *pellel* 'Seidenstoff' (lat. *palliolum*), *skutala* 'Schüssel' Lam. Gl. (lat. *scutula*), *siven* Fr. H., *nigen* Fr. und Ess. H., *pinkieston* Fr. H., *undorn, -ern* C 'Mittag' (got. *undaúrni-*), *amballa* 'Flasche' Pet. Gl. (lat. *ampulla*).

b. Lange.

1. *ā.*

131. Langes *a* in dem Suffix -*āri* (lat. -*ārius*) ist schon gekürzt, wie der Wechsel mit *e* und *i* zeigt, vgl. *fiskari* Fischer', *dôperi* 'Täufer', *driogiri* C 'Betrüger'; die jüngeren Denkmäler haben meist -*eri*, die Fr. H. -*are*, -*ere*, -*ire*, z. B. *muleniri* 'Müller'; Synkope erscheint in *sostra* 'Sechter' (Sgl. *suster*) Ess. H. (lat. *sextārius*). Das Fem. dazu ist -*irin* in *makirin* 'Macherin' Wer. Gl. — Auch in *markat* 'Markt' (mlat. *marcātus*) und *oral* 'Mantel' (mlat. *orālium) liegt wohl schon Kürze vor.

2. *æ.*

132. Nebentoniges *æ* ist als *ā* erhalten, z. B. in *bispráki* 'Verleumdung'; in *judeo* 'Jude' (lat. *Jūdæus*) hat es Verkürzung erlitten.

3. *ī.*

133. Langes *ī* ist bereits verkürzt, wie der gelegentliche Übergang in *e* zeigt, z. B. *guldin* 'golden', *linen* 'leinen' Fr. H., *mahtig* 'mächtig' (got. *mahteigs*), *bundis* 'bändest' (got. *bundeis*), *bundin* 'bänden' (got. *bundeina*); desgleichen in lat. Wörtern, wie *bekkin*

'Becken' (lat. *baccīnus*), *kristin* 'christlich' (lat. *christīnus*), *ségina* 'Netz' (**sagīna* aus lat. *sagēna*), *ékid* 'Essig' (lat. *acētum*), *munita* 'Münze' (**munīta* aus lat. *monēta*).

Anm. Schon Gen. hat *e* in *sāwen* 'sähen'. In *évenin* 'von Haver' Fr. H. ist das erste *ĭ* zu *e* geworden, das zweite erhalten (lat. *avēna*, as. **evina*). Auch in *muleniri* 'Müller' Fr. H. (mlat. *molīnārius*) ist *i* $>$ *e* geschwächt, wie in *dachwilek* 'täglich' ib.

4. *ō.*

134. Langes *ō* ist gewöhnlich zu *o* verkürzt, wie der gelegentliche Übergang zu *u* und *a* zeigt, z. B. *ôstroni* 'östlich', *mānoth* 'Monat' (got. *mēnōþs*), *beuwod* 'Ernte', *werod* 'Schar', *hringodi* 'beringt', *ênodi* 'Einöde', *thionost* 'Dienst', *geδono* 'der Gaben', *grimmora* Kompar. 'grimmer', *swārosto* 'schwerste', *salδon* 'salben', *salδoda* 'salbte'. Übergang in *u* ist vereinzelt: *mānuth* Ess. und Wer. Gl., *thianust* Bed., Ess. Gl., *skôniust* 'schönste' Gen., *tresur* M 'Schatz' (vulg.-lat. **tresōrus* $<$ *thēsaurus*), öfter dagegen im Adv. des Komp. in VM, wie *sáftur* 'sanfter' und zuweilen im Part. Präs. der *ō*-Konjug.; desgleichen Schwächung zu *a*: *werad* Gen., *westrani* 'westlich' M, *rīkeast* 'mächtigste' M, ferner im Kompar. in M und in der *ō*-Konjug., vgl. die Formenlehre. Der Gen. Pl. der Fem. hat einigemal *-uno*, *-ano* statt *-ono*.

Anm. In *friund* 'Freund' (got. *frijōnds*) ist *ō* stets zu *u* geworden, nur C hat 1 mal *friond*. Vgl. § 103 Anm. 1. In *antswōr* 'Antwort' ist die Länge nach Ausweis der Metrik erhalten.

5. *ū.*

135. Langes *u* ist meist als Kürze erhalten, vgl. *juguđ* 'Jugend' (mit Nasalschwund aus *jugūd*, **-unþ*), *niguđa* 'neunte'; Fr. H. hat jedoch Schwächung zu *o*: *sivotha* 'siebente', *tegotho* 'zehnte'. — In lat. Lehnwörtern steht bald *u*, bald *o*: *sikur*, *-or* 'sicher' (lat. *sēcūrus*); mlat. *costūrārius* 'Küster' erscheint als *coŝtarari* Werd. Gl.

c. Diphthonge.
ai.

136. Das aus *ai* kontrahierte *ê* ist bereits zu *e* verkürzt, wie aus dem Wechsel mit *i* und *a* hervorgeht, z. B. *arδed,* *-id*, *araδad* 'Arbeit', *eorid-* 'Reiterzug' (zu ahd. *réita*), *fullestian*, *-istian* 'Hilfe leisten' (ahd. *folléisten*); vor *r* tritt bei *io-mĕr* 'immer' in den Ess. Gl. schon *a* auf: *iemar*, desgl. in *oδastlīko* 'eilig' (ae. *ofost*) neben *ofstl.* C (zu aisl. *eisa*).

B. Synkope.

137. In dreisilbigen Formen wurden ursprünglich kurze Vokale der Mittelsilbe nach l a n g e r Wurzelsilbe synkopiert, wenn ein einfacher Konsonant darauf folgte, z. B. *hôƀid* 'Haupt', Gen. *hôƀdes*, *lôsian* 'lösen', Prät. *lôsda*, *hiudu* 'heute' (aus **hiudagu*), *sêola* 'Seele' (got. *saiwala*), *ôƀar* 'ander', Gen. *ôƀres*, *gi-sūn-fader* (cf. lit. *sūnùs*) 'Sohn und Vater' neben *sunu*. Jedoch ist diese Regel durch zahlreiche Neubildungen durchbrochen, indem der Mittelvokal entweder nach Analogie von Formen mit kurzer Wurzelsilbe oder durch den Einfluß des Grundwortes (resp. der nichtsynkopierenden Formen) wieder eingeführt wurde. Vgl. PBrB. 5, 82 ff., 6, 149 ff., sowie § 149 über Mittelvokale in Zusammensetzungen.

A n m. Ausnahmsweise ist Synkope auch bei alter Länge erfolgt in *sostra* 'Sechter' (lat. *sextārius*), s. § 131.

138. Die wichtigsten A u s n a h m e n sind:

1. Vor *l* bleiben *a*, *i*, *u*, z. B. *engilos* 'die Engel', *luttiles* 'kleines', *murmulon* 'murmeln', *īdala* M, *-ila* C 'eitle'; *diuƀal* 'Teufel' synkopiert meist, hat aber drei Formen ohne Synkope: Gen. Sgl. *diuƀules* M, *-ales* C, G. Pl. *diuvilo* Bed.

2. Vor *r* bleibt der Vokal in der Adjektivflexion, z. B. G. Pl. *gôdaro* 'guter'; nur *unkro* 'unser beider' kommt 3 mal in MC, der G. Pl. *lungro = lungraro* 'kräftiger' 1 mal in C vor; im Kompar. ist das *i* meist nur bei substantivisch oder nichtsteigernd gebrauchten Formen synkopiert, wie *hêrro* 'Herr' (*= *hêriro*), *jungro* 'Jünger' C, 2 mal M, *aldron* 'Eltern' neben *aldiron*, *ĕldiron*, *furƀron* 'Vorfahren', *swīƀra* 'die Rechte', *winistra* 'die Linke', außerdem *langro*, *lengro* 'länger' neben *lengiro*; *ôƀar* 'ander' synkopiert fast immer mit Ausnahme von 1 *ôƀaru* CM und 1 *ôƀara* M (vgl. § 358 Anm.); der G. Pl. *ĕiro* 'Eier' steht neben *ĕiero* und *hônero* 'Hühner'; die Fremdwörter *mêster* 'Meister', *mêier* 'Meier' und *prêster* 'Priester' synkopieren meist, *martir* behält sein *i*, *karkari* 'Kerker' hat 1 mal im D. *karkre* C, sonst bleibt das *a*.

3. *Wānam* 'glänzend' behält in der Flexion sein *a*; wenn auch im D. Sg. M. N. der Pronominalflexion, z. B. *gôdumu* 'gutem', der Mittelvokal bleibt, so beruht dies wohl auf der alten Doppelung des *m*, vgl. got. *gôdamma*.

4. Vor *n* bleibt der Vokal im st. Part. Prät., wie *gibundane* 'gebundene', in Ortsadverbien wie *ôstana* 'von Osten' und in *ēwan* 'ewig' (*ĕwin* 1 C = got. *aiweins*), während *thiodan* 'Herrscher' und *morgan* 'Morgen' in der Synkope schwanken; im st. Akk. Sgl. M. haben zwei Adjectiva stets Synkope: *ĕnna* 'einen', *lēfna* 'schwachen',

andere nur ausnahmsweise, z. B. *thīnna* 'deinen' 1 MV, da hier gewöhnlich die Endung *-an* steht — Formen auf *-ana* sind nur vereinzelt —; Synkope zeigen *witnon* 'strafen' (zu *wīti* 'Strafe'), *fastnon* 'befestigen' (ahd. *fastinōn*), *lāknon* 'heilen' (ahd. *lāhhinōn*), *giêknoda* 'finxit' Ess. Gl. (zu *êgan* 'eigen').

Anm. *Hêđin* 'Heide' und *drohtin* 'Herr' synkopieren nicht, wohl im Anschluß an die Adj. auf ursprüngliches *-īn*; neben dem romanischen *alamōsna* 'Almosen' M, Fr. H. hat C das ans Grundwort (lat. *eleemosyne*) angelehnte *elimōsina* (vgl. van Helten, ZfdW. 10, 197). Auch *cursina* 'Pelzrock' behält sein *i*.

5. Vor *đ* zeigen die Abstrakta auf *-ida* bald Synkope, bald nicht: *diur(i)đa* 'Ehre', *fūlitha* 'Fäulnis', *sāl(i)đa* 'Glück', *mārđa* 'Kunde' Gen. neben *imārida* Oxf. Gl., *fūhtitha* 'Feuchtigkeit' Wer. Gl., *hônitha* 'Schande' Pet. Gl. u. a. Vgl. Hucko S. 86 f.

6. Im Prät. der schw. *ja*-Stämme stehen Formen mit und ohne *-i-* nebeneinander, vgl. *diur(i)da* 'pries', *dôpta, dôpida* 'taufte'; im Hel. tritt Synkope fast regelmäßig nach einfachem Konsonanten ein, nach mehrfacher Konsonanz meist nur dann, wenn der zweite Laut . ein Dental ist, ferner nach *ll* und *rr*; im Part. Prät. zeigen fast nur die kl. Denkm. synkopierte Formen, z. B. *gifulda* 'gefüllte' neben nichtsynkopierten. Vgl. die Formenlehre.

7. Vor *g* findet sich Synkope selten, vor *k* gar nicht, vgl. vereinzeltes *hêlgost* 'heiligste', *hêlgoda* 'heiligte', *ungiwitgon* 'unverständigen' in C zu *hêlag* und *wittig*. Im übrigen heißt es im Gen. *hêlages* usw., *luttikon* 'kleinen'.

139. Nach kurzer Wurzelsilbe bleiben kurze Mittelvokale in der Regel, vgl. *heƀanes* 'Himmels', *slutilas* 'Schlüssel', *opana* 'offene', *metodes* 'Geschickes'. Vereinzelte Ausnahmen sind *bêzto* 'beste' (got. *batista*), *lêzto* 'letzte', *êlkor* 'sonst' (< *êli-līkor*, vgl. ahd. *êlichōr*), *tegêgnes* 'entgegen' und *gêgnungo* 'offenbar' (beide zu *gêgin*), *Ezzchon* Ortsn. = *êtiscon* (zu got. *atisk* 'Saatfeld') ib., *mêzas* 'Messer' Fr. H. (= *mêti-sahs*), *scridscōh* 'Schrittschuh' Oxf. Gl., *sêlđa* neben *sêlida* 'Haus', *sêl-scipi* 'Gesellschaft' Wer. Gl., *miklun* 'großen' 1 C.

Anm. In Wörtern wie *degmo* 'Zehnte' (lat. *decimus*), *fakla* 'Fackel' (lat. *facula*), *tolna* 'Zoll' (mlat. *tolonēum*), *almōsa* 'Almosen' Fr. H. (rom. *almosna*), *mancus* 'Goldmünze' (lat. *manū cūsus*) Wer. Gl., *tafla* 'Tafel' (lat. *tabula*) lag schon im vulgärlat. Substrakt Synkope vor; das in CM erscheinende *alamōsna* ist wohl an die Komposita mit *ala-* (§ 149 Anm.) angelehnt. Unregelmäßig ist die Synkope in *ofstlīko* C 'eilig' neben *oƀastlīko*, vgl. § 136.

140. Von zwei Mittelvokalen wurde ursprünglich der zweite (außer wo er lang oder durch Position geschützt war) synkopiert, also in Fällen wie dem st. Akk. Sg. M. *hêlagna* 'heiligen' (got. *hailagana*), *luttilna* 'kleinen' etc. Vgl. auch das Lehnwort *kirika* 'Kirche' (gr. κυριακόν). Daneben stehen Neubildungen wie *mikilana* 'großen' u. a. Besonders bewahren alle Endungen, die unmittelbar nach langer Stammsilbe festen Vokal haben, diesen auch in dritter Silbe, so die *r*-Kasus und der st. D. Sg. M. N. der Pronomina, wie *ênigaro* 'einiger', *nêrieṇderọ* 'Rettender', *thurftigumu* 'dürftigem' usw. Hier liegen Neubildungen nach den einsilbigen Adjektiven vor.

Anm. 1. Nur selten kommen synkopierte Formen wie der G. Pl. *mahtigro* 'mächtiger' C vor; Bildungen wie *aldrono* 'der Eltern' M, *jungrono* 'der Jünger' C sind an die synkopierten Nominative angelehnt. Neben *ōdarna* 'andern' steht öfter *ōdrana* M.

Anm. 2. Komparative wie *sâligron* 'seligeren' C u. a. = *sâligoron* M sind nach Analogie derjenigen mit -*i*- als Suffixvokal gebildet, vgl. die Formenlehre. In *muniterios* 'Münzer' war der zweite Mittelvokal ursprünglich lang (vgl. § 131) und ist deshalb erhalten, *pincoston* 'Pfingsten' (gr. πεντηκοστή) setzt wohl eine roman. synkopierte Form **pentcoste* voraus. In *abdiska* 'Äbtissin' (lat. *abbatissa*) liegt auch schon roman. Synkope vor.

C. Vokalentfaltung.

141. Wir haben im As. zwei Arten sogen. «irrationaler» Vokale, nämlich: 1. die im Westgerm. vor silbigem *l*, *r*, *m*, *n* entstandenen, wie in *fugal* 'Vogel' = got. *fugls*; 2. die im As. — in teilweiser Übereinstimmung mit dem Ahd. — zwischen *r*, *l* und *d*, *t* einer- und *w*, Labialen und Gutturalen, seltener Dentalen, andererseits entwickelten, wie in *burug* 'Burg'.

a) Westgerm. Vokaleinschub.

142. Der irrationale Vokal ist vor *l*, *r*, *n* gewöhnlich *a*, seltener *e*, vor *m* meist *o*, seltener *u*, z. B. *mahal* 'Gericht' (got. *maþl*), *tungal* 'Gestirn' (got. *tuggl*), *aldar* 'Leben' (aisl. *aldr*), *wintar* 'Winter' (got. *wintrus*), *têkan* 'Zeichen' (got. *taikns*), *segal*, -*el* 'Segel' (aisl. *segl*), *hunger* 'Hunger' (vgl. got. *hûhrus*), *mêdom* 'Kleinod' (got. *maiþms*), *wastom*, -*um* 'Wuchs' (ae. *wæstm*). — Auch in lat. Lehnwörtern erscheint er: *mêster* 'Meister' (lat. *magistrum*), *klûstar* 'Verschluß' (mlat. *clûstrum*), *lector* 'Pult' (mlat. *lectrum*).

Anm. Selten finden sich andere, z. T. assimilierte Vokale, z. B. in C: *fagor* 'schön', *jâmor* 'Jammer', *bôkon* 'Zeichen', *wundur* 'Wunder', in M: *sundor* 'besonders', *regin* 'Regen', in den Oxf. Gl.: *fugul* 'Vogel', *appul* 'Apfel'.

143. Nach kurzer Stammsilbe ist in der Regel, nach langer zuweilen der irrationale Vokal vor *r* durch Ausgleichung auch in die Casus obliqui und Ableitungen überführt, z. B. *fagares* 'schönes', *gifagiritha* 'Schmuck' Wer. Gl., *wedares* 'Wetters', *giwideri* 'Gewitter', *ald(a)res* C 'Lebens', *gi-aldarod* 'gealtert' Ess. Ev., *akkaro* 'der Äcker', *bitt(a)ra* 'bittere', *timmero* 'Zimmermann' Fr. H. (got. *timrja*), *ge-timberid* 'gezimmert' Ps. u. a.; vor *l* und *n* ist dies nur selten geschehen, vgl. *neðulo* M, *neflu* C 'mit Nebel', *agalêto* MV, *aglêto* C 'eifrig' (zu got. *agls, aglaitei*), *negilid* C 'genagelt', *lêhene* 'dem Lehen' Gen., *sweðanos* M, *swefnos* C 'Träume'. Vgl. auch § 145.

Anm. 1. Umgekehrt ist vereinzelt der Nominativ durch die Cas. obl. beeinflußt, so in *kumbl* M 'Zeichen', *wesl* ib. 'Wechsel', *thegn* ib. 'Mann', *gîsl* 'Geisel' Lam. Gl., *apl* 'Apfel' Oxf. Gl., wenn nicht alte Formen vorliegen. In *fravolo* 'contumax' Ess. Gl. liegt alter Mittelvokal vor, s. Weyhe, PBrB. 30, 109.

Anm. 2. Bei *fragn* 'fragte' ist die Vokalentfaltung wohl durch Einfluß der zweisilbigen Formen (*fregnan, frugnun* usw.) unterblieben.

b) As. Vokaleinschub (Svarabhakti).

144. Infolge zweigipfliger Betonung hat sich fast regelmäßig in V, weniger oft in C, noch seltener in M und am wenigsten in den kl. Denkm. ein kurzer Vokal: 1. zwischen *r* und *l + h*; 2. zwischen *r* und *l + w* und *d, t + w*; 3. zwischen *r +* anderen Labialen und Gutturalen entwickelt, der sich in seiner Färbung meist nach dem Vokal der Stammsilbe, seltener nach dem der Endung richtet. Doch steht zwischen *er, el* und *or, ol+h, g* und *ð* meist *a*, vor *w* gewöhnlich *o* oder *u*, seltener ist er dem Vokal der folgenden Silbe assimiliert. Während Svarabhakti in den beiden ersten Gruppen auch in CM noch ziemlich häufig ist, kommt sie in der dritten hier nur vereinzelt vor (M kennt sie zwischen *l + h*, *r + w, h, g*, C außerdem besonders zwischen *r + ð, f, m, g*). Beispiele sind: 1. *ferah* 'Leben', *bifelahan* 'befehlen', *forahta* 'Furcht', *befolahan* 'befohlen', *bereht* 'glänzend', *firiho* 'der Menschen', *bifilihis* 'befiehlst', *toroht* 'glänzend', *wuruhteo* 'Arbeiter'; 2. *garowa* Pl. 'bereite', *narawo* C 'eng', *garuwian, gerewian, geriwian* 'bereiten', *gelowo* 'gelbe', *ska-dowan* M 'beschatten' (ae. *scĕadwian*), *fratohon* 'schmücken' (got. *fratwjan*); 3. *aram* 'arm', *irimin-* 'groß', *staraf* 'starb', *thorofti, thurufti* 'bedürfte', *araðedi* 'Arbeit', *umbithĕriði* 'unnütz', *erĕði* 'das Erbe', *steraðan, -eðan* 'sterben', *hwiriðid* 'wirbt', *gihworoðan* 'geworben', *hwuruðun* 'sie warben', *skaraðun* 'scharfen', *barug* 'majalis' Oxf. Gl., *waragean, -ogian* 'peinigen', *berage, -ege* D. 'Berge', *hwérigin* 'irgendwo', *moragan* 'Morgen', *soroga* 'Sorge', *burug* 'Burg', *wurigil* 'Strick', *marakon* 'bestimmen', *werek* 'Werk', *wirikean* 'wirken'. Selten sind Formen wie *feruhtun* C, *déravoro* (für *déraðaro*) 'kühner', *waruhtun* 'wirkten', *wurihti* 'wirkte', *hwériðid* 'dreht', *aromod* 'Armut'. Vgl. Reutercrona, Svarabhakti, Heidelberg 1920.

145. In andern Verbindungen ist Svarabkakti selten, vgl. *kanagit* 'nagt' Straßb. Gl., mehrmals bei *r*: *fethera* 'Feder' Seg. A, *nādara* 'Natter', *blādara* 'Blatter', *lūtharun* 'crepundia' Wer. Gl., *hunderod* '100' Fr. H. Vgl. auch § 143.

3. Endsilbenvokale.

146. Die Entwickelung der auslautenden Vokale ist im As. wesentlich dieselbe wie im Ahd. Wir gehen hier von den ältesten gemeinsamen Formen aus, wobei gelegentlich die zu vermutende urgerm. Gestalt zum Vergleich herangezogen werden soll.

1. *a*.

147. Auslautendes *a* (got. *a* oder *ō*) ist meist geblieben, vgl. Akk. Sg. F. *geða* 'Gabe' (got. *giba*), G. Sg.. Nom. Akk. Pl. *geða* 'Gabe', 'Gaben' (got. *gibōs*), Nom. *tunga* 'Zunge' (got. *tuggō*), Nom. Akk. *herta* 'Herz' (got. *hairtō*), *ūsa* 'unser', *nérida* 1. 3. Sg. 'rettete' (got. *nasida*), *énna* 'einen' (got. *ainana*), *ferrana* 'von fern' (vgl. got. *iupana* 'von oben'). Für dieses *a* ist häufig in M und Oxf. Gl., seltener in andern Denkmälern, *e* eingetreten, in MC zuweilen *æ*, was in Fällen wie *fiuhtie* 'Fichte' auf dem vorhergehenden *j* beruhen kann. Vgl. auch § 29, 6.

148. Nach unbetonter Silbe ist *a* dagegen geschwunden in den Enklitika *of* 'ob' M Greg. Gl. = ahd. *oba*, *than* 'dann', *thār* 'da' = ahd. *thana*, *thāra*, *an* 'an' neben *ána-gin* 'Anfang'.

149. Altes *a, o* in der Kompositionsfuge ist nach kurzer Wurzelsilbe zuweilen als *a, o, u, e, i* erhalten, vgl. *ala-jung* 'ganz jung', *alo-waldand* 'Allwaltender', *hova-ward* 'Hofwart' Wer. Gl., *haga-, hagu-stald* 'Diener', *eo-rid-folk* 'Reitergeschwader', *ehu-skalk* 'Pferdeknecht' (beide zu got. *aihva-*), *godo-, godu-web* 'Seidenzeug' (eigentlich 'Gottgewebe'), *bara-līko* C 'offenbar', *wara-līko* 'vorsichtig', *wege-scêth* 'Wegscheide' Wer. Gl., *scape-rêda* 'Stellbrett' Oxf. Gl., *dage-thing* 'Frist' Wer. Gl., neben *al-mahtig* 'allmächtig', *dag-werk* 'Tagewerk', *weg-scêth* Straßb. Gl., *hof-ward* Hel., *bar-līko* M, *mégin-folk* 'Schar', *thegan-skêpi* 'Jüngerschaft', *stên-fat* 'Steingefäß' u. a., vgl. Gröger, Die ahd. u. as. Kompositionsfuge; Hucko, Bildung der Subst. etc.

Anm. Die Form *ala-* (Fr. H. einmal mit Assimilation *alli-gi-liko* 'ganz gleich') neben *al-* erklärt sich aus der doppelten Stamm-bildung *ala-* und *alla-*; Formen wie *dag-werk* sind entweder Neu-bildungen nach den lang- und mehrsilbigen Stämmen oder durch den Nom. Acc. Sing. *dag* beeinflußt. Umgekehrt steht analogischer Fugenvokal in *horno-bero* 'Hornträger, Hornisse' Straßb. Gl., *brande-rêda* 'Brandbock' Oxf. Gl., *himili-porta* 'Himmelpforte' C, *faldi-stôl* 'Faltstuhl' Pet. Gl., *rêni-vano* 'tanaceta' Trier. Gl. und *erđ-libi-giscapu* 'Erdenschicksale' M, z. T. mit Assimilation an den vorhergehenden Vokal.

2. *e.*

150. Auslautendes *ê* (= got. *ai*) ist zu *e* verkürzt und er-halten, z. B. *hūse* 'dem Hause', Nom. Pl. M. *gōde* 'gute' (got. *gōdai*), *binde* 'er binde' (got. *bindai*), *haƀe* 'habe!' (got. *habai*). Für *e* tritt jedoch, besonders in M — hier meist nach Gutturalen — öfters *a* ein, was offene Aussprache voraussetzt, daher auch die gelegentliche Schreibung *æ* in MC. Vgl. § 136 und die Formenlehre.

3. *i.*

151. Langes *i* ist als Kürze erhalten, wenn es ursprünglich durch einen Konsonanten gedeckt war, z. B. *hirdi* 'Hirt' (got. *hairdeis*), *gêsti* 'Gäste' (got. *gasteis*), *diupi* 'Tiefe' (got. *diupei*), sonst ist es gleich altem kurzem *i* nur nach kurzer Wurzelsilbe geblieben, nach langer aber geschwunden, vgl. *wini* 'Freund', *mêri* 'Meer', *budi* 'er böte', *nêri* 'rette!' gegenüber *wurm* 'Wurm' (ae. *wyrm*), Adv. *lêng* 'länger' (aus **laŋgiz*), *te hūs* 'zu Hause' (aus **hūsī*), *bium* 'bin' (vgl. gr. τίθημι). — Auch in dreisilbigen Formen ist *i* geschwunden: *akus* 'Axt' (got. *aqizi*), *makirin* 'Macherin', D. *gumen* 'dem Manne', *twêntig* '20' (vgl. got. *tigjus*). Schon in den älteren Hss. geht *i* zuweilen in *e* über, wodurch Kürze bewiesen wird.

Anm. 1. P hat 2, V Gen. 9, M 10, C 13 mal *e* statt *i*; in den klein. Denkm. ist *i* meist bewahrt, nur Bed., Ess., Oxf. und Wer. Gl. haben je 1 *e*: *ende* 'und', *gewicge* 'Dreiweg', *gewêde* 'Kleid'; die Trier. Gl. 2 *-ere*; erst in der Ess. und Fr. H. ist *e* häufiger: in ersterer herrscht es bis auf drei Ausnahmen, in letzterer wechseln *i* und *e*, doch so, daß u. a. meist *muddi* 'Mütte' und *skuldi* 'Schul-den', dagegen fast immer *ende* 'und' steht, *e* aber im ganzen überwiegt.

Anm. 2. Wo *i* nach langer Wurzelsilbe erhalten scheint, liegt Neubildung vor, vgl. z. B. D. *fêrdi* 'der Fahrt', *bundi* 'er bände', Imp. *sōki* 'such!' (ae. *sēc*); hier ist nach dem Vorbild der kurzsilbigen das *i* wiederhergestellt; umgekehrt ist *bět* 'besser' (aus **batiz*) durch die langsilbigen Komparative beeinflußt, vgl. § 375.

Anm. 3. Wie *i* wird auch altes *j* behandelt, das im Auslaut
vokalisiert ist, vgl. *nẹt* 'Netz' (= **nẹtt)* gegenüber *hẹri* 'Heer'. In
rīki 'Reich', Neutr. *grōni* 'grün' u. ä. ist jedoch altes *j* nach Abfall
des stammhaften *-a* als *i* erhalten.

4. *o*.

152. Auslautendes *o* (= got. *a*, *ō* und *au*) ist meist geblieben,
vgl. *dago* 'der Tage' (ahd. *tago*), *gẹðono* 'der Gaben' (vgl. got. *gibō*),
hano 'Hahn' (= ahd.), 3. Sg. Opt. und 2. Sg. Imp. *salƀo* 'salbe!' (got.
salbō), Adv. *fasto* 'fest' (= ahd.), *āno* 'ohne', *ahto* 'acht' (got. *ahtau*).
Für dies *o* steht in VCM öfters *a*, vgl. § 134.

Anm. 1. Der Eintritt von *a* für *o* beruht teils auf dialektischen
Verschiedenheiten (vgl. § 29, 5), teils auf Analogie, teils auf Abschwächung (so in späteren Hss.). Von anderen Denkmälern liefern
nur Beicht., Ess. und Fr. H., Ess.. Oxf., Petr., Straßb. und Werd. Gl.
vereinzelte Beispiele, z. B. *āna* Beicht., Ess. H., *atha* 'oder' Trier.
Seg. B. Vgl. Schlüter, Unters. S. 5, 95 und 106; Braune, Bruchst.
S. 66—70 und im einzelnen die Formenlehre.

Anm. 2. Selten steht *e* für *o*: *rehte* 'recht' C, *āne* Fr. H.,
ahte '8' Ess. und Fr. H., *ofthe* 'oder' Wer. Gl., *se* = *so* 'so' Trier. Seg. B.

5. *u*.

153. *U* (= got. *a* und *u*) ist geblieben, wenn es in zwei-
silbigen Wörtern nach k u r z e r Wurzelsilbe stand, vgl. Instr. Sg.,
Nom. Akk. Pl. *fatu* 'Fasse', 'Fässer' (got. *fata*), D. *gẹðu* 'der Gabe',
themu 'dem' (vgl. got. *þamma*), N. Akk. *sunu* 'Sohn' (got. *sunus, sunu*),
biru 'ich trage' (got. *baíra*), nach l a n g e r dagegen geschwunden:
Pl. *word* 'Worte' (got. *waúrda*), Pl. *têkan* 'Zeichen' (aus **têknu*), *flōd*
'Flut' (got. *flōdus*), Nom. Sg. F. *thīn* 'deine' (got. *þeina*) = Nom. Akk.
Pl. N. — In d r e i s i l b i g e n Wörtern bleibt *u* nach langer Wurzel-
und kurzer Mittelsilbe, wie *nôtilu* 'Rinder', *gōdumu* 'gutem', gegenüber N. Pl. *bilidi* 'Bilder', in viersilbigen nach kurzer Pänultima:
oftigeso 'Abgaben'. — Für *u* ist schon in den ältesten Quellen öfter
o eingetreten, selten *e*, vgl. Anm. 3 u. 4.

Anm. 1. Durch Ausgleichung ist das *u* im Instr. Sg. M. N.,
im D. Sg. F. sowie in der 1. Pers. Ind. Präs. auf alle andern Formen
übertragen worden, also: I. *wordu* 'Wort', D. *erðu* 'Erde', *bindu*
'binde', ferner bei mehrsilbigen: I. *uƀilu* 'Übel', D. *ẹbbiungu* 'Ebbe'
etc. Vgl. die Formenlehre.

Anm. 2. Umgekehrt ist im Nom. Sg. F. und Nom. Akk. Pl. N.
der starken Adjektiva das alte *-u* bis auf wenige Reste durch Ausgleichung beseitigt, vgl. *lat* 'träge', *giwar* 'gewahr', *ōðar* 'andere'.

Nur in M kommen 2 Plur. auf -*u* vor: *managu* 'manche' und das analogische *mīnu* 'meine'.

Anm. 3. Im D. Sg. M. N. der Pronominalflexion stehen sich Formen auf -*mu* und -*m* gegenüber (vgl. § 26 und die Formenlehre), z. B. *imu*, *im* 'ihm', wovon letztere die unbetonte ist. So entspricht auch *ef* 'ob' dem ahd. *ibu*.

Anm. 4. Statt *u* steht *o* nach unbetonter Silbe, vgl. D. Sg. F. *theru* > *thero*. Vgl. Schlüter, Unters. S. 172 ff.; Braune, Bruchst. S. 15, 5; Behaghel, D. Spr. § 191, 1 und im einzelnen die Formenlehre. — Schwächung zu *e* findet sich schon vereinzelt in VCM, z. B. D. *there* 'der', *stande* 'stehe'.

Siebentes Kapitel.

Ablaut.

I. In Wurzelsilben.

1. Ablautsreihe *(ei)*.

154.   Urgerm. $ī : ai : i, e$, as. $ī : ê : i, e$.

Beispiele: *drīban* 'treiben': Prät. *drêf* : Part. *gidriban*; aus der Wortbildung: *wīs* 'weise' : *wittig* 'verständig'; *frīdhof* 'Friedhof': *fridu*, *fredu* 'Friede' (§ 84 Anm. 1); *bītan* 'beißen' : *biti* 'Biß', *bittar* 'bitter'; *līnon* 'lernen' (aus *līznōn) : *lêrian* 'lehren' (aus *laizjan); *līhan* 'leihen' : *lêhan* 'Lehen'; *sīmo* 'Strick' : *sêl* 'Seil'.

2. Ablautsreihe *(eu)*.

155.   Urgerm. $eu : au : ū, u, o$, as. *eo (io)*, *iu* $: ô : ū, u, o$.

Beispiele: *beodan, biodan* 'bieten', *biudu* 'ich biete' : Prät. *bôd* : Pl. *budun*, Part. *gibodan*, *gibod* 'Gebot'; *sôg* 'sog' : *sūgu* 'ich sauge' : Pl. Prät. *sugun*, Part. *gisogan*; aus der Wortbildung: *seok, siok* 'krank' : *suht* 'Krankheit'; *fliotan* 'fließen' : *fluti* 'Fluß'; *driopan* 'triefen' : *drūpia* 'Traufe' : *drupil* 'Tropfen'; *treuwa* 'Treue' : *trūon* 'trauen'; *liof* 'lieb' : *gilôbian* 'glauben' : *lof* 'Lob'.

3. Ablautsreihe *(e* + Liq. oder Nas. + Kons.).

156.   Urgerm. $e, i : a : u, o$, as. $e, i : a : u, o$.

Beispiele: *helpan* 'helfen', *hilpu* 'ich helfe' : Prät. *halp* : Pl. *hulpun*, Part. *giholpan*; *bindan* 'band' : Prät. *band* : Part. *gibundan*; aus der Wortbildung: *feld* 'Feld' : *folda* 'Erde'; *werdan* 'werden' : *awardian* 'verderben' : *wurd* 'Schicksal'; *werk* 'Werk'; *wirkian* 'wirken' : Prät. *warhta* 'wirkte' : *wurhtio* 'Arbeiter'; *windan* 'sich winden' :

giwand 'Wendung' : *wêndian* (got. *wandjan*) 'wenden'; *and* : *und* 'bis';
slindan 'schlingen' : *slund* 'Schlund'.

4. Ablautsreihe (*e* + Liq. oder Nas.).

157. Urgerm. *e, i* : *a* : *ǣ* : *u, o,* as. *e, i* : *a* : *ā* : *u, o.*
Beispiele: *beran* 'tragen', *biru* 'ich trage' : Prät. *bar* : Pl. *bārun* :
Part. *giboran; niman* 'nehmen' : Prät. *nam* : Pl. *nāmun* : Part. *ginuman; kuman* 'kommen' : Prät. *quam* : Pl. *quāmun* : Part. *kuman;* aus
der Wortbildung : *dreno : drān(a)* 'Drohne'; *quena : quān* 'Weib';
barn 'Kind' : *bāra* 'Bahre' : *giburd* 'Geburt' : *mund-boro* 'Schützer';
wel : wala : wola 'wohl'; *quelan* 'Qual leiden' : *qualm* 'Tod' : *quāla*
'Qual'; *stelan* 'stehlen' : *stulina* 'Diebstahl'. — Bei *brekan* 'brechen' :
bruki 'Bruch' : *brokko* 'Brocken' geht das *r* voran.

5. Ablautsreihe (*e* + Geräuschlaut).

158. Urgerm. *e, i* : *a* : *ǣ*, as. *e, i* : *a* : *ā.*
Beispiele: *geðan* 'geben', *giðu* 'ich gebe' : Prät. *gaf* : Pl. *gāðun;*
aus der Wortbildung: *queðan* 'sprechen', *quidi* 'Rede' : *queddian*
(aus **quadjan*) 'begrüßen'; *wegan* 'wiegen' : *wāg* 'Woge'; *etan* 'essen' :
āt 'Speise'; *magu* 'Sohn' : *māg* 'Verwandter'; *liggian* 'liegen' : *leggian*
'legen' : *lāga* 'Lage'.

A n m. Der scheinbare Ablaut in *ef* : *af* : *of* 'wenn', 'ob' beruht
auf späteren Betonungsunterschieden (vgl. got. *iba*), s. § 121.

6. Ablautsreihe *(a).*

159. Urgerm. as. *a* : *ō.*
Beispiele: *faran* 'fahren' : Prät. *fōr; swêrian* 'schwören' : Prät.
swōr; aus der Wortbildung: *hatul* 'feindselig' : *hōti* 'feindlich'; *hano*
'Hahn' : *hōn* 'Huhn'; *bazto* 'beste' : *bōtian* 'büßen'; *farm* 'Zug' : *fōrian*
'führen'; *stellian* 'stellen' : *stōl* 'Stuhl'.

7. Ablautsreihe *(ē).*

160. Urgerm. *a* : *ǣ* : *ō,* as. *a* : *ā* : *ō.*
Beispiele: *standan, stān* 'stehn' : Prät. *stōd* 'stand'; aus der
Wortbildung: *stað* 'Gestade', *stedi* 'Stätte' (zum vor.); *dād* 'Tat' :
dōn 'tun', *dōm* 'Gericht'; *lat* 'träge' : *lātan* 'lassen'.

II. In Ableitungssilben.

161. Häufig erscheint ein Ablaut *a* : *i* in S u f f i x e n wie *aðali*
'Adel' : *eðili* 'edel', *gifangan* 'gefangen' : *gifallin* 'gefallen' Gen.,
ebenso *a* : *u*, wie *ferskang, -ung* 'Frischling' Fr. H., *samnanga, -unga*
'Versammlung' ib., desgleichen *i* : *u* in *uðil* 'übel' : *hatul* 'feindselig';

neben *-ward* '-wärts' steht in C auch *-werd, -word,* z. B. *gégin-ward,*
-werd 'gegenwärtig' (got. *-waírþs,* ahd. *-wart* und *-wert,* ae. *-wèard*),
wider-word 'widerwärtig', vgl. PBrB. 30, 53 ff.

Anm. Die Adjektivendung *-ig* neben *-ag* gehört jedoch nicht
hierher, da *-ig* (= got. *-eigs*) ursprünglich nur den *i*-Stämmen, *-ag*
(= got. *-ags*) den *a*-Stämmen zukam.

162. Ablaut in **Flexionsendungen** zeigt sich z. B. in der
Deklination im G. Sg. *gumen* 'Mannes' : Akk. *gumon,* Nom. *sunu*
'Sohn' : D. *suno* (got. *sunau*), in der Konjugation in *nimid* 'nimmt' :
nemad 'sie nehmen'. Meist ist er aber durch die Auslautsgesetze
unkenntlich geworden.

Achtes Kapitel.
Konsonanten.

162 a. Das Westgermanische besaß ursprünglich folgende
21 Konsonanten:

1. **Halbvokale:** *w* und *j*;
2. **Liquidae:** *l* und *r*;
3. **Nasale:** *m, n* und *ŋ*;
4. **Spiranten:** a) stimmlose: *f, þ, s, x, h*;
             b) stimmhafte: *ð, z, ʒ*;
5. **Verschlußlaute:** a) stimmlose: *p, t, k*;
                   b) stimmhafte: *b, d, g*.

Alle, außer *ŋ, ð, z, ʒ* und *h,* kamen auch verdoppelt (lang)
vor; *ŋ* stand nur vor wurzelhaftem *k* und *g*; *h* ist historisch mit
x identisch; *z* ist überall entweder zu *r* geworden oder geschwunden.
Urgerman. *ð* war schon in die Media *d* übergegangen, vgl. ae. *fæder,*
as. *fadar* 'Vater' : aisl. *faðer.*

I. Die Entwickelung der einzelnen westgerm. Konsonanten im Altsächsischen.

1. Die Halbvokale.

1. *w.*

A. Entsprechung und Stellung.

163. Westgerm. *w* (d. h. konsonant. *u*) ist im allgemeinen geblieben und wird meist durch *uu,* nach Kons. und vor *u* jedoch in
der Regel nur durch *u* bezeichnet. Letztere Schreibung ist in diesem

Buche bloß in der Verbindung *qu (= kw)* beibehalten, im übrigen der Deutlichkeit wegen das im As. noch seltene *w* gesetzt. Beispiele: *wīti* 'Strafe', *wunda* 'Wunde', *wlank* 'stolz', *wrāka* 'Rache', *thwahan* 'waschen', *swart* 'schwarz', *hwelp* 'junger Hund', *twélif* '12', *quān* 'Weib', *dwalm* 'Berückung'. — In alten Lehnwörtern entspricht es lat. *v*: *wal* 'Wand' (lat. *vallum*), *wīn* 'Wein' (vgl. § 220).

A n m. In C steht öfters auch sonst *u* für *uu*; *w* kommt mehrmals z. B. in Bed. vor.

164. Inlautendes *w* ist zwischen Vokalen, außer vor *o* und *u*, gewöhnlich erhalten, vgl. *ewi* 'Schaf', *trewe* 'Baume', *léwerca* 'Lerche', *ewan, ewig* 'ewig', *hīwiski* 'Familie'; vor *o* und *u* dagegen meist geschwunden, wobei oft ein *h* eingeschoben ist, z. B. *sinhīun* 'Gatten', *fahoro* 'weniger' (got. *fawaizē*), *brāhon* 'Brauen' (Sg. ahd. *brāwa*), *pāo* 'Pfau' Par. Gl. (lat. *pāvo*), *twio* 'zweimal' (ae. *twiwa*); doch steht *thrīwo* 'dreimal' neben *thriio*, *fiwar* '4' (vgl. got. *fidwōr*, ae. *féower*) neben *fior*.

A n m. 1. Wenn *w* vor palatalen Vokalen geschwunden ist, wie in *sêe* 'dem See' M neben *sêwe*, so ist dies Neubildung nach dem Nom. *sê* (§ 167); ebenso wurde nach **snê* 'Schnee' ein Adj. **snêig* 'schneeig' gebildet, was nach § 173 Anm. 3 *snêgig* Wer. Gl. ergab. In *niet* 'nicht' Greg. Gl. für *niewiht* beruht der Schwund des *w* auf der Tonlosigkeit der Form (vgl. westf. *nit*). Wegen *strêidun* 'streuten' vgl. § 167 Anm. 2.

A n m. 2. Leicht erklärliche Neubildungen sind *brāwon* C, *sāwun* C 'sahen' (nach dem Opt. *sāwin*), *spiwun* 'spieen' mit wiedereingesetztem *w*.

A n m. 3. In *jugud* 'Jugend', *nigun* '9', *bruggia* 'Brücke', *muggia* 'Mücke' (und *sugu* 'Sau'?) ist nach Bugge *g* aus *w* entstanden, vgl. van Helten, IF. 18, 102 f.

165. Inlautendes postkonsonantisches *w* ist in den älteren Quellen nach *r*, *l* und *d* in der Regel noch bewahrt, vgl. *gerwian* 'bereiten', *sulwian* 'besudeln' (*sulian* M, *suiliwan* C), *balowes* 'Übels', *skadowan* M 'beschatten', während die jüngeren schon öfter Schwund zeigen: *aroa* C 'reife', Adj. *garoa* ib. 'bereite', *gêridin* 1 C 'bereiteten', *gigéri* 'Rüstung' Wer. Gl., *gara* ib. 'fertige', *erito* 'Erbsen' (ahd. *arwīz*) Ess. und Fr. H., *smeras* 'Schmeres' Fr. H. (ahd. *smerwes*), *swala* 'Schwalbe' Oxf. Gl., *gela* 'gelbe' Wer. Gl., *melas* 'Mehles' ib., Fr. H. (ahd. *melwes*), *gewêlid* 'gerollt' Straß. Gl. (got. *walwjan*?), *skadoian* C, *rāda* 'Raden' Ess. Gl. (älter nhd. *Ratwen*).

A n m. 1. Zum Teil kann dieser Schwund auf Ausgleichung nach Formen beruhen, wo *w* vor *o* und *u* schwinden mußte (vgl.

§ 164), wie in *naro* 'Narbe' Wer. Gl., *valun* 'falben' ib., **swalun* 'Schwalben', z. T. auf Neubildung nach dem Nom. Sg., wo *w* in *o*, *u* überging (§ 167), z. B. *aroa* nach *aro*, *skadoian* nach *skado* 'Schatten'. Umgekehrt ist *narawo* 'enge' eine Analogiebildung nach den Adjektivformen mit innerem *w*. Vgl. PBrB. 30, 235 ff.; Lasch, Mnd. Gr. § 301 ff.

Anm. 2. In *gêdeono* M, *gêdono* C 'Mängel' (zu got. *gaidw*, ae. *gād* und *gæd*) mußte *w* zwischen *d* und *j* schon ürgerm. ausfallen, vgl. U. G. § 129, 6 d).

166. Inlautendes postkonsonantisches *w* ist dagegen geschwunden:

a) Zwischen anlautendem Kons. und *u*, z. B. *thungun* 'zwangen' Wer. Gl., *hū* 'wie' Gen., Ess. Gl. (neben *hwō* M), ferner stets vor *uo* in C, z. B. *thuog* 'wusch' = *thwōg* M, *suoti* 'süß' = *swōti* M (mnd. *sŏte*), *huo* 'wie'. Vgl. Lasch a. a. O. § 299 Anm.

b) Nach anlautendem *n* und inlautenden Konss. außer *r*, *l*, *d*, z. B. unbetontes *nêt* 'weiß nicht' (= *ne wêt*), *seliđa* 'Wohnung' (got. *saliþwôs*), *sehan* 'sehen' (got. *saihvan*), *nāhian* 'nahen' (got. *nēhjan*), *wahta* 'Wacht' (got. *wahtwō*), *sinkan* 'sinken' (got. *sigqan*), *singan* 'singen' (got. *siggwan*).

c) In Namen auf -*wald* und -*wulf*, z. B. *Regin-old*, *Thiod-ulf*.

Anm. 1. Daß in Verbalformen wie *swultun* 'starben' *w* erhalten ist, erklärt sich durch Systemzwang (Inf. *sweltan* etc.). *sŏ* 'so' (got. *swa*) ist wohl als unbetonte Form zu erklären, vgl. § 116, Anm. 2.

Anm. 2. Hinter *t* ist *w* doch ursprünglich erhalten geblieben und erst nach § 164 geschwunden, resp. durch *h* ersetzt im G. Pl. *frato(h)o*, D. *fratahun*, -*to(h)on* 'Zierate' (ae. *frætwa*) und *fratahon* 'schmücken' (got. *fratwjan*). Der unter b) besprochene *w*-Schwund nach Konss. mag auch z. T. auf Ausgleichung beruhen, vgl. Formen wie D. *seliđun*, *wahtu(n)*, *sihu*, *sunkun* etc. Vielleicht wurde jedes inl. *hw* im Westgerm. zu *h*.

Anm. 3. Mit *i* ist postkons. *w* zu *u* verschmolzen in *akus* 'Axt' (got. *aqizi*), *gisustrithi* Ess. Gl. 'Geschwister', *gisustruonion* C dass.

B. Wechsel zwischen *w* und *u*.

167. Auslautendes *w* ist nach kurzer Silbe zu *o* geworden, wofür jedoch im Anschluß an das inlautende *w* oft *u* eintritt, vgl. *treo*, *treu* 'Baum' (D. *trewe*), *garo*, *garu* 'bereit' (Gen. *garowes*), *falu* 'fahl', *skado* 'Schatten ; *ao* bleibt dann entweder, oder wird wie altes *au* zu *ō* kontrahiert (§ 99), z. B. *frao*, *fraho* 'froh' neben *frô* (ahd. *frao*, *frawēr*), *faho* 'wenig' (got. **faus*), während *êo* lautgesetzlich nach § 108 zu *eo* verkürzt wird, das sich dann zu *io*, *ia*, *ie* entwickelt, vgl. *seola*, *siala* 'Seele', *eo* etc. 'immer', wenn nicht mit Akzentum-

springung im Auslaut *jō* daraus wird, vgl. § 107. Nach langer
Silbe ist *w* resp. *u* jedoch geschwunden (vgl. § 153), z. B. *sê* M 'See'
(got. *saiws*), *klê* 'Klee' Oxf. Gl. (ahd. *chlêo*), *ê-haft* 'gesetzlich' Ess. Gl.
(zu *êo*), *hrê-lik* 'feralis' Wer. Gl. (zu *hrêo*), *hī-makirin* 'Kupplerin' ib.
(zu *hīwa* 'Gattin'). Wenn daneben *o* erhalten zu sein scheint, so
beruht dies auf Einfluß der Cas. obl.: *sêo*, *sêu* 'See', *hrêo* 'Leiche',
(got. *hraiwa-*), *êo* 'Gesetz'. Vgl. Lasch a. a. O. § 302.

Anm. 1. Wenn *ao* als *ā* erscheint (vgl. § 106), wie in *frā*
'froh', *thrā-werk* 'Leiden' (ae. *þréa*, *þrawu*), so ist dies eine Neubildung nach dem Kasus, wo *w* vor *u* schwinden mußte, z. B. *fraun
thrau* (vgl. *githrôon* 'bedrohen' C). Das in der Fr. H. erscheinende
hrā 'roh' kann sowohl auf einen Stamm **hrāwa-* wie **hrawa-* zu-
rückgeführt werden. Neben *fraho* 'Herr' (ahd. *frao*, ae. *fréa*) aus
*frawo steht *frôho* als Neubildung nach den Formen, wo *frau* nach
Ausfall des *w* zu *frô* geworden war; der Vok. lautet stets *frô*, der
G. Pl. in der Fr. H. *vrāno*, das Adj. im Hel. *frônisk*.

Anm. 2. Für den alten Wechsel zwischen *awi* und *auj*, z. B.
in got. *gawi*, G. *gaujis* 'Gau', bietet das As. nur wenige Beispiele,
vgl. *hôi* 'Heu' Trier. Gl., Gen. *hôgias* Wer. Gl. (got. *haujis*) neben
fertheïcid 'verdaut' Ess. Gl.; dagegen beruhen Formen wie *strôidun*
C 'streuten' statt **strewidun* auf Anlehnung an den Inf. **strôian* und
gô 'Gau' (got. *gawi*) hat sich nach den Cas. obl., wie G. **gô(i)as*
(got. *gaujis*) gerichtet. *Strêidun* M, Opt. *strêidin* Wer. Gl. erklären
sich als Mischung von *strewidun* und *strôidun;* an die erstere Form
hat sich *strêunga* 'Streuung' Wer. Gl. angeschlossen. Vgl. Lasch
a. a. O. § 195. — Neben dem Stamme *frawo* 'Herr' stand ein anderer: **fraujo* (got. *frauja*, ae. *frīgea*), von dem die G. D.-Formen
frôian in M und Gen. kommen.

C. Gemination.

168. Westgerm. *ww*, sei es ursprünglich oder erst durch Verschärfung von *w* vor *j* entstanden, erscheint im As. als *uw* (in den
Hss. *uu*, seltener *uuu* geschrieben), z. B. a) *hauwan* 'hauen' (aisl.
hǫggua), *glauwi* 'Klugheit' Petr. Gl. (zu got. *glaggwō*), *treuwa* 'Treue'
(got. *triggwa*), *hreuwan* 'reuen', *getriuwid* 'verbündet', *bliuwid* 'bleut'
(got. *bliggwiþ*); b) *niuwian* C 'erneuen' (got. *niujan*), *niuwa* C 'neue'
(got. *niujōs*), **siuwian* 'nähen' (got. *siujan*, belegt ist der Opt. Pl.
siuuidin Petr. Gl.), *thiuwi*, *thiuwa* C 'Magd' (got. *þiwi*, Gen. *þiujōs*).
— Schwund des *w* mit *g*-Einschub (vgl. § 173 Anm. 3) zeigen dagegen *nīgean* Inf. M, *nīgemo* Fr. H. 'neuem', und ohne *-g-*: *Nian-hūs*
Ess. H. 'Neuenhaus'. Vgl. IF. 5, 190; 350.

Anm. Germ. *awj* erlitt keine Schärfung, sondern ging früh-
zeitig in *auj* über, das nach § 99 und 167 Anm. 2 zu *ôi* wird.

169. Im Auslaut ist *uw* zu *u* geworden, vgl. *glau* 'klug' (got. *glaggwō* Adv.), *hrau* 'reute', *thau* 'Sitte', *treu-lôs* 'treulos', *eu*, *iu* 'euch'; *thiu* M 'Magd', *hriu-līk* 'betrübt', *Niu-magan* 'Nimwegen' (nl. *Nijmegen*) Lam. Gl.

2. *j*.
A. Entsprechung und Stellung.

170. Germ. *j* (konsonant. *i*) ist im Anlaut meist geblieben und wird in den Hss. durch *i* und *gi* bezeichnet; für ersteres schreibe ich jedoch der Deutlichkeit halber *j*. Beispiele: *jāmar*, *giāmar* 'Jammer', *jung*, *giung* 'jung', desgleichen Fremdnamen wie *Jordan*, *Giordan*. Vor *e* und *i* wird *g* gesetzt, vgl. *gedan* 'jäten', *gihu* 'ich sage' (Prät. ahd. *jah*), *genowar* M, *ginuwar* C 'dort', 'jenseits', *gendra* 'citerior' St. Pet. Gl.   Vgl. Lasch, Mnd. Gr. § 340 ff., 348 ff.

Anm. Auch das aus *i* durch Akzentversetzung entstandene *j*, z. B. in *geder*, *giō*, fällt unter diese Regeln, vgl. § 102 Anm. 2.

171. Im Inlaut erscheint altes *j* in kurzsilbigen Stämmen als silbisches *i* nach *r*, *đ* und im Inf. auf -*ian* der schwachen *ō*-Verba, z. B. *hęries* 'Heeres' (got. *harjis*), *nęrian* 'retten' (got. *nasjan*), *rēđia* 'Rede' (got. *raþjō*), *wonian* 'wohnen' (= *wonoian*).

Anm. Nach *r* tritt vor *a* nur ganz vereinzelt *e* ein: *nęrean*, nur einmal ist es in C (wohl analogisch) geschwunden: *swęran* 'schwören'.

172. Im übrigen ist inlautendes *j* unsilbisch und in den älteren Hss. meist als *i* nach Konsonanten, als *i*, *gi* oder *ge* nach Vokalen erhalten. Im Hel. und in der Gen. tritt vor *a* und *o* doch oft *e* ein. Beispiele: *hôrian*, *hôrean* 'hören' (got. *hausjan*), *biddian*, *biddean* 'bitten' (got. *bidjan*), *willio*, *willeo* 'Wille' (got. *wilja*); *sāian*, *sāgian* 'säen' (got. *saian*), *tholoian*, *thologean* 'dulden', *tôgean* 'machen' Gen. 73 (got. *taujan*). Es steht auch in lat. Lehnwörtern, z. B. *spunsia* 'Schwamm' (lat. *spongia*).

Anm. Vor *u* steht selten *e* in M (6 mal) und V (2 mal); vor *a* wechseln *e* und *i* in MC regellos: M hat mehr als 3 mal so oft *ea* als *ia* (wobei jedoch zu beachten ist, daß für letzteres sehr oft *ie* eingetreten ist), C hat etwa 100 mehr *ia* als *ea*, daneben mehrfach *iea*, z. B. *tęlliean*, P hat hier 2 mal *i* und 6 mal *e*, Hel. V 10 *i* und 21 *e*, Gen. 52 *i* und 21 *e*. Vor *o* steht in M fast doppelt so oft *e* als *i*, während in C *i* etwas überwiegt (circa 25 mehr *i* als *e*); P hat hier 3 *e* und 1 *i*, Hel. V 4 *e* und 2 *i*, Gen. 5 *e* und 10 *i*. — In den kl. Denkm. ist *e* selten, vgl. *gūdea* 'Kampfes' Hild. 60, desgl. *g* für *i*: *sāgian* 'säen' Ess. Gl., *mergeh* 'Mähre' und *brunge* 'Brünne' Oxf. Gl.

173. Während *-i-* in den älteren Hss. in der Regel erhalten
ist, zeigt es doch auch schon in den Hel.-Hss., besonders in C,
Neigung zum Schwinden, die später immer stärker wird. Es ist fast
ausnahmslos geschwunden: 1. im Dat. des Gerundiums, z. B. *te ku-
manna, -e* 'zu kommen'; 2. im Gen. Pl. der pronominalen *ja-* und
i-Stämme, z. B. *libbendero* 'lebender', vielleicht durch Anlehnung an
die *a*-Dekl.

Anm. 1. In M fehlt *j* ca. 100 mal nach langer betonter Silbe,
nach kurzer nur, wenn diese unbetont ist, und zwar meist nach
Gutturalen, seltener nach Dentalen, besonders *l, n* und *d*, nie nach
Labialen; in C dagegen ist *j* schon in ca. 340 Fällen, und zwar meist
nach *d* und *l*, weniger häufig nach *k, r, d, n, t* und *s*, geschwunden,
während die Labialen und *g* an letzter Stelle stehen; in P und V
fehlt *j* nur je 1 mal, in Gen. ist es meist erhalten und nur in 8 Fällen
(darunter 3 mal im G. Pl. auf *-ero*, 2 mal im Gerund.) geschwunden.
— Von den kl. Denkm. hat Trier. Seg. B stets, Beicht. bis auf 4 Fälle
(darunter 2 Gerundia) das *j* erhalten, in Ps. ist es in 4 Fällen erhalten, in 8 geschwunden (darunter 3 Gerundia), im Hild. in 5 Fällen
geschwunden, in 1 erhalten, während die Fr. H. kein einziges *j* mehr
aufweisen. — Von den Glossen haben die Elt., Par., Trier. und
Straß. *j* als *i* bewahrt, während es in den Ess. (im Gerund.), Lam.,
Leid. und Wien. Gl. je 1 mal, in den Oxf. 4 mal (stets nach Dental),
in den Werd. 18 mal — gegen 63 erhaltene *j* — (hier ebenfalls meist
nach Dental) geschwunden ist. Die Gr. Gl. zeigen völligen Schwund
bis auf das eine *-nussie*. In den andern Denkmälern fehlen Beispiele. — Wegen des *j*-Schwundes nach *i* vgl. § 85.

Anm. 2. Die Unsicherheit in der Setzung des *-j-* zeigt sich
auch darin, daß in C mehrfach *i* oder *e* falsch eingeschoben ist,
wie in *erdea* 'Erde', *awisian* st. V., *-likio* Beicht. u. a. Wegen der
Einfügung eines *i* nach palatalisiertem *k* vgl. § 242.

Anm. 3. Erst im As. entwickelt ist *j, g* als Übergangslaut
vor und nach palatalen Vokalen in *kōgii, kōii* 'Kühe' Fr. H., *nigean*
M 'erneuen', *nigemo* 'neuem' Fr. H., *snêgig* 'schneeig' Wer. Gl.

B. Wechsel zwischen *j* und *i*.

174. Im Silbenauslaut wird *j* zu *i*, vgl. *rīki* 'Reich', *kunni*
'Geschlecht', das auch schwinden kann: *nêt* 'Netz', *bèd* 'Bett'. Vgl.
darüber § 214 f.

C. Gemination.

175. Urgerm. *jj* (= got. *ddj*) ist nach *a* meist durch *i* vertreten, vgl. *lêia* 'Fels', *eia* Dat. 'Eie', *eiero, eiiero* G. Pl. 'Eier', *tuoêio*
'zweier', *hnêihida* 'wieherte' Wer. Gl. (Hs. *hnechida*) zu **hnêian* (ae.

hnægan). Vgl. § 98 und 218 Anm. 1; van Helten, PBrB. 30, 240. — Altes *ijj* ist zu *ī* kontrahiert: *frī* 'Weib' (aisl. *Frigg*), G. Pl. *frī(h)o*.

176. Im Auslaut steht ebenfalls *ei*, vgl. *klêi* 'Klei' (engl. *clay*), resp. *ī*: *frī*, vgl. § 175.

2. Die Liquiden.

1. *l*.

A. Entsprechung und Stellung.

177. Germ. *l* ist geblieben, z. B. *land* 'Land', *kleuwin* 'Knäuel' Oxf. Gl., *kluf-lôk* 'Knoblauch', *mālon* 'malen', *gelo* 'gelb', *hêliand* 'Heiland', *halm* 'Halm', *wulf* 'Wolf', *malsk* 'übermütig', *bifelhan* 'befehlen', *salƀon* 'salben', *sālđa* 'Glück', *tulgo* 'sehr', *helpan* 'helfen', *salt* 'Salz', *balko* 'Balken', *waldan* 'walten', *dêl* 'Teil'. Desgleichen in lat. Lehnwörtern wie *lavil* 'Becken', *kêlik* 'Kelch', *kalk* 'Kalk'.

Anm. 1. Einige eigentümliche Formen von *sulīk* 'solch', wie *succa*, *succan* C zeigen Assimilation in unbetonter Stellung (vgl. mnd. nnd. *sük*); aber *surikero* C, *suncan* M sind eher Schreibfehler. Vgl. auch *gihwikes* C für *gihwilikes* 'jedes' (nnd. *wek* 'welcher'), sowie Lasch, Mnd. Gr. § 256. Über *êlkor* vgl. § 139.

Anm. 2. M hat 2 mal, die Ess. Gl. 1 mal *sliumo* 'schleunig' neben herrschendem *sniumo*, zu dem sich die Wer. und Straß. Gl. mit dem Adj. *sniumi* 'schnell' stellen. Ob hier Dissimilation vorliegt — vgl. *schleunig* mit got. *sniumundō* — oder ob es zwei ursprünglich verschiedene Wurzeln sind? Vgl. auch as. *himil* neben got. *himins*. In *mūl-buom* 'Maulbeerbaum' (lat. *mōrus*) Ess. Gl. und *Pathel-brunno* 'Paderborn' steht *l* für *r*.

B. Gemination.

178. Doppeltes *l* bleibt, sowohl urgerm. z. B. in *fallan* 'fallen', *galla* 'Galle', wie in Lehnwörtern, z. B. *pêllel* 'Seidenstoff' (lat. *palliolum*); erst westgerm. nach kurzem Vokal durch folgendes *j* ist es entstanden in *ellian* 'Mut' (got. *aljan*), *willian* (got. *wiljan*), desgl. in Lehnwörtern wie *lilli* 'Lilie', *fillul* 'Patenkind' (lat. *filiolus*). In *kullundar* 'Koriander' steht es durch Dissimilation für *r*.

2. *r*.

A. Entsprechung und Stellung.

179. Germ. *r* ist geblieben, vgl. *rādan* 'raten', *frōƀra* 'Trost', *beran* 'tragen', *gerwian* 'bereiten', *werian* 'wehren', *erl* 'Mann', *arm* 'Arm', *gern* 'begehrend', *tharf* 'Bedarf', *warđ* 'ward', *gersta* 'Gerste', *wurhteo* 'Arbeiter', *erƀi* 'das Erbe', *erđa* 'Erde', *irri* 'zornig' (got. *airzeis*), *sorga* 'Sorge', *thorp* 'Dorf', *herta* 'Herz', *werk* 'Werk', *gardo* 'Garten', *hwar* 'wo'. — Ebenso entspricht es lat. *r* in Lehnwörtern wie *karkari* 'Kerker', *porta* 'Pforte'.

Anm. Die Einschiebung des *r* in *tresur* 'Schatz' (lat. *thēsaurus*) ist schon romanisch, vgl. franz. *trésor;* C hat dafür *tresu*, Wer. Gl. *trasa*, Pet. Gl. *trese* durch Dissimilation.   In *gornon, grornon, gnornon* 'trauern' wechselt *r* mit *n*, vgl. ae. *grornian, gnornian*.

180. Metathesis des *r* mit einem benachbarten Vokal ist noch selten.   Meist tritt der letztere vor das *r*, z. B. *hers* 'Roß' (aus *hros*) Seg. A, Oxf. Gl., *verskang* 'Frischling' Fr. H., *irnandi* 'rinnend' — so verlangt die Alliteration im Hel. 3918 statt des *rinnandi* der Hss. —; seltener trifft der umgekehrte Fall ein: *thruhtig* 'dürftig' Wer. Gl., *thrust* 'Durst' V (Schreibfehler?), *-braht* in Eigenn. (= *berht* 'glänzend'). Vgl. Lasch, Mnd. Gr. § 231.

Anm. Dissimilation zeigt *Pathelbrunno* 'Paderborn', vgl. § 177 Anm. 2.

B. Gemination.

181. Germ. *rr* bleibt, z. B. *sterro* 'Stern', *ferrana* 'von fern' (got. *fairra*), *werran* 'verwirren'; desgleichen *rr* in Fremdwörtern: *karra* 'Karre', *myrra* 'Myrrhe'. Wegen der Vereinfachung s. § 253. Zu *rr* < *rz* vgl. § 225.

Anm. Vor *j* ist keine Verdoppelung eingetreten, vgl. *swērian* 'schwören'. Das doppelte *r* in *therro* 'der' Gr. Gl. und *werr* 'Hofstätte' (mnd. *were*) Werd. H. ist falsch.

3. Die Nasale.

1. *m*.

A. Entsprechung und Stellung.

182. Germ. *m* ist meist geblieben, z. B. *mēti* 'Speise', *gumo* 'Mann', *gômian* 'achthaben', *nēmnian* 'nennen', *mistumft* 'Zwietracht', *kramp* 'Krampf', *lamb* 'Lamm', *atuomda* 'befreite', *drôm* 'Traum'. Desgleichen in Lehnwörtern wie *mangon* 'handeln' (zu lat. *mango*), *kamara* 'Kammer'.

183. Zwischen *m* und folgendem *l, r* hat sich als Übergangslaut ein *b* entwickelt, vgl. *kumbal* 'Zeichen' (lat. *cumulus?*), *simbla, simblun* 'immer' M neben *simla, -un, -on* CV (got. *simlē*), *timbron* 'zimmern' (got. *timrjan*). Wegen der Assimilation dieses *b* vgl. § 245.

184. Der alte Wechsel von *m* und *ƀ* vor *n* (U. G. § 128, 1) ist meist zugunsten des *m* beseitigt, vgl. *stemna* 'Stimme' (got. *stibna*), *stamn* 'Steven', *samnon* 'sammeln', *at-samne* 'zusammen', *nēmnian* 'nennen'; *simnon* 'immer' zeigt in C auch Assimilation zu *sinnon*. Neben *himil* 'Himmel' steht *heƀan*, und dem aisl. *geime* 'Ocean' entspricht mit Ablaut *geƀan*. Vgl. auch § 177 Anm. 2 und § 222 Anm. 2.

185. Auslautendes Flexions-*m* im Dat. Sg. und Pl. mehrsilbiger Nominal- und Pronominalformen sowie in der 1. Pers. Sg.
Ind. Präs. gewisser Verba zeigt schon früh die Neigung, in *n* über-
zugehen, also in Formen wie *dagum* 'Tagen', *gōdum* 'gutem', 'guten',
thesum 'diesem', 'diesen', **salƀom* 'ich salbe'. Im letzteren Falle ist
sogar schon keine Form auf -*m* mehr erhalten, während VPM sonst
noch eine ganze Anzahl Flexions-*m* aufweisen. — Nach Analogie der
mehrsilbigen Formen ist dann auch in einsilbigen zuweilen -*n* für -*m*
eingetreten, z. B. *them*, *then* 'dem', 'den', *bium*, *biun* 'bin'. Vgl.
Lasch, Mnd. Gr. § 263.

Stammhaftes -*m* bleibt dagegen in der Regel durch den
Einfluß der Casus obliqui, wo es im Inlaut steht, erhalten, z. B. *āđom*
'Atem', *bōsom* 'Busen'.

Anm. 1. Während sich in mehrsilbigen Formen *m* : *n* in P
wie 3 : 2, in V wie 3 : 7 verhält, sind in M nur noch 44, in C bloß
10 Flexions-*m* erhalten; Hild. zeigt *hêriun* neben *tuêm* und *mannum*,
die anderen kl. Denkm. kennen nur *n*. In V halten sich im Sg. *m*
und *n* fast das Gleichgewicht, im Pl. dagegen ist *n* schon 3mal so
häufig als *m*. Das häufige *m* des D. Sg. in M beruht wohl auf dem
Einfluß der Nebenformen auf -*mu*; im D. Pl. ist *m* fester bei den
Adj. als bei den Subst., weil erstere öfter im Innern des Satzes
stehen, letztere mehr am Ende «in Pausa». Die *m* sind in M übrigens
fast ganz auf die erste Hälfte der Hs. beschränkt.

Anm. 2. Öfter vertritt ein Strich über dem Vokal (ō, ū) den
auslautenden Nasal, dessen Auflösung häufig unsicher bleibt. In
V ist ū doch meist in *um* aufzulösen.

Anm. 3. Einsilbige pronom. Dative auf *n* sind recht selten
(vgl. die Formenlehre), nur die Fr. H. hat durchgehends *then*, *than*
für *them*. — Von Verbalformen herrscht *bium* allein in M, V hat
je ein *bium* und *biun*, C 1 *bium* 2104, die kl. Denkm. nur *biun*;
dōm, *duom* 'tue' kommt in M 4mal mit *m*, 3mal mit *n* vor, die
anderen Denkm. kennen nur *duon*.

Anm. 4. Stammhaftes *m* ist in C zuweilen ebenfalls in *n*
übergegangen, z. B. *waston* = *wastom* 'Wuchs'. Formen wie *drôn*
'Traum', *fernan* 'vernahm' sind Schreibfehler, vielleicht auf falscher
Auflösung des Abkürzungsstriches der Vorlage beruhend. Übrigens
sind *m* und *n* in MC mehrfach verwechselt, ausgelassen oder falsch
zugesetzt.

B. Gemination.

186. Geminiertes *m* ist im Inlaut zwischen Vokalen geblieben,
sei es schon urgerm., wie in *grimman* 'wüten', *wammes* 'Frevels',
oder erst westgerm. vor *j* entstanden, wie in *frêmmian* 'vollbringen'
(zu got. *framis*). — Wegen Vereinfachung von *mm* vgl. § 253.

2. *n.*

A. Entsprechung und Stellung.

187. Germ. *n* bleibt in der Regel, vgl. *naht* 'Nacht', *skèrning* 'Schierling', *mènian* 'meinen', *aðunst* 'Mißgunst', *hônða* 'Schmach', *wintar* 'Winter', *bindan* 'binden', *hrōpan* 'rufen'. In Fremdwörtern desgleichen, z. B. *munita* 'Münze', *pund* 'Pfund'. Wegen des Ausfalls vor Spiranten vgl. § 191, wegen des Wechsels mit *l* § 177 Anm. 2, mit *r* § 179 Anm.

188. Assimilation von *n* an folgendes *l* findet sich in *ellevan* 'elf' (got. *ainlif*); zu *m* vor *b*, *m* in *um-bithèrði* C 'unnütz' = *un-b.*, *um-bêtte* 'stieg ab' Oxf. Gl. (= *und-b.*) *ambusni* = *anbusni* 'Gebote' (got. *anabusns*), *êmbar* 'Eimer' (ahd. *êinbar*, Umdeutung von *ambor*), *Hūm-braht* (zu *Hūn*), *um-met* 'unmäßig' Hild. In *nêmda* 'nannte' Ess. Gl. (für *nêmnda*) ist *n* dem vorhergehenden *m* angeglichen; *mm* mußte nach § 253 vereinfacht werden. Bei Dentalschwund ist es vor Guttural wohl bald zu *ŋ* geworden in *pinkoston* 'Pfingsten' (gr. lat. *pentecoste*). Vgl. Lasch, Mnd. Gr. § 262.

B. Gemination.

189. Doppeltes *n* zwischen Vokalen bleibt, sei es urgerm., wie in *sunna* 'Sonne', *biginnan* 'beginnen', oder erst westgerm. nach kurzem Vokal vor *j* entstanden, wie in *minnea* 'Liebe' (zu *munalīk*), *kunnies* 'Geschlechtes' (got. *kunjis*), *kussiannias* 'des Küssens'. Wegen der Vereinfachung vgl. § 253.

Anm. Statt *-nn-* steht *-nd-* in *lungandian* 'Lungen' Oxf. Gl. und *te gānde* 'zu gehen' Fr. H., wozu *winning* = *winding* (§ 249 Anm.) und *pènning* 'Pfennig' (zu *pand*) zu vergleichen ist.

3. *ŋ.*

190. Der gutturale Nasal *ŋ* wird wie der dentale durch *n* bezeichnet und kommt nur vor *k* und *g* desselben Stammes vor, z. B. *drinkan* 'trinken', *êngi* 'eng'; desgleichen in Lehnwörtern wie *êngil* 'Engel', *pinkoston* 'Pfingsten' (vgl. § 188). Wegen des Schwundes vor *g* vgl. § 193.

Schwund der Nasale.

191. Altes *m* vor *f*, sowie *n* vor *þ* und *s* sind mit Dehnung des vorhergehenden Vokals geschwunden, z. B. *hāf* 'lahm' (got. *hamfs*), *sāfto* 'sanft', *fīf* 'fünf'; *āðar*, *ōðar* 'ander', *nāðian* 'wagen' (got. *nanþjan*), *māð-mundi* 'sanftmütig' (ahd. *mam-munti* aus **mand-m.*), *sōð* 'wahr' (aisl. *sannr*, *saþr*), *fāði*, *fōði* 'Gang' (zu ahd. *fêndeo* 'Gänger'), *sīd* 'Gang' (got. *sinþs*), *hrīth* 'Rind', *swīði* 'stark' (= 'ge-

5*

schwinde'), *līdi* 'linde', *fīđan* 'finden', *ūđia* 'Woge' (ahd. *undea*), *mūđ* 'Mund', *gūđ-* 'Kampf', *kūđ* 'kund', *sūđar* 'südwärts' (ahd. *sundar*), *juguđ* 'Jugend', *sivotho* 'siebente', *niguđa* 'neunte', *tegotho* 'zehnte'; **gās, gōs* 'Gans' (mnd. *gās, gōs*), *ūs* 'uns', *fūs* 'bereit' (ahd. *funs*), *ūst* 'Sturmwind' (ahd. *unst*), *Ōs-, Ās-* in Eigenn. (got. *ans*, ae. *ōs* 'Gott'). Wegen des Vokalwechsels vgl. § 106, wegen der Verkürzung der Vokale in unbetonter Silbe vgl. §§ 131 und 135.

Anm. *jūgro* 'Jünger' CM steht für **jūhro* (got. *jūhiza*) unter Einfluß von *jung*.

192. Wenn *n* vor Spiranten erhalten ist, so kann dies verschiedene Gründe haben: a) es hat ein Vokal dazwischen gestanden, vgl. *hônđa* 'Schmach' = ahd. *hônida*, *minson* 'verkleinern' aus **minnisōn*; b) es liegt Beeinflussung durch das Grundwort oder Verbum vor, wie in *mis-tumft* 'Zwietracht' (zu *teman* 'ziemen'), *anst* 'Gunst', *aðunst* 'Mißgunst', *gispanst* 'Verlockung' (zu *spanan*), *kunst* 'Weisheit', *giwunst* 'Gewinst'; ferner in Verbalformen wie *onsta* 'gönnte', *kanst* 'kannst', *konsta* 'konnte', *farmanst* 'verachtest', *farmonsta* 'verachtete'. Vgl. van Helten, PBrB. 35, 302; Franck, ZfdA. 46, 333; Lasch, Mnd. Gr. § 261.

Anm. Wenn statt *th* ein *d* steht, wie in *tand* 'Zahn', *andar* 'ander', *kind* 'Kind', *āband* 'Abend', *mund* 'Mund', ist der Nasal erhalten. Bei *tins* 'Zins' (lat. *census*) und *spunsia* 'Schwamm' ist die Entlehnung erst nach dem Eintreten des *n*-Schwundes im As. erfolgt.

193. Der gutturale Nasal ɳ schwindet öfters vor *g* in unbetonter Silbe, die mit *n* beginnt, z. B. *huneg* Oxf. Gl., *honeg* Ess. H., *honig* Fr. H. 'Honig' (schwed. *honung*), *penniggo = penningo* 'Pfennige' Fr. H., *kunig = kuning* 'König' Ess. Gl. Vgl. Weyhe, PBrB. 30, 119; Lasch, Mnd. Gr. § 346.

Anm. In diesem Falle ging dann natürlich der Verschlußlaut *g* in die Spirans über, vgl. §§ 229 und 234. Vor *k* ist inlautendes ɳ geschwunden in *nessiklīn* 'Würmchen' (vgl. die ae. Demin. auf -*incel*).

4. Die Spiranten.
A. Die stimmlosen Spiranten.
1. f.
A. Entsprechung und Stellung.

194. Germ. *f* ist im As. als labiodentale Spirans erhalten, vgl. *folk* 'Volk', *fliotan* 'fließen', *fregnan* 'fragen', *kraft* 'Kraft', *hof* 'Hof', *wulf* 'Wolf', *tharf* 'Bedarf'. — In Fremdwörtern steht es 1. für lat. *f*, z. B. *fīga* 'Feige', *flēgil* 'Flegel', 2. für lat. *v* und *b* im Auslaut: *brēf* 'Brief' (lat. *breve*), *skrêf* 'schrieb', vgl. § 223.

195. In den kl. Denkm. wird für *f* im Anlaut häufig *v (u)*
geschrieben, z. B. *van* 'von', *vilo* 'viel', *vram* 'hervor'; in MVC findet
sich diese Schreibung, die sich aus der Aussprache des lat. *v* als *f*
erklärt, auch schon einigemal in *vilo* und nach dem Präfix *bi-*, z. B.
bivoran 'bevor', *bivallan* 'befallen', selten (in M) nach *n* und *ge-*,
z. B. *ênvald* 'einfach'. Auch C hat in diesen Fällen schon zuweilen *v.*
Vgl. van Hamel, PBrB. 42, 296; Lasch, Mnd. Gr. § 287 ff.

Anm. Selten steht im Anlaut *ph* für *f*: *ant-, entphangan*
'empfangen' Trier. Seg. B, *phatu* 'Fässer', *phano* 'Tuch' Par. Gl. Vgl.
§ 223 Anm. über auslaut. *-ph*, sowie Lasch, Mnd. Gr. § 289.

196. Die Verbindung *ft* ist in den kl. Denkm. schon häufig
in *ht (= cht)* übergegangen, vgl. *kraht* 'Kraft' Wer. Gl., *haht* 'Ge-
fangener' Ess. Gl. (got. *hafts*), *ahter* 'über hin' Bed., *achter* 'nach'
Glau., *hêhtan* 'heften' Ess. Gl., *eht* 'wiederum' Ess. und Wer. Gl., Fr.
H. (ae. *eft*), *brūd-lōht* 'Brautlauf', 'Hochzeit' Gr. Gl. (ahd. *brūt-hlouft*),
ohto 'oft' Wer. Gl., *thruhtig* 'dürftig' ib. C hat je einmal *kraht* und
die Mischform *thurhftig*, Ps. die umgekehrte Schreibung *genuftsamida*
'Fülle' (ahd. *ginuhtsam*). Dieses *h* kann auch wie altes *h* vor *t* (§ 214)
schwinden, vgl. *(barn)-hat* 'schwanger', *kratag* 'kräftig', *thortin* 'bedürften' Ess. Gl., *nôd-thurt* 'Notdurft' ib. und Beicht.

Anm. Zu *genuft-* für *genuht-* vgl. *wurftio = wurhtio* 'Arbeiter'
und *hûfta = ūhta* 'Morgenfrühe' Trier. Gl. (Kluge, ZfdW. I, 73), *druftin*
'Herr' < *druhtin* ndfrk. Ps. 3, 1; *-ht* für *-ft* ist besonders westlich,
vgl. Leitzmann, PBrBeitr. 26, 257. Zu *cht = ft* vgl. auch noch
van Helten, ZfdW. 11, 239; Lasch, Mnd. Gr. § 296.

197. Im Inlaut ist silbenanlautendes *f* in stimmhafter Umgebung stimmhaft geworden und wird im Hel. und in der Gen.
durch *ƀ, u, v* oder *f*, in den kl. Denkm. durch *u, v* oder *f* bezeichnet,
vgl. *heovan* 'wehklagen' (got. *hiufan*), *twêliƀi* 'zwölfe', *vivoldaran*
'Schmetterlinge' Str. Gl., *fīƀi* 'fünfe', *gihāvid* 'gelähmt' (zu *hāf*, ahd.
hamf), *wulƀos* 'Wölfe'.

Anm. Das — besonders bei *twêlifi* häufige — *f* erklärt sich
durch den Wechsel von inlautend stimmhafter und auslautend stimmloser Spirans in Fällen wie *heovan*, Prät. *hôf* oder *wulf*, Gen *wulƀes.*
Vgl. den gleichen Vorgang bei ursprünglichem *ƀ*, § 220 ff Für *ƀ*
steht auch ungenau *b* (§ 220 Anm. 1).

198. Wenn *f* im Inlaut vor *l* und *n* silbenauslautend steht,
bleibt es aber stimmlos, vgl. *kāflon* 'Kiefern', *twīfli* 'zweifelnd, *twīflon*
'zweifeln', *hôfnu* Instr. Sg., *hôfno* Gen. Pl. 'Weheklage' zum Nom-
hôƀan. Vgl. hierzu den Übergang von *-ƀl-* in *-fl-*, § 222 und Weyhe,
PBrB. 30, 109[1].

Anm. Es läßt sich nicht immer mit Sicherheit entscheiden, ob *f* in dieser Stellung alt oder erst aus *ƀ* hervorgegangen ist. Derartige Fälle sind: *lēf* 'schwach' (ae. *lēf*), Akk. Sgl. M. *lēfna*, ferner *thrūfla* 'Kelle' (nnl. *troffel*).

B. Gemination.

199. Westgerm. durch *j* geminiertes *f* steht je einmal in C: *ahêffian* 'erheben', während sonst dafür, wie im Ae., durch Ausgleichung *bb* (aus *ƀj) erscheint: *ahêbbian*.

Anm. Dies *ƀj < *bbj* beruht wohl auf Ausgleichung, da in diesem und ähnlichen Verben grammatischer Wechsel zwischen *f* und *ƀ* bestand, vgl. § 257.

2. *þ* (th).
A. Entsprechung und Stellung.

200. Die stimmlose interdentale oder postdentale Spirans *þ (th)* ist vielfach erhalten, und wird im Anlaut gewöhnlich durch *th*, im In- und Auslaut in den größeren Denkmälern (Hel., Gen.) durch *đ (d)* oder *th*, in den kleineren fast immer durch *th* bezeichnet, vgl. *thiof* 'Dieb', *thwahan* 'waschen', *thrītig* 'dreißig', *eftho*, *ofthe* 'oder', *dōđ* 'Tod', *mūđ* 'Mund', *norđ* 'nordwärts'.

Anm. 1. Im Anlaut steht vereinzelt in MCV *đ*, *d*, *t* statt *th*, wovon *d* und *t* natürlich Schreibfehler sind; Hild. hat 2 *đat*. Das in M häufigere *durƀan* 'Veranlassung haben' (= nhd. 'dürfen') beruht wohl auf Einfluß von *gidurran* 'Mut haben'. Die Wer. Gl. haben 1 mal *thrêmbil* 'Toga' für *drêmbil*; die Fr. H. setzt häufiger in Namen wie *Thiezo* T- für *Th*- (Koseformen).

Anm. 2. Im Auslaut schreiben PV in der Regel *đ*, V vereinzelt *d* und *t*; in C ist *th* das häufigste, dann folgen *đ*, *t* und *d*, während M meist *d*, viel seltener *đ*, *th* und *t* hat. Die andern Denkmäler weisen meist *th*, nur selten *t*, *đ* (Ess. Gl., Hil.) auf. Gelegentlich steht *ht* = *th* (1 M, einigemal C, mehrfach in den kl. Denkm., wie Ps., Fr. H., Ess., Oxf., Str. und Wer. Gl.). In Fällen wie *quat hē* 'sagte er' für *quath hē* liegt vereinfachte Schreibung vor.

Anm. 3. Da *th* in Mnd. zu *d* wird, ist mindestens im späteren As. die Spirans überall stimmlos geworden, vgl. Lasch, Mnd. Gr. § 319.

201. Germ. *þl* ist im Anlaut zu *fl* geworden, vgl. *flêon* 'schmeicheln' Ess. Gl. (got. *þlaihan*), *fliohan* 'fliehen' (got. *þliuhan*); im Inlaut entweder zu *hl*, wie in *mahal* 'Versammlung', 'Rede' (got. *maþl*), oder geblieben, resp. zu *dl* geworden, z. B. *nāthla* 'Nadel' Wer. Gl., *nādla* MC (got. *nēþla*), *sedle* 'dem Sitze' VMC, *sethlo* G. Pl. Beicht., *ēn-sedlio* Elt. Gl., *-setlio* Ess. Ev. Gl. 'Einsiedler', *gisidli* 'Sitz' MC, *stadlo* G. Pl. 'Stände' Beicht. (ae. *stadol*), *bodlos* MC 'Haus und

Hof' (ae. *botl*, *bold*), *tan-stuthlia* 'Zahnreihe' Wer. Gl. (mhd. *studel*
'Pfosten'); *-ll-* erscheint in *Thiodmalli* 'Detmold' (zu *mahal*). Vgl.
Sievers, PBrB. 5, 531 ff., IF. 4, 335 ff.; Weyhe, PBrB. 30, 67.

   Anm. Neben *sedle* steht 1 mal in C *sedle* mit sekund. *đ*.
Ob aus dem Wechsel von *đ*, *th* mit *d*, *t* auf einen wirklichen
Übergang in den Verschlußlaut geschlossen werden darf, ist bei der
häufigen Vermischung von *đ* und *d*, *th* und *t* jedoch sehr zweifelhaft. Der Akk. *sethal* Wer. Gl. wurde gewiß mit **stimmhafter**
Spirans gesprochen, vgl. § 206; bei den übrigen Formen ist die Aussprache des *th* wohl noch die **stimmlose**, da es hier im Silbenauslaut steht. Vgl. übrigens mnd. *nātel* 'Nadel' *schêtel* 'Scheitel' und
die Ortsnamen auf *-büttel*.

   202. Die inlautende Verbindung *-þm-* ist erhalten, z. B. *fađmos*
'Arme', *mêthmos* 'Kleinode' (got. *maiþmōs*), *bothme* C 'dem Boden',
ôđ-môdi 'Demut' (ae. *éađ-mēdu*, ahd. *ôd-muotī*), *māđ-mundi* 'sanftmütig' (ahd. *mammunti* aus **mand-m.*). Daß dafür auch öfters *-dm-*
und in C *-tm-* geschrieben wird, kann bei der häufigen Verwechslung von *đ*, *th* und *d*, *t* nicht ins Gewicht fallen.

   203. In der Verbindung *lþ* ist *þ* — durch die Mittelstufe der
stimmh. Spirans — zu as. *d* geworden, vgl. *bald* 'kühn' (got. *balþs*),
gold 'Gold' (got. *gulþ*), *hold* 'hold' (got. *hulþs*), *faldan* 'falten' (got.
falþan), *wildi* 'wild' (got. *wilþeis*).

   Anm. Das einmalige *golth* der Oxf. Gl. ist kaum eine echt
as. Form; wenn *ld* scheinbar erhalten ist, wie in *sālda* 'Glück', liegt
Synkope eines Mittelvokals vor, vgl. ahd. *sālida*. — Wegen des Überganges von *-d* in *-t* vgl. § 248.

   204. Durch **Dissimilation** wird *đ* vor und nach Spiranten
zum Verschlußlaut *t*, vgl. *blīdsea*, *blītzea*, *blīzza* CM 'Freude', *blīdzean*,
blīzz(e)an 'erfreuen' zu *blīđi* 'froh', *efto* 'oder' V neben sonstigem
eftho. Vgl. *êkso* § 233.

   205. Öfters wird *th* im Wortanlaut an voraufgehendes *d*, *t*
assimiliert, z. B. *skaltu = skalt thu* 'sollst du' M, *mahtu = maht*
thu 'kannst du' C, *ant(t)at*, *untat = ant*, *unt that = and that* 'bis
daß', öfters in MC, *hwat tar* 'was da' Gen., *stēid te* 'steht der' Münze.
Vgl. Lasch a. a. O. § 307.

   Anm. M hat V. 1—1219 *antthat*, nachher (bis auf einen Fall)
stets *anttat*.

   206. Inlautendes *þ* ist im Silbenanlaut in stimmhafter Umgebung wohl schon in as. Zeit stimmhaft geworden, wie der Übergang von *f* zu *đ*, *v* (§ 197) vermuten läßt, und wofür auch das
Zeichen *đ* selbst spricht, also in *quedan* 'sprechen', *wrēdian* 'stützen',
erđa 'Erde', *sālda* 'Glück', *kūdian* 'künden', *hônđa* 'Schmach', *ūt-*

innāthrian 'ausweiden', desgleichen in alten Kompositis wie *bēđia*
'beide'. Die Schreibung schwankt zwischen *đ, d, th* und gelegentlich *t·*

Anm. P hat stets *đ,* M meist *d,* selten *đ* und *th* (letzteres
stets in *rēthia* 'Rede', *rēthinon* 'Rechenschaft ablegen' und bei Nasalschwund, wie *kūthean* 'künden'), C meist *th* neben *đ,* doch auch *d*
und *t,* Gen. meist *đ,* doch 9 mal *th,* selten *d,* vereinzelt *đh* und *đh,*
V *đ,* außer in *kūthean,* die kl. Denkm. gewöhnlich *th.* Wenn in
diesen gelegentlich *đ* erscheint, z. B. in *erda* 'Erde' Ess. GI, *smidos*
'Schmiede' Leid. Gl., *genuftsamida* 'Genüge' Ps., *magadi* 'Mädchen'
Wer. Gl., so liegt hier vielleicht hochd. Einfluß vor.   Vgl. im allgem.
Braune, Bruchst. S. 18 ff.

207. Ebenso ist *đ* vor *d* stimmhaft, wie in *kūđđa* 'kündete'
aus **kūþida.*

. Anm. Wäre *đ, th* hier stimmlos, so müßte das Prät. nach
§ 248 **kūđta* lauten.   Die häufige Schreibung *kūdda* in M beweist
bei der ganz gewöhnlichen Setzung von *d* für *đ* in dieser Hs. noch
nicht für Assimilation des *đ* an *d.*

B. Gemination.

208. Urgerm. *þþ* erscheint in *kledthe* Oxf. Gl., *kleddo* Pet. Gl.
'Klette', *ettho, -a, ohtho* M, *atha* Trier. Seg. B 'oder' (got. *aiþþau,* ae.
eđđa, odde, ahd. *eddo, odo*), *latta* 'Latte' Lam. und Oxf. Gl. — Vor *j*
ist *þ* nicht verdoppelt, vgl. *rēđia* 'Rechenschaft' (got. *raþjō*), *wrē-*
đian 'stützen'.

Anm. *Ettho* etc. 'oder' hat mit *efđo, -a* MV, *eftha* MC, *efto*
Gen., *ofthe* Wer. Gl. nichts zu tun, da letztere zu afries. *jeftha, joftha,*
oftha, as. *ef,* ae. *gif* gehören, vgl. BB. 13, 121 ff.; PBrB. 6, 248; 24, 403.
Über *-þþ-* im Mnd. vgl. Lasch, § 320.

3. *s.*

A. Entsprechung und Stellung.

209. Urgerm. *s* bleibt, z. B. *sêr* 'Schmerz', *sweðal* 'Schwefel',
slahan 'schlagen', *smal·* 'klein', *snīdan* 'schneiden', *spuodian* 'fördern',
strang 'stark', *skôni* 'schön', *skild* 'Schild', *ohso* 'Ochs', *êkso* 'Besitzer', *ahsla* 'Achsel', *knōsles* 'Stammes', *brosmo* 'Brocken', *bliksmo*
'Blitz', *anbusni* 'Gebote', *fersna* 'Ferse', *sespilon* 'Totenklagen', *westar*
'westwärts', *alēskian* 'löschen', *hūs* 'Haus', *hals* 'Hals', *wirs* 'schlimmer'; desgleichen in Lehnwörtern: *sikor* 'sicher', *strāta* 'Straße',
disk 'Tisch', *biskop* 'Bischof'.   Für *ts* wird *z* geschrieben: *bêzto*
'beste', *mēzas* 'Messer' (= **mēti-sahs*), desgleichen für *đs* in *blīzzea*
'Freude' (vgl. § 204); dasselbe bezeichnet *c* in *krūci* 'Kreuz', wo die
spätlat. Aussprache von *c + e, i* vorliegt.

Anm. Im Ps. ist anlautendes *sl* zu *scl* geworden: *sclahan* 'schlagen'. Vgl. Leitzmann, PBrB. 26, 258; Lasch, Mnd. Gr. § 333.

210. Inlautendes *s* ist wohl schon in as. Zeit im Silbenanlaut bei stimmhafter Umgebung stimmhaft geworden, wenn auch diese, dem Übergang von *f* zu *ð* und *þ* zu *đ* parallele, Erscheinung in der Schrift keinen Ausdruck gefunden hat, also in *lesan* 'lesen', *wirsista* 'schlimmste', *cursina* 'Pelzrock', *halse* 'Halse', *ūsa* 'unser', *minson* 'mindern', *lôsian* 'lösen'; desgleichen in Fremdwörtern: *ésil* 'Esel', *kêsur* 'Kaiser'.

Anm. 1. In *spunsia* 'Schwamm' entspricht stimmh. *s* einem roman. *dz* oder *dž* aus palat. *g* (lat. *spongia*, engl. *sponge*).

Anm. 2. Die Ess. Gl. haben mit Assimilation von *rs* zu *rr*: *wirrista* (vgl. den afries. Komp. *wirra*).

211. Dasselbe ist der Fall vor *d*: *lôsda* 'löste' < **lôsida* (vgl. § 207). Ein stimmloses *s* hätte hier das *d* in *t* verwandelt, vgl. *kusta* 'küßte' (got. *kussida*).

B. Gemination.

212. Doppeltes *s* bleibt, sei es urgerm., wie in *kussian* 'küssen', *wissa* 'wußte', oder westgerm. Verschärfung vor *j*, wie in **hrissian* 'zittern' (nur *hrisid* und *hrisidun* sind belegt). Lat. *ss* bleibt gleichfalls: *missa* 'Messe'.

Wegen der Vereinfachung von *ss* vgl. § 253.

Anm. Unorganisch ist die Verdoppelung vor *k* in *mennisscemo* 'menschlichem' Ps., *abdisska* 'Äbtissin', *flêsscas* 'Fleisches', *Asscon* etc. Fr. H., *thessemo* 'diesem' Trier. Seg. B. Über *ss* aus *hs* vgl. § 215.

4. h.
A. Entsprechung und Stellung.

213. Die urgerm. stimmlose Gutturalspirans χ ist als solche nur im Auslaut und inlautend vor Konsonanten erhalten, hat aber in der Regel das Zeichen des Hauchlautes *h*, z. B. *sah* 'sah', *bifalh* 'befahl', *thurh* 'durch', *lêhni* 'vergänglich', *sehs* '6', *dohtar* 'Tochter'. In den Lehnwörtern *ambaht* 'Amt' (zu lat.-kelt. *ambactus*) und *fruht* 'Frucht' entspricht es lat. *c + t*.

Anm. Statt *ht* findet sich auch die Schreibung *th, gt* und *cht*, z. B. *magt* 'Macht' C, *fiuchtie* 'Fichte' Oxf. Gl. Selten steht im Auslaut *ch, hc* oder *g*, vgl. *sach*, *léch* 'lieh' Gen., *thuruch* Trier. Seg. B, *scôhc* 'Schuh' Par. Gl., *thurug* 'durch' Ps.

214. Schon in VMC ist indes *h* nicht selten geschwunden, desgleichen in den kl. Denkm., vgl. *avu = abuh* 'Übel', *thô* 'doch', *wī* 'heilig', *bifal*, *hô* 'hoch' in M, *fera = ferah* 'Leben' C, *hô* C,

Ess. H., *wī* Beicht., *wlō* 'Flocke', *bifal* Oxf. Gl., *slā* 'schlag' Elt. Gl.
flô 'floh', *fīla* 'Feile' Pet. Gl., *nābūr* 'Nachbar' Fr. H., besonders in
der Verbindung *ht*, z. B. *fortian* 'fürchten' C, Wer. und Ess. Gl.,
giwarta 'gemachte' und *o[r]bult* 'Zorn' Ess. Gl., *giflotan* 'geflochten'
ib., *suotin* 'suchten' Gen. (8 solcher Fälle), *githāt* 'Gedanke' MC;
auch das aus *f* nach § 196 entstandene *h* kann schwinden, vgl. in
den Ess. Gl.: *thortin* 'bedürften', *kratag* 'krättig', *hat* 'gefangen'.
Zwischen *r* und *n* ist es geschwunden in *forna* Trier. Gl., *furnie*
'Forelle' Oxf. Gl. aus *forhna*, *furhnia*, zwischen *r* und *s* in *thwer-*
stōl 'Querbank' Wer. Gl. Vgl. Lasch, § 350 ff.

Anm. 1.　Umgekehrt wird auch *h* falsch eingesetzt, vgl. *thaht*
'das' V, *hlūhtra* 'lautere' Gen., *swarht* 'schwarz' und *giwiht* 'Verstand' M, *giwihton* 'Zeugen' Ess. Gl., *fêhmea* 'Weib' C, was Unsicherheit in der Aussprache beweist.

Anm. 2.　Der Schwund eines auslautenden *h* mag häufig auf
Ausgleichung an die Formen beruhen, wo es im Inlaut stand
und bloßer Hauchlaut war (§ 216), z. B. in dem öfter vorkommenden
hô, Gen. *hôhes* etc. *Thuru, thur* C, kl. Denkm. neben *thuruh* 'durch'
dagegen beruht auf Satzphonetik (vgl. ne. *through*).

215.　In der späteren Sprache ist *hs* schon häufig zu *ss* assimiliert, z. B. *wassan* 'wachsen' und *ėgithassa* 'Eidechse' Straß. Gl.,
losses 'Luchses' Oxf. Gl., woraus nach § 253 im Auslaut *s* wurde,
wie *ses* '6', *thas* 'Dachs' Fr. H., *mėzas* 'Messer' (= *mėti-sahs*) ib.,
was 'Wachs' Oxf. Gl. Den Übergang von *hs* zu *ss* zeigt die Form
sahsson 'Messern' Wer. Gl. Vor *s + l* ist diese Assimilation noch
älter, vgl. *weslon, -ean* 'wechseln' VM, *thīsla* 'Deichsel' Wer. und
Oxf. Gl. neben *ahsla* 'Achsel'.

Anm.　Schon westgerm. ist der Schwund des *h* vor *st*, wie
in *wastum* 'Wuchs', *lastar* 'Tadel' (nehen *lahan*), *mist* 'Mist' (neben
mehs Ess. Gl.), desgleichen in *niusian* 'versuchen' (got. *niuhsjan*,
Prt. as. *niusta) und *liomo* 'Lichtstrahl'. Diesen hat sich *soster*,
suster 'Sechter' (lat. *sextārius*) angeschlossen. In *sehsto* '6 te' hat
sehs die Erhaltung des *h* bewirkt. Vgl. Sverdrup, IF. 35, 149 ff.

216.　Im Anlaut vor Vokalen und Konsonanten sowie im
Inlaut zwischen Vokalen und Liquiden und Vokalen war die Spirans
dagegen zum bloßen Hauchlaut (nhd. *h*) abgeschwächt, z. B. *hār*
'Haar', *hwīla* 'Weile', *hleor* 'Wange', *hrōpan* 'rufen', *hnīgan* 'sich
neigen', *sehan* 'sehen' (got. *saíhvan*), *slahan* 'schlagen', *bifelhan* 'befehlen', *ferhes* 'Lebens'.

Für die Schwäche dieses *h* sprechen die besonders in späteren Denkmälern häufigen Auslassungen, sowie umgekehrt mehrfache falsche Hinzufügung desselben.

Anm. Wenn im Anlaut vor Vokal *h* in VMC öfters fort-
gelassen oder falsch zugesetzt ist, z. B. *aldan* 'halten' neben *hidis*
'Weib', was auch einige kl. Denkm. (Fr. H., Str. und Oxf. Gl.) gelegentlich zeigen, so ist hierin doch wohl nur eine Schreibernachlässigkeit
zu erblicken. Über *ant-* für *hund-* vgl. § 384.

217. Vor Konsonanten zeigt *h* im Anlaut ziemlich früh Neigung zum Schwinden. In V fehlt *h* 10 mal vor *w* und *l* und ist
3 mal falsch vorgesetzt, P hat 1 *wand* 'weil' neben *hwand*, M 1
falsches *h* vor *l*, 2 Auslassungen vor *w*. Stärkeres Schwanken zeigen.
dagegen schon die kl. Denkm. wie Ess., Greg., Oxf., Straß. und Wer.
Gl., sowie Fr. H., wo *h* bald richtig steht, bald fehlt, bald falsch
zugesetzt ist; ganz geschwunden ist es in Ps., Hom., Ess. H., Par.
und Lam. Gl.

218. Im Inlaut zwischen Vokalen sowie zwischen Liquiden
und Vokalen schwindet *h* ebenfalls öfter, z. B. in *se(h)an* 'sehen',
hô(h)es 'hohes', *bifel(h)an* 'befehlen', *sin-(h)īwun* M 'Gatten', *treuu-
(h)aft* M 'treu', *firi(h)o* G. Pl. 'Menschen', *gimālda = gimahalda*
'sprach', V zeigt 3 Fälle, M 19, C 12. Die meisten kl. Denkm. haben
schon Ausfall des *h*, z. T. neben Erhaltung, z. B. *thā(h)īn* 'tönern'.
Kein intervokalisches *h* ist mehr erhalten in Bed., Ess. H., Lam. und
Par. Gl., Fr. H. Das Mnd. zeigt völligen Schwund.

Anm. 1. Mehrmals ist ein stummes *h* zwischen Vokalen als
h i a t u s d e c k e n d e r Buchstabe eingefügt, wenn daselbst ein *w* oder
geschwunden war, z. B. *brāhon* M = *brāwon* C 'Brauen', *kneohon*
C 'Knieen', *fratohon* CM 'schmücken' (ae. *frætwian*), *fraha* 'frohe'
(ahd. *frawe*), *frahon* 'des Herrn', *frīehan* C 'lieben' (ae. *fréoჳan*), *frīho*
'der Weiber', *hneihida* 'wieherte' Wer. Gl. (Hs. *hneth-*). Vgl. Lasch,
§ 353.

Anm. 2. Vereinzelt steht inlautend *ch* nach Analogie des
Auslauts, z. B. *īchas* 'Eiben' Oxf. Gl., *Hāchemehūsi* Gand. Plenar.

B. Gemination.

219. Westgerm. durch *j* verdoppeltes *h* ist in dem Inf. **hlahhian*
'lachen' (got. *hlahjan*, ae. *hlĭehhan*) anzusetzen.

B. Die stimmhaften Spiranten.

1. *ƀ*.

A. Entsprechung und Stellung.

220. Die labiale stimmh. Spirans ist im Inlaut zwischen sth.
Lauten meist erhalten und wird im Hel. und in der Gen. gewöhn-
lich durch *ƀ (b)*, seltener durch *v (u)* oder *f* bezeichnet, in den kl.
Denkm. meist durch *v*, seltener durch *f*. Beispiele: *geƀan* 'geben',

aðunst 'Neid' (= 'Abgunst'), *selbo* 'selber', *arðedi* 'Arbeit', *gilôðian* 'glauben', *furvian* 'reinigen', *frôðra* 'Trost' (ahd. *fluobra*). — In Lehnwörtern vertritt es: a) lat. *v*, z. B. *brêvian* 'schreiben' (lat. *breviâre*), *evenîn* 'von Hafer' (lat. *avêna*); b) lat. *b*, z. B. *skrîban* 'schreiben' (lat. *scrîbere*), *diuðal* 'Teufel' (lat. *diabolus*); c) lat. *p* in *pāvos* 'Papst' (lat. *papa*). Im letzteren Falle liegt roman. Erweichung vor.

Anm. 1. Regelmäßig steht *ð* nur in PV, während in MC Gen. *b* überwiegt. In C rührt der Querstrich häufig von zweiter Hand her. — Die Schreibuug *b* für *ð* ist dieselbe Nachlässigkeit, wie die Setzung von *d* für *đ* (§ 200) und findet sich auch einmal in den Straß. Gl.: *umbiwérbi* 'Umläufe'; desgleichen öfters in den Eigennamen der Fr. H., wie *Geba*, während die Werd. Urkk. hier auch *ð* haben.

Anm. 2. In VMC ist *v* für *ð* nicht eben selten, aber *ð* überwiegt doch bei weitem. — Der Gebrauch des *f* erklärt sich aus dem Übergange von inlaut. *f* in *ð* (§ 197) und von auslaut. *ð* in *f* (§ 223). Am häufigsten (17 mal) steht es in C, nur selten dagegen in M und einigen kl. Denkm., wie Bed., Ess., Trier. und Wer. Gl. Die Lam. Gl. haben sogar *dūffe* 'Taube'.

221. Die stimmh. Spirans ist auch erhalten vor *d*, z. B. *hôðde* 'Haupte', *gilôðda* 'glaubte'. Neben *ð* wird doch häufiger in PVMC *b*, in M 3 mal und in den kl. Denkm. regelmäßig *f* gesetzt, z. B. *lêfdi* 'daret' Ess. Gl., *gilôfda* Beicht.

Anm. 1. In C ist *bd* fast doppelt so häufig als *ðd*, das in M. nur zweimal vorkommt. Die Straß. Gl. haben einmal *-hôbdig* '-häuptig'. — Daß *f* = *ð* ist, ergibt sich aus der Erhaltung des *d*.

Anm. 2. In Formen wie *habda* 'hatte', *libda* 'lebte', wo *b* fast durchgehends — selbst in VP — statt *ð* steht, ist wohl Angleichung an Bildungen wie Inf. *hébbian*, *libbian* etc. mit Verschlußlaut anzunehmen. — *Habda* ist als unbetonte Form in C 3 mal, in den kl. Denkm. stets zu *hadda* assimiliert.

222. Wenn auf das *ð* ein *l*, *r* oder *n* folgt, wie in *diuðlas* 'Teufels', *neflu* 'mit Nebel', *gaflie* 'Gabeln' Oxf. Gl., *skūfla* 'Schaufel', (zu *schieben*), *tafla* 'Tafel', *fêfra* 'Fieber' D. Ess. Gl. (lat. *febris*), *sūfrod* 'gesäubert' ib., *frôfra* 'Trost' CM, *silofrin* 'silbern' C, Adv. *efno* 'eben', *swefnos* 'Träume' (Nom. *sweðan*), so ist es im Silbenauslaut zu *f*, d. h. stimmlos geworden. In CM schwankt die Schreibung vor *l* infolge Ausgleichung zwischen *ð (b)* und *f*, z. B. *liob-*, *liof-lic* 'lieblich', die kl. Denkm. haben nur dieses, vgl. Weyhe, Beitr. 30, 108.

Anm. 1. So ist z. B. *diuðlas* neben *diuflas* an den Nom. Akk. *diuðal* angelehnt. Daß *f* aber wirklich = nhd. *f* war, beweist die spätere Entwickelung, vgl. westf. *effen*, *gaffel* u. ä. Parallel ist der Übergang von *-gn-* in *-chn-* § 231.

Anm. 2. In *hallingas* 'Heller' Pet. Gl. (zu *half* 'halb') ist *f*
oder *ð* zwischen 2 *l* geschwunden.

Anm. 3. Selten ist Assimilation von *ðn* zu *mn* eingetreten:
emnia 'gleiche' Ess. Gl., Superlativ *emnista* Ps., vgl. § 184. Daneben
mm in *Hrammeshuvila* Fr. H. (zu *hraðan* 'Rabe').

223. Auch im Auslaut und vor stimmlosen Konsonanten ist *ð*
stimmlos geworden, z. B. *wīf* 'Weib', *half* 'halb', *hwarf* 'wandte
sich' (= 'warb'), *ofstlīko = oðastl.* 'schnell'. Wenn dafür in MC
öfters *ð (b)* eintritt, so steht diese Schreibung unter dem Einfluß der
mehrsilbigen Formen (Gen. *wīðes* etc.) oder beruht auf Satzphonetik.

Anm. C und die Werd. Urkk. setzen besonders häufig *ð (b)*
im Auslaut, ersteres einmal sogar *v*: *selv*. Auch Gen. hat 1 mal *wīb*.
Die Oxf. Gl. haben *ph* in *staph, steph* 'Stab' (vgl. § 195 Anm.). Vgl.
dazu Lasch, Mnd. Gr. § 289.

B. Gemination.

224. Durch *j* ist *ð* nach kurzen Vokalen zu *bb* geworden,
vgl. *hebbian* 'haben', *kribbia* 'Krippe', *lubbian* 'heilen' (aisl. *lyfia*).

2. *z*.

A. Entsprechung und Stellung.

225. Urgerm. *z* (stimmhaftes *s*) ist im As. im Inlaut in *r* übergegangen, z. B. *mēro* 'größer' (got. *maiza*), *lērian* 'lehren' (got.
laisjan für *laizjan), *nērian* 'retten' (got. *nasjan* für *nazjan), *merrian*
'ärgern' (got. *marzjan*), *marg* 'das Mark' (zend. *mazga*), *hord* 'Hort'
(got. *huzd*), *brordon* 'sticken' (zu aisl. *broddr* 'Spitze'), *orlôf* 'Urlaub',
urkundeo 'Zeuge' (vgl. got. *uskunþs* 'bekannt').

226. Das aus *z* entstandene *r* ist einem vorhergehenden oder
folgenden Laute assimiliert in *wirsa* 'schlimmer' (got. *wairsiza*).
hornut 'Hornisse' (vgl. nld. *horzel*), *dunn* 'braun' (neben *dosan*).
thimm 'dunkel' (lit. *tamsùs*). Vgl. Weyhe, PBrB. 30, 56 f.

B. Schwund.

227. Inlautendes *z* ist geschwunden: a) nach langem Vokal
vor *d* oder *n*, z. B. *mēda* 'Miete', 'Lohn' (vgl. got. *mizdō*), *hēda
(mnd. *hēde*) 'Werg' neben ae. *heorde*, *līnon* 'lernen' neben *lernunga*
'Lehre' Straß. Gl.; b) in den unbetonten Präfixen *a-* 'er' und *te-*
'zer-', z. B. *abiddean* 'erbitten', *te-fallan* 'zerfallen'. Vgl. dagegen
betontes *or-, ur-* § 225 und Weyhe, PBrB. 30, 55 ff.; van Helten,
ib. 213 ff.

Anm. *Obul[h]t* 'Zorn' Ess. Gl. ist wohl verschrieben für *orb.*
(vgl. ae. *æbylgd*), vgl. das Verb *a-belgan*. Oder liegt das Präfix *ō-* vor?

228. Auslautendes *z* ist stets geschwunden, z. B. *fisk* 'Fisch'
(got. *fisks*, aisl. *fiskr*), *gōd* 'gut', 'guter' (got. *gōþs*, aisl. *gōþr*), *geƀa*
Gen. Sg. und Nom. Akk. Pl. 'Gabe', 'Gaben' (got. *giƀōs*, aisl. *giafar*), *hald*
‹mehr› (got. *haldis*), *mī* 'mir' (got. *mis*, aisl. *mér*), *wī* 'wir' (got. *weis*,
aisl. *vér*), *hwē* 'wer' u. a.

Anm. Wenn *z* als *r* geblieben zu sein scheint, wie in *mēr*
Adv. 'mehr' (ae. *mā*, got. *mais*), Adv. *diopor* 'tiefer', so sind dies
Neubildungen nach den zugehörigen Adjektivformen.

3. ʒ.
Entsprechung und Stellung.

229. Die germ. gutturale stimmh. Spirans *g (ʒ)* hat sich im
Inlaut erhalten nach Vokalen und *l*, *r*, z. B. *nigun* '9' (ae. *niʒon*),
dragan 'ziehen', *wēgi* 'Gefäß', *bôgian* 'beugen', *galgo* 'Galgen', *fergon*
'bitten'. In Lehnwörtern ist *g*: a) = lat. *g*, z. B. *segina* 'Netz' (lat.
sagēna); b) = lat. *c*, z. B. *degmo* 'Zehnte' (lat. *decimus*), *fīga* 'Feige'
(lat. *fīcus*) mit romanischer Erweichung. — Daß *g* in diesen Fällen
Spirans war, ergibt sich aus dem gelegentlichen Schwunde vor *i*,
d und im Auslaut nach *i* (s. unten), aus dem Übergang des auslautenden *g* in *h*, *ch*, sowie endlich aus den heutigen Mundarten. Vgl.
Lasch, § 340 ff.

230. Im Inlaut vor *d* war *g* wohl auch stimmhaft, z. B.
bregdan 'flechten', *sagda* 'sagte', *wrōgda* 'klagte an'. In C ist *g* in
der Endung *-hugdig* 'gesinnt' mehrmals geschwunden; die Wer. Gl.
haben einmal *gehuddigon* 'sich erinnern', einmal hat C sogar *sahdin*
'sagten'.

Anm. *dg* ist zu *d* assimiliert in *hiudu* 'heute' (*hᵛdigŏ* Bed.).

231. Ob *g* im Silbenauslaut vor *l* und *n*, z. B. in *fuglos* 'Vögel',
tiegla 'Ziegel' (lat. *tegula*), *morgnes* 'Morgens', *lôgna* 'Flamme', *segnon*
'segnen' (lat. *signāre*), noch stimmhaft oder schon stimmlos ist, läßt
sich nicht entscheiden. Die spätere Entwickelung (mnd. *lôch(e)ne*)
spricht für das letztere, vgl. Lasch, Mnd. Gr. § 342 B. Vgl. auch § 222.

Anm. 1. Wenn *d* im Auslaut, z. B. in *gihugd* 'Verstand',
stimmlos war (§ 248), wurde *g* natürlich ebenfalls stimmlos. Eigentümlich ist *c* für *g* vor *n*, *l* in *giéknoda* 'finxit' Ess. Gl., *swikle* 'hell'
M, *Vuclas-*, *-es-tharp* 'Vogelsdorf' Fr. H.

Anm. 2. Vor *n* hatte *g* auch die Neigung zum gutturalen
Nasal *ŋ* zu werden, in dem der folgende Nasal aufgehen konnte,
z. B. *gifragn* 'erfuhr', woneben *frang* in CM und *fran* in C auftreten, *wanngeros* 'Wagner' Leid. Gl. (für *wagneros*). Vgl. Lasch, § 345.

232. Vor *i* ist inl. *g* öfters geschwunden, z. B. *tôiu* M = *tôgiu* 'zeige', *gein* = *gegin* 'gegen' Ess. Gl., *êislĩk* = *êgislĩk* 'schrecklich' Straß. Gl., *Rêinesburg* 'Regensburg' Lam. Gl., Namen mit *Mẹin-*, *Rẹin-*, *Eil-* = *Mẹgin-*, *Rẹgin-*, *Egil-* Fr. H., *Sĩbraht* = *Sigi-* ib., *bôi* = *bôgi* 'Buge' Straß. Gl., *wãion* = *wẹgion* 'Schalen' Wer. Gl., *ênstrĩdii* 'Hartnäckigkeit' = -*digi* ib., *burio* = *burgio* 'Bürge' Ess. Gl. Vgl. § 229 Anm. und Lasch, § 342 B.

Anm. Falsch zugesetzt ist das *g* in *tugithon* 'gewähren' M 2752, vgl. *tuĩthon* C, Ess. Gl. sowie mnd. *twĩden*.

233. Vor *s* ist *g* zu *k* geworden in *êkso* 'Besitzer' (aus *êgiso*). Vgl. dazu mnd. *ekster* 'Elster' = as. *agastria*, westf. *niks* 'nichts'.

234. Im Auslaut ist *g* stimmlos geworden, was allerdings durch die etymologische Schreibung meist verwischt wird, vgl. *weg* 'Weg', *balg* 'erzürnte', *burg* 'Burg'. Doch findet sich dafür gelegentlich auch *hg, gh, h* und *ch* geschrieben. — In C ist auslautendes *g* nach anglofries. Art nach *i* in unbetonter Silbe oft geschwunden, z. B. *mahti* 'mächtig', wonach denn auch Akkusativformen wie *mahtina* gebildet wurden.

Anm. 1. Beispiele für den Ausdruck der stimml. Spir. sind: *mahg* 'vermag' V, *ginôh* 'genug' C, *burh* ib. und so *h* mehrmals, *wĩh* Oxf. und Petr. Gl., *wĩch* Wer. Gl. 'Kampf', *willich* 'willig' Oxf. Gl., *vĩftech* '50' Ess. H., *twêntigh, -tich, -tih, -tihc* '20', *Burch-heri* Fr. H. und öfters. Umgekehrt steht *g* für *h* in *thurug* 'durch' Ps. Ausl. -*c* für -*g* in M, Gen., Fr. H. ist hochdeutsche Schreibung.

Anm. 2. In C ist mehrmals -*ig* geschrieben, wo nur -*i* berechtigt war, z. B. *brãhtig* 'brächte' (umgekehrte Schreibung).

5. Die Verschlußlaute.
A. Die stimmlosen (Tenues).
1. *p.*
A. Entsprechung und Stellung.

236. Germ. *p* ist geblieben, z. B. *pêda* 'Gewand', *pẹnning* 'Pfennig', *plegan* 'verantwortlich sein' (= 'pflegen'), *sprekan* 'sprechen', *grĩpan* 'greifen', *dôpian* 'taufen', *wãpno* 'der Waffen', *dôpta* 'taufte', *diop* 'tief'. Desgleichen in Fremdwörtern: *porta* 'Pforte', *prêstar* 'Priester', *kosp* 'Fessel' (gr. κοῦσπος), *pĩpa* 'Pfeife', *biskop* 'Bischof'. Merke *Jôsēp* 'Joseph' mit *p* gegenüber lat. *ph*.

Anm. 1. In *rispsinga* 'Schelte' Greg. Gl. neben *hripsen* 'schelten' (nl. *berispen*) liegt entweder Metathesis oder ein Schreibfehler vor.

Anm. 2. In *ferkôft* 'verkauft' Ess. Gl. ist *p* vor *t* zu *f* geworden, vgl. § 462 Anm. 2.

B. Gemination.

237. Doppeltes *p* ist entweder urgerm., wie in *stoppo* 'Krug', *steppon* 'steppen', *hnappas* 'Näpfe', *uppa* 'oben', *widohoppa* 'Wiedehopf', oder westgerm. nach kurzem Vokal vor *j*, *r* und *l* entstanden, z. B. *sképpian* 'schöpfen' (zu *skap* 'Gefäß'), *appul* 'Apfel'. — Es entspricht lat. *p* vor *r* in *opper* 'Opfer' (lat. *oper-is*), lat. *pp* in *koppodi* 'cristatus' Straß. Gl. (zu lat. *cuppa*), *kappa* 'Mantel'. Wegen der Vereinfachung vgl. § 253.

2. t.

A. Entsprechung und Stellung.

238. Germ. *t* bleibt, z. B. *tehan* 'zehn', *twêlif* 'zwölf', *treo* 'Baum', *lātan* 'lassen', *môtian* 'begegnen', *ôstroni* 'östlich', *brahtmu* 'in der Menge', *wîtnon* 'töten', *ūt* 'aus'. Desgleichen in lat. Lehnwörtern: *strāta* 'Straße', *munita* 'Münze'. Die Verbindung *ts* wird durch *z* bezeichnet: *bêzto* 'beste' (got. *batista*), vgl. § 209. Häufig ist *z* in Kurznamen, wie *Azo, Jezo, Lanzo* in der Fr. H.

A n m. 1. Gelegentliches *th* für *t* ist bloßer Schreibfehler, dagegen beruht *d* statt *t* im Auslaut, z. B. *hold* 'Holz' Straß. Gl., *gried* 'Sand' Lam. Gl., *willd* 'willst' C, darauf, daß *d* in dieser Stellung stimmlos geworden ist, vgl. § 248. Bei *wasdom* 'Wachstum' Straß. Gl. haben offenbar die Komposita mit -*dōm* '-tum' dem Schreiber vorgeschwebt. *Dref* 'pharus' Boul. Gl. = afrz. *tref* 'Zelt' ist wohl eine hyperniederd. Form, wie *tins*, vgl. Anm. 2.

A n m. 2. In *tins* 'Zins' (lat. *census*) ist *t* wohl analogisch dem hochd. *z* entsprechend gesetzt. Über *krūci* 'Kreuz', *palêncea* 'Palast' (mlat. *palantium*) und *leccia* 'Lektion', wo *c* (= *ts*) roman. *c* oder *t + j* entspricht, vgl. § 209. Unorganisch ist das -*t* in *antprest* 'interpres' Petr. Gl. (vgl. ahd. *antfrist*).

239. Schwund des *t* vor *s* und *l* findet sich in dem häufigen *bêsto* 'beste' = *bêzto* und einmaligem *lasto* M = *lazto* 'letzte', ferner in gelegentlichem *drohskêpi* C = *druhtskêpi* M 'Herrschaft' und *toroh(t)līk* MC 'glänzend'. Auslautend fehlt es meist in *is* = *ist* 'ist' durch Satzphonetik (vor folg. Kons.). — Vor *k* ist *t* geschwunden in dem Lehnwort *pinkoston* 'Pfingsten' (lat. *pentecoste*). Vgl. § 249 und Lasch, § 310.

A n m. 1. C hat in *bêzt* häufiger *s*, M mehr *z*, wie VP; die Ess. Gl. haben *s* in *bêst* und *lêsta*.

A n m. 2. *Is* ist die häufigste Form in M (neben 7 *ist*) und herrscht in V und den kl. Denkm., in C steht jedoch doppelt so oft *ist*. Letztere Hs. hat auch 1 mal *bis* für *bist*. Vgl. Behaghel, Germ. 23, 267; van Helten, PBrBeitr. 35, 294.

B. Gemination.

240. Doppeltes *t* ist entweder urgerm., wie in *luttik, luttil*
'klein', *skattes* 'Schatzes', oder erst westgerm. vor *j, l* und *r* entwickelt, z. B. *sęttian* 'setzen' (got. *satjan*), *sittian* 'sitzen', *bittar* 'bitter'
(vgl. got. *baitrs*), *ettar* 'Gift' (= 'Eiter'), *hluttar* 'lauter'. Wegen der
Vereinfachung vgl. § 253.

Anm. Zuweilen finden sich auch Verdoppelung des *t* hinter *h*,
vgl. *mehttig* 'mächtig' Ess. Gl., *mohtta* 'vermochte' C, *druhtting* 'Brautführer' Oxf. und Wien. Gl.   Umgekehrt hat C einigemal die alten
Formen *bitar, hlūtar,* M 1 mal *hlūtran*, denn die Verdoppelung er-
folgte eigentlich nur in den Cas. obl.   Ganz selten ist Verdoppelung
des *t* vor *j* nach langem Vokal, vgl. *gruottean* 'grüßen' 2 C,
anthêttea 'fromme' 1 M.

3. *k.*
A. Entsprechung und Stellung.

241. Germ. *k* bleibt im As. und wird bald durch *c*, bald durch
k, vor konsonantischem *u (= w)* jedoch stets durch *q* ausgedrückt.
In diesem Buche ist der Einfachheit wegen statt *c* überall *k* gesetzt.
Beispiele: *kald* 'kalt', *kęnnian* 'erzeugen', *kīđ* 'Schößling', *quena*
'Weib', *klif* 'Fels', *krūd* 'Kraut', *knio* 'Knie', *bilūkan* 'einschließen',
ôkian 'vermehren', *jamorlīkra* 'jämmerlicher', *bôknian* 'bezeichnen',
bliksmo 'Blitz', *sęnkta* 'senkte', *ik* 'ich', *fisk* 'Fisch'. — Es steht auch
in Lehnwörtern, z. B. *kēsur* 'Kaiser', *kirika* 'Kirche', *pik* 'Pech', *disk*
'Tisch', *quāgul* 'Lab' (lat. *coāgulum*).

Anm. 1.   Die ältere Bezeichnung der gutt. Tenuis war offenbar nach ae. Vorbild *c*; dies wurde jedoch vor *e* und *i* gewöhnlich
durch *k* ersetzt, weil lat. *c* in dieser Stellung bereits als Affrikata
(ts) gesprochen wurde, z. B. in *krūci* 'Kreuz'; *sc* ist dagegen (außer
in VM) auch hier häufig.   Zuweilen findet sich auch *ch* statt *k*, z. B.
chinne 'Kinn' Wien. Gl., *wrāchi* M 'rächte', *bôcheri* 'Schreiber' Ess.
Gl.   Für *sk* vgl. die wechselnden Schreibungen in *schèrning* 'Schierling' und *schild* 'Schild' Oxf. Gl., *schalt* Glaube, *schilling* 'Schilling'
Fr. H., *hosche* 'Spotte' C, *êschin* 'eschen' Oxf. Gl., *dasga* 'Tasche'
Pet. Gl., *flêsg* 'Fleisch' Seg. B, D. *flêsgke* ib., *flêshclīk* 'fleischlich' Ps.,
ashmên Lam. Gl. 'Piraten' (= 'Eschenmänner'), *visch* Fr. H., worin
man vielleicht z. T. schon Übergang in *sχ* sehen darf. — Gelegentliche andere *g, ch* und *h* statt *c, k* sind entweder Schreibfehler oder
verraten hochd. Einfluß.

Anm. 2.   In *abdiska* 'Äbtissin' Fr. H. ist die lat. Endung *-issa*
(lat. *abbatissa*) durch die as. Adjektivendung *-iska* '-ische' ersetzt.   In
kirsic-bôm 'Kirschbaum' Oxf. Gl. liegt wohl Analogie nach **pirsik*
'Pfirsich' vor.

Anm. 3. Inlautendes -*kn*- wird in MC 9 mal, in den Ess. und
Wer. Gl. je 1 mal durch *gn* ersetzt, z. B. *têgnes* 'Zeichens', worin
wohl ein gelegentlicher Übergang der Tenuis in die Media zu erblicken ist. Vgl. dazu das Lehnwort *degmo* 'Zehnte' (lat. *decimus*)
Reicht.

242. In MC und verschiedenen kl. Denkm. (Bed., Fr. H., Straß.,
Trier. und Wer. Gl.) ist zwischen *k* und folgendem *e* zuweilen ein *i* eingeschoben, worin gewiß eine Palatalisierung — wie im Englischen
und Friesischen — gesehen werden darf, vgl. *kiẹnnian* M 'kennen',
gihwilĩkies C 'jedes', *folkskiepe* 'Volk' ib., *kiẹtel* 'Kessel', *pinkiẹston*
'Pfingsten' Fr. H., *kiēsos* 'Käse' Fr. H., *kiẹvis* 'Kebse', *skiêthunga* 'Scheidung' Wer. Gl., *kiêsur* 'Kaiser' Beda, *kiervila* 'Kerbel' Trier. Gl. Vgl.
Lasch § 339.

Anm. 1. Fälle wie *sprekean* 'sprechen', *têkean* 'Zeichen' u. ä.,
die mehrmals in C und Gen. vorkommen, sind jedoch als Schreibfehler anzusehen, s. PBrB. 14, 295. Einmal findet sich sogar *gisprokean*.
Anders Heinertz, IF. 30, 321 und Nd. Jahrb. 37, 148.

Anm. 2. Schwund des *k* nach anlaut. *s* zeigt einmal V in
salt = *skalt* 'sollst' (unbetonte Form). Die Form ist westfälisch, vgl.
Lasch § 334.

B. Gemination.

243. Doppeltes *k* ist erhalten, sei es urgerm., wie in *likkon*
'lecken', *stokkes* 'Stockes', oder lat. wie in *bêkkin* 'Becken' (lat.
baccinus), oder erst westgerm. nach kurzem Vokal vor *j* und *r* entstanden, z. B. *wêkkian* 'wecken', *akkar* 'Acker' (got. *akrs*), *wikka*
'Wicke' (lat. *vicia*). Wegen Vereinfachung vgl. § 253.

Anm. 1. Vor *w* ist keine Verschärfung eingetreten: *akus*
'Axt' (got. *aqizi*). — Die gewöhnliche Schreibung der Geminata ist
cc, vor *e* und *i*: *kk* oder *ck*; M. hat 1 mal *thicchero* 'dicker'.

Anm. 2. Einmal steht Gemination vor *j* nach langem Vokal
in *rīkkian* 'reichen' C.

B. Die stimmhaften (Medien).

1. *b*.

Entsprechung und Stellung.

244. Germ. *b*, das nur im Anlaut und hinter *m* vorkam, bleibt,
vgl. *bak* 'Rücken', *blandan* 'mischen', *brinnan* 'brennen', *krumbon*
'krummen', *umbi* 'um', *gambra* 'Zins' (ae. *gambe*). Über eingeschobenes *b* vor *r* und *l* vgl. § 183. — In Lehnwörtern entspricht es
meist lat. *b*, z. B. *brēf* 'Brief' (lat. *breve*), *abdiska* 'Äbtissin' (lat. *abbatissa*), nur in *amballa* 'Flasche' (lat. *ampulla*) Petr. Gl. vertritt es

lat. *p*, während *biskop* 'Bischof' (lat. *episcopus*) volksetymologische
Anlehnung an das german. Präfix *bi-* zeigt.

245. Assimilation von *mb* zu *mm* ist selten, vgl. *ummi*
'um' Petr. Gl., *ammaht = ambaht* 'Amt' Fr. H., *emmar = êmbar*
'Eimer' ib., *timmero = timbrio* 'Zimmermann' ib. (got. *timrja*). Vgl.
Lasch, Mnd. Gr. § 267.

246. Im Auslaut ist *b* wohl wie *d* und *g* (§ 248 und 252)
stimmlos geworden, doch herrscht etymologische Schreibung wie in
lamb 'Lamm'. Einmal nur haben die Wer. Gl. *dump* 'dumm' mit *p*,
vgl. Elberfelder *kraump* 'krumm').

Anm. Für germ. *bb* fehlen Belege außer in Kurznamen wie
Abbo, Ubbo Fr. H. — Über *bb* aus *ƀj* vgl. § 224.

2. *d.*
A. Entsprechung und Stellung.

247. Germ. *d* bleibt gewöhnlich, z. B. *dor* 'das Tor', *dwalm*
'Fallstrick', *drôrag* 'blutig', *biodan* 'bieten', *haldan* 'balten', *wordo*
'der Worte', *scadowan* 'beschatten', *hôdian* 'hüten', *dodro* 'Dotter',
lêdda 'leitete'. — In Lehnwörtern vertritt es meist lat. *d*, z. B. *disk*
'Tisch' (lat. *discus*), *paradîs* 'Paradies', seltener *t* mit roman. Erweichung, wie in *abdiska* 'Äbtissin' (lat. *abbatissa*), *sîda* 'Seide' (lat.
sêta), *ėkid* 'Essig' (lat. *acêtum*).

Anm. Gelegentliche *đ* und *th* für *d* sind Schreibfehler. Nur
nach *r* steht öfters *đ = d* in VC, z. B. *wordon* 'Worten', *horđ* 'Hort',
vgl. Braune, Bruchst. S. 20. C hat oft *Judeo* 'der Juden' (vgl. Kluge,
Z. f. rom. Ph. 20, 322 ff.), die Wer. Gl. häufig *th* in Partizipien Pⁱäs.
wie *helpanthi* 'helfend'.

248. *D* ist stimmlos, d. h. zu *t* geworden: a) nach stimml.
Lauten, z. B. *dôpta* 'taufte' (aus *dôpida*), *bôtta* 'büßte', *sėnkta* 'senkte',
kusta 'küßte', b) im Silben- und Wortauslaut, z. B. *ant-windan* 'auf-
wickeln', *niutlîk* 'eifrig', *punt* 'Pfund', *dôt* 'Tod', *met* C 'mit', *gewalt*
'Gewalt', *kumit* 'er kommt', *hėbbiat* 'sie baben', *sint* M 'sind', *afôdit*
'geboren', *Râtbraht, Santford* Fr. H. etc. Häufiger ist jedoch die etymologische Schreibung mit *d*, also *handlon* 'behandeln', *thiodne*
'dem Herrscher', *god* 'Gott' etc. Vgl. auch § 238 Anm. 1.

Anm. Über *-d, -t* im Verbum vgl. die Flexionslehre § 404.
Im Part. Prät. haben VC besonders oft *t* neben überwiegendem *d*,
V zeigt aber ausschließlich *-ot*. In M findet sich *t* fast nur Vers
1—2000.

249. Zwischen Konsonanten ist *d* öfter durch Assimilation geschwunden, vgl. *waldan* C = *waldand* 'Herr' vor *god* und *Krist*,

mun(d)burd C 'Schutz', *friun(d)skẻpi* ib. 'Freundschaft', *wor(d)quidi* Gen. 'Rede', *tan(d)stuthlia* 'Zahnreihe' Wer. Gl., besonders im Präfix *and-* 'ent-', z. B. *an(d)bītan* 'genießen', *angeldan* 'entgelten' u. ä., *un-tō* 'hinzu', (got. *und*), *umbêtte* 'stieg ab' Oxf. Gl. (Inf. **undbêtian*), *unspannan* 'entspannen' Oxf. Gl. Vgl. § 239.

    A n m. Nur vor *w* hat sich *ant-* häufiger erhalten. Fälle wie *werol* 'Welt' C, *sin* M 'sind', die sich besonders in C finden, sind Kopistenfehler. Assimilation liegt vor in *hunno* 'Centrichter' zu *hund* '100', *winning* 'Binde' Oxf. Gl. für *winding* und *pẻnning* 'Pfennig' Fr. H. (zu *pand*). Vgl. § 189 Anm., sowie Lasch, § 323.

B. Gemination.

250. Ein nach kurzem Vokal durch folgendes *j* geminiertes *d* ist geblieben, vgl. *biddian* 'bitten' (got. *bidjan*), *gibẻddeon* 'Bettgenossen', *skuddian* 'schütteln'. Desgleichen im Lehnwort *muddi* 'Mütte' (lat. *modius*). Wegen Vereinfachung des *dd* vgl. § 253.

    A n m. In *têgnidda* 'zeichnete' Ess. Gl. ist die Verdoppelung unberechtigt.

3. *g.*

A. Entsprechung und Stellung.

251. Als Media stand *g* im Westgerm. nur im Anlaut und nach dem gutturalen Nasal, vgl. *gardo* 'Garten', *gelu* 'gelb', *ginon* 'gähnen', *god* 'Gott', *gumo* 'Mann', *glau* 'klug', *grōni* 'grün', *gnornon* 'klagen'; *wanga* 'Wange', *brẻngian* 'bringen', *tunglun* 'Gestirnen', *gihungrian* 'hungern'. Desgleichen in Lehnwörtern wie *galileisk* 'galiläisch', *ẻngil* 'Engel'. Wegen des Überganges in die Spirans bei Nasalschwund vgl. § 193, wegen der Vereinfachung § 253.

    A n m. Im Anlaut ist *g* zur palatalen Spirans *j* geworden in *ieldan* 'gelten' Fr. H. und *iegivan* 'gegeben' Beda. Das Präfix *gi-* erscheint mehrfach als *i-* in den Oxf., Elt. und Pet. Gll. Vgl. Lasch, § 342.

252. Im A u s l a u t ist *g* nach Nasal meist geblieben: *lang* 'lang', doch haben die Wer. Gl. *thinclik* 'forensis' (= 'dinglich'), die St. Pet. Gll. *dunc* 'Webestube' mit Verhärtung. In C ist es 2 mal vor Kons. geschwunden in *lan-sam* 'langdauernd'.

B. Gemination.

252 a. Die Gemination war entweder alt, wie in *roggo* 'Roggen', oder vor *j* nach kurzem Vokal erst westgerm. wie in *lẻggian* 'legen', *liggian* 'liegen', *bruggia* 'Brücke', *sẻgg* 'Mann'. Wegen der Vereinfachung vgl. § 253.

Anm. Zuweilen findet sich dafür *gk*, *cg* oder *kk* geschrieben, z. B. *brugkia* Wer. Gl., *giwicge* 'Dreiweg' Oxf. Gl., *wécke* 'Keil' ib., *rukkin* 'von Roggen' Fr. H.

II. Allgemeine Lautgesetze der Konsonanten.

1. Kürzung.

253. Kürzung von Doppelkonsonanten findet statt:

1. Im Auslaut, z. B. *al* 'all' Gen. *alles*, *fer* 'fern' neben *ferrana* 'von ferne', *grim* 'grimmig', Gen. *grimmes*, *man* 'Mann', Gen. *mannes*, *skat* 'Schatz', Gen. *skattes* etc. In PVC ist dagegen die Geminata infolge etymologischer Schreibung meist geblieben; M hat 9 *all*.

Anm. In C steht sogar auslautend oft unberechtigte Geminata, vgl. *genass* 'genas', *dëll* 'Teil', *wirss* 'schlimmer', *diuðall* 'Teufel' etc.

2. Im Inlaut vor Kons., z. B. *fëlda* 'fällte' zu *fellian*, *mërda* 'hinderte' zu *mérrian*, *kusta* 'küßte' zu *kussian*, *abdiska* 'Äbtissin' (lat. *abbatissa*), *sespilo* Beicht. 'Totenklage' = *ses-spilo* Wer. Gl.

3. Im Inlaut nach Kons., z. B. *herses* 'Rosses' aus *hrosses*, *sénda* 'sandte' aus **séndida*, *trôsta* 'tröstete' aus **trôstta* < **trôstida*; desgleichen in Zusammensetzungen wie *swerdrago* Pet. Gl. 'Schwertträger' aus *swerd-drago*, *umbi* 'um' aus *umb* + *bi* u. ä.

4. Zuweilen nach langen Vokalen und Diphthongen, vgl. *hêro* 'Herr' 2 M, 3 C, *hêrino* 'der Herren' Ess. H., *hiudu* 'heute' für **hiuddu*, *hiudgu* (vgl. § 230) und einigen Bildungen wie *lêda* = *lêdda* 'leitete', *huoda* 'hütete' C, *gimêdon* 'gemieteten' Wer. Gl.; doch meist *énna* 'einen', *thinna* 'deinen' etc.

5. Zuweilen in unbetonter Silbe, z. B. *inwideas* = *-widdies* 'Bosheit', *wedero* (vgl. § 344 Anm. 1), *silofrina* C = *siluðrinna* 'silbernen', *fraviliko* 'obstinate' Wer. Gl. (neben *fravolo*), *himilīk* 'himmlisch' Pr., Wer. Gl.; so regelmäßig im D. Sg. M. N. der starken Pronominaldeklination, z. B. *blindumu* 'blindem' (got. *blindamma*) und in Lehnwörtern, z. B. *sêkil*, D. *sêkila* 'Seckel' (lat. *sacellus*, vgl. Schröder im AfdA. 24, 24). Nach nebentoniger Silbe bleibt dagegen die Verdoppelung: *te faranne* 'zu fahren'.

2. Dehnung.

253 a. Dehnung ist im As. eingetreten:

1. wenn ein Kons. unmittelbar nach kurzem Vokal vor *j* stand, z. B. *léggian* 'legen' (got. *lagjan*), *séttian* 'setzen' (got. *satjan*). Hiervon sind *r* und *th* aber ausgenommen: *wérian* 'wehren', *rêthia* 'Rede'.

2. desgl. vor *l* und *r*, z. B. *appul* 'Apfel', *akkar* 'Acker' (got. *akrs*);

3. bei Kurznamen wie *Abbo, Attiko, Ubbo, Sicco, Sello, Makko, Immo, Haddo* usw. Hier kann z. T. Assimilation vorliegen, z. B. in *Fokko* = *Fok-mār*. In allen drei Fällen ist die Dehnung bereits westgermanisch.

A n m. Gelegentliche Doppelschreibungen wie in *abdisska, mohtta, rikkian, têgnidda* sind ohne Bedeutung.

3. Assimilation.

254. · Die verschiedenen, unter den einzelnen Konsonanten erwähnten Fälle von Assimilation mögen hier kurz zusammengestellt sein.

1. Auf Assimilation im K e h l k o p f beruht der Übergang stimmloser Laute in stimmhafte bei stimmhafter Nachbarschaft und stimmhafter in stimmlose in stimmloser Umgebung, vgl. § 197 (*-f-* zu *-ƀ-*), 206 f. (*-ƀ-* zu *-đ-*), 210 f. (*-s-* zu *-z-*), 223 (*-ƀs-* zu *-fs·*), 248 (*-d-* zu *-t-*).

2. Auf Assimilation im M u n d r a u m beruht partielle oder totale, vorwärts- oder rückwärtswirkende Angleichung der Laute von verschiedener Artikulationsstelle, wie sie in den §§ 184 und 222 Anm. 2 (*ƀn* zu *mn*), 188 (*nl* zu *ll*, *nb* und *ndƀ* zu *mb*, *mn* zu *mm*, *nk* zu *ŋk*), 205 (*tƀ, dƀ* zu *tt*), 210 Anm. 2 (*rs* zu *rr*), 214 (*ht* zu *t*), 215 (*hs* zu *ss*), 221 Anm. 2 (*bđ* zu *dd*), 226 (*sr* zu *ss*, *zn* zu *nn*), 227 (Schwund von *z* vor *n* und *d*), 230 (*gd, dg* zu *dd*), 231 Anm. 2 (*gn* zu *ŋn*, *ŋ*), 239 (*ts* zu *ss* und *tk* zu *k*), 242 (Übergang von *ke* in *kje*), 245 (*mb* zu *mm*) und 249 (Assimilation von *d* vor Konss.) zur Sprache gekommen ist. Wegen der Verkürzung mancher so entstandenen Geminaten vgl. § 253.

Neuntes Kapitel.

Spuren urgermanischer Lautgesetze im as. Konsonantismus.

I. Verschlußlaute vor *t*.

255. Schon urgerm. waren die labialen und gutturalen stimmlosen Verschlußlaute (Tenues) vor *t* zu Spiranten (*f, h*) geworden; aus der idg. Verbindung *tt* entstand urgerm. *ss*, woraus vor *r* aber *st*, nach langer Silbe *s* wurde, vgl. UG. § 119 f.

256. Das As. hat für diese Regel folgende Beispiele:

a) *pt* zu *ft*: *giskap* 'Geschöpf' : *hugi-skéfti* Pl. 'Gemütsbeschaffenheit'; *hlôpan* 'laufen' : *hlôft* 'Lauf' (in *brûd-lôht*, vgl. § 196); *farkôpian* 'verkaufen' : *ferkôft* Part. Prt.; *hébbian* 'heben' (= lat. *capio*) : *haft, haht* 'gefangen'; *thurƀan* 'brauchen' : Prt. *thorfta*.

b) *kt* zu *ht*: *thénkian* 'denken' : Prt. *thâhta; thunkian* 'dünken' : Prt. *thûhta; siok* 'siech' : *suht* 'Sucht', 'Krankheit'; *buggian* 'kaufen' : Part. Prt. *giboht; mag* 'vermag' : Prt. *mahta*, Subst. *maht* 'Macht'; *bréngian⁻* 'bringen' : Prt. *brâhta*.

c) *tt* zu *ss, st, s*: *wêt* 'weiß' : Prt. *wissa* 'wußte', Adv. *wissungo* 'gewiß', Adj. *wîs* 'weise'; *hwat* : *hwass* 'scharf'; *mêti* 'Speise' : *môs* 'Mus'; *fôdian* 'gebären' : *vôst[er]-môder* Petr. Gl. 'Hebamme' (nnl. *voester*, engl. *foster*); *fîđan* 'finden' : *fundon* 'streben' : *fûs* (ahd. *funs*) 'strebend'.

Anm. Formen wie *wêst* 'weißt', *môsta* 'durfte' (ahd. *muosa*) sind Neubildungen; in *an-busni* Pl. 'Gebote' (got. *anabusns*) ist *d* (vgl. *biodan*) vor *s⁻* geschwunden, vgl. UG. § 129, 1 a.

II. Der grammatische Wechsel.

257. Der durch Verners Gesetz erklärte Wechsel von urgerm. stimmlosen und stimmhaften Spiranten (resp. den aus letzteren entstandenen Lauten) ist im As. nicht mehr überall klar zu erkennen, da *f* im Inlaut meist zu *ƀ* (§ 197), auslautendes *ƀ* zu *f* (§ 222 f.), *lþ* zu *ld* (§ 203), *rđ* öfters zu *rđ* (§ 247 Anm. 1), *z* zu *r* (§ 225), *-hw* zu *-h* (§ 166) und *ʒw* zu *w* geworden ist. Folgende Fälle zeigen jedoch die alten Verhältnisse noch deutlich.

a) *f : ƀ, b*; *af-héffian* C 'anheben' (*-hébbian* M): Pl. Ind. Prt. *huoƀun*.

b) *þ : (đ) d*; *mid* 'mit' Gen., P : *mid; stađ* 'Gestade' : *stêdi* 'Stätte', *standan* 'stehen'; *sîđ* 'Gang' (got. *sinþs*) : *séndian* 'senden'; *kûđ* 'kund' : *urkundeo* 'Zeuge' (vgl. got. *gakunds* 'Überredung'); *mûđ* 'Mund' : *mund; âđar* 'ander' : *andar; lîđan* 'gehen' : Part. Prt. *gilidan*, *lêdian* 'leiten'; *werdan* 'werden' : Prt. Pl. *wurdun*, *awérdian* 'verderben'; *queđan* 'sprechen' : *quidi* 'Rede', *quéddian* 'begrüßen'.

c) *s : (z) r*; *kiosan* 'wählen' : Pl. Prt. *kurun*, *kuri* 'Wahl'; *farliosan* 'verlieren' : Part. Prt. *farloran*, *farlor* 'Verderben'; *wesan* 'sein' : Pl. Prt. *wârun*; *ginesan* 'gerettet werden' : *ginérian* 'retten'.

d) *h : g*; *slahan* 'schlagen' : Prt. *slôgun*, *hôfslaga* 'Hufspuren'; *tiohan* 'ziehen' : *gitogan* 'gezogen', *héritogo* 'Herzog'; *tehan* '10' :

thrītig '30', *tegotho* 'Zehnte'; *thīhan* 'gedeihen' *(ī = iŋ)* : *githungan* 'tüchtig'; *fāhan* 'fangen' : *anafang* ·Anfang'.

e) *hw* : *w; sehan* 'sehen' : *sāwi* 'sähe', Part. Prt. *forsewan, siun* 'Gesicht'; *farlīhan* 'verleihen' : Part. Prt. *farliwan.* Wechsel von *g* und *w* zeigt *égithassa* 'Eidechse' Straß. Gl. : *éwidehsa* Petr. Gl. (alt?).

Anm. 1. Bei den Verben ist der Wechsel schon häufig durch Ausgleichung (besonders bei *đ* und *d*) beseitigt, vgl. die Formenlehre.

Anm. 2. *Mund* steht 2 mal in M, 1 mal in V, *gimundi* 'Mündung' 1 mal in den Wer. Gl., *andar* 2 mal in C. Oder sind dies fränk. Formen? Gegenüber dem Hochd. zeigen auch *kind* 'Kind', *āđand* 'Abend', *méndian* 'sich freuen' stets grammat. Wechsel. Merke auch *tand* 'Zahn' gegenüber. ae. *tōđ.*

Zweiter Hauptteil.
Formenlehre.

Erster Abschnitt: Deklination.

Zehntes Kapitel.
Allgemeines. Substantivdeklination.

Allgemeines.

258. Das as. Nomen hat 1. zwei Numeri, Singular (Sg.) und Plural (Pl.); 2. drei Genera: Maskulinum (M.), Femininum (F.) und Neutrum (N.); 3. fünf Kasus: Nominativ, Akkusativ, Genitiv, Dativ und Instrumental, welch letzterer aber nur im Sg. und nicht in allen Deklinationsklassen vorkommt. Von einem alten Lokalis sind nur noch Reste vorhanden, der Vokativ wird durch den Nom. vertreten.

Anm. 1. Ein Instrum. (auf -*u*) erscheint nur bei den *a*- und *ja*-Stämmen, sowie einem Teil der *i*-Stämme.

Anm. 2. Infolge der Auslautsgesetze sind bei mehreren Klassen nicht bloß Sg. und Pl., sondern auch verschiedene Kasus in eine Form zusammengefallen, deren Charakter dann nur aus dem Satzgefüge und nach Analogie ähnlicher Konstruktionen erschlossen werden kann. Nicht von jedem Nomen werden alle Kasus gebildet.

Anm. 3. Nomina und Adjektiva sind nicht immer genau zu scheiden, da eine Anzahl Wörter sowohl als Subst. wie als Adj. erscheinen, z. B. *lêđ* 'Leid', 'leid', *liof* 'Liebes', 'lieb', *gôd* 'Gut', 'gut', *ubil* 'Übel', 'übel', *lioht* 'Licht', 'licht', *werđ* 'Wert', 'wert'.

259. Eine Anzahl Subst. kommen ihrer Bedeutung wegen nur im Sg. vor, wie Eigennamen, Bezeichnungen von einzigartigen Per-

sonen oder Dingen, Stoffnamen, Kollektiva und Abstrakta. Ausnahmen sind: a) die Namen gleichbenannter Individuen können im
Plur. stehen, vgl. *Judasas twêna* 'die 2 Judas', *Máriun* 'die Marien';
b) kollektive Konkreta und viele Abstrakta bilden oft einen «Ein-
heitsplural», indem die einzelnen Teile oder Erscheinungsformen
ins Auge gefaßt werden, vgl. *himilo rīki* 'Himmelreich' (= *regnum
caelorum), folk, theoda* 'Leute', *thesa stédi* 'diese Stätten' (vom Grabe
Christi), *hoðos* 'Hof', *an hêmun* 'zu Hause', *te godes hūsun* 'zum
Hause Gottes', *an suhtbéddeon* 'auf dem Krankenlager', *thiu bōk* 'das
Buch', *mid is rôkfatun* 'mit seinem Räucherfaß', *is jugudeo neotan*
'seine Jugend genießen', *mīnero hinférdio* 'meines Todes', *bi gi-
burdiun* 'von Geburt', *huldeo thīnaro* 'deiner Huld', *was im bōtono,
helpono tharf* 'er bedurfte der Heilung, der Hilfe'; so besonders in
adverbialen Dativen wie *an fādion* 'zu Fuß', *hwīlun* 'zuweilen', *te
hôndun* 'zum Schimpfe'; c) um beim Superlativ oder bei dem Begriffe 'jeder' die denkbaren Möglichkeiten im Auftreten einer Erscheinung zusammenzufassen, wird das Subst. in den Gen. Pl. gesetzt,
vgl. *giwitteo mêst* 'die größte Weisheit', *morgno gihwilīkes* 'eines
jeden Morgens'.

260. Die Bezeichnungen von **Körperteilen** stehen meist
im Sg., auch wenn von mehreren Personen die Rede ist, z. B. *fan
iuwomu mūđe* 'von euerm Munde'; doch kommt auch der Plur. vor,
z. B. *gisāhun iro barn sweltan an iro barmun* 'sahen ihre Kinder
sterben an ihrem Busen'.

261. Eine Anzahl Wörter kommen **nur im Plur.** vor, was
z. T. Zufall sein mag, wie *éldiron* 'Eltern', *giswester* 'Geschwister';
aðaron 'Nachkommen', *briost* 'Brust' (die beiden Brüste!), *fađmos*
'Hände und Arme', *feteros* 'Fesseln', *gilagu, giskapu* 'Geschick', *éldi,
firihos* 'Leute', *sin-hīwun* 'Ehegatten', *wamskéfti* 'Sündhaftigkeit' u. a.

262. Nach dem Stammausgange unterscheidet man im As.
eine **vokalische** (oder **starke**) und **eine konsonantische**
Deklination; erstere teilt man nach der Art des Stammvokals wieder
in *a*- (reine *a*-, *ja*- und *wa*-), *ō*- (reine *ō*-, *jō*- und *wō*-), *i*- und *u*-
Stämme ein, letztere in *n*- (*an*-, *ōn*- und *īn*-), *r*- und *nd*-Stämme,
woran sich noch einige vereinzelte Stämme schließen. — Die zahl-
reichsten konsonantischen Stämme sind die *n*-Stämme, die man meist
mit J. Grimm als **schwache** Deklination der starken gegenüberstellt.

Anm. Durch die Auslautsgesetze ist der ursprüngliche Stamm-
vokal oft verloren gegangen, z. B. bei den *a*-Stämmen; wenn nicht
alle Kasus eines Wortes in den Denkmälern genügend belegt sind,

ist es zuweilen unmöglich, das Geschlecht oder die Stammklasse sicher zu bestimmen. Öfters geben zugesetzte Pronomina, Adjektiva, Zahlwörter und Verba Aufschluß; wo auch diese versagen, kann das Zeugnis des Mnd., der neueren Dialekte oder der verwandten german. Mundarten entscheiden. Doch ist dabei wohl zu bedenken, daß Wörter ihr Geschlecht und ihre Deklinationsart ändern können, ja sogar in alter Zeit schon Schwankungen zeigen. Nicht selten stehen auch verschiedene Stammbildungen nebeneinander.

I. Vokalische (starke) Deklination.

1. *a*-Stämme.

263. Maskulina und Neutra, Nom. und Akk. sind zusammengefallen, bei den kurzsilbigen Neutris auch der Instr. Sg. mit dem Nom. Akk. Pl., bei den langsilbigen der Nom. Akk. Sg. mit den gleichen Pluralkasus.

A. Reine *a*-Stämme.

264. Paradigmen: fürs Mask. *hof* 'Hof', *diuƀal* 'Teufel'; fürs Neutr. *graf* 'Grab', *hros* 'Roß'.

Singular.

N. A.	hof	diuƀal	graf	hros
G.	hoƀes, -as	diufles	graƀes	hrosses
D.	hoƀe, -a	diufle	graƀe	hrosse
I.	hoƀu, -o	diuflu	graƀu	hrossu.

Plural.

N. A.	hoƀos, -as; -a	diuflos	graƀu	hros
G.	hoƀo	diuflo	graƀo	hrosso
D.	hoƀum, -n, -on	diuflum	graƀum	hrossum.

265. Die Abweichungen in den Endungen, die nur beim ersten Paradigma angegeben sind, gelten für alle in diese Klasse gehörenden Wörter. Im einzelnen ist folgendes zu bemerken[1]:

·1· Im Gen. Sg. ist die Endung -es die alleinherrschende in Bed., Ps., Trier. Seg. B und Oxf. Gl., die Form -as (vgl. § 128) in P, V, Glau. und Greg. Gl., während die übrigen Denkmäler beide aufweisen. Mehr -es haben MC und Ess. H., mehr -as Gen., Beicht., Fr. H., Ess. und Wer. Gl., und zwar nimmt in MC -as, das zu Anfang des Textes häufiger ist, nach dem Ende zu beständig ab. Statt -es hat M 2mal, Gen. 1mal -æs.

[1] Diese Bemerkungen gelten auch für die gleichgebildeten Formen der übrigen Klassen (Subst., Adj., Pron. und Zahlwörter).

2. Im D. Sg. ist die Endung -*e* (aus -*ê*, -*ai*, vgl. § 150) bewahrt
in Ps., Wien. Seg., Lam. und Wien. Gl., während -*a* ausschließlich
in P, Ess. und Werd. H., Glau., Elt., Ess., Greg. und Straß. Gl.
herrscht. Neben -*a* überwiegt -*e* in CM und Oxf. Gl., neben -*e* ist
-*a* häufiger in V, Gen., Bed., Beicht., Fr. H. und Wer. Gl.; die Petr.
Gl. haben je 1 -*e* und -*a*. In M zeigen auslautende Gutturale Vor-
liebe für -*a*. Statt -*e* hat M 4, C 8, Gen. 2, Fr. H. 3 mal -*æ*, Wien.
Seg. B 1 mal -*ę*.

3. Im In. Sg., der dem got. Dat. auf -*a* entspricht, steht statt
des gewöhnlichen -*u* in M 15 mal, in C 9 mal -*o*, während Gen.
ebenso oft -*u* wie -*o* hat. In Ps. ist *bluodo*, in Bed. *hŏdigŏ* 'heute'
das einzige Beispiel. — Nach langer Wurzelsilbe hätte -*u* schwinden
sollen (vgl. § 153 Anm. 1), ist aber nach Analogie der kurzsilbigen
Stämme wiederhergestellt worden.

4. Reste eines alten Lokalis auf urgerm. -*ī* stecken in un-
getrenntem *at*, *te hūs* 'zu Hause' (dagegen *te themu hūse*), wo -*i*
lautgesetzlich geschwunden ist (vgl. § 151). Auch Ortsnamen auf
-*hūs*, -*hêm*, -*wīk* zeigen nach *van* keine Endung. Daneben finden
sich im Gand. Plenar zahlreiche Ortsnamen auf -*i*, vgl. van Helten,
PBrB. 28, 542 ff., der Analogie nach den kons. Stämmen annimmt.

5. Der Nom. Akk. Pl. der Mask. geht meist auf -*os* aus, woneben
M 8, C 9, Gen. 2, Fr. H. (K) 1 mal -*as* hat, das im Ind., in den Lam.,
Oxf., Petr. und Wien. Gl. allein herrscht. Vgl. § 134. Die Gand.
Gl. zeigen 1 mal -*es* in *pélleles* 'seidene Kleider', die Oxf. 1 mal die
kontrahierte Form *skōs* 'Schuhe'. — Eine jüngere Neubildung
auf -*a*, -*e* nach Analogie der Pron.-Dekl. findet sich 1 mal in C
(*slutila* 'Schlüssel'), 3 mal in den Werd. Gl. (neben sonstigem -*os*),
bereits häufig in der Fr. H. und als einzige Form in Bed., Ps. und
Ess. H. und zwar so, daß Fr. H. und Ps. *a* neben *e*, Bed. und Ess.
H. aber stets *a* haben. — Die vereinzelten Formen *pénning* 'Pfennige' und *skilling* 'Schillinge' in der Fr. H. sind Analogiebildungen
nach Neutris wie *pund* 'Pfund', *skok* 'Schock'.

6. Der Nom. Akk. Pl. Neutr. hat nach langer Wurzelsilbe
seine Endung nach § 153 abgeworfen; statt -*u* hat C 1, die Fr. H.
2 mal -*o*.

7. Im G. Pl. tritt neben -*o* einigemal in Gen., M, Fr. H., Gand.
Pl., sowie 1 mal in C -*a* auf. In *metodi-giskéfti* C neben *metodo-
giskapu* M 'Schicksal', *reginu-giskapu* C neben *regano-* 'Geschick'
und *burugu-gisetu* Gen. 'Burgsitze' liegt offenbar Assimilation vor.
In der engen Verbindung mit folgendem *gihwē* und *gihwilīk* 'jeder'
ist die Form zuweilen infolge der Unbetontheit verstümmelt, vgl. *at*

wege gihwem M 'auf jedem Wege', *morgan gihwem* MC 'an jedem
Morgen', *dachwilek* 'täglich' Fr. H. Vgl. Braune, Bruchst. S. 62,
Anm. zu V. 255.

8. Die häufigste Endung des D. Pl. ist in MV Gen. *-un*, in
C *-on*; von den kl. Denkm. stellen sich die Oxf., Lam. und Wien.
Gl. und Hild. zur ersteren Gruppe, die übrjgen zu C. Die ursprüngliche Endung *-um* erscheint nur noch einigemal in M und
Gen., 1 mal in Hild., *-om* vereinzelt in PV und Gen.; diɛ paar *-um*,
-om von C sind jedoch eher Schreibfehler. Die Auflösung der 8 *-ū*
von VGen. ist unzweifelhaft *-um*. Bedeutend seltener als *-un* ist *-on*
in MV und Gen., P hat beide Formen je 1 mal; in C ist dagegen
-un viel seltener als *-on*, noch seltener *-an*, das auch vereinzelt in
Beicht., Wer. Gl. und Fr. H. erscheint. Diese weist auch in ihrem
jüngsten Teile bereits 3 *-en* auf. Kontraktion der Endung mit dem
Wurzelvokal erscheint ebenda in den Ortsnamen auf *-lôn (= -lôhon)*
'-lohn', das zu *lôh* 'Heide, Feld' gehört. Über die Dativformen der
Pronominaldekl. vgl. diese.

266. Für den auslautenden Konsonanten ist der
Wechsel von stimmlosen und stimmhaften Spiranten und Ver-
schlußlauten, von χ und *h*, sowie von Geminata und einfachem Laut
zu beachten, vgl. noch *bad* — *bades* 'Bad', *glas* — *glases* 'Glas',
dach — *dages* 'Tag', *kamb* — *kambes* 'Kamm', *mōt* — *mōdes* 'Sinn',
kuning — *kuninges* 'König', *skōh* — *skōhes* 'Schuh', der allerdings
in der Schrift nicht immer zum Ausdruck gelangt, vgl. die §§ 197 ff.

Anm. Altes *h* kann im In- und Auslaut schwinden, z. B. *skōon*
'Schuhen' Wer. Gl., *fera* 'Leben' C, vgl. §§ 214 und 218.

267. Für den Inlaut ist an den gleichen Wechsel bei den
zweisilbigen Nomina auf *-l, -m, -n* zu erinnern, z. B. *nebal* — *nefles*
'Nebel', *sweban* — *swefnes* 'Traum', *sedal* — *sedles* 'Sitz', *mêdom*
— *mêdmes* 'Kleinod', *gīsal* — *gīsles* 'Geisel', **bōsom* — *bōsmes*
'Busen', *mahal* — *mahles* 'Rede', *thiodan* — *thiodnes* 'König', *fugal*
— *fugles* 'Vogel', *thegan* — *thegnes* 'Mann', vgl. die §§ 198 ff.

268. Wie *hof* gehen: a) viele einsilbige Maskulina, wie
stōl 'Stuhl', *wer* 'Mann', *stên* 'Stein', *fisk* 'Fisch', *wulf (ƀ)* 'Wolf',
thiof (ƀ) 'Dieb', *ban (nn)* 'Gebot', *fal (ll)* 'Fall', *hnap (pp)* 'Napf'.
skat (tt) 'Schatz', *stok (kk)* 'Stock'; b) eine Anzahl nicht-synko-
pierender mehrsilbiger (vgl. § 137 f.), z. B. *āband* 'Abend', *himil*
'Himmel', *drohtin* 'Herr', *druhting* 'Genosse', *hêlið* 'Held', *fêlis* 'Fels',
metod 'Geschick', *biskop* 'Bischof', *radur* 'Himmel', *fillul* 'Patenkind',
rakud 'Tempel'; c) Eigennamen, wie *Lōth, Ādam, Elias, Krist,*

Lazarus, die jedoch im Akk. häufig die pronominale Endung -*an,* -*en* neben dativischem -*a* und -*e* zeigen.

Anm. 1. M hat hier meist -*an* neben einem ·*en*, C neben -*an* öfter -*e*, Gen. nur 1 -*a (Abrahama)*, Ps. *Cristen*. Vgl. Schlüter, Unters. S. 254; Scholl, Die flexiv. Behandlung der fremden Eigennamen, Zürich 1906.

Anm. 2. Bei den Wörtern auf -*an* ist der Wechsel von *a* und *e* in M zu beachten, vgl. *heƀan — heƀenes* 'Himmel', s. § 124. Wegen des Überganges von *i* in *e* und *u* in *o* vgl. auch §§ 129 f., 133 ff.

Anm. 3. Auf Kons. auslautende Ortsnamen, wie *Bethleem, Hierusalem, Effrem, Emaus*, haben im Dativ keine Endung.

269. Wie *diuƀal* synkopieren eine Anzahl zweisilbiger Maskulina mit altem oder jungem Vokal vor dem Endkonsonanten, wie: a) *thiodan* 'König', *morgan* 'Morgen', *prēstar* 'Priester', **meiur* 'Meier'; b) *neƀal* 'Nebel', *fugal* 'Vogel', *fingar* 'Finger', *hungar* 'Hunger', *mêstar* 'Meister', **bōsom* 'Busen', *mêđom* 'Kleinod', *wastum* 'Wuchs', 'Gewächs', *sweƀan* 'Traum', *wagan* 'Wagen' etc. Durch Ausgleichung ist der Endvokal, besonders vor *r*, jedoch zuweilen in die Kasus obl. gedrungen, vgl. die §§ 137 ff. und 142 f.

Anm. 1. So hat M im Instr. *neƀulo*, 1 mal *diuƀules*, C -*ales*, Bed. *diuvilo; thiodan* synkopiert mit einer Ausnahme (D. *thiođene*) stets in C, nie in M, *morgan* hat 1 mal *morgano* C, *prēstera* Wer. Gl. steht gegenüber *prēstros* Beicht.; *wethar* 'Widder' (got. *wiþrus*) lautet im G. Pl. -*aŗo* Str. Gl., *sweƀan* im Nom. Pl. *sweƀanos* M, *akkar* 'Acker' behält sein *a* im G. Pl. Die Wörter auf -*il*, -*ir*, wie *ëngil* 'Engel', *martir* 'Märtyrer', synkopieren nie.

Anm. 2. Ausgleichung nach den Kasus obl. zeigen *wesl* = *wehsal* 'Wechsel', und *thegn* M, *gīsl* Lam. Gl., *apl* neben *appul* Oxf. Gl., vgl. § 143 Anm. 1.

270. Nach *graf* flektieren die einsilbigen Neutra mit kurzer Wurzelsilbe, wie *dal* 'Tal', *klif (ƀ)* 'Fels', *glas* 'Glas', *fat*, *skap* 'Gefäß', *blad* 'Blatt'; von mehrsilbigen *nôtil* 'Vieh' (Pl. *nôtilu*) Wer. Gl. und *ofliges* (Pl. -*o*) 'Abgabe' Fr. H., vgl. § 153.

271. Wie *hros* gehen: a) die einsilbigen Neutra mit langer Wurzelsilbe, wie *barn* 'Kind', *sêl* 'Seil', *wīf (ƀ)* 'Weib', *land* 'Land', *folk* 'Volk', *ful (ll)* 'Becher', *gewin (nn)* 'Streit'; b) die mehrsilbigen, wie *uƀil* 'Übel', *watar* 'Wasser', *lakan* 'Laken', *ëllian* 'Mut', *mëgin* 'Kraft', *werod* 'Schar', *thionost* 'Dienst' (auch Fem.), *ambaht* 'Amt', *skipilīn* 'Schifflein'. Vgl. wegen der unbetonten Vokale oben § 268 Anm. 2.

272. Die Neutra mit irrationalem Vokal (vgl. § 141 f.) im Nom. Akk. Sg., wie *mahal* 'Gericht', *tungal* 'Gestirn', *aldar* 'Leben', *siluƀar*

'Silber', *gaman* 'Spiel', *wāpan* 'Waffe', sowie *hōƀid* 'Haupt' (mit altem
Mittelvokal) synkopieren in den Kas. obl., z. B. *mahles, gamne, hōƀdes.*
Nur selten ist der Vokal durch Ausgleichung in diese Formen ge-
drungen.

Anm. So haben *wedar* 'Wetter' und *legar* 'Lager' den Vokal
als *a* oder *e* durchgeführt; ferner zeigen *aldar* C, *lastar* 'Tadel' MC,
akkar 'Acker', *wunder* 'Wunder' Ess. Gl., *ūder, geder* 'Euter' Oxf.
Gl. und *lēhen* 'Lehen' Gen. je eine Neubildung mit Zwischenvokal,
vgl. § 143. — *Kumbl* 'Zeichen' in M ist Ausgleichung nach den Kas. obl.
273.   Die alten *s*-Stämme *ei* 'Ei', *hōn* 'Huhn', *hūs* 'Haus',
hrīth 'Rind', die sonst wie *hros* flektieren (vgl. D. *eia*, G. *hrīthas*),
zeigen noch Reste ihrer ursprünglichen *r*-Flexion, vgl. § 325a.

B. *ja*-Stämme.

274.   Paradigmen: fürs Mask. *hirdi* 'Hirt', fürs Neutr. *bēd(di)*
'Bett' und *rīki* 'Reich'.

Singular.

N. A.	*hirdi, -e*	*bēd(di)*	*rīki*
G.	*hirdies, -ias, -eas*	*bēddies*	*rīkies*
D.	*hirdie, -ia, -ea*	*bēddie*	*rīkie*
I.	*hirdiu*	*bēddiu*	*rīkiu.*

Plural.

N. A.	*hirdios, -eos; -a*	*bēddi*	*rīki*
G.	*hirdio, -eo*	*bēddio*	*rīkio*
D.	*hirdium, -n, -ion, -eon*	*bēddium*	*rīkium.*

275.   Die beim ersten resp. zweiten Paradigma angegebenen
Abweichungen, über die § 265 zu vergleichen ist, gelten auch für
die andern; wegen des Wechsels von -*i*- und -*e*-, sowie ihres späteren
Schwundes im Inlaut vgl. § 172 f.   Im einzelnen ist zu bemerken:

1. Auslautendes -*i* geht beim Neutr. schon vereinzelt in V, M
und C, in späteren Denkmälern auch beim Mask. in -*e* über, vgl. § 151.

2. Im Nom. Akk. Pl. der Mask. treten später die pronominalen
Neubildungen auf -*a*, wie *wītnera* 'Peiniger' Wer. Gl., *bikera* 'Becher'
und *sostra* 'Sechter' (Sgl. *suster*) Ess. H., auf, vgl. § 265 Anm. 5.

3. Eine besondere Form des Nom. Sg. Neutr. zeigt *fēni* 'Sumpf'
Ess. Gl. (vgl. *fēni-lik* 'sumpfig' Wer. Gl., *kuni-burd* 'Geschlecht' Hel.).
Zum Nom. Akk. *bēd* oder *bēddi* vgl. §§ 151 und 253, 1.   Das Mask.
segg 'Mann' ist zu den langsilbigen *i*-Stämmen (§ 295 ff.) übergetreten.

4. Vereinzelt haben *ārundi* 'Botschaft', *sinwēldi* 'großer Wald',
fādi 'Gang' in MC einen Dat. auf -*i*.

5. *Wād, giwādi* 'Kleidung' hat je 1 mal in C Gen. den Instr.
ohne -*u* (oder gehören sie zu *wād* nach der fem. *i*-Deklin.?); *nēt*
'Netz' 1 mal in M den Pl. *nēttiu*.

276. Wie *hirdi* flektieren: a) die kurzsilbigen Mask. *hĕri* 'Heer',
'Menge' und *swiri* 'Vetter'; b) einige lang- und mehrsilbige,
z. B. *ĕndi* 'Ende', *māki* 'Schwert', *kāsi* 'Käse', *ȳri* 'wilder Umzug',
hwĕti 'Weizen', **firihos* 'Menschen' (= **firhios*), *dilli* 'Dill' (oder
Neutr.?), besonders die nomina actoris auf -*ari*, -*ĕri*, -*iri* (§ 131),
wie *dôpari* 'Täufer', *fiskari* 'Fischer' etc., denen sich *altari* 'Altar',
karkari 'Kerker', *bikeri* 'Becher' und *solari* 'Söller' anschließen.

Anm. 1. Neben dem Mask. *hĕri* (got. *harjis*) findet sich ein
Fem. *hêri* mit gleicher Bedeutung (eigentlich 'Vornehmheit', 'vor-
nehme Schar', vgl. PBrB. 13, 375).

Anm. 2. Neben dem *a*-Stamm *feteros* 'Fesseln' hat M 3 mal
den Dat. *fiteriun*, -*eun* nach der *ja*-Deklination.

Anm. 3. Der Pl. **firihos* (ae. *fīras*) ist nur im G. *firiho* und
D. *firihun* belegt.

Anm. 4. Neben *karkari* steht das Adj. *karkarlīk·* zu *suster*
(lat. *sextārius*) vgl. § 275, 2.

277. Wie *bĕd(di)* gehen die Neutra mit ursprünglich
kurzer Wurzelsilbe, wie: a) *bĕri* 'Beere'; b) *fĕni* Ess. Ev. 'Sumpf',
kin (nn) 'Kinn', *kunni* 'Geschlecht', *gihlun (nn)* 'Getöse', *bil (ll)*
'Schwert', *lilli* 'Lilie', *mūtspelli* 'Weltuntergang', *wĕbbi* 'Gewebe',
nĕt(ti) 'Netz', *flĕt (tt)* 'Haus', *giwit(ti)* 'Verstand', *firiwit (tt)* 'Wiß-
begierde', *wĕddi* 'Pfand', *inwid (dd)* 'Neid', *muddi* 'Mütte' (lat. *modius*), **wig(gi)* 'Roß', *giwicge* 'Dreiweg'.

Anm. 1. Wegen der verschiedenen Gestalt des Wortausganges
vgl. § 275, 3, sowie Kluge, Grundr. I², S. 427, § 159. Hel., Gen. und
Oxf. Gl. haben *bĕd*, die Wer. Gl. *bĕddi*, Hel. *nĕt*, Petr. Gl. *nĕtti*, Hel.
und Gen. *giwit*, die Ess. Gl. *giwitti*. Von **wig(gi)* ist nur der G. Pl.
wiggeo belegt. Das zweimalige *inwideas* in M zeigt Vereinfachung
des Konsonanten in unbetonter Silbe.

Anm. 2. *Kin* ist im Akk. Pl. in M Fem.: *thea kinni* (got.
kinnus F).

Anm. 3. Neben *kunni* steht *kun(n)i-burd* 'Herkunft', vgl.
auch *fĕnilīk* 'sumpfig'.

278. Wie *rīki* gehen die Neutra mit ursprünglich langer
Wurzelsilbe sowie alle mehrsilbigen, z. B. **hôi* 'Heu' (G. *hôgias*
Wer. Gl.). *anginni* 'Anfang', *urdĕli* 'Urteil', *andbāri* 'Aussehen', *krūci*
'Kreuz', *ĕrbi* 'Erbe', *wêgi* 'Gefäß', *wīti* 'Strafe', *stukki* 'Stück'; *adali*
'Adel', *bilidi* 'Bild', *hīwiski* 'Familie', *arbedi* 'Arbeit', *ārundi* 'Bot-
schaft'; die Bildungen auf -*isli*, wie *dôpisli* 'Taufe', *gurdisli* 'Gürtel';

endlich die zahlreichen Kollektiva und Abstrakta mit dem Präfix *gi-*, wie *gisīdi* 'Gefolge', *gibirgi* 'Gebirge', *girādi* 'Vorteil', *gigèngi* 'Termin', *giwideri* 'Gewitter', etc.

Anm. 1. Neben den Bildungen auf *-isli* stehen schw. Mask. auf *-islo*, vgl. § 309.

Anm. 2. Auch *frī* 'Weib' (aus **frijja*, vgl. § 175) gehört hierher; der Nom. Pl. heißt *frī*, der Gen. Pl. *frī(h)o*. Von *blī* 'Farbe' erscheint der Pl. *blī* in den Str. Gl. Dem Got. *gawi* 'Gau' entspricht *gô*, *gā* in Namen, der D. lautet *gôa* (= got. *gauja*) Wer. H.

C. *wa*-Stämme.

279. Paradigmen: fürs Mask. *sê*, *sêo* 'See', fürs Neutr. *balu* 'Übel'. Der Pl. ist nicht ausreichend belegt.

N. A.	*sê, sêo, -u*	*balo, -u*
G.	*sêwes, -as*	*balowes, -uwes*
D.	*sêwe, -a*	*balowe, -uwe.*

Im Pl. kommen nur der Nom. Akk. *kneo*, *knio* 'Kniee' und *bū* 'Wohnung', der G. *beuwo* 'Ernten', der D. *kneohon* vor.

280. Wegen des Auslauts vgl. § 167, wegen des eingeschobenen Vokals bei *balowes* § 144, wegen der Endungen § 265. Im einzelnen ist zu bemerken:

1. Ein alter Lokalis *sêu* (aus **sêwī*) erscheint 1 mal in Gen., ebenso *êo* 'Gesetz' 7 mal in M. Beide Wörter sind alte *i*-Stämme.

2. Das *-w-* ist im Auslaut nach langen Vokalen meist aus den Cas. obl. wiedereingeführt worden: *sêo*, *sêu* etc., *sê* steht nur 1 mal in M. Diese Hs. bietet auch den Gen. *sêes*, D. *sêe* (je 1 mal) mit *w*-Schwund. Vgl. ferner *ê-haft* 'gesetzlich' Ess. Gl., *hrêlik* 'feralis' Wer. Gl. Später schwindet *w* auch inl. nach *l*, *r*: in Fr. H. und Wer. Gl. G. *melas* 'Mehles' und *smeras* 'Schmeres', s. §§ 165 und 167. Die Pluralformen *bū* und *kneo* dagegen stehen lautgesetzlich für **būwu* und **knewu*, vgl. §§ 153 und 164. Der D. Pl. *kneohon* C ist eine Neubildung (statt **kneon*) vom Nom. Sg. aus mit eingeschobenem *h*, vgl. § 164.

281. Wie *sêo* (vgl. § 108) flektieren die Mask. *êo* 'Gesetz', *snêo* 'Schnee' und das Neutr. *hrêo* 'Leiche'; das Genus von *hlêo* 'Grab' ist unsicher; weiter gehören hierher die Mask. *skado* 'Schatten', *thau* 'Sitte' (§ 100), *thio* 'Diener' (im Komp. *thiolīko* 'demütig'), die Neutra *beo* 'Ernte', *kneo*, *knio* 'Knie' (§ 83), *treo*, *trio* 'Baum' (D. *trewe*), *bū* 'Wohnung', *tou* 'das Tau', *melo* 'Mehl', *horo* 'Kot', *smero* 'Schmer', die drei letzteren wie *balo* flektierend.

Anm. *Sang* 'Gesang' (got. *saggws*) hat sein *w* nach § 166 b
verloren und flektiert als *a*-Stamm; zu *hrêo* und *hlêo* vgl. § 325 a.

2. ō-Stämme.

282. Nur Feminina. Paradigma: *geƀa* 'Gabe'.

	Singular.	Plural.
N. A.	*geƀa*, -*e*	*geƀa*
G.	*geƀa;* -*u*, -*o*	*geƀono*
D.	*geƀu*, -*o;* -*a*	*geƀon;* -*um*, -*n*.

283. Zu diesen Formen ist zu bemerken:

1. Die friesischen Formen auf -*e* (vgl. § 29, 11) finden sich
ziemlich oft in M, Par., Petr. und Oxf. Gl., besonders im Nom.,
weniger häufig im Akk. Sg. (hier auch 1 mal in C), noch seltener
in den übrigen Kasus, wo nur M, die Lam., Par. und Oxf. Gl. -*e*
zeigen. Die Wer. Gl. bieten 1 mal den Akk. Sg. *hilte* 'Griff'.

2. Der Nom. Sg. hat die Endung des Akk. angenommen; alte
Formen auf -*u*, das nach § 153 geschwunden ist, finden sich noch
vereinzelt, z. B. *tharf* 'Bedarf', *winding* 'Binde' Oxf. Gl. und übertragen im Akk. bei *half* 'Seite', *nōn* 'Mittag' und *hwil* 'Zeit' C.
Häufig ist der Nom. Akk. *thiod* 'Volk'.

3. Im G. Sg. haben M 2 mal, die Oxf. Gl. 1 mal -*e*; ganz vereinzelt ist in MC, Ps. und Wer. Gl. für -*a* die Dativendung -*u*, -*o*
eingetreten; vgl. auch *aho-spring* M 'Wasserquell', *navu-gêr* 'Bohrer'
Oxf. Gl.

4. Im D. Sg. herrscht -*u*, wofür in MC zuweilen, in der Ess.
H. stets -*o* steht, während VGen. ebenso oft -*u* wie -*o*, Ps. 1 mal -*o*
neben sonstigem -*u* bietet. Bed. hat -*ŏ* = *u*. *Thiod* hat in PC
immer, in M und Gen. vereinzelt -*o* statt -*u*, was wohl Assimilation
an das vorhergehende Pronomen ist (Schlüter, Unters. S. 176). —
Aus dem Gen. ist -*a* je 1 mal in VP und Bed., mehrmals in MC,
Gen., Ess., Oxf. und Straß. Gl., stets in der Fr. H. für -*u* eingedrungen; -*e* zeigen M und Oxf. Gl. nur vereinzelt. — Die endungslosen Dative *wis* 'Weise' Str. Gl. und *thiod* MC sind Neubildungen
nach den konsonant. Stämmen, hervorgerufen durch den apoko-
pierten Nom., während das in VC häufige *thioda* wohl zu einem
mask. oder neutr. *a*-Stamme *thiod* gehört, vgl. Schlüter S. 187.
Einmal zeigt C auch den D. *thiedi* nach der *i*-Deklination.

5. Im Nom. Akk. Pl. hat C 4 mal *thiodo*, die Lam. Gl. zeigen
hier 1, die Oxf. und Par. Gl. mehrere fries. -*e*.

6. Im G. Pl. hat *thiod* in CMV und Gen. nur die kurze Form
hiodo (zu einem Mask. oder Neutr. oder *i*-Stamm *thiod ?*), desgl.
erscheint *halƀa* im Hel. in der Verbindung *an allaro halƀa ge-*
hwilīka 'nach allen Seiten' und in Gen. 2mal *sélíđa* in *an allaro*
sélíđa gihwem 'in allen Häusern', wo nach Braune, Bruchst. S. 63,
Anm. zu V. 255, Verstümmelungen von *-ono* zu *-a* vorliegen. Seltene Nebenformen auf *-uno* finden sich in C, auf *-ano* in Beicht.,
Wer. Gl. und Fr. H., auf *-ana* in M, auf *-ino* in den Wer. Gl.

7. Die alte Endung des D. Pl. war *-om* (= got. *-ōm*), das in C
und den meisten kl. Denkm. in der Regel als *-on* bewahrt ist, während
in MV, Gen. und den Oxf. Gl. dafür in der Regel *-um*, *-un* aus den
andern Klassen eingetreten ist. C hat neben *-on* jedoch 8 *-an* und
1 *-un;* letzteres findet sich auch 2mal in den Ess. Gl., während die
Straß. 1mal *-an* haben. — Vgl. auch das über den D. Pl. der Pronominaldeklination Gesagte!

284. Wie *geƀa* flektieren viele Wörter mit kurzer und langer
Wurzelsilbe, z. B. *kara* 'Klage', *fruma* 'Nutzen', *saka* 'Sache', *beda*
'Bitte'; *êra* 'Ehre', *quāla* 'Qual', *gôma* 'Gastmahl', *pīna* 'Qual', *missa*
'Messe'; die Bildungen auf *-na*, *-(i)đa*, *-unga*, wie *firina* 'Frevel',
lugina 'Lüge', *stulina* 'Diebstahl', *dīsena* 'Flachsbündel', *logna* 'Lohe';
diur(i)đa 'Ehre', *māriđa* 'Kunde', *hônđa* 'Schande', *fūhtiđa* 'Feuchtig-
keit'; *ebbiunga* 'Ebbe', *klapunga* 'Knirschen', *kostunga* 'Versuchung',
Eigenn. wie *Rūma*, *Sōdoma*, *Bēthānia*.

Anm. 1. Wegen der gleichen Endungen des Nom. Sg. und
des G. D. Pl. sind einzelne Wörter dieser Klasse gelegentlich, besonders im G. D. Sg., in die s c h w a c h e Deklination übergetreten,
wie *lēia* 'Fels', *lêra* 'Lehre', *bāra* 'Bahre', *seola* 'Seele', *ahsla* 'Achsel',
stemna 'Stimme', *alimōsna* 'Almosen', *givōgitha* 'Verbindung', *erđa*
'Erde', *wīsa* 'Weise', *rasta* 'Rast', *mēda* 'Lohn', *folda* 'Erde', *sprāka*
'Sprache'.

Anm. 2. Das neben *stemna* (got. *stibna*) auftretende *stemnia*
zeigt ein fehlerhaft eingeschobenes *-i-*, vgl. § 173 Anm. 2. Bei echtem
jō-Suffix wäre ja **stimnia* zu erwarten.

285. Ebenso flektieren die *jō*-Stämme (vgl. § 171 ff.) wie *rêđia*
'Rede', *minnia* 'Liebe', *sunnia* 'Not', *wunnia* 'Wonne', *skêđia* 'Scheide',
gūđea 'Kampf', *gaflia* 'Gabel', *blīdzea* 'Freude', *spunsia* 'Schwamm',
palêncea 'Palast', *eggia* 'Schärfe', *sibbia* 'Sippe'; die Bildungen auf
-innia, *-unnia*, wie *henginna* 'Hängen', *burđinnia* 'Bündel', *fastunnia*
'Fasten', *wōstinnia*, *-unnia* 'Wüste', die jedoch nur in den Kas. obl.
belegt sind, und z. T. die auf *-nêssia*, *-nissia*, *-nussia*, wie *gōdlīk-*
nissia M 'Herrlichkeit', *farlegarnissia* C 'Ehebruch', *gilīknissie* M,

-néssia P 'Bild', *hêthinnussia* 'Heidentum' Beicht. Letztere flektieren
jedoch meist als *ī*-Stämme, vgl. § 293.

Anm. 1. Die ursprüngliche Form des Nom. Sg. ist bewahrt
in *hēl (ll)* 'Hölle', das in CM neben *héllia, -u* für den Akk. und D.
gebraucht ist, während Gen. nur den Akk. *héll* bietet. Daneben
findet sich in C ein G., in Gen. ein D. *héllī*, in M ein D. *hildi*
'Kampf', wie von einem langsilbigen *i*-Stamme, ferner ein mask.
Akk. *thena hēl* MC und endlich ein schw. G. *helliun* C. Vgl. auch
hélli- neben *héll-* in Zusammensetzungen. Die Wer. Gl. bieten die
alten endungslosen Nom. *makirin* 'Macherin' (*makerin* Oxf. Gl.) und
wurgarin 'Würgerin': der 5mal in M, 1mal in C belegte D. auf *-i*
(neben zweimaligem *-iu* in C) von *wōstinnia, -unnia* deutet wohl
auf einen Nom. *wōstin, -un* hin, das dann auch wie ein *i*-Stamm
flektiert wurde. Anders van Helten, PBrB. 16, 279 Fußnote.

Aum. 2. *Sundia* 'Sünde' bildet auch s c h w a c h e Formen,
wie *sundiun;* ganz in die *n*-Deklination sind eine Anzahl Wörter,
wie *ūdia* 'Woge', *bruggia* 'Brücke', *kribbia* 'Krippe', *gerdia* 'Gerte'
übergetreten, vgl. § 316. Wegen *stemnia* = *stemna* vgl. § 284.
Anm. 2. Der Nom. *rêthi* Wer. Gl. zeigt Hinüberschwanken in die
ī-Klasse (§ 293).

Anm. 3. Dem got. *þiwi*, aisl. *þý* 'Magd' entspricht Nom. *thiu,*
thiuu M, *thiui, thiuua* C, Gen. *thiuun* C (nach der *n*-Deklination).

Anm. 4. In Zusammensetzungen gehen diese Stämme ent-
weder auf *-i* oder auf den Wurzelkons. aus, vgl. *hildi-skalk* 'Krieger',
sundi-lôs 'sündlos', *hulli-dōk* 'Schleier', *ben(i)-wunda* 'Wunde', *wunsam* 'wonnig', *gūd-hamo* 'Panzer'.

286. Die *wō*-Stämme haben ihr *w* nach § 164 ff. meist verloren und flektieren wie die reinen ō-Stämme, z. B. *aha* 'Wasser',
sélida 'Wohnung' (got. *saliþwōs* Pl.), *swala* 'Schwalbe', *frato(h)a*
'Zierraten' (ae. *frætwe*); nur der D. Pl. *brāwon* C, *brāhon* M 'Brauen'
und *treuwa* 'Treue' haben ihr *w* bewahrt.

Anm. 1. Von *frato(h)a* = ae. *frætwe* kommen nur der G. Pl.
frato(h)o und der D. *frato(h)on, -tahun* vor; ob der G. Pl. *-gêdeono*
M, *-gêdono* C 'Nöte' zu einem st. oder schw. F. *gêd(e)a* gehört (vgl.
got. *gaidw*, ae. *gád, gǽd* N.), ist unsicher. *Wahta* 'Wache' und *ūhta*
'Morgenfrühe' zeigen st. und schw. Formen.

Anm. 2. *Treuwa* erscheint in Zusammensetzungen als *treu:*
treu-haft, -lôs. Das Adj. *hriu-līk* 'reuig' setzt ein Subst. *hreuwa* =
ahd. *hriuwa*, ae. *hreow* 'Reue' voraus.

3. *i*-Stämme.

287. Diese Klasse umfaßt eine Anzahl Mask. und Fem. nebst
einigen Neutris. Sie zerfällt in zwei Abteilungen: a) k u r z s i l b i g e
mit der Endung *-i* im Nom. Akk. Sg., b) l a n g s i l b i g e ohne Endung.

Der ersteren Gruppe lassen sich auch die Fem. auf *-i* (= got. *-eins* und *-ei*) anreihen.

A. Kurzsilbige.
a) Maskulina und Neutra.

288. Paradigma: *stiki* 'Stich', Mask.

	Singular.	Plural.
N. A.	*stiki*	*stiki; -ios*
G.	*stikies, -ias, -es*	*stikio*
D.	*stiki; -ie, -ia, -ea, -e*	*stikiun, -ion*
I.	*stiki; -iu*	—

289. Hierzu ist folgendes zu bemerken:

1. Ein G. Sg. auf *-es* findet sich einigemal in C.

2. Der D. Sg. hat in Gen. stets, in M überwiegend die alte Form auf *-i*, während in C gewöhnlich die Neubildung *-ie*, seltener *-e* dafür eingetreten ist. Vgl. PBrB. **8**, 332 f. Der Beicht., die Ess. und Werd. Gl. zeigen *-ia*, die Fr. H. *-ie*.

3. C hat im Instr. fast stets *-iu* (wie *hirdiu*), das sonst nicht vorkommt.

4. Im Nom. Akk. Pl. erscheint die Neubildung *-ios* nur 2 mal in C, die Par. Gl. haben 1 mal *bita* 'Bissen' (vgl. § 265, 5).

5. Der D. Pl. ist Neubildung, vgl. got. *-im*.

290. So flektieren: *sêli* 'Saal', *mêti* 'Speise', *bêki* 'Bach', *wini* 'Freund', **wrisi* 'Riese' (im Adj. *wrisi-līk*), *hugi* 'Sinn' und eine Anzahl Verbalabstrakta wie *slêgi* 'Schlag', *hêti* 'Haß', *wliti* 'Glanz', *biti* 'Biß', *quidi* 'Rede', *gruri* 'Graus', *kuri* 'Wahl', *kumi* 'Ankunft', **muni* 'Liebe' (im Adj. *muni-līk*), *flugi* 'Flug', *fluti* 'Fluß', *bruki* 'Bruch'; vielleicht auch *hard-buri* 'Obrigkeit' und *missi-buri* 'Geschick' (aė. *-byre*). Zu *-skėpi* vgl. § 291.

Anm. *Sêli* und *hêti* waren ursprünglich neutrale *s*-Stämme, vgl. § 325 a.

291. Von Neutris gehören hierher: *hals-mêni* 'Halsschmuck', *ur-lêgi* M, *-lagi* C 'Krieg' (je 1 mal belegt) und die zahlreichen, nur im Sg. vorkommenden Zusammensetzungen mit *-skėpi*, *-skipi* '-schaft', die bald als Mask., bald als Neutra auftreten, z. B. *bod-skėpi* 'Botschaft', *friund-skėpi* 'Freundschaft', *land-skėpi* 'Landschaft' etc.

Anm. 1. Von *orlagi* heißt der G. *orlegas* M, *-lagies* C (je 1 mal belegt); vgl. dazu den Pl. *aldar-(gi)lagu* 'Lebenszeit', G. *-lago* M, *-lagio* C. Dazu *orlag-hwīla* 'Schicksalsstunde'.

Anm. 2. Die Wörter auf *-skėpi*, *-skipi* zeigen in VM und den Ess. Gl stets *ė*, dagegen in C überwiegend, in Beicht. und Werd.

Gl. durchaus *i* als Wurzelvokal, vgl. § 78. Der D. Pl. *landskĕpiun*
M ist wohl Schreibfehler, vgl. Schlüter, Unters. S. 124.

b) Feminina.

292. Diese haben im ganzen Sg. und im Nom. Akk. Pl. die
Endung -*i*; andere Formen fehlen. So flektieren von .kurzsilbigen:
stĕdi 'Stätte', *ĕwi* 'Lamm', *mĕri* 'Meer' und *thili* 'Diele'.

Anm. Spätere Neubildungen sind: D. Sg. *stidiu* Lam. Gl.,
stida Fr. H. Die Wer. H. hat den Pl. *stadi* ohne Umlaut, die Werd.
Gll. bieten den Pl. *snari*, D. *snarion* 'Saiten' (ae. Sg. *snĕarh*).

293. Äußerlich sind mit dieser Abteilung die im Ahd. auf -*ī*
ausgehenden Wörter zusammengefallen, z. B. *huldi* 'Huld', von denen
jedoch auch ein G. Pl. auf -*io*, -*eo* und ein D. Pl. auf -*ion* vorkommt.
Zuweilen zeigen sie Neubildung nach den *jō*-Stämmen.

Anm. 1. Die Kürze des -*i* wird durch gelegentlichen Übergang in -*e* schon in PM bewiesen.

Anm. 2. Neubildungen sind: der Nom. Sg. *blindia* 'Blindheit'
M, *hrōra* 'Bewegung', *strĕngiu* 'Stärke' M, sowie die Dative *ĕldiu*
'Alter' M, *mĕnigo* 'Menge', *hrōru* und *finistriu* 'Finsternis' C, *guodo*
'Güte' Gen. (je 1 mal belegt). Auch die Pluralkasus sind solchen
Ursprungs.

294. Hierher gehören: a) die Verbalabstrakta auf got. -*eins*
wie *giri* 'Begier', *dôpi* 'Taufe', *hrōri* 'Bewegung'; b) die Adjektivabstrakta auf got.¹ -*ei*, wie *lĕmi*, *hĕlti* 'Lahmheit', *grĕmi* 'Zorn', *blindi*
'Blindheit', *trāgi* 'Trägheit', *hĕri* 'Vornehmheit', *blōđi* 'Blödigkeit',
diupi 'Tiefe', *ĕldi* 'Alter', *strĕngi* 'Stärke' u. a.; c) die Zusammensetzungen mit -*nĕssi*, -*nissi*, -*nussi* (got. -*nassus*), wie *farlegarnĕssi*
'Ehebruch', *grimnussi* 'Strenge', *īdalnussi* 'Eitelkeit' etc.

Anm. 1. Vereinzelt steht *hĕrdisli* 'Kraft' C (-*islo* M).

Anm. 2. Die Bildungen auf -*nĕssi* etc. flektieren auch als *jō*-
Stämme, vgl. § 285. Ein D. Pl. *dôgalnussion* 'Heimlichkeiten' ist in
den Wer. Gl. überliefert.

B. Langsilbige.

295. Maskulina und Feminina. Erstere haben im Sg. die
Flexion der *a*-Stämme angenommen, letztere zeigen noch die alten
Endungen; im Pl. gehen beide gleich. Paradigmen: fürs Mask.
gast 'Gast', fürs Fem. *fard* 'Fahrt'.

Singular.

N. A.	*gast*	*fard*	
G.	*gastes*, -*as*	*fĕrdi*, -*e*	
D.	*gaste*, -*a*	*fĕrdi*, -*e*; -*iu*; *fard*.	

Plural.

N. A.	*gêsti, -e*		*fêrdi*
G.	*gêstio, -eo*		*fêrdio*
D.	*gêstium, -n, -ion, -eon*		*fêrdium.*

296. Wegen der Endungen des Mask. vgl. § 265 Anm., wegen des *-i-* vor *o* und *u* § 172 f. Im übrigen merke man folgendes:

1. Das auslautende *-i* ist zuweilen in *e* übergegangen, z. B. D. *dâde* 'Tat' und *fêrde* C, Pl. *githâhte* 'Gedanken' und *giwuruhte* 'Taten' Gen., vgl. § 151.

2. Der D. Sg. F. auf *-iu* nach Analogie der *jō*-Stämme findet sich 2 mal in M bei *brûd* 'Frau' und *wâd* 'Kleid', während *wiht* 'Ding' sowohl *wihti* wie die instrumental gebrauchte Form *wihtiu* zeigt. Wegen endungsloser Formen vgl. § 299.

3. Im G. D. Pl. kann *-i-* nach § 173 schwinden, was häufig in C im G. der Fall ist. Ein fränkischer D. auf *-in* steht 2 mal in C.

4. Der Umlaut kann durch Ausgleichung fehlen, daher *gasti* Beicht., *gastiun* 1 M. Wegen *fardi* und *trahni* vgl. § 79.

297. Wie *gast* flektieren: *tharm* 'Darm', *umbi-hwarf* 'Umlauf', *ball* 'Ball', *sêgg* 'Mann', *êldi* 'Menschen', *trahni* 'Tränen', *thrâd* 'Draht', *wâg* 'Woge', 'Bewegung', *tins* 'Zins', *disk* 'Tisch', *wîk* 'Wohnstätte', *locc* 'Locke', *wurm* 'Wurm', *thrum* 'Gewalt' (D. Pl. *thrummeon*), *fruht* 'Frucht', *liud* 'Mensch', Pl. *liudi* 'Leute', *mancus* 'Goldmünze' (Plural *-i*).

Anm. 1. *Sêgg* war ursprünglich *ja*-Stamm; der Sg. *liud* findet sich nur in den Wer. Gl. Wegen der Form *luidi* in Bed. vgl. § 103 Anm. 1, wegen *liodi* ebd. Anm. 2. *Locc* gehörte urspr. in die *a*-Dekl. (ahd. Pl. *lochâ*, ae. *loccas*); belegt ist der Pl. *locc[k]i* Par. Gl., vgl. mhd. *löcke*.

Anm. 2. Wenn beweisende Pluralformen fehlen, läßt sich nicht entscheiden, ob ein Wort in diese Klasse gehört. Nach Ausweis des Got. und Altengl. wären z. B. noch *i*-Stämme *balg* 'Balg' (Werd. Gl. *balgon*, für *balgion*?), *karm* 'Klage' (ae. *cierm*), *stank* 'Gestank' (ae. *stênc*), *rôk* 'Rauch' (ae. *rîec*) u. a.

298. Wie *fard* flektieren ziemlich viele Wörter, z. B. *brûd* 'Frau', *tîd* 'Zeit', *nôd* 'Not', *wurt* 'Kraut', *wiht* 'Ding', 'etwas', Pl. 'Geister', *suht* 'Krankheit', *jugud* 'Jugend', *arabed* 'Arbeit', die Zusammensetzungen mit *-skaft*, z. B. *hugiskaft* 'Gemüt', besonders aber die Verbalabstrakta auf *-d, -t*, wie *dâd* 'Tat', *githuld* 'Geduld', *giburd* 'Geburt', *kuni-burd* 'Geschlecht', *mund-burd* 'Schutz', *gihugd*

'Verstand', *giskaft* 'Bestimmung', *ginist* 'Erlösung', *kunst* 'Vermögen', *tuht* 'Zucht' etc.

299. Einige Wörter dieser Klasse sind zum ·Teil in die Analogie der konsonant. Stämme (§ 324) übergegangen, indem sie im Sg. einen Gen. ohne Endung oder auf *-es*, *-as* und einen Dat. ohne Endung oder auf *-e*, *-a* bilden, besonders *kraft* 'Kraft', *maht* 'Macht', *giwald* 'Gewalt', *aðunst* 'Neid', *giburd* 'Geburt', *mundburd* 'Schutz', *hūd* 'Haut', *werold* 'Welt'. Damit ist häufig Übertritt ins Mask. verbunden.

Anm. 1. Einen Gen. ohne Endung bietet 1 mal C in *tīd*; stets *-es*, *-as* haben 1 mal *aðunst* (Beicht.), *giwunst* 'Gewinn' M, *wiht*, *kraft* und 1 mal *giburd* (*-ies*, *-eas* + *thes* nach Analogie der neutralen *-ja*-Kollektiva), meist *-es: werold*, wo nur C 1 mal *-i* hat.

Anm. 2. Im D. erscheint *kraft* oft ohne Endung, einmal in MC als *krafti* und zwar mit mask. und fem. Artikel; die selten belegten *maht*, *hūd* und *mundburd* erscheinen stets, *werold* 3 mal im Hel., *fard* 1 mal in Fr. H. und *giwald* 1 mal im Hel. ohne Endung, während letztere sonst stets *-i* haben.

Anm. 3. Die Beurteilung mehrerer Wörter wird dadurch erschwert, daß öfters zwei Stämme von verschiedener Bildung und verschiedenem Geschlecht nebeneinander auftreten, vgl. die Fem. *arðed*, *kraft*, *giwald*, *gisiun* neben den Neutr. *arðedi*, *giwaldi*, *gisiuni* und dem Mask. Neutr. *kraft* (ae. *cræft* M.). Aus letzterem sind der D. auf *-e*, *-a* und der Instr. auf *-u* zu erklären. *Thesan werold* ist dagegen ein Schreibfehler, vgl. Schlüter, S. 34.

4. *u*-Stämme.

300. Die alte Flexion der *u*-Stämme ist nur noch bei den kurzsilbigen Mask. und Neutr. einigermaßen bewahrt, die übrigen sind teils zu den *a*-, teils zu den *i*-Stämmen übergetreten.

Anm. Von dem F. *duru* 'Tür' erscheint diese Form in dem Kompos. ∾ *warderi* und der D. Pl. *durun*, s. § 88 Anm. 3.

A. Kurzsilbige.

301. Paradigmen: fürs Mask. *sunu* 'Sohn', fürs Neutr. *fehu*, *fihu* 'Vieh'.

	Singular.		Plural.
N. A.	*sunu*, *-o*	*fehu*, *-o*	*suni*
G.	*sunies*, *-eas*	*fehes*, *-as*	*sunio*, *-o*
D.	*suno*, *-u*; *-ie*, *-i*, *-e*	*feho*; *-e*	*sunun*, *-iun*.

302. Zu diesen Paradigmen ist zu bemerken:

1. Im Nom. Akk. Sg. ist *-u* in Gen. und den kl. Denkm. die einzige Endung, in M die Regel, *-o* dagegen die vorherrschende in

PC. Zu *sunu* gehört der Pl. *gisūnfader* 'Sohn und Vater', für *fehu* haben die kl. Denkm. *fē*, vgl. § 106.

2. Der Gen. Sg. lautet *sunies, -eas* (selten belegt) wie ein *ja*-Stamm, der Dat. in C 1 mal *suno* (= got. *sunau*), in M 1 mal *feho*, in M 1 mal *sunu*, in Ps. *frethu* 'Friede', sonst stets neugebildet *sunie*, woneben M 1 *suni*, C 1 *sune*, MC je 2 *fride*, C 1 *fehe*, die Wer. Gl. 1 *sida* 'Sitte' zeigen. Letztere sind nach Analogie der *a*-Deklination gebildet, *-u* neben *-o* beruht wohl auf dem Wechsel von *u* und *o* im Nom. — Wegen *e — i* als Wurzelvokal in *fridu* und *fehu* vgl. §§ 82 und 84.

3. Im G. Pl. ist nur *lido, lidio* 'Glieder' belegt; das einmalige *lidu* in M erklärt sich wie der D. Sg. *sunu, frethu*.

4. Der D. Pl. ist nach *lidon, lidiun* und den langsilbigen *thorniun* 'Dornen' (M, *-on* C) und *skildion* 'Schilden' angesetzt.

303. Wie *sunu* flektieren *magu* 'Sohn' (Pl. *mēgi*), *fridu, fredu* 'Friede', *sidu* 'Sitte', *lagu* 'See'; *lidu* 'Glied', *heru* 'Schwert' und das Neutr. *widu* 'Holz' erscheinen fast nur als erste Glieder von Zusammensetzungen.

Anm. 1. *Lidu-* erscheint als selbständiges Wort nur in der Form *lid*. Über *fridu* vgl. § 84 Anm. 1; in Eigennamen erscheint es als *-frid* (nach der *a*-Dekl.).

Anm. 2. *widu* findet sich bei Ortsn. im D. Sg. in der Fr. H. als *wida, -e*, sonst mit *-u, -o, -i*.

B. Langsilbige.

304. Maskulina und Feminina. Erstere sind z. T. in die *a*-Deklination übergegangen, wie *wald* 'Wald', *werd* 'Wirt', *wethar* 'Widder', *thorn* 'Dorn' (aber D. Pl. *-iun* M), z. T. in die *i*-Deklination, wie *ēr* 'Bote' (Pl. *ēri*), *kin* 'Kinn' (Pl. *kinni*), *bōg* 'Bug' (Pl. *bōi* § 232), *skild, skeld* 'Schild' (D. Pl. *skildion*). Für andere, wie *dôd* 'Tod', *flôd* 'Flut', *luft* 'Luft' (beide auch Fem.), *hêd* 'Stand', *hungar* 'Hunger', *kus, kos* 'Kuß' (§ 88 Anm. 1) fehlen entscheidende Pluralformen; im Sg. flektieren sie wie *a*-Stämme.

Anm. 1. Die Zugehörigkeit zur *u*-Klasse wird noch durch den Wechsel von *e — i* und *o — u* in der Wurzel bewiesen, vgl. §§ 82, 84, 88. Neben *thea kinni* Akk. Pl. M. (F.?) steht in C *thiu k.* als neutraler *ja*-Stamm.

Anm. 2. *Lid* 'Wein' (got. Akk. Sg. *leiþu*) ist im As. Neutrum und flektiert wie *hros*, ebenso *ferah* 'Leben' (got. *fairƕus* M. 'Welt').

305. Das Fem. *hand* 'Hand' flektiert:

	Singular.	Plural.
N. A.	hand	hĕndi, handi
G.	—	hando
D.	hĕndi; hand	handum,.-on; -iun.

Anm. ‹Der Dat. Sg.˙ *hand* in MC ist nach Analogie der konsonantischen Stämme (§ 324) gebildet; C hat 1mal *hendi;* der D. Pl. *handiun* ist nur in den Wien. Gl. belegt und Neubildung nach der *i*-Deklination.

306. Hierher gehören noch *flōd* 'Flut', *luft* 'Luft' (beide auch Mask.), *quern* 'Mühle', *kust* 'Wahl', *lust* 'Lust', sowie die Komposita auf *-hêd* '-heit', wie *juguđhêd* 'Jugend', die jedoch außer im Nom. Akk. Sg. nur in einzelnen Formen belegt sind.

Anm. 1. Von *quern* ist der D. Pl. *quernon*, von *kust* ein konsonant. G. Sg. *kustes*, sowie der D. Pl *kustiun, -eon*, von *lust* der Pl. *lusti*, D. *lustun, -on* belegt. Neben letzterem steht ein Pl. *lusta*, G. *lustono* nach Analogie der *ō*-Stämme.

Anm. 2. Die Bildungen auf *-hêd* zeigen im G. S. *-hêdas* und *-hêdi*, im D. Sg. und Akk. Pl. *-hêdi*.

Anm. 3. Neben dem fem. D. Sg. *ênodi* 'Einöde' kommt ein G. *ênodies, -as* ohne bestimmenden Zusatz vor. Vgl. dazu den G. Pl. *armodio* 'Armut'. Der Nom. Sg. dieser, den got. Bildungen auf *-ōdus*, lat. *-ātus*, entsprechenden Formen ist unbelegt.

II. Konsonantische Deklination.

1. *n*-Stämme (schwache Deklination).

A. Maskulina und Neutra.

307. Paradigmen: fürs Mask. *bodo* 'Bote', fürs Neutr. *herta* 'Herz'.

Singular.

N.	bodo, -a	} herta, -e
A.	bodon; -an	
G. D.	boden, -an; -on	herten, -an; -on

Plural.

N. A.	bodon; -un, -an	hertun; -on
G.	bodono	hertono
D.	bodon; -un	hertun, -on.

308. Zu diesen Formen ist zu bemerken:

1. Der Nom. Sg. M. auf *-a* steht vereinzelt in C, Ess., Oxf. und Petr. Gl., sowie den Eigennamen der Fr. H. — Im Neutr. hat M doppelt so oft *-e* als *-a*.

2. Im G. Sg. M. herrscht -*en* in C, -*on* in M, V und den kl.
Denkm.; daneben zeigt C etwas seltener -*on*, vereinzelt auch -*an*,
M viel seltener -*an* und 1 -*en*, Gen. 2 -*an* und 1 -*on*, Hel. V 1 -*an*.
Letztere Endung haben auch die Namen des Gandersheimer Plenars.
— Der G. Neutr. ist nur in Ps. belegt.

3. Im D. Sg. M. hat C fast ebenso oft -*on* wie -*en*, selten -*an*,
M meist -*on*, viel seltener -*an*, vereinzelt -*en* und 2 -*un*, Gen. meist
-*an*. 2 -*on*, P und kl. Denkm. nur -*on*. — Beim Neutr. herrscht -*en*
in C, während M fast ebenso oft -*an* wie -*on* zeigt; letzteres steht
auch je 1 mal in C und Ps. Die alte Endung des G. und D. Sg.
-*en*, wovon -*an* nur eine Variante ist (vgl. § 128), muß als M e r k -
m a l   d e r   S p r a c h e   d e s   H e l i a n d   u n d   d e r   G e n e s i s gelten: -*on*
beruht auf Übertragung aus dem Akk. Sg. M., -*un* zeigt, wenn es
nicht Schreibfehler ist, Einfluß des Fem. Bei C kommt für den D.
noch der Einfluß des gleich gewordenen st. und schw. D. M. und N.
der Adjektiva in Betracht.

4. Im Akk. Sg. M. herrscht ·*on* in MC und den kl. Denkm.;
M hat daneben öfters -*an*, ganz vereinzelt -*en*, -*un*, C selten -*en*
und 1 mal -*un*. In P, Gen., Hel. V ist dagegen -*an* die Regel, -*on*
die Ausnahme. Die alte Endung ist -*on*, wofür -*en*, -*an* teils aus
dem G. und D., teils aus dem Akk. Sg. M. des st. Adj. (auf -*an*)
eingedrungen sind; -*un* beruht auch hier auf dem Fem. oder ist
Schreibfehler.

5. Im Nom. Akk. Pl. M. herrscht -*on*, woneben C und Gen. ganz
vereinzelte -*un*, -*an*, M, Hel. V, Ps. und Ess. Gl. vereinzelte -*un*,
Ps., die Straß., Gand. und Petr. Gl. je 1, die Oxf. Gl. 5 -*an* aufweisen.
Hild. hat nur -*un*. Von diesen Endungen stammt -*an* entweder aus
dem Sg. oder ist lautliche Schwächung, -*un* aus dem Fem. — Im
Neutr. hat M gleich oft -*un* (got. -*ōna*) wie das aus dem Mask. stam-
mende ·*on*, während -*un* in C und Gen. herrscht; daneben zeigt C 1
-*on*, CM 1 -*an*.

6. Im G. Pl. M. steht gewöhnlich -*ono*, selten in M, C, Gen.
-*uno*, je 1 mal in C, Ess. H. und Wer. Gl. -*ano*, vereinzelt in Ps.
und Fr. H. -*eno*, 1 mal in der Ess. H. -*ino*, 1 mal in M -*on*. Neben
Judeono 'Juden' findet sich häufig im Hel. *Judeo* nach der vokal.
Dekl. — Im Neutr. ist nur -*ono* in Ps. belegt.

7. Im D. Pl. M. hat C gewöhnlich, wie alle kl. Denkm., die
alte Endung -*on*, 2 mal -*an*, M meist -*un*, aber nicht viel seltener
-*on*, Hel. V 1 -*un*. Letzteres beruht auf dem Einfluß der vokal.
Stämme (außer den *ō*-Stämmen) sowie der kleineren konsonant.

Stämme. — Im Neutr. haben M und Gen. -*un*, C und Ps. -*on*, C 1 -*an*.

309. Wie *bodo* flektieren viele Wörter, z. B. *aƀaro* 'Nachkomme', *apo* 'Affe', *balko* 'Balken', *blōmo* 'Blume', *fano* 'Fahne', *thūmo* 'Daume', besonders Nomina agentis wie *andsako* 'Feind', *bano* 'Mörder', *waldo* 'Herrscher', -*bero* 'Träger', -*gebo* 'Geber', *gewito* 'Zeuge', *hēritogo* 'Herzog', *treulogo* 'Lügner', *ordfrumo* 'Schöpfer', *wiskumo* 'gewiß kommend', -*wīso* 'Führer', einige Wörter auf -*islo*, wie *irrislo* 'Ärgernis', *rādislo* 'Rätsel', *mendislo* 'Freude'; schließlich Fremdwörter wie *Judeo* 'Jude', *degmo* 'Zehnte', *skrīvo* 'Schreiber'.

Anm. 1. Neben *herdislo* 'Stärke' M hat C das F. *herdisli*, vgl. § 294 Anm. 1.

Anm. 2. In Zusammensetzungen erscheint entweder die Nominativform oder eine endungslose Form, vgl. *gewono-hêd* 'Gewohnheit', *hano-krād* 'Hahnenschrei', neben *gum-skēpi* 'Schar', *ėgis-līk* 'schrecklich'.

310. Ebenso flektieren die *jan*-Stämme, z. B. *willio*, -*eo* 'Wille', *olƀundeo* 'Kamel', *gibėnkeo* 'Bankgenoß', *skėnkio* 'Schenk', *sibbio* 'Verwandter', *burgio* 'Bürge', *wurhtio* 'Arbeiter'.

Anm. Das -*i*- schwindet später, vgl. *willo* Ps. und § 173, in *brunnio* 'Brunnen' C ist es fälschlich eingefügt. Beachte *will-spel* 'gute Botschaft'.

311. In *naro* 'Narbe' Wer. Gl. und *wathan* 'Waden' (Akk. Pl.) Oxf. Gl. ist das -*w*- geschwunden, vgl. § 165; in dem Stamme **frawon-*, der neben einem *jan*-Stamme **fraujon-* steht (vgl. ae. *fréa* neben *frīga*, got. *frauja*), sind durch den Ausfall des -*w*- und verschiedene Ausgleichungen und Kontraktionen eine Menge Formen entstanden, wozu § 167 zu vergleichen ist.

Anm. So hat der Hel. im Nom. *fraho*, *frôho*, im Akk. *frôhan* M, *frahon* C (so auch Gen.), im G. D. *frôhen*, -*an*, -*on* und *frahen*, -*on*, *fraon* (so auch Ess. Gl.) neben den nur in M und Gen. begegnenden Formen G. D. *frôian*, *frôiaen* (1 M). Nur im Vok. wird *frô* (aus **frao*, **frau*) gebraucht; der G. Pl. *frôno* Ess. und Wer. Gl., *vrāno* Fr. H. wird als Adj. in der Bedeutung 'herrschaftlich', 'öffentlich' gebraucht. Eine Ableitung davon ist *frônisk* 'schön'. Vgl. PBrB. 15, 469 f.

312. Wie *herta* flektieren nur noch *ôra* 'Ohr', *ôga* 'Auge', *wanga* 'Wange' (oder Fem.?) und *sinhī(w)un* Pl. 'Gatten'.

B. Feminina.

313. Paradigma: *tunga* 'Zunge'.

	Singular.			Plural.
N.	*tunga, -e*	‖	N. D. A.	*tungun, -on, ·an*
G. D. A.	*tungun, -on, -an*	‖	G.	*tungono.*

314. Hierzu ist zu bemerken:

1. Das anglofries. *-e* im Nom. Sg. steht ebenso oft wie *-a* in M und Petr. Gl., mehrmals auch in den Oxf. Gl.

2. *-un* ist die vorherrschende Form in VMC, Gen., Beicht., Ps., Seg. A, Elt., Ess., Straß. und Wer. Gl., *-on* in Ess. und Fr. H., *-an* in den Lam., Oxf. und Petr. Gl. Daneben hat M nicht selten, C, Gen. und die Wer. Gl. vereinzelt *-on*, die Fr. H. 1 *-un* und 2 *-an*, Bed. je 1 *-un, -on* und *-ŏn*. Die Greg. Gl. zeigen je 1 *-on* und *-an*, die Oxf. Gl. neben *-an* auch 7 *-un* und 4 *-on;* in M ist *-an* noch weniger häufig als *-on*, in C sehr selten; P zeigt 1 *-on* (988). — Die ursprüngliche Endung *-un* (ahd. *-ūn*) ist also in M, Oxf. und Petr. Gl. durch *-on, -an* (nach dem Mask.) vielfach verdrängt, während *-on* in C und den meisten kl. Denkm. als jüngere Entwickelung von *-un* betrachtet werden muß. In der Fr. H. ist *-an* wiederum jüngere Entwickelung aus *-on, -un*.

3. Wegen des G. und D. Pl. vgl. oben § 283, 6 f.

315. Wie *tunga* flektieren viele Wörter, z. B. *dūƀa* 'Taube', *quena* 'Weib', *skāla* 'Schale', *wunda* 'Wunde', *thiorna* 'Jungfrau'; Fremdwörter wie *porta* 'Pforte', *nota* 'Note', *strāta* 'Straße', *kirika* 'Kirche'; Eigennamen, z. B. *Eva, Mária, Petronella* etc.

Anm. Einige Wörter schwanken zwischen dieser und der *ō*-Klasse, vgl. § 284 Anm. 1. So bildet auch *dūƀa* einen st. Pl. *dūffe* Lam. Gl. — *Sunna* 'Sonne' hat nicht nur neben sonst schwacher Flexion einen st. Akk. Sg. *sunna*, sondern auch eine mask. Nebenform *sunno* in C und Greg. Gl.

316. Ebenso gehen die *jōn*-Stämme, wie *krāia* 'Krähe', *lindia* 'Linde', *agastria* 'Elster', *brunnia* 'Brünne', das Fremdwort *leccia* 'Lektion' sowie einige ursprünglich stark flektierende: *bruggia* 'Brücke', *muggia* 'Mücke', *kribbia* 'Krippe', *ūdia* 'Woge', *gĕrdia* 'Gerte', *lungandia* 'Lunge' (vgl. § 285 Anm. 2).

317. Die *wōn*-Stämme flektieren genau ebenso, z. B. *hīwa* 'Gattin', *widowa* 'Witwe', und mit Schwund des *-w-*: *swala* 'Schwalbe', *wahta* 'Wache', *ūhta* 'Morgenfrühe', von denen die beiden letzteren auch starke Formen bilden.

318. Die got. *ein*-Stämme, wie *hâuhei* 'Höhe', sind im As. mit
den Bildungen auf got. *-eins* zusammengefallen (vgl. § 293) und gehen
im ganzen Sg. auf *-i* aus.

2. r-Stämme.

319. Die Verwandtschaftsnamen *fader* 'Vater', *brôđer* 'Bruder',
gibrôđer Pl. 'Gebrüder', *swester* 'Schwester', *giswestⅽr.* Pl. 'Geschwister',
môđer 'Mutter' und *dohter* 'Tochter' haben im ganzen Sg. sowie im
Nom. Akk. Pl. dieselbe Form; die Endung ist *-er* oder *-ar*, nach *o*,
ō auch *o*, vgl. § 128 Anm. Der G. Pl. ist unbelegt, im D. kommen
brôđarun, *gibrôđrun* M, *(gi)bruothrun* C und *swestron* M vor.

Anm. *-ar*, die einzige Endung in den Greg. Gl., überwiegt in
Gen. und Beicht., während M im ganzen doppelt so oft *-er* als *-ar* hat
(nur bei *môdar* ist dies Verhältnis umgekehrt), die Petr. Gl. *-er*, das
in C die herrschende Endung ist, woneben nur 8 *-or* auftreten;
1 *-or* zeigt auch Gen. neben 1 *-er*, Beicht. hat 2 *-er* neben 4 *-ar*.

3. nd-Stämme.

320. Die substantivierten mask. Part. Präs. haben im G. D. Sg.
die Flexion der *a*-Stämme angenommen, bilden aber sonst ihre Kasus
konsonantisch. Einige zeigen im G. Pl. die Pronominalendung *-ero.*
— Paradigma: *friund* 'Freund'.

	Singular.	Plural.
N. A.	*friund*	*friund; -os, -a*
G.	*friundes, -as*	*friundo*
D.	*friunde, -a*	*friundun, -on.*

Anm. Wegen der Endungsvokale vgl. § 265 Anm.

321. So flektieren *waldand* 'Walter', *wâglîđand* 'Wogen-
befahrer', *wîgand* 'Kämpfer', *kostond* 'Versucher', *fîond, fiund* 'Feind',
und mit dem G. Pl. *-ero: -berand* 'Träger', *hêttiand* 'Verfolger',
nêriand 'Retter', *hêliand* 'Heiland', *lêriand* 'Lehrer'. Neben der
Endung *-and* steht *-end*, vgl. Schlüter, Unters. S. 237 f.

Anm. 1. Das in C häufige *waldan* vor *god, Krist* zeigt
Schwund des auslautenden *d* durch Assimilation an den folgenden
Kons. (vgl. § 249); im Akk. Sg. kann auch ein *n*-Stamm (Nom. *waldo*)
vorliegen. Das letztere gilt auch von *wâpanberan* C 'Waffenträger'
Akk. Sg., während *alowaldan* C 998 als Nom. Sg. Schreibfehler
sein wird.

Anm. 2. Im D. Sg. hat Gen. noch 1mal die alte Form
waldand; nêriand zeigt auch einen schw. Genitiv auf *-an* M, *-ien*
C, *wîgand* einen st. Pl. auf *-os*, *fiand* in Ps. desgl. eine junge Form
auf *-a* nach den Adjektiven; *hêttiand* bildet auch einen D. Pl. auf
-iun wie die Partizipia.

4. Varia.

A. Maskulina.

322. *Man* 'Mensch', 'Mann' flektiert teils noch als konsonantischer, teils schon als *a*-Stamm.

	Singular.	Plural.
N. A.	*man*	*man; mēn*
G.	*mannes, -as*	*manno, -a*
D.	*man; manne, -a*	*mannum, -n, -on.*

A n m.   Der G. Sg. ist Neubildung; der kons. D. *man* erscheint nur noch selten im Hel. neben der häufigeren Neubildung *manne*. Der anglofries. Nom. Akk. Pl. *mēn* findet sich 3 mal in Gen. (1 mal mit *a* über *e*) und 1 mal in den Lam. Gl., vgl. Braune, Bruchst. S. 21 c.

323. Von *fōt* 'Fuß' sind außer dem Nom. Sg. nur der Nom. Akk. Pl. *fōti* (nach der *i*-Dekl.), G. *fōto*, P. *fōtun, -on*, von **tand* 'Zahn' der Stamm *tan-* in *tan-stuthlia* 'pectine dentium' Wer. Gl., sowie der D. Pl. *tandon* Hel. belegt, von *wintar* 'Winter' noch der G. Pl. *wintro* und der Akk. Pl. *wintar*.

A n m.   *Hēliđ* 'Held', 'Mann' flektiert ganz als *a*-Stamm, von *mānuth* 'Monat' ist nur der vokalische D. Sg. *mānutha* Wer. Gl. belegt, während der Nom. *māno* 'Mond' das Wort in die *n*-Dekl. hinübergeführt hat, ebenso wie *nevo* 'Neffe'. Ob der einmalige D. *ala* von *alah* 'Tempel' in Gen. als konsonant. Form (= *alah*) oder als Schreibfehler für *alaha* zu fassen ist, bleibt ungewiß; im Hel. lautet er stets *alahe, -a*.

B. Feminina.

324. Die konsonant. Feminina sind vielfach nach Analogie der *i*-Stämme neugebildet worden; Paradigmen: *burg* 'Burg' und *naht* 'Nacht'.

	Singular.	
N. A.	*burg*	*naht*
G.	*burges*	*nahtes*
D.	*burg; -i*	*naht; -a.*

	Plural.	
N. A.	*burgi*	*naht*
G.	*burgo; -io, -eo*	*nahto*
D.	*burgun; -iun, -eon*	*nahtun, -on.*

A n m.   Das *-es* des (nur selten belegten) G. Sg. entstammt der *a*-Dekl., der D. Sg. und Nom. Akk. Pl. auf *-i* der *i*-Dekl., der G. Pl.

auf -*io*, sowie der D. Pl. auf -*iun* den *jō*-Stämmen. Der 1 mal in Beicht. auftretende D. Sg. *nahta* ist wohl Analogie nach *daga*. Ein alter Gen. liegt in *nahti-gala* 'Nachtigall' Str. Gl., *nahta*- Oxf. Gl. vor.

325. So flektieren noch *ēk* 'Eiche', *gêt* 'Geiß', *kō* 'Kuh', *bōk* 'Buch', *magaḍ* 'Jungfrau', *idis* 'Weib', **ërit* 'Erbse', *miluk* 'Milch', *akus* 'Axt' und *middilgard* 'Erdkreis'.

Anm. 1. Von *ēk* und *gêt* sind nur der Nom. Sg., von *kō* außerdem noch·der Nom. Pl. *kōi* Oxf. Gl., *kōii, kōgii* Fr. H. belegt, von **ërit* nur der G. Pl. *ërito* Ess. und Fr. H., von *miluk* der G. *milukas* Wer. Gl., von *akus* der D. *akus* ib.

Anm. 2. *Magaḍ* hat im D. Sg. und Nom. Pl. dieselbe Form im Hel., die anderen Kasus sind unbelegt. Die Wer. Gl. bezeugen die Neubildung Nom. Pl. *magadi*.

Anm. 3. *Burg* hat in Gen. im G. Sg. 1 mal den mask. Artikel *thes*, vgl. Braune, Bruchst. S. 63, Anm. zu V. 269; im D. Sg. überwiegt *burg*.durchaus, *burgi* kommt nur 3 mal in C, 1 mal in M vor; im Pl. sind die alten Formen *burgo* 2 mal in MC, *burgeo* 1 M Gen., *burgiun, -ion, -eon* 1 M, 2 Gen., 3 C, *burgun* 2 mal in M·erhalten, sonst durch Neubildungen ersetzt.

Anm. 4. ' *Idis* hat im D. Sg. meist *idis*, nur 1 mal *idisi* C, *idisiu* M; der Nom. Pl. ist gewöhnlich *idisi*, 1 mal *idisa* M; der G. Pl. *idiso* je 2 mal in MC, *idiseo* 2 mal in C, *idisiu* (für -*io*) 1 M; der D. Pl. je 1 mal *idison* und *idision* C.

Anm. 5. *Middilgard*. hat im D. Sg. dieselbe Form; daneben ist auch in VC und Gen. der‿D. Pl. -*gardun* überliefert. Es wird sonst noch als st. Mask. gebraucht, vgl. Braune, Bruchst. S. 57, Anm. zu V. 52a und Schlüter, Jahrb. 20,·117.

Anm. 6. *Bōk* ist auch Neutr., vgl. den Nom. Pl. *thiu bōk* M neben dem Akk. Sg. oder Pl. *thia bōk* MC; der Nom. Pl. ist *bōk*, in C *buoki*, der D. Pl. *bōkun* Hel., *bōkion* Wer. Gl.

C. Neutra.

325a. Von den alten neutr. *s*-Stämmen (vgl. lat. *genus*) sind nur dürftige Reste erhalten, wie der G. Pl. *ëi(e)ro* 'Eier' und *hōnero* 'Hühner' Fr. H., *rōther-stidi* 'Rinderweide' Lam. Gl., *hrītherīn* 'rindern' und *a(h)arīn* 'spiceus' Wer. Gl. neben *ēhir* 'Ähre' Pet. Gl. Im übrigen sind sie in die, vokal. Deklination übergetreten. Vgl. Weyhe, PBrB. 31, 75 ff.

Anm. Als Neutra sind erhalten: die *a*-Stämme *lamb* (Pl. ∾) 'Lamm', *hrīth* 'Rind', *kalf* 'Kalb', *kind* 'Kind', *hūs* 'Haus', *ēi* 'Ei', *brôd* 'Brot', *flêsk* 'Fleisch', *lêhan* 'Lehen', *hêl* 'Heil', *sper* 'Speer', der *wa*-Stamm *hrêo* 'Leiche', der *ja*-Stamm *bëri* 'Beere', während *gêst* 'Geist' mask. *a*-Stamm, *hëti* 'Haß' und *sëli* 'Saal' mask. *i*-Stämme, geworden sind. Unsicher ist das Genus von *hlêo* 'Grab' (D. *hlêwe*), *orlag, -leg* 'Krieg' (G. *-legas* M, *-lagies* C, § 291) und *hilte* 'Griff' (so der Dat.); *sigi-* 'Sieg' erscheint nur in Kompositis.

Elftes Kapitel.
Pronomina.

I. Personalpronomina.

326. Das Personalpronomen der ersten und zweiten Person hat im As. auch noch eine Du a l form, die gebraucht wird, wenn von z w e i e n die Rede ist (vgl. aber § 328, 5). Das Reflexivpronomen der dritten Person fehlt und wird durch die entsprechenden Formen des anaphorischen Pron. (§ 331 f.) ersetzt.

Singular.

N.	*ik* 'ich'	*thŭ, tu* 'du'
A.	*mik; mĭ, me*	*thik; thĭ*
D.	*mĭ, me*	*thĭ*
G.	*-mīn*	*thīn.*

Dual.

N.	*wit*	*git*
A. D.	*unk*	*ink*
G.	*unkero, -aro*	**inker(o).*

Plural.

N.	*wĭ, we*	*gĭ, ge*
A. D.	*ūs*	*eu, iu(u), giū*
G.	*ūser*	{ *euwar, iuwar, -er;* { *iuwaro, -oro, -ero, -era.*

327. Zu diesen Formen ist zu bemerken:

1. Die ostfäl. Akk.-Form *mik* steht nur noch vereinzelt in M (1), C (4), Beicht., Ps. und Wer. Gl., *thik* einigemal in C und Wer. Gl., sonst ist für beide der Dat. *mī, thī* eingedrungen. Vgl. Leitzmann, PBrB. 26, 256.

2. Wegen der Doppelquantitäten in *mi, wi, thu, thi, gi* vgl. § 107. Die (unbetonten?) Formen *me, we, ge* (vgl. das Ae.) sind selten und auf M beschränkt. Wegen *tu* vgl. § 205.

3. *Eu* und *euwar* finden sich nur im Anfang von M (bis 1143), *eu* (neben *iu*) auch in V. Das sonst herrschende *iu* kann auch *jū*

gelesen werden (vgl. § 102 Anm. 2 und § 107), was wohl durch die
Schreibungen *iuu* (mehrfach in C, 1 mal in M), *giuu* (1 M) und *giu*
(Ess. Gl.) bezeichnet werden soll. Bei *iuu* kann allerdings der G.
iuwar, bei *giu* der Nom. *gī* mitgewirkt haben. — Der Wechsel
von *iu* und *eu* beruht auf Ausgleichung: D. *iu* (got. *izwis*) + G.
euwar (got. *izwara*), vgl. §§ 101 und 104 f.

4. C hat im G. meist *-er*, M, Ess., Greg. und Wer. Gl. *-ar*.
Die längeren Formen beruhen auf Angleichung an folgende Subst.
oder Pron., wie *gumono, selƀaro*. Der G. Du. der 2. Person ist nach
got. *igqara* und ae. *incer* angesetzt.

328.   Über den Gebrauch der Personalpronomina ist zu merken:

1. Der Nom. Pl. der ersten Person fehlt als Subjekt stets bei
wīta 'laßt uns!' (= frz. *allons*), z. B. *wīta kiosan!*

2. Das Subjekt wird beim Pl. des Imperativs nur dann nicht
besonders ausgedrückt, wenn der Satz ein anderweitiges Pron. der
zweiten Person Pl. enthält, z. B. *lātad iuwa lioht skīnan!*, aber: *ērod
gī arme man!* Ausnahmen sind selten, wie *ni gornot gī umbi iuwa
gigaruwi!, hôriad nū!*

3. Beim Sg. des Imp. dagegen ist *thū* bloß vereinzelt gebraucht,
vgl. *gehugi thū an thīnumu herton! īli thū!* Häufiger steht es nur
beim verneinten Imp., wie *ne wis thū te stark an hugi!*

4. In andern Sätzen braucht das Subjekt nicht wiederholt zu
werden, wenn es in einem vorhergehenden Satze steht, z. B. *hwī
williad gī sō slāpan? ni mugun (gī) samad mid mī wakon?*

5. Die Dualformen sind im Hel. schon mehrfach durch die
Pluralformen ersetzt, so steht *ūs* 2 mal in MC = *unk*, in C *gī* 4 mal
für *git* und 1 mal findet sich pleonastisch *wit bethia*.

II. Possessiva.

329.   Diese lauten: *mīn* 'mein', *thīn* 'dein', *sīn* 'sein'; *unka*
'unser beider', *inka* 'euer beider'; *ūsa, -e* 'unser', *euwa, iuwa, -e,
giūwa* 'euer' und flektieren wie starke Adjektive, nur daß *unka* etc.
im Nom. Sg. M. F., sowie im Nom. Akk. Sg. und Pl. N. stets *-a* oder
-e zeigen.

Anm. 1.   Die Form *euwa* findet sich nur im Anfang von M,
giūwa je 1 mal in C und den Elt. Gl., vgl. § 327, 3. Außerdem hat
C je 1 mal die hochd. Formen des Sg. M. Nom. *iuwer* und Akk. *iu-
waron;* das ib. mehrmals auftretende *ūssa* ist wohl ags., der Pl.
ūsere Hild. halbhochdeutsch.

Anm. 2.   Die Nom. Sg. M. N. *ūse* und *iuwe* finden sich je 3 mal
in M, *ūse* je 1 mal in C und Seg. A. Sonst lauten die Nom. Sg.

dieser Pronomina stets auf -*a* aus, desgl. der Akk. Sg. F. N. und der Nom. Akk. Pl.

330. Über den Gebrauch des Pron. poss. merke man:

1. Das Pron. der 1. Pers. Sg. wird in der erstarrten Verbindung *frô mîn* 'mein Herr' auch dann gebraucht, wenn die Anrede seitens mehrerer geschieht (vgl. frz. *monsieur*).

2. Das Pron. der 3. Pers. *sîn* steht nur bei einem Mask. oder Neutr. Sg. und bedeutet sowohl 'suus' wie 'ejus'; in beiden Fällen wechselt es mit dem G. *is* (§ 331 ff.).

3. Sämtliche Pronomina können im Nom. Akk. Sg. N. sowohl adjektivisch wie substantivisch gebraucht werden: *mîn* 'mein' und 'das meinige'. Im letzteren Falle steht jedoch nie der bestimmte Artikel.

Anm. Beim adjektivischen Pron. poss. kann dagegen der Artikel stehen, vgl. § 337 Anm.

III. Anaphorisches Pronomen ('er, sie, es').

331. Dasselbe setzt sich zusammen aus den Stämmen *hi-*, *i-* und *si-* und flektiert folgendermaßen:

Singular.

	Mask.	Neutr.	Fem.
N.	*hĕ, hie; hĭ*	\ *it, et*	‖ *siu* (oder = Akk.)
A.	*ina, -e*	/	*sia, -e, sea*
G.		*is, es*	*ira, -e; iru, -o*
D.		*imu, -o; im*	*iru, -o; ira.*

Plural.

N. A.	*sia, -e, sea, se* |	*siu* (oder=M.F.) ‖	= M.
G.		*iro, -a, era*	
D.		*im.*	

332. Zu diesen Formen ist zu bemerken:

1. *Hie* findet sich 1mal in den Wer. Gl., häufiger nur in PC und Gen., woneben in PC selten, in Gen. überwiegend die unbetonte Form *he* erscheint; *hĭ* (vgl. nnl. *hij*) ist auf M beschränkt, wo es sich 32mal von V. 1375—2175 findet. Sonst steht überall *hĕ, he.*

2. Die vokalisch anlautenden Formen erscheinen in V, Gen. oft mit anorganischem *h-: his* etc., vgl. § 216; je 1mal hat auch C *him* und *hit* (ags.?), Ess. Gl. 1 *hina.* Dies *h-* kann auf Anlehnung an den Nom. Sg. M. *he, hie* beruhen.

3. Die Formen *et, es, era*, deren *e* sich wohl durch die Unbetontheit erklärt (bei *era* kann auch das *r* eine Rolle spielen),
finden sich nur selten in C. Auch Analogie nach *thes, thera* ist
denkbar.

4. Im Akk. Sg. M. hat M je 1 *inan* (hd.) und *in*, öfters *ine*.

5. Der D. Sg. M. N. lautet in den kl. Denkm. stets *imo*, das
auch mehrmals in MC erscheint: in PCV und Gen. herrscht *im*
(him), desgl. in M bis 1466, wo aber von 1481 an häufiger *imu*
auftritt, um von 2305 vorzuherrschen.

6. Im D. Pl. hat M· 1 *in*, vgl. § 185.

7. Der in den Str. und Wer. Gl. erhaltene G. Sg. F. *ira* ist in
C fast durch den G. Pl. *iro*, seltener den D. Sg. *iru* verdrängt, M
hat meist *iro* neben ziemlich häufigem *ira* und vereinzelten *iru* und
ire, Gen. und Ess. Gl. nur *iro*.

8. Im D. F. überwiegt das *iru* der kl. Denkm. in M, *iro* in C
— hier steht *iru* nur halb so oft; M hat vereinzelt *iro, ira*.

9. Im G. Pl. steht *ira* vereinzelt in M, C, V, Gen. und Beicht,
die Wer. Gl. zeigen 1 *iru* (nach dem G. D. Sgl.).

10. Im Nom. Sg. F. ist vereinzelt in C, im Nom. Akk. Pl. N.
auch in CM, Gen. und Ess. Gl. mehrfach die Form des Akk. Sg. F.,
resp. des Nom. Akk. Pl. M. F., eingedrungen.

11. Von den genannten Formen herrscht *sie* in M und Fr. H.,
woneben in M nur vereinzelte *sea* und *sia* auftreten; P, Ps., Elt.,
Ess., Greg. und Wer. Gl. haben bloß, C meist *sia*, letztere weniger
häufig *sea*, 1 mal *sie*. In VGen. stehen sich *sia* und *sea* fast gleich,
sie ist in Gen. weit seltener, *siæ siǫ, se* hier ganz vereinzelt.

12. *Siu, sia* im Pl. sind Neubildungen nach dem Nom. Sg.
F. *si-u* (got. *si*).·

333. Außer im Nom. Sg. M. erscheint der Stamm *hi* nur noch
in den isolierten Formen *hindag* 'heute' (got. *hina dag*) als Akk. und
hiudu Hel., *hôdigǒ* Bed. 'heute' als Instr. Vgl. zu den letzteren
Formen §§ 125 und 230.

Anm. Zu derselben Wurzel gehört auch *hēr, hīr* 'hier' und
hinan(a) 'von hier'.

334. Über den Gebrauch des anophor. Pron. ist zu merken:

1. Die Kasus obl. werden nicht bloß anaphorisch, sondern auch
reflexiv verwendet, wo sie dann mit 'seiner' oder 'sich' zu übersetzen sind, z. B. *ne wissa, hwarod siu sia wêndian skolda*.

2. Die Genitivformen werden statt des in F. und im Pl. fehlenden
reflexiven Possessivpronomens gebraucht; im M. und N. steht *is*
dann gleichbedeutend mit *sīn*.

3. Der Nom. Sg. und Pl. kann als Subjekt fehlen, wenn es sich aus dem Zusammenhange ergibt, z. B. *gisāhun sie Krist: ni mahte (hē) sinkan.*

IV. Demonstrativa.

1. Einfaches.

335. Das einfache Demonstrativum 'der, die, das' flektiert folgendermaßen:

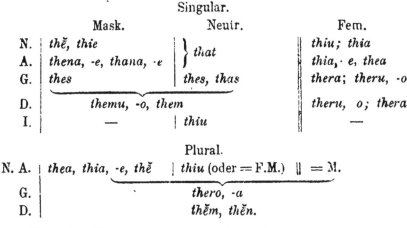

Singular.

	Mask.	Neutr.	Fem.
N.	*thĕ, thie*	} *that*	*thiu; thia*
A.	*thena, -e, thana, ·e*		*thia,· e, thea*
G.	*thes*	*thes, thas*	*thera; theru, ·o*
D.	*themu, -o, them*		*theru, o; thera*
I.	—	*thiu*	—

Plural.

N. A.	*thea, thia, -e, thĕ*	*thiu* (oder = F.M.)	= M.
G.		*thero, -a*	
D.		*thĕm, thĕn.*	

336. Zu diesen Formen ist zu bemerken:

1. Im Nom. Sg. M. hat C 4 mal ags. *se; thie* herrscht in CP, Gen. und Seg. A, wóneben jedoch in C oft, in Gen. und Seg. A vereinzelt das unbetonte *the* steht. V hat je 1 mal *the* und *thie*, MC einige *thea, thia, thi* und *thei*, Ess. Gl. 2 *thi*, vgl. PBrB. 21, 458.

2. Im Nom. Akk. Sg. N. hat C 2 mal die unbetonte (oder fries.?) Form *thet.*

3. Im Akk. Sg. M. ist *thena* die Regel in C und den kl. Dnkm., *thana* in PVGen.; in M herrscht zu Anfang *thana*, dann *thene*, schließlich *thena*. Vereinzelte Formen in C sind: *than(a), thiena* (nach *thie*), *then*, in M: *than(e), then, thaene* und *thenne*, in Ps., Fr. H., Ess. und Greg. Gl.: *then*, in der Fr. H. noch seltener: *thenæ* und *than*. Die einsilbigen Formen sind wohl durch die st. Adjektivformen auf ·an, -en hervorgerufen.

4. Im G. Sg. N. haben C, V und Gen. vereinzelt *thas* (vgl. ae. *dæs*), C 1 mal *thies.*

5. Im D. Sg. M. N. ist *themu* die Regel in M von V. 1471 ab, *themo* in den kl. Dnkm., *them* in CPVGen. und im Anfang von M, wo es später immer mehr abnimmt. Daneben hat C im letzten Drittel öfters das in M und Gen. ganz seltene *themo*. Vereinzelt

stehen: *then* in Gen. und Fr. H. (jüngerer Teil), *thamo, thiemo* und *themmo* in Fr. H., *thiem(o), tham, thaem, then, than* in C.

6. Im Akk. Sg. F. und Nom. Akk. Pl. M. F. ist *thea* die Regel in MVGen. und Oxf. Gl., *thia* in C und den meisten kl. Denkm., *thie* in der Fr. H. Daneben hat M seltener *thie, the,* C desgl. *thea, tha;* vereinzelte Formen sind: in M *thia, tha,* in C *the, thi(e),* in VGen. *ihia, -e,* in Gen., Ess. Gl. und Fr. H. *the.*

7. Der Nom. Akk. Pl. N. *thiu* ist in MC, Ess., Greg. und Wer. Gl. ziemlich häufig, in Straß. Gl. und Fr. H. stets durch die Formen des M. F. ersetzt. Desgl. steht in den Ess. Gl. 2mal, in C 1mal *thia* im Nom. Sg. F. Vgl. Schlüter, Unters. S. 207 Anm.

8. Der G. Sg. F. *thera* ist nur in M noch vorherrschend, während in C meist, in den kl. Denkm. fast stets die Form des D. Sg. oder G. Pl. dafür eingetreten ist. M hat 3, C 9 *thero* wie Ps., C 1 *theru* wie Beicht., Seg. A und Wer. Gl. Vereinzelt hat M *there,* die Greg. Gl. *therro* (neben *thera*).

9. Der D. Sg. F. lautet in Trier. Seg. B nur, in PCV, Bed., Fr. H., Ess. und Straß. Gl. meist *thero,* in M, Wer. H. und Lam. Gl. gewöhnlich *theru,* in Ps. und Wer. Gl. fast ebenso oft *thero* wie *theru.* Daneben zeigt M öfters *thero,* seltener *thera,* wie auch C einigemal hat; vereinzelte Formen sind: in C *theru, -e,* in Gen. *thero, -e,* in Gen. und Seg. B. *thera.*

10. Im G. Pl. hat C vereinzelt *thera,* M desgl. *tharo, theru, -e,* Gen. ebenso oft *thero* wie *thera.* Sonst herrscht *thero.*

11. Neben *thêm* hat C im D. Pl. einige *thiem, thien* (nach *thie*) und *thên;* letzteres erscheint auch vereinzelt in M, V, Ess. und Wer. Gl., vorwiegend in Fr. H. und Ps., nur in der Ess. H. C hat 1mal *than,* das sich auch 3mal im jüngeren Teil der Fr. H. findet.

12. *Thiu* und *thia* sind Neubildungen nach *siu* und *sia.*

337. Das anaphor. Pronomen wird gebraucht:

1. als Demonstrativum, substantivisch und adjektivisch;

2. als bestimmter Artikel, der jedoch im As. (besonders in der Poesie) bei weitem noch nicht so häufig steht wie in der späteren Sprache. «Er fehlt im allgemeinen in den Fällen, wo es sich nicht um Unterscheidung mehrerer nebeneinander stehender selbständiger Individuen der gleichen Gattung handelt.» Im einzelnen vgl. Behaghel, Syntax des Hel. § 35 ff.

Anm. Abweichend vom Nhd. steht der bestimmte Artikel: a) bei einem dem Vokativ nachgesetzten Adj., z. B. *hêrro the guodo!;* b) häufig bei den Genitiven *is, ira* und *iro,* wenn das Subst. mit einem Adj. verbunden ist, z. B. *thia is diuriun gisîdos;* ohne Adj.

findet sich der Artikel meist nur im Dat., z. B. *bi thêm is lêrun*; c) selten beim Poss.-Pron. der zweiten und dritten Person, z. B. *that thīn hord, thes sīnes rīkies.* — Dagegen **fehlt** er u. a. bei unmittelbarer Verbindung eines Pron. mit einem Adj., wie *mīn siokes, ina sāligna.*

3. als Relativum. Vgl. darüber die Syntax.

2. Zusammengesetztes.

338. Dasselbe besteht (mit Ausnahme des N. *thit*) ursprünglich aus dem demonstr. Pronomen + Partikel *se.* Beim Zusammenwachsen dieser Elemente würde die Flexion dann ans Ende verlegt; nur *thius* zeigt noch die echte Bildung. Das Pron. wird adjektivisch und substantivisch gebraucht. Die Formen sind (vgl. van Helten, IF. 27, 278 ff.):

Singular.

	Mask.	Neutr.	Fem.
N.	*these	} *thit*	*thius*
A.	*thesan, -en, -on*		*thesa, -e*
G.	*theses, -as*		*thesara; -o, -oro*
D.	*thesumu, -amo; -um, -n, -on*		*thesaru, -o, -oro, -ero;*
I.	—	*thius*	— [-ara

Plural.

	Mask.	Neutr.	Fem.
N. A.	*these, -a*	*thius* (oder = M.) ‖	*thesa, -e*
G.	*thesaro, -oro*		
D.	*thesum, -n, -on.*		

339. Vgl. über die Endungen §§ 265 und 354; sonst ist noch zu bemerken:

1. Der Nom. Sg. M. ist nach mnd. *dese* angesetzt.

2. Im Nom. Akk. Sg. N. schreiben PCV und Gen. vereinzelt *thitt* (= ahd. *diz*).

3. Im Nom. Sg. F. hat C 1 mal die Neubildung *thesu.*

4. Der Nom. Akk. Pl. N. zeigt in den Ess. und Wer. Gl. schon die Form des M. F.: *thesa,* die auch 1 mal in C erscheint.

5. C hat vereinzelt *thieses* und *thieson* (nach *thie* 'der'), die seltenen *thisun, -on* von C und Gen. sind wohl hochd.

6. Im Trier. Seg. B erscheint einmal *thessemo* neben *thesemo* (vgl. *themmo* = *themo* Fr. H., *therro* = *thero* Greg. Gl.).

3. Self.

340. *Self, selƀo* 'selbst' flektiert wie ein Adjektiv stark und schwach: G. Sg. M. N. *selƀes* etc.; *he selƀo* 'derselbe' nur schwach.

Doch kommen bei ersterem nicht alle Kasus in beiden Flexions-
arten vor. Es wird subst. und adj. gebraucht.

Anm. 1. Im Nom. Sg. sowie im Akk. Sg. M. überwiegt noch
bei weitem die schwache Form, im Akk. Sg. N. kommt dieselbe jedoch
nur 1 mal vor; der G. Sg. und Pl. wird nur stark gebildet, der D.
und Akk. Sg. F. sowie der Nom., D. und Akk. Pl. aller Genera nur
schwach. Im Nom. Akk. Pl. wird die Endung -*on* bevorzugt. Bemerkenswert ist der ausschließliche Gebrauch der mask. Form *selƀo*
auch fürs Fem., z. B. *thār Mária was mid iro suni selƀo.* Vgl.
Schlüter, Unters. S. 36 ff.

Anm. 2. *Sō self,* adverbial gebraucht bedeutet 'desgleichen',
'ebenso'. — Das got. Pron. *sama* ist im As. nur als Adverb *sama, -o*
'ebenso', 'gleicherweise', verstärkt *sō sama* und in der Verbindung
sō sama sō 'ebenso wie' erhalten.

V. Interrogativa.

1. *Hwē* 'wer'.

341. Das einfache Fragepronomen *hwē* 'wer' kommt nur im
Sg. Mask. und Neutr. vor. Die Formen sind:

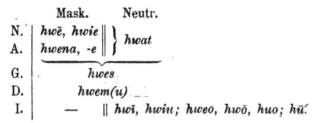

	Mask.	Neutr.
N.	*hwē, hwie*	} *hwat*
A.	*hwena, -e*	
G.	*hwes*	
D.	*hwem(u)*	
I.	—	‖ *hwī, hwiu; hweo, hwō, huo; hū.*

342. Zu diesen Formen ist zu bemerken:

1. Der Nom. M. *hwie* erscheint nur in C; daneben etwa halb
so häufig *hwē.*

2. Der Akk. M. hat in M mit einer Ausnahme stets die Form
hwene; sonst herrscht *hwena.* Daneben steht in M 1 mal *gehwane*
(vgl. § 348).

3. Im D. hat C meist *hwem,* 1 mal *hwen,* Gen. je 1 mal *hwem*
und *hwen,* M im Anfang (bis V. 1486) *hwem,* später *hwemu.*

4. Der In. N. *hwī* steht allein und mit den Präposs. *bi* und *ti*
in der Bedeutung 'warum, wie, wozu, weswegen', sowie mit *mid*
'mit'; daneben erscheint in M und den Werd. Gl. noch *hwiu* (nach
thiu gebildet) und in M 1 *hweo* (got. *hwaiwa,* vgl. § 108 b); *hwō* ist
adverbial: 'wie' und lautet in C stets *huo* (vgl. § 166 a), *hū* erscheint nur in V, Gen. und 2 mal in den Ess. Gl. (= afries. ae.). Das
zweimalige *hiu* von C ist wohl ein Schreibfehler für *hui (hwī)* oder
huiu (hwiu).

343. *Hwē, hwat* wird gebraucht:

1. als substantivisches Fragepronomen, absolut oder mit folgendem Genitiv, z. B. *hwena thū ēldibarno gibindan willies; hwat bist thū manno?* 'was bist du für ein Mann?' — Bei 'heißen' steht *hwat* gegenüber nhd. 'wie', z. B. *hwat sie that barn hêtan skoldin;*

2. als Indefinitum, vgl. § 346;

3. das Neutr. *hwat* steht auch adverbial, sowohl kausal in der fragenden Bedeutung 'warum', z. B. *hwat thū nū widerward bist willeon mīnes?*, wie auch als Ausruf: 'traun, fürwahr, ja', z. B. *hwat, ik iu sêggean mag . . .*

2. Hwedar.

344. *Hwedar, -er* 'welcher von beiden' steht substantivisch allein oder mit folgendem Genitiv und dekliniert wie ein st. Adj., z. B. *hwederou sia thero twêio tuomian weldin.* — Über den Gebrauch als Indefinitum vgl. § 346.

Anm. 1.   Gen. hat nur, MC meist *hweder*, während das hier seltenere *hwedar* in Ess. und Fr. H. herrscht; der Akk. Sg. M. lautet *hwederon* C, der G. Sg. *hwederes* M, *-ares* C, der D. Sg. F. *wethero* Fr. H. mit Synkope und Vereinfachung des *rr* in unbetonter Silbe.

Anm. 2.   Über *hwedar* als Fragepartikel (= lat. *num* oder *ne*, nhd. 'ob') vgl. die Syntax.

3. Hwilīk.

345. Das zusammengesetzte Pronomen *hwilīk* 'welcher' (vgl. § 84 Anm. 1), wofür Ps. *wēlīk* (= ahd. *hwēlīh*) hat, steht substantivisch und adjektivisch und flektiert nur stark. Als Korrelativ dient *sulīk* 'solch', das mit *sō* 'wie' verbunden wird. C hat dafür 1 mal *sōlīk* (nach *sō*). Über andere Formen vgl. § 177, Anm. 1.

VI. Indefinita.

1. 'Irgend ein' u. ä.

346. Der Begriff 'irgend ein' u. ä. wird ausgedrückt durch:

a) *sum* 'irgend ein, ein gewisser; mancher'; *sum . . . sum* 'der eine . . . der andere', das substantivisch und adjektivisch steht und stark flektiert. Merke den Ausdruck: *giwêt fahoro sum* 'er ging als einer von wenigen' = 'mit wenigen', ferner die appositive Verbindung mit dem anaphor. Pron., z. B. *sum it* 'etwas davon, manches', *sume sie* 'manche';

b) *ên* 'ein', das auch einmal bei Pluralia tantum steht: *te ênum gômun* 'zu einem Mahle'. Es flektiert als Indef. nur stark und wird adjektivisch und substantivisch gebraucht; über seine Verwendung als Z a h l w o r t vgl. diese;

c) *ênig* 'irgendein' (lat. *'ullus'*), als Subst. und Adj. in verneinenden, fragenden und abhängigen Sätzen gebraucht;

d) *hwē* 'irgendeiner, irgend wer' und *hwat* 'irgend etwas' (beide subst.), sowie das subst. *getheswes* 'irgendeines' Ess. Gl. Merke: *manages hwat* 'vielerlei';

e) *hwilīk* und *ênhwilīk* 'irgendeiner', subst. gebraucht;

f) *êndihweđar* C, *ōđarhweđar* MC 'einer von beiden', subst. gebraucht;

g) *āđar*, *ōđar* 'ein andrer', 'der eine oder andre von beiden', *ōđar . . . ōđar* 'der eine . . . der andre', nur stark flektierend und subst. wie adj. gebraucht. Wegen der Verwendung als Z a h l w o r t ('der zweite') s. diese;

h) *man* 'man', 'jemand';

i) *wiht* 'etwas' (eigtl. Subst., vgl. § 296 ff.), nur in verneinten und abhängigen Sätzen stehend.

2. 'Keiner'.

347. Der Begriff 'keiner' wird ausgedrückt durch:

a) *nigên*, *negên* (aus **ni-gi-ên*), in M 4 mal *nigiean*, 1 mal *niên*, in Ps., Ess. und Greg. Gl. *nian-* (aus *nia* 'nie' + *ni-ên*), subst. und adj. gebraucht;

b) *newethar* 'keiner von beiden' Ess. H., subst. gebraucht;

c) *neo-*, *nioman* 'niemand';

d) *eo-*, *iowiht* 'etwas', das nur in verneinten Sätzen vorkommt, und *neo*, *niowiht* (Gr. Gl. *niet*) 'nichts'. Letzteres steht auch adverbial in der Bedeutung 'auf keine Weise', 'durchaus nicht', wie auch die Formen *wihtes*, *(te) wihti*, *mid wihti(u)* 'mit nichten'.

3. 'Jeder'.

348. Der Begriff 'jeder' wird ausgedrückt durch:

a) *sō hwē sō* 'jeder der', 'wer auch immer', *gihwē* und *iogihwē* 'jeder', N. *gihwat* 'alles'. Merke den Pleonasmus *allaro manno gihwē* u. ä.:

b) *sō hweđar sō* 'welcher von beiden auch', oder 'wer auch immer', *gehwethar*, *ia-*, *iehwethar*, *ga-*, *geihwethar* Fr. H. 'jeder von beiden', subst. und adj. gebraucht;

c) *hwilīk* 'jeder', *sō hwilīk sō* 'wer auch immer', *gihwilīk*
'jeder' = *eogiwélīk* Ps., alle subst. und adj. gebraucht.

Anm. Aus der Verbindung *dago gihwilīkes* 'jeden Tag' ist
das Adj. *dachwilek* 'täglich' Fr. H. entstanden.

Zwölftes Kapitel.
Adjektivdeklination.

Allgemeines.

349. Das altsächs. Adjektiv flektiert wie das germanische in
doppelter Weise:

1. Stark oder nominal-pronominal, indem eine Gruppe
von Kasus mit der Deklination der Substantiva, eine andere dagegen mit derjenigen der Pronomina übereinstimmt. Die letzteren
sind: im Sg. der Dat. Akk. Mask., der Dat. Neutr. und der Gen. Dat.
Fem., im Plur. der Nom. Akk. Mask. und der Gen. aller Genera. Der
Dat. Plur. hat die pronominale Form aufgegeben (vgl. got. *allaim*,
ahd. *allêm*) und die nominale angenommen (as. *allum = dagum*);
der Nom. Akk. Sg. Neutr. hat die besondere pronominale Form verloren (got. *blindata*, ahd. *blintaz*).

2. Schwach oder als *n*-Stamm, genau wie die nominalen *n*-
Stämme.

350. Nur stark flektieren eine Anzahl Adjektiva, wie *al*
'all', *manag* 'manch, viel', *middi* 'in der Mitte befindlich', *ful* 'voll',
half 'halb', *ginōg* 'genug', *fao* 'wenig' u. a., bei denen die schwachen
Formen vielleicht bloß zufällig nicht belegt sind; nur schwach
flektieren:

a) alle Komparative;

b) die Superlative, ausgenommen der Nom. Sg. aller Genera
und der Akk. Sg. N., wo auch st. Formen vorkommen;

c) *giwono* 'gewöhnt', *alowaldo* 'allwaltend', *skolo* 'schuldig'.

Anm. Ausgenommen ist nur der substantivisch gebrauchte
Kompar. *mêr*. — Von *manag* kommt 1 mal ein schw. D. Sg. F. *managon* mit best. Art. in VMC vor. Vgl. Jahrb. 20, 117.

351. Die schwache Form wird gebraucht (vgl. Jellinek,
PBrB. 34, 581 ff.);

a) fast stets nach dem bestimmten Artikel, z. B. *the gōdo gumo,
thea is mikilun kraft*; nur vereinzelt sind Fälle wie *thes ōdages
mannes;*

b) ohne Artikel bei substantivischem Gebrauch des Adj., wenn
das Nomen eine bekannte oder schon genannte Größe bezeichnet,
z. B. *gramon* 'die Teufel'.

352. Die starke und schwache Form werden unterschiedslos gebraucht:

a) beim attributiven Gebrauch im Vokativ, z. B. *liobo drohtin!*
hêlag hebankuning!

b) desgl. nach *is, iro* oder Possessivpronomen und *these*, z. B.
is ubilon dād, iro wammun dādi, iuwa gōdun werk neben: *is himilisk barn, iro gōdumu hêrron, thīnera alderu idis; thesas wideon
rīkeas; thesa sāliga man;*

c) beim Superlativ in den § 350b genannten Formen, wenn
er mit dem Gen. Pl. eines Subst. verbunden ist, z. B. *kuningo
kraftigost, flōdo fagorosta;* desgl. im Vok.: *nēriendero bézt! manno
liobosta!* — Im übrigen steht die starke Flexion.

A n m.   Beim attributiven Gebrauch des Adj. steht einigemal,
auch wo kein Vok. vorliegt, die schwache Form, z. B. *rīkeo Krist*
neben *rīki K.*

I. Starke (vokalische) Flexion.

1. *a-* und *ō*-Stämme.

A. Reine *a-* und *ō*-Stämme.

353. Paradigmen: *ald* 'alt' und *hêlag* 'heilig', die aber nur
im Akk. Sg. M. voneinander abweichen, da letzteres hier die Endung
-na oder *-ne* hat.

Singular.

	Mask.	Neutr.	Fem.
N.	ald	} ald	ald
A.	aldan, -on, -en		alda, -e
G.	aldes, -as		aldera, -ara (oder = D. Sg. und G. Pl.)
D.	aldum, -n, -om, -n, -an; -umu, -omu, -emu, -emo, -amo, -omo		alderu, -aru (oder = G. Sg. und G. Pl.)
I.	aldu, -o		

Plural.

	Mask.	Neutr.	Fem.
N. A.	alde, -a	ald (oder = M. F.)	alda, -e
G.	aldaro, -oro, -ero, -era, -ara		
D.	aldum, -n, -om, -n, -an.		

354. Zu diesen Formen ist zu bemerken:

1. Im Nom. Sg. F., der die Endung *-u* bei langen und mehr-silbigen Stämmen verloren hat (§ 153), erscheinen in der Fr. H. und in den Ess. Gl. je 1 mal Akk.-Formen auf *-a*. Von kurzsilbigen ist kein Beispiel belegt.

2. Im Akk. Sg. M. stehen *-an* und *-na* nach der im § 355 ge-gebenen Regel; für *-an* hat M c. 50mal, Oxf. Gl. 3 mal *-en*, Fr. H. stets, C c. 30mal, M vereinzelt *-on* (schw. Form oder Nasaleinfluß?), für *-na* zeigt M 26mal, Gen. und Lam. Gl. je 1 mal *-ne*. Für die Endung *-na* bieten die kl. Denkm. sonst kein Beispiel.

3. Wegen der Endungen des G. und I. Sg. M. N. vgl. § 265.

4. Im D. Sg. M. N. herrscht die kürzere Form nur in CPV, Gen. und im Anfang (in den ersten 1½ Tausend Versen) von M, und zwar zeigt P 2 *-om* und 1 *-um*, V 3 *-un* und 1 *-um*, Gen. 8 *-um*, je 6 *-un* und *-ū*, je 1 *-om* und *-am*, M meist *-un*, fast halb so oft *-um*, seltener *-on*, vereinzelt *-om*, C neben herrschendem *-on* nur 13 *-an* und vereinzelte *-om*, *-un* und *-en*. Vgl. van Helten, PBrB. 18, 288. — Die längere Form ist dagegen die Regel im späteren Teile von M, sowie in den kl. Denkm., und zwar lautet sie in M meist *-umu*, woneben nur 17 *-omu* (darunter 16 *iuwomu*), und ganz vereinzelte *-omo* und *-emu* stehen, in den kl. Denkm. meist *-emo*, seltener *-amo*, *-omo*, *-imo* und *-emu*. Auch C zeigt vereinzelte *-emo* und *-amo*, Ps., Trier. Seg. B und Bed. kennen nur *-emo*, Beicht. hat gleich oft *-emo*, *-amo*, und *-omo*, Fr. H. meist *-amo*, seltener *-omo* und *-emo*, Ess. Gl. *-emo* und *-amo*, Straß. Gl. *-amo* und *-omo*, Wer. Gl. meist *-emo*, seltener *-amo* und *-imo*, Oxf. Gl. meist *-emo*, sel-tener *-emu*, Lam Gl. nur dieses.

5. Wegen des *-e* im Akk. Sg. und Nom. Akk. Pl. F. vgl. § 283.

6. Im G. Sg. F. ist die alte Endung *-era*, *-ara* meist durch die Formen des D. Sg. und G. Pl. auf *-ru*, *-ro* verdrängt: sie findet sich nur noch 6mal als *-era* in C beim poss. Pron., 3 mal als *-ara* in M. Die häufigste Endung in MC, die einzige in P ist *-aro*, vereinzelt stehen daneben *-ero* in M (bes. beim Pron. poss.), C und Beda, *-oro* und *-aru* in M. *These* hat in C stets, in M meist *-aro*, *hrā* 'roh' in Fr. H. *hrāro* mit Synkope.

7. Im D. Sg. F. ist die ursprüngliche Endung *-eru*, *-aru* nur noch selten erhalten: 55mal als *-aru*, je 1mal als *-eru*, *-oru*, *-uru* in M, je 2—3 mal als *-eru*, *-aru* in Beicht. und Wer. Gl., je 1 mal als *-eru* in Ps. und Hild. Sonst ist sie durch *-ro* verdrängt, das in PV stets, in CM und Gen. überwiegend als *-aro* erscheint, woneben in C bedeutend seltener *-ero* (stets beim Pron. poss.), vereinzelt *-era*,

2 mal -*oro* auftritt, während M in allmählich abnehmender Häufig-
keit -*aro*, -*oro*, -*ero*, selten -*era*, je 1 mal -*ara* und -*are* dafür hat.
Auch hier hat das Pronomen *these* in C bis auf 2 -*ero* stets *thesaro*,
in M meist -*aru*. Synkope zeigt *unkro* 'unser beider' MC, Gen.,
Bed. und Oxf. Gl. haben je 1 mal, Ps. 2 mal -*ero* die Oxf. Gl. weisen
1 mal -*era*, Fr. H. 1 -*oro* auf.

  8. Im G.-Pl. ist die häufigste Endung in den größeren Denkm.
-*aro*, die in J' allein herrscht. Weniger oft hat M -*oro*, viel seltener
-*ero* (bes. im Part. Präs. und bei den *ja*-Stämmen) und 1 mal -*era*,
während in C neben -*aro* zunächst -*ero* (stets bei den Partizipien,
meist bei den poss. Pron. und mehrsilb. Adj.), selten -*oro*, vereinzelt
-*ara*, -*era*, -*ora* auftreten. Synkope findet sich hier nur je 1 mal in
mahtigro und *lungro* 'kräftiger'. In Gen. sind -*ero*, -*oro*, -*era*, -*ara*,
-*ere* ebenfalls seltener als -*aro*, woneben V einzelne -*ero* und -*ara*
hat. In Beicht. stehen -*ero*, -*oro* zusammen so oft wie -*aro*, Beda,
Ps., Hild., Ess. und Fr. H., Ess. und Greg. Gl. haben nur -*ero*, Str.
Gl. je 1 -*aro* und -*ara*. Vgl. Schlüter, Unters. S. 106 ff.

  9. Der Nom. Akk. Pl. M. zeigt nur noch in M, Gen., Fr. H.,
Lam. und Oxf. Gl. öfters, in V, C, Greg., Par. und St. Petr. Gl. vereinzelt die alte Endung des Nom. auf -*e* (got. -*ai*), wofür sonst -*a*
(entweder lautlich, vgl. § 150, oder durch Einfluß des Fem.) eingetreten ist. In M, Fr. H. und Oxf. Gl. überwiegt -*e* das -*a* etwa ums
Doppelte, die Lam. und Gand. Gl. sowie Hild. haben nur -*e*, Gen.
meist -*a*. Doch ist das Genus nicht immer sicher.

  10. Im Nom. Akk. Pl. N. steht lautgesetzlich (vgl. § 153) bei
lang- und mehrsilbigen Adj. keine Endung; nach kurzer Wurzelsilbe wäre -*u* zu erwarten, z. B. **holu* 'hohle'. Dafür sind jedoch
entweder analogisch endungslose Formen, oder -*e*, -*a* nach dem M.
und F. eingetreten; letztere erscheinen auch sonst nicht selten, besonders in C, Gen. und den kl. Denkm., wie Ps., Fr. H., Ess., Greg.,
Oxf. und Wer. Gl., vgl. Schlüter, Unters. S. 207 *) und Behaghel,
Synt. des Hel. § 82 B. Vereinzelt erscheinen Formen auf -*u*, *o*, wie
managu und *mīnu* M, *luttilo* Hild.

  11. Im D. Pl. haben M, V und Gen. meist, Lam. und Oxf. Gl.
stets -*un*, die anderen kl. Denkm. fast stets, C überwiegend -*on*, P
1 -*om*. Neben -*un* hat M nur 15 -*on*, noch seltener -*om* und -*um*,
neben -*on* zeigt C mehrmals -*an* und -*un*, Gen. vereinzelte -*um*, -*om*,
-*on*, V je 1 -*um* und -*an*, Fr. H. und Beicht. je 1 -*an*, erstere 3 -*en*.

  355. Wie *ald* gehen a) alle einsilbigen Adjektiva, sowie die
Komposita mit -*līk*, z. B. *quik* 'lebendig', *sum* mancher, *berht* 'glänzend', *blēk* 'bleich', *blind* 'blind', *sulīk* 'solch'; b) die zweisilbigen

mit kurzer Stamm- und Ableitungssilbe, z. B. *manag* 'viel', *mikil*
'groß', *uðil* 'übel', *sikor* 'sicher', *gibodan* 'geboten'; c) alle Adjektiva
mit langer Ableitungssilbe, z. B. *himilisk* 'himmlisch', *ménnisk* 'menschlich', *alung* 'ewig'; wie *hêlag* dagegen alle mit langem odes zwei-
silbigem Stamm und kurzer Ableitungssilbe, z. B. *kraftag, -ig* 'kräftig',
sālig 'selig', *wankol* 'wankelmütig', *luttil* 'klein', *langsam* 'langdauernd', *wunodsam* 'erfreulich', *gibundan* 'gebunden', *siluðrin* 'silbern'. Ausnahmen sind selten; vereinzelt findet sich auch die Misch-
bildung *-ana, -ene.*

A n m. 1. Gegen die Regel haben *-na : ên* 'ein' und *lëf*
'schwach', ferner *thīn* 'dein' 2 mal in M, 1 mal in Gen. *(thīnne)*.
Doch bietet C 2 *éna* (vgl. § 253, 4), M 5 *énan*, Fr. H. stets *énon.*

A n m. 2. .Umgekehrt steht *-an* statt *-na* stets bei *énig* 'einig',
4 mal in C bei *hêlag*, 1 mal in M bei *ôdag; ōðar, andar* 'anderer'
schwankt zwischen *ôðerna, -arna* und *ôðran, -en, andran* einer- und
āðrana, ôðrana andererseits.

A n m. 3. Die Endung *-ana, -ane, -ene* etc. findet sich am
häufigsten in M (19 mal, darunter 5 *-ene*), seltener in C (10 mal),
Gen. (2 mal) und VP (1 mal); sie steht mehr bei einsilbigen als bei
mehrsilbigen Stämmen.

356. Für den **Konsonantenwechsel** im In- und Auslaut
gilt das zu § 266 Bemerkte, vgl. *hāf : hābes* 'lahm' (got. *hamfs*),
liof : liobes 'lieb', *wrêð : wrêðes* 'zornig', *lôs : lôses* 'los', *mahtich :*
mahtiges 'mächtig', *krumb : krumbes* 'krumm', *dôt : dôdes* 'tot', *lang :*
langes 'lang', *hôh : hôhes* 'hoch', *grim : grimmes* 'grimmig', inlautendes
h schwindet nicht selten, z. B. *hrean (= hreohan)* 1 MC, vgl. § 218.

357. **Synkope** eines Mittelvokals findet sich öfters in den
kl. Denkm. beim Part. Prät. der langsilbigen *ja*-Stämme, z. B. *alôsid*
'erlöst' : *alôsdes, giskérpid* 'geschärft' : *giskérptes* (vgl. § 248); doch
kommen daneben auch nichtsynkopierte Formen wie *giôgida* 'gezeigte'
vor, die im Hel. die herrschenden sind. Alle andern Mittelvokale,
d. h. in den Endungen *-am, -an, -ag, -ig, -in, -al, -il, -ol*, z. B.
wānam 'glänzend', *langsam* 'langdauernd' *gibundan* 'gebunden', *éwan*
'ewig', *sêrag* 'schmerzlich', *kraftig* 'kräftig', *guldin* 'golden', *īdal, -il*
'eitel', *luttil* 'klein', *wankol* 'wankelmütig' bleiben, vgl. § 138 ff., abgesehen von gelegentlichen Schwächungen und Assimilationen.

A n m. 1. Im Hel. findet sich beim Part. nur eine synkopierte
Form: *unlêstero* G. Pl. 'ungeleisteter' C (vgl. § 253, 3), sonst ist der
Mittelvokal durch Ausgleichung stets wieder eingeführt; Ps. bietet
gifulda 'gefüllte' (vgl. § 253, 2), Fr. H. *gimélta* 'gemälzte', die Elt. Gl.
emérkta 'gemerkte' = *gimérkta* Ess. Gl., beide *birôpta* 'beraufte',
die Ess. Gl. *gikélkton* 'gekälkten' und *giôfda* 'geübte', die Wer. und

Straß. Gl. *gibôgdon* 'gebeugten', erstere *gemēddan* 'gemieteten', *alôs-dan* 'erlösten', *ūtalôsdaru* 'ausgelöster', *geskērptun* 'geschärften' und *ferkôpton* 'verkauften' neben einigen unsynkopierten. Zu letzteren gehört auch ·*mēngidamo* 'gemengtem' Straß. Gl. Vgl. PBrB. 5, 85.

Anm. 2. Wegen des Wechsels von -*a*- mit -*e*- und -*o*-, -*i*- mit -*e*- und -*o*- mit -*u*- vgl. § 124 f., 127, 129 f. und 133 ff. Beispiele: *oponun* 2 M, *oponon* C = *opanon* C 'offenen', *hêlogun* M = *hêlagun* C 'heiligen', *giworpenen* 'geworfenen' Oxf. Gl., *ēgenon* 'eigenen' C, *gebodon* 'geboten' C, *mikel* C = *mikil* 'groß', *hatul, -ola* 'feindlich' etc. Für den Wechsel von ·*an*- mit -*en*- beim Part. Prät. liefern außer M noch Ps., Fr. H., Lam., Oxf. und Wer. Gl. Belege. In PC findet sich nur je ein Beispiel. Vgl. Schlüter, Unters. § 231 f.

Anm. 3. Unregelmäßige Synkope zeigt *miklun* 'großen' 1 C.

358. Irrationaler Vokal (§ 142 f.) steht bei Adjektiven mit langer Wurzelsilbe regelmäßig nur in den endungslosen Formen, vgl. *hluttar* 'lauter', G. *hluttres* etc. Diesen hat sich *ōđar, āđar, andar* 'ander' angeschlossen: G. *ōđres*, obwohl es dem got. *anþar* entspricht. Nur selten ist hier der irrationale Vokal durch Ausgleichung auch in die flektierten Formen gedrungen, was dagegen bei den kurzsilbigen die Regel ist, vgl. *fagar* 'schön', G. *fagares*.

Anm. Vereinzelt stehen 2 *hlutteran, hlutturu, bittara* C, *hluttaron* M, *hluttaro* Straß. Gl., *hêderun* 'heitern' Ps., *āsteron* 'östlichen' Fr. H., *ōđaru* 1 MC, *ōđara* 1 M und *othera, -eremo* Gr. Gl., -*erimu* Ps. Über den Akk. Sg. M. des letzteren vgl. § 355 Anm. 2.

B. *ja-* und *jō*-Stämme.

359. Dieselben gehen im Nom. Sg. M. und F., sowie im Nom. Akk. Sg. und Pl. N. auf -*i* (später -*e*) aus und flektieren sonst wie *ald*, vgl. *diuri* 'teuer', Akk. M. *diurian*, G. *diuries* etc. Zu beachten ist der häufige Übergang von -*i*- zu -*e*- vor *a* und *o*, sowie der Schwund des -*i*-, vgl. § 173 und Schlüter, Unters. S. 243 Anm.

Anm. Bemerkenswert ist nur die vereinzelte Bildung des D. Sg. M. N. auf -*imo, -imu* in M, Wer. und Oxf. Gl. Im Akk. Sg. M. hat M je 1 mal -*ene* und -*anne*, vgl. § 355 Anm. 3, im G. Pl. haben MC und Gen. meist -*ero*, vgl. § 354, 8.

360. So flektieren viele Adjektiva, z. B. a) ursprünglich kurzsilbige, wie *thunni* 'dünn', *nutti* 'nützlich', *luggi* 'lügnerisch', *thikki* 'dick', *middi* 'mittlerer'; b) ursprünglich langsilbige, wie *dērni* 'verborgen', *lāri* 'leer', *rīpi* 'reif', *hriuwi* 'traurig', *skôni* 'schön', *hrêni* 'rein'; die Bildungen auf -*ōni* und -*ōdi* wie *ôstrōni* 'östlich', *westrōni* 'westlich', *hringodi* 'geringelt', *koppodi* 'mit Kamm versehen', *sprūtodi* 'gesprenkelt', *hāladi* 'bruchleidend', *hovaradi* 'bucklig'; endlich die Partizipia Präs., wie *berandi* 'tragend', vgl. § 412.

Anm. Zwischen *ja-* und *a*-Flexion schwanken: *spāhi* 'klug', das nur einmal den D. Pl. *spāhion* C bildet, sonst aber in den Kas. obl. nur den Stamm *spāha-* besitzt, *blŏd(i)* 'blöde', *skīri* und *skīr* 'rein', *ginōg* und *ginōgi* 'genug', *eban* 'eben', das in den Ess. Gl. den Pl. *emnia* aufweist. Über *niuwi, nīgi* 'neu' vgl. § 105 Anm. 2. Im Hel. ·erscheinen davon nur die Formen *niuwa* und *-on*.

C. *wa-* und *wō-*Stämme.

361. Von *wa*-Stämmen sind belegt: *glau* 'klug', *fao* 'wenig', *frao, frô, frā* 'froh', **hrāo* 'roh', **blāo* 'blau', *grā* 'grau', *slêu* 'stumpf', **grio* 'grausig'; *garo, -u* 'bereit', *naro, -u* 'eng', *falu* 'fahl', **gelu* 'gelb'. Sie flektieren mit Ausnahme des Nom. Sg. M. und F., sowie des Nom. Akk. Sg. und Pl. N. wie *ald:* Akk. Sg. M. *glauwan*, G. *glauwes*, *blāwes, garowes* etc. Wegen des Wechsels von *-w-* mit *-o* und *-u* vgl. § 167, wegen des *w*-Schwundes § 164 ff.

Anm. 1. Im Auslaut haben *-u: glau, slêu* C, *falu* Straß. und Oxf. Gl., *garu, naru* M, Wer. Gl. neben *garo, naro* VC; nur je 1 mal hat M *garo* und C *garu*. Von *frao* erscheinen die Formen *fraomōd* 'fröhlich' 1 C neben *frômōd, frôlīko*, außerdem *frāh* CM, *frā* Bed. und Ess. Gl., vgl. § 99 Anm. 2. Die andern kommen nur in den Kas. obl., vor, *grio* nur in *griolīko* 'grauenvoll'. Vgl. van Helten, PBrB. 30, 329.

Anm. 2. Schwund des *-w-* zeigen: *hrāro* Fr. H., *garoa, garoes* C, *gara, falun, gela* Werd. Gl., *gelan* Petr. Gl.; *-h-* ist im Hiatus eingesetzt in *faho, fahoro*, sowie in *fraha* C, woraus sich *frāhmōd* MC erklärt. *Nāh* 'nahe' (got. *nēhv*) hat sein *w* schon früh im Westgermanischen verloren.

2. *u*-Stämme.

362. Von diesen ist nur noch das N. *filu, -o* 'viel' im Nom. Akk. Sg. bewahrt; *hard* 'hart' und *quik* 'lebendig' (ae. *cwicu*) flektieren als *a-, glau* als *wa-, engi* 'eng' (got. *aggwus*) als *i*-Stämme. Zu got. *tulgus* 'fest' gehört das Adv. *tulgo* 'sehr'.

Anm. *Filu* ist die herrschende Form in M, *filo* in CV, Fr. H. und Greg. Gl. M hat nur 5 *-o*, C und Fr. H. je 1 *-u*, Gen. 5 *-u* und 3 *-o*, die Ess. Gl. 4 *-u* und 2 *o*, die Wer. Gl. 3 *-o* und 1 *-u*.

II. Schwache *(n-)* Flexion.

363. Die Flexion entspricht in den drei Genera im wesentlichen derjenigen der schwachen Subst. (§ 307 ff.), doch sind einige Eigentümlichkeiten zu bemerken. Die Formen sind:

Singular.

	Mask.	Neutr.	Fem.
N.	*aldo, -a*	} *alda, -e*	*alda, -e*
A.	*aldon, -an*		*aldun, -on, -an*
G.	*alden, -an; -on*		*aldun*
D.	*alden, -an; -on; -un*		*aldun, -on, -an.*

Plural.

N. A.	*aldun, -on, -an*
G.	*aldono*
D.	*aldum, -n, -on.*

364. Zu diesen Formen ist zu bemerken (vgl. Schlüter, Unters S. 76 ff.):

1. Im Nom. Sg. M. hat der Positiv in der Regel *-o,* nur M und Gen. zeigen je 3 *-a;* der Komparativ dagegen endet fast durchgehends auf *-a,* wovon MC (außer den Subst. *ald(i)ro* 'Ältere' und *jungro* 'Jünger') nur je 2 Ausnahmen aufweisen; im Superlativ haben die Ess. Gl. durchgehends, C überwiegend *-a,* während Gen. und die Wer. Gl. nur *-o,* M doppelt so oft *-o* als *-a* aufweist

2. Im Nom. Sg. F. hat C neben herrschendem *-a* auch 1 *-e,* das in M sogar das *-a* überwiegt (12:9).

3. Im Nom. Akk. Sg. N. hat C 2mal, M oft *-e* neben *-a,* die Fr. H. beides gleich häufig.

4. Im Akk. Sg. M. herrscht *-on* in V und in den kl. Denkm., während in MC, die daneben je 3 *-un* und je 1 *-en* aufweisen, schon häufig die st. Form *-an* eingedrungen ist. In C hält sie *-on* fast das Gleichgewicht, in PM ist *-on* doppelt so häufig als *-an,* Gen. kennt nur *-an.*

5. Im G. Sg. M. N. hat C 13 *-en,* 10 *-on.* In M und den kl. Denkm. herrscht *-on,* woneben ersteres 5 *-an* und 2 *-en* hat.

6. Im D. Sg. M. N. ist *-on* die häufigste Form, woneben doch C ziemlich oft *-en,* selten *-an* und *-un* hat, während M bedeutend seltener *-an,* 8mal *-un* und nur vereinzelt *-en* aufweist, das sich auch je 1mal in den Ess. Gl. und der Fr. H. (hier neben 1 *-un*) findet. Gen. hat nur 1 *-un.*

7. Im G. D. Akk. Sg. und Nom. Akk. Pl. F. herrscht in VC und den meisten kl. Denkm. *-un,* in M und Gen. *-on* vor, und zwar haben MC im G. Sg. nur *-un,* im D. Sg. steht in C bis auf je 1 *-on* und *-an* allein *-un,* wie in den meisten kl. Denkm., in V nur, in M und

Fr. H. überwiegend -*on* (in ersterer daneben 6 -*an* und 5 -*un*, in letzterer 1 -*un*), das auch 1 mal in den Ess. Gl. vorkommt, im Akk. Sg. haben Gen. und Fr. H. nur -*on*, die übrigen kl. Denkm. (ausgen. 1 -*an* in Ps.) nur -*un*, C desgl., mit Ausnahme von 2 -*on* und 1 -*an*, M meist -*on* neben je 4 -*un* und -*an*, V kennt nur -*an*. Im Nom. Akk. Pl. F. herrscht -*un* allein in V und Wer. Gl., bis auf je 1 -*on* und -*an* auch in C; Gen. und Greg. Gl. haben nur, M meist -*on*, woneben hier vereinzelt -*un* und -*an* erscheinen.

8. Die ursprünglich hiermit gleichen Formen des Nom. Akk. Pl. N. zeigen in den Ess. und Wer. Gl. nur, in C meist -*un*, dem hier jedoch 4 -*on*, sowie je 1 -*an* und -*en* gegenüberstehen; M hat fast ebenso oft -*un* wie -*on*, 2 mal -*an*, Str. Gl. -*on*.

9. Der Nom. Akk. Pl. M. geht in Ps. und Ess. Gl. stets, in C und Wer. Gl. meist auf das dem F. und N. entstammende -*un* aus, woneben C 18 -*on* und 5 -*an*, Wer. Gl. vereinzelt -*on* zeigen; in Greg. Gl. und Beicht. kommt bloß, in M meist -*on* vor, woneben hier doch ziemlich häufig (14 mal) -*un* und 5 mal -*an* steht. V Gen. haben -*on* und -*un* gleich oft, Hild. 1 -*on* (*ænon* V. 2).

10. Im G. Pl. haben die kl. Denkm. auch -*eno* und -*ano*.

11. Wegen des D. Pl. vgl. § 354, 11.

365. Ebenso flektieren die *ja*- und *wa*-Stämme, z. B. *rīkio*, *glauwo*, nur daß bei letzteren -*w*- vor *u* der Regel nach schwindet.

Anhang I.
Die Steigerung der Adjektiva.
1. Komparativ.

366. Die beiden ursprünglichen Suffixe -*izan*- und -*ōzan*- sind im As. nicht mehr streng zu scheiden, da -*ir*- häufig zu -*er*- geworden, -*ōr*- zunächst verkürzt und dann oft zu -*ar*- geschwächt ist, *e* und *a* aber unterschiedslos vor *r* wechseln. Neben den vollen treten auch ohne feste Regel synkopierte Formen auf.

367. Das Suffix -*ira* erscheint nur noch in *ald* 'alt' : *aldiro*, *eldiro* 'Vorfahr', Pl. 'Eltern', *engi* 'eng' : *engira*, *lang* 'lang' : *lengira*, *mildi* 'milde' : *mildira*, *spāhi* 'klug' : *spāhira* und dem unten (§ 372) genannten *furthira* 'größer'. Daneben steht aber häufig -*era*.

368. Sonst herrschen -*ora*, -*ara*, -*era* ohne großen Unterschied, außer daß C und Ess. Gl. mehr -*era*, MV mehr -*ora*, die Wer. Gl. meist -*ara* aufweisen, z. B. *liof* 'lieb' : *lioðora*, -*ara*, -*era*, *skōni* 'schön' : *skōniera*, *swōti* 'süß' : *swōtiera* M, *suotera* C, *wōdi* 'süß' : *wōdiera* M, *wōdera* MC, *blōdi* 'furchtsam' : *blōdora*, *naro*, -*u* 'eng' : *narowaro* M, *narowora* V, *narwara* C. Doch steht dem -*era* von C in M oft -*ara* gegenüber, vgl. Schlüter, Unters. S. 109 f.

Anm. Bemerkenswert ist die Erhaltung des -*i̯*- bei den *ja*-Stämmen, wie *skōniera* usw.

369. Synkope findet sich häufig neben vollen Formen, die bei den langsilbigen Adjektiven als Neubildungen anzusehen sind. So hat C stets *stilra* 'stiller', *wrêđ[r]a* 'zorniger', *armlīkra* 'elender', *jāmorlīkra* 'jämmerlicher', *kraftigra* 'kräftiger', *sāligra* 'seliger' neben den Doppelformen *langra*, *lēngra* und *lēngira*, -*era*, *langera* 'länger', *lêđra* und *lêđera* 'böser', *leođra* und -*era*, 'lieber', M nur 1 *lēngra*, aber beide Hss. *hluttron* 'lautreren'. Regelmäßiger, z. T. ausschließlich, synkopiert sind das nicht mehr komparativisch empfundene *swiđra* 'die rechte' (sc. Hand, Seite), woneben doch in M auch -*era*, -*ara* vorkommen, sowie die zu Subst. gewordenen *aldro*, -*iro* 'Vorfahr', Pl. 'Eltern', *jungro*, -*ero*, -*aro*, -*oro* 'Jünger' und *hêrro* 'Herr', vgl. PBrB. 5, 86. Vgl. auch *furđron* C, *fordrun* M 'Vorfahren' und *gendra* § 372.

Anm. Neben *aldro* hat M 2 *aldiro*, dagegen haben MC nur *ēldirun*, -*on*. C hat stets *jungro*, während in M die längeren Formen auf -*ero*, -*aro*, -*oro*, in V -*aro*, in Beicht. und Fr. H. -*ero* stehen. Man merke *jūgro* 1 C, *jūgoro* 1 M = ahd. *jūgiro* (Tatian) mit gramm. Wechsel neben got. *jūhiza*.

2. Superlativ.

370. Von den beiden Suffixen -*ista*- und -*ōsta*- überwiegt durchaus das letztere. Mit jenem erscheinen nur noch *ald* 'alt' : *ēldist* Ess. Gl., *nāh* 'nah' : *nāhist*, *eƀan* 'eben' : *emnist* Ps. (vgl. § 222 Anm. 2), die *ja*-Stämme *triuwi* 'treu' : *triuwist*, *māri* 'berühmt' : *mārist* C, Straß. Gl. und das synkopierte *lēzto*, *lēsto*, *lazto*, *lasto* 'letzte' (zu *lat* 'träge'). Alle andern zeigen -*osta*-, z. B. *hêr* 'hehr' : *hêrost*, *fagar* 'schön' : *fagarost* C, *fagorost* M, *hêlag* 'heilig' : *hêlgost* (mit Synkope), *kraftig* 'kräftig' : *kraftigost*, *wunsam* 'wonnig' : *wunsamost*, *skôni* 'schön' : *skôniost*, *swāri* 'schwer' : *swārost*.

Anm. Gegenüber *mārist* zeigt M *māreost*, neben *rīkiost* hat C *rīkost*. Statt -*ost* erscheint -*ust* 1 mal in Gen. (*skôniust*), -*ast* desgl. in M: *rīkeast*, Fr. H. hat abgeschwächten Suffixvokal in *hêrest*. Über die Formen *lēzto* etc. vgl. § 239, *hêrrosto* 'hehrste' C beruht auf dem Komp. *hêrro*.

3. Anomalien.

371. Bei folgenden Adjektiven liegen dem Positiv andere Stämme zu Grunde als dem Komparativ und Superlativ:

gōd 'gut' — *bétera, -ara* 'besser' — *bézto, bésto* 'beste'.

uðil 'schlecht' — *wirsa* 'schlimmer' — *wirsista, wirrista*.

mikil 'groß' — *méra* 'mehr' — *mêsta* 'meiste'.

luttil 'klein' — *minnera, -ara* 'minder' — *minnista* 'mindeste'.

Anm. *Bétera* (1 mal *béttera*) herrscht in C, während M öfter
-ara, wie Gen., hat; über *bézto* vgl. § 239. — Über *wirsa* vgl. § 226,
über *wirrista* Ess. Gl. § 210 Anm. 2. *Minnera* findet sich in den
Ess. und Werd., *-ara* in den Elt. Gl.

372. Ohne Positiv erscheinen folgende, zu Adverbien oder
Präpositionen gehörigen Steigerungsformen:

ferristo M, *-osto* C 'fernste' zu *fer* 'fern', *êristo* 'erste' zu *êr*
'eher', *furthira* 'größer' Ess. Gl., *furdron* C, *fordron* M 'Vorfahren'
zu *ford* 'hervor', *gêndra* 'citerior' Petr. Gl. (zu ne. *yond* 'jenseits'),
formo, furisto 'erste' zu *for* 'vor'.

Anhang II.

A. Die Bildung der Adverbien von Adjektiven.

1. Positiv.

373. Adverbia werden von Adjektiven durch Anhängung von
-o (wofür MC und Gen. einigemal *-a* haben) gebildet, z. B. *lang —
lango, eban — efno* 'eben' (§ 222), *hluttar — hluttro* 'lauter'. Die
ja-Stämme verlieren dabei ihr *-i-*, z. B. *dérni — darno* 'heimlich',
die *wa*-Stämme ihr *-w-*, z. B. *garo, -u* 'bereit' — *garo* 'ganz und
gar'. Von *gōd* 'gut' lautet das Adv. *wel(a), wala, wola* 'wohl'.

Anm. 1. *Garo* hat vereinzelt in C *garao*, in Gen. *garoo;*
naro 'eng' in C *narawo*.

Anm. 2. Eine seltene Bildung auf *-ungo* liegt vor in *darnungo* 'heimlich', *fárungo* 'plötzlich', *gégnungo* 'geradezu' und *wissungo* 'gewiß'.

Anm. 3. Öfters erscheinen Adverbia auf *-līko*, denen keine
Adj. auf *-līk* entsprechen, z. B. *kūdlīko* 'bekannt', *gāhlīko* 'schnell',
swidlīko 'kräftig' etc.

2. Steigerung.

374. Der Komparativ der Adverbien geht stets auf *-or, -ur*
aus, z. B. *diopor* 'tiefer', *sérur* 'schmerzlicher', der Superlativ wird
durch die unflektierte Form des Adj. gebildet, z. B. *êrist* 'erst', *wīdost*
'am weitesten'.

Anm. Die Endung *-ur* findet sich in M, *-or* in C, V, Elt.,
Ess. und Wer. Gl., zuweilen auch in M, Gen. hat beide. Lautgesetzlich hätte das *-r* schwinden müssen, vgl. § 228 Anm.

3. Anomalien.

375. / Neben den in § 371 f. verzeichneten Adjektiven stehen folgende Adverbia auf urgerman. -iz:

bĕt, bat 'besser'	— bêzt, bêst 'am besten'.
wirs 'schlimmer'	—
mêr 'mehr'	— mêst 'am meisten'.
hald 'mehr'	—
lês 'weniger'	—
êr 'eher'	— êrist 'zuerst'.
sĭđ, -or, -ur 'später'	—
lang(o) — lêng 'länger'	—

Zu forđ 'hervor' gehört der Komp. furđor, -ur.

Anm. Über bĕt M, bat C vgl. § 151 Anm. 2. Der Umlaut ist hier und bei lêng durch Analogie des Adj. entstanden. — Ein *min 'weniger' ist nach dem Mnd. anzusetzen, lês entspricht ae. læs aus *laisiz. Da sĭđ (got. seiþs) nicht mehr deutlich als Komparativ empfunden wurde, bildete man dazu einen neuen Komparativ sĭđor.

B. Andere Adverbia.
1. Adverbien des Ortes.

376. Folgende, z. T. von Pronominalstämmen gebildeten Adverbia bezeichnen a) die R u h e a n, b) die B e w e g u n g n a c h und c) die H e r k u n f t v o n einem Orte auf die Fragen:

wo?	wohin?	woher?
thăr 'da'	thar(od)	thana(n), thanana
hwar 'wo'	hwar(od)	hwanan(a)
hēr, hĭr 'hier'	herod	hinan(a)
—	ôstar 'ostwärts'	ôstan(a), -e, -ene
—	westar 'westwärts'	westan(a), -e
—	sūđar 'südwärts'	sūđan
—	norđ 'nordwärts'	norđan
uppa(n), -e 'oben'	up(pan) 'hinauf'	—
oƀan 'oben'	—	oƀana, -e
niđara, -e 'unten'	niđar 'nieder'	niđana 'von unten'
inna(n), -e 'innen'	in(nan) 'hinein'	—
ūta(n), -e 'außen'	ūt(a), -e 'hinaus'	ūtana
foran 'vorn'	—	forana
aftan 'hinten'	aftar 'hinterdrein'	—
fer 'fern'	—	ferran(e), -ene.

Vereinzelt stehen *tō* 'hinzu', *bihindan* 'hinterdrein', *genowar*, *ginuwar* 'dort' (vgl. *gēndra* 'citerior' Pet. Gl.), *ellior* 'anderswohin?' (Komp.), *fram* 'hervor'; Kasusformen und Zusammensetzungen sind: *nāh* 'nahe', *an innan* 'drinnen', *biforan* 'vorn', *bihindan* 'hinterdrein', *angēgin, tegēgnes* 'entgegen', *fordwardes* 'vorwärts', *hwērgin* 'irgendwo', *untō* (= *undtō*) 'hinzu'.

A n m. Die Formen auf *-e* sind in MC recht zahlreich, sie stimmen mit den ahd. auf *-e* überein. Die kürzeren befinden sich besonders in C. Vgl. Schlüter, Unters. S. 223 ff.

2. Adverbien der Zeit.

377. Einfache Formen sind: *hwan(na), -ne* 'wann', *noh-wanna, -e* 'zuweilen', *thō* 'da', *than(na)* 'dann', *nū* 'nun', *jū, giū* 'schon', 'einst', *noh* 'noch', *oft(o)* 'oft', *eft* 'wieder', *sim(b)la, -e* 'immer', *ādro* 'früh', *furi* 'voraus', *ēr* 'früher', *aftar, -er* 'nachher', *sān(o), -a, -e* 'alsbald'; Kasusformen und Zusammensetzungen sind: *eo, io* 'je, immer', *neo, nio* 'nie', *simblon, simnon, sinnon* 'immer', *hindag, hiudu, hōdigŏ* 'heute', *gidago* 'täglich', *lang* 'lange', *tōwardes* 'zukünftig', *hwīlon* 'zuweilen'.

3. Adverbien der Art und Weise.

378. Einfache Bildungen sind: *hweo* 'wie', *sō, sus, thus* 'so', *sama, -e, -o* 'ebenso', *samad, -od, -an* 'zusammen', *sundar* 'besonders'; Kasusformen und Zusammensetzungen mit Präpositionen: *wiht(i), -es* 'durchaus nicht', *strīdiun* 'mit Mühe', *listiun* 'klug', *firinun* 'sehr', *al* 'ganz', *alles* 'gänzlich', *filu* 'sehr, viel', *sō self* 'ebenso', *unmet, grōtun* 'sehr', *gāhun* 'schnell', *an aðuh* 'übel', *an ōðar* 'anders', *an sundron* 'besonders', *te sōðon* 'in Wahrheit', *at, te samna, -e* 'zusammen'; ein Komparativ ist *ēlkor, -ur* 'sonst, anders, außerdem' (zu *ēli-* 'fremd', got. *aljis*).

Dreizehntes Kapitel.
Die Zahlwörter.
Vgl. hierzu van Helten, IF. 18, 84 ff.

I. Kardinalzahlen.

379. Die ersten drei Zahlen werden durchdekliniert und unterscheiden die Genera.

1. *ên* 'ein' flektiert als Zahlwort wie ein starkes Adj. (vgl. jedoch § 355 Anm. 1); in schwacher Form bedeutet es 'einzig, allein' (= *ênag*).

Anm. 1. In starker Flexion wird es auch als unbestimmter Artikel gebraucht und kann Pluralform annehmen, vgl. § 346 b.

2. 'zwei' flektiert so:

	Mask.	Neutr.	Fem.
N. A.	*twêne, -a*	*twê*	*twō, twā*
G.		*twêio*	
D.		*twêm, -n.*	

Anm. 2. Über die Formen *twêne, twêna* (nach *ên*) vgl. § 354, 9. M hat im Nom. M. 1 mal *twênie* (nach *bêđie*), C 1 mal *twên* im D. Im Fem. hat nur M 1 mal *twō* (vgl. dazu *tuōg* 'Zweig'), sonst lautet die Form stets *twā* — Die Form *twĭ* erscheint in *twihôbdig* 'zweiköpfig' Straß. Gl., *itwisan* 'Zwillinge' Oxf. Gl., *twĭfli* 'zweifelhaft', *tweho* 'Zweifel' (vgl. § 82). — Über den Gen. *twêio* vgl. van Helten, PBrB. 30, 240; über die Abkömmlinge der Zweizahl: Solmsen, ib. 27, 354.

Die bestimmte Zweizahl 'beide' ist *bêđia, -e, bêđea*, N. *bêđiu*, das wie ein starker *ja*-Stamm flektiert; doch hat es einen neugebildeten G. Sg. N. *bêđies*. Es besteht ursprünglich aus *bê* (got. *bai*) mit dem bestimmten Artikel *thea, thia*, hat aber die Flexion des ersten Teiles beim Zusammenwachsen der Elemente aufgegeben (vgl. *these*).

Anm. 3. C hat nur *bêthia*, M *-ie* und *-ea*, 1 mal *-e*, das N. in Gen. 1 mal *bêtho*. Im G. hat M 1 mal das hochd. *bêidero*, im Dat. C 2 *bĭthion*, Fr. H. *bêthen*.

3. Die Zahl 'drei' flektiert:

	Mask. Fem.	Neutr.
N. A.	*thria, -e, threa*	*thriu, thrū*
G.		**thrīo*
D.		*thrim.*

Anm. 4. Zum Nom. Akk. des M. F. vgl. § 108, b. In Gen. steht nur, in M überwiegt *ea*, in C und Greg. Gl. *ia*; *thrie* findet sich nur je 1 mal in M und Fr. H. Letztere hat im N. *thrū* neben *thriu*, vgl. § 103 Anm. 1. Der G. ist nach dem Ahd. angesetzt.

Anm. 5. Merke noch das Kompositum *thrī-hêndig* 'dreihändig' Straß. Gl.

380. Die Zahlen 4—12 haben unflektierte Formen, die bei adjektivischer Verwendung der Zahlen vor dem Subst. stehen. Diese

sind: 4. *fiuwar, fior, fiar, fier, veir.* 5. *fif.* 6. *sehs, ses.* 7. *siðun,*
-on, -en. 8. *ahto, -e.* 9. *nigun, ·on, -en.* 10. *tehan, -in, tian, tein.*
11. *el(l)evan, -en.* 12. *twê-, twi-, twu-lif.*

Anm. *Fiuwar* ist die häufigste Form in MC, weniger oft
kommt dort *fior* vor; *fiar* steht 1 mal in M, sowie in der Ess. H.
und den Oxf. Gl., *vier, veir* nur in der Fr. H. — *Ses, sivon, -en,*
ahte und *nigon* sind auf die Fr. H. beschränkt, *nigen* steht auch in
der Ess. H. — *Tehin* findet sich 1 mal in M, *tein* in der Fr. H., *tian*
in der Ess. H. — Die Zahl '11' (got. *ainlif*) deren Endung auf
tehan beruht (zur Entstehung vgl. §§ 108 a und 188), findet sich
nur in der Fr. H. Ebd. sind auch nur *twilif* und *twulif* zu finden,
vgl. § 78.

381. Diese Zahlen haben daneben **flektierte** starke Formen
nach der subst. *i*-Deklination, wenn sie adjektivisch ihrem Subst.
nachstehen, oder wenn sie substantivisch gebraucht werden. Die
Formen sind vom Paradigma *siðun:*

	Mask.	Neutr.	Fem.
N. A.		*siðuni*	
G.		*siðunio*	
D.		*siðuniun.*	

Anm. Belegt sind: Nom. M. *sia fiori* Hel., *fieri* Fr. H., *thêm*
fiuwariun (*-run* C); *brôd fîvi; sesse* Fr. H.; D. *siðuniun* (*-nin* C,
fränk.); *sie twêlibi, giðidos tw.,* N. *jârtalo tw.,* G. *twêliðio* (*-fo* 1 C).
Die Fr. H. hat 1 mal den neugebildeten Akk. *twuliva* (wie *twêna*).

382. Die Zahlen 13—19 sind unflektierbare Zusammensetzungen
der Einer mit *tehan* und lauten: 13. *thriu-, thrūtein.* 14. *fiertein.*
15. *fîftein.* 16. *sehs-, sestein.* 17. *sivontein.* 18. *ahto-, ahtetein* Fr.
H., *-tian* Ess. H. 19. *nigentein.* Die meisten erscheinen nur in
der Fr. H.

383. Die ebenfalls unflektierbaren Zahlen von 20—60 werden
durch Komposition mit *-tig* gebildet: 20. *twêntig.* 30. *thrîtig.* 40. *fiu-*
war, fior-, fiar-, fiertig, viar-, vierteg. 50. *fîftig, -tech.* 60. *sehs-*
tic (Hild.).

Anm. 1. Wegen der abweichenden Formen von *-tig* in der
Fr. und Ess. H.: *-teg, -tech* resp. *-tich, -tihc* und *-tigh* vgl. § 129 u.
234, wegen der Formen für '40' § 380 Anm. — C hat 1 mal *-ti,*
vgl. § 234.

Anm. 2. Diese Zahlen sind alte Subst. (vgl. got. *tigus* 'Zehner')
und werden daher mit dem G. Pl. verbunden, z. B. *twêntig wintro,*
thrîtig jâro, fiftig manno. Doch wird schon im Hel. *fiuwartig* einmal adjektivisch gebraucht: *thêm f. dagun,* was in den kl. Denkm.

das gewöhnlichste ist, z. B. *twênteg bikera* Ess. H., *thrītich muddi* Fr. H., *vīftech mudde* Ess. H., wenn auch die Fr. H. noch daneben *thrītich kiēso, hōnerò, malto* bietet.

384. Die Zahlen 70—90 werden durch .Vorsetzung von *ant-*, *at-* vor eine besondere Form der Einer gebildet; dies *at-* kann auch infolge Unbetontheit schwinden, vgl. 70: M⸗*ant-*, C *at-sîbunta*, 80. *ant-áhtoda* M, Fr. H., *ahtoda* C, 90. *nichonte* Fr. H. Daneben treten die Neubildungen *sîbuntig* CM, *ahtodoch, -edeg* Ess. H. auf.

Anm. 1. *Ant-* ist wohl statt ae. *hund-* durch Anlehnung an das Präfix *and-* eingetreten, vgl. UG. S. 220 ff. Das *-d-* in *ahtoda* erklärt sich als Einwirkung der Ordinalzahl; *sîbuntig* und *ahtodoch, -edeg* sind nach Analogie von *twêntig* etc. gebildet. Nach van Helten, IF. 18, 120 ist *nichonte* ein Schreibfehler für *nigontech*.

Anm. 2. Auch diese Zahlengruppe hat im Hel. den G. Pl. bei sich: *antsîbunta wintro*. Doch die kl. Denkm. verwenden sie schon adjektivisch: *antahtoda muddi* Fr. H., *ahtodoch bikera* Ess. H.

385. Die zusammengesetzten Zahlen 21 etc. werden wie im Nhd. gebildet, vgl. *fior ėndi antahtoda wintro* '84 Jahre', *fieri ėndi thrītich hōnero* '34 Hühner' Fr. H., *ahte ęnde ahtedeg mudde* '88 Mütte' Ess. H.

386. 'Hundert' ist *hund*, st. Neutr. (Sg. und Pl.), Fr. H. *hunderod*, das mit dem Gen. Pl. verbunden wird, z. B. *silußerskatto twê hund* '200 Silbermünzen'; 'tausend' das ebenso konstruierte *thūsundig* (nach *twêntig* etc. umgebildet), z. B. *gumono fîf thūsundig*.

II. Ordinalzahlen.

387. Die Ordinalia von '1' und '2' sind: *êrist, furist, formo* 'erste', *ōđar, -er, āđar, andar* 'zweite' (vgl. §§ 106 Anm. und 257 Anm. 2), von denen *êrist* und *furist* stark und schwach (vgl. § 349), *formo* nur schwach, *ōđar* etc. nur stark flektieren.

Anm. *Furist* zeigt einen st. D. Sg. M. *furistemo* Oxf. Gl.

388. Die übrigen, von den Stämmen der Kardinalzahlen gebildeten, flektieren nur schwach: 3. *thriddio.* 4. *fiorđo, fierthe* Fr. H. 5. *fîfto.* 6. *sehsto, sesta* Fr. H. 7. *sivondo* Ess. H., *sivotho* Fr. H. 8. *ahtodo.* 9. *nigunda* M, *niguđa* C. 10. *tehando, tegotho, -atho* Fr. H. 11. *ellifto, ellefta* Fr. H. Weitere sind nicht überliefert.

Anm. 1. *Sivotho, niguđa, tegotho* entsprechen den ae. Formen *sėofođa, nigođa, tēogeđa; sivondo, nigundo, tehȧndo* schließen sich an die Kardinalia an (vgl. got. *niunda, taíhunda,* ahd. *sibunto, niunto, zehanto*). Vgl. § 191 f.

Anm. 2. *Thriddio* hat 1mal in M den st. D. Sg. *thriddiumu, nigundo* 1mal in MC den st. Akk. Sg. F. *nigunda.*

III. Andere Zahlarten.

389. Als Distributivzahl erscheint nur noch *twisk* 'zwei-fach', das in der Verbindung *undar twisk* 'zwischen' zur Präposition (mit dem Akk.) oder zum Adverb erstarrt ist. In letzterer Geltung hat es die Gen. mit der Bedeutung 'untereinander'. Vgl. dazu *itu isan* 'Zwillinge' Oxf. Gl.

390. Multiplikativa sind: *ênfald* 'einfältig, einfach', *viffold* 'fünffach', *tehanfald* 'zehnfältig' und *twêdi* 'halb' Wer. Urk. (= ae. *twǽde*).

391. Zahladverbia sind: *ênes* 'einmal', *twio* 'zweimal', *thrīwo* MC, *thriio* C, *thrīo* Fr. H. 'dreimal'; sonst wird eine Um-schreibung mit *sīd* 'Gang, Mal' (got. *sinþs*) gebraucht, wie *an thana formon sīd*, *ôdru* oder *ôder sīdu*, *sibun sīdun sibuntig* '70mal'.

Anm. 1. In *ôder sīdu* liegt eine Verstümmelung des Zahl-wortes vor, vgl. Braune, Bruchst., Anm. zu V. 211.

Anm. 2. Als Bruchzahlen erscheinen in Ess. H. *sivondo halvo* '6½', in der Fr. H. *ôtherhalf* '1½', ebenso *fierthe-, fifte-, sehsta-, sivothe-, ellefta-half*, aber *thriuhalf* '2½'. Sie sind elliptisch zu fassen: '(einer und) der andere halb' etc.

Zweiter Abschnitt: **Konjugation.**

Vierzehntes Kapitel.
Allgemeines. Formenbestand und -bedeutung.

392. Das as. Verbum hat:

1. ein Genus, das Aktiv;

2. zwei Tempora: Präsens und Präteritum (Perfekt);

3. drei Modi: Indikativ, Optativ (Konjunktiv) — beide sowohl im Präs. wie im Prät. erscheinend — und einen Im-perativ Präs.;

4. zwei Numeri: Singular und Plural;

5. drei Verbalnomina: einen Infinitiv Präs., ein Parti-zipium Präs. und ein Partizipium Prät.

Anm. Die flektierten Formen (Genitiv und Dativ) des Inf. nennt man Gerundium. Zusammengesetzte Tempora werden durch *hebbian* 'haben', *wesan* 'sein' und *werdan* 'werden' gebildet.

393. Der Ind. Präs. bezeichnet:

1. Zeitlich unbestimmte Tatsachen, die entweder von allgemeiner Giltigkeit sind, oder sich wiederholen, oder als möglich hingestellt werden, z. B. *thū bist lioht mikil; ik wêt, that thū sō simlunduos; sō duot thea meginsundeon an thes mannes hugi thea godes lêra, ef hē is ni gômid wel.*

2. Zeitlich bestimmte Tatsachen, und zwar:

A. der Gegenwart, z. B. *gī sind nū sō druoðia*; so besonders bei Imperfektiven;

B. der Gegenwart, die sich bis in die Vergangenheit erstreckt, z. B. *thea hêlagon lêra, the thār an themo aldon êwa gebiudid;*

C. der der Gegenwart unmittelbar vorangehenden oder sich unmittelbar daran anschließenden Zeit, z. B. *sō thū mī lêris nū; dōt sô ik iu lêriu: lātad iuwa lioht . . . . skīnan; nis nū lang te thiu* 'es wird nun nicht lange dauern';

D. der Zukunft, und zwar allgemein bei *werdan: thes wirðid sō fagan man;* bei andern Verben nur dann, wenn entweder *mag* oder *skal* + Inf., oder ein Kohortativ oder Imper., oder *werdan* vorhergeht, vgl. *nū mahtu sīdon . . ., than findis thū; mī skulun Judeon bindan, dōt mī wīties filo; folgon im . . ., than lêbot ūs thoh duom after; folgo . . ., than habas thū friðu; that wirðid hēr . . . skīn; fallad sterron. —* Selten sonst: *ik gangu imu at êrist tō.*

Anm. Wegen der Verbindung von *hébbian* und *wesan* mit dem Part. Prät. vgl. die Syntax.

394. Der Ind. Prät. bezeichnet:

1. Einzelne, vollzogene Tatsachen der Vergangenheit: *giwêt imu an Galileo land,* und entspricht dem griech. Imperfekt, Perfekt und Aorist, zuweilen auch dem Plusquamperfekt, z. B. *sō alde man sprākun* 'gesprochen haben', *skoldun sea sèggian, that sea gisāhun* 'gesehen hatten' (so besonders in Relativsätzen).

2. In der Vergangenheit wiederholte Tatsachen: *sō was iro wīsa than, that that ni mōsta forlātan negên idis, ef iru at êrist warð sunu afōdit.*

3. Aus der Vergangenheit in die Gegenwart reichende Tatsachen, z. B. *than was imu that luttil fruma, that hē it giō gehugda.*

4. Eine Tatsache, deren Mitteilung der Vergangenheit angehört: *that mêndun thia wuruhteon, thia ādro werk bigunnun, Hd. 3461.*

5. Eine Tatsache, die unter einer gewissen Bedingung eingetreten wäre: *wāh ward thesaro weroldi, ef . . .*

395. Der Konjunktiv, der seiner Herkunft nach ein Optativ ist, vertritt diesen mit, und vereinigt daher auch die Bedeutungen beider Modi. — Der Konj. Präs. ist in absoluter Bedeutung nur auffordernd, vgl. *faran wī! witin gī! diuriđa sī drohtine!* — Bei der 1. Pers. Pl. wird gern *wīta* (= franz. *allons*) zugesetzt: *wīta kiosan!* 'laßt uns wählen!'

396. Der Konj. (Opt.) Prät. hat, absolut gebraucht, potentiale Bedeutung und drückt aus:

1. Die milde Konstatierung einer gegenwärtigen Tatsache: *ūs wāri thes firiwit mikil te witanne.*

2. Eine Vermutung: *thū mahtis man wesan thes the thār stêd.*

3. Daß etwas unter einer gewissen Bedingung eintreten würde, z. B. *ef wī gisaldin siluberskatto twê hund samad, tweho wāri is noh than.*

4. Daß etwas unter einer gewissen Bedingung eingetreten wäre, z. B. *nio it than te sulikaru frumu ni wurdi* 'dann wäre es nie zu solchem Nutzen geworden'.

397. Das Part. Prät. hat bei neutralen Verben aktive, bei transitiven Verben passive Bedeutung, vgl. *giwahsan* 'gewachsen', aber *aslagan* 'erschlagen'. Bei letzteren ist jedoch auch eine aktive Bedeutung möglich, z. B. *drunkan* 'betrunken' und 'getrunken'.

Einteilung der Verba.

398. Die as. Verba zerfallen in zwei Hauptklassen: a) thematische und b) unthematische, von denen die erstere sich wieder in starke, schwache und gemischte einteilen läßt. Die thematischen Verba (die griech. mit -ω in der 1. Pers. Sg. Ind. Präs. Akt.) bilden ihr Präsens mit, die unthematischen (die griech. auf -μι) ohne Bindevokal im Ind. Präs. Nur die erstere Klasse ist reich entwickelt, während die zweite sehr schwach vertreten ist.

399. Die starken Verba bilden ihr Präteritum ohne Zusatz. bloß durch Ablaut oder Reduplikation, und ihr Part. Prät. auf *-n,* z. B. a) ablautend: *bindan — band — gibundan;* b) reduplizierend: *fallan — fell* (got. *faifall*) — *gifallan.*

400. Die schwachen Verba bilden ihr Prät. durch Anhängung der Endung *-da* oder *-ta* und im Part. Prät. *-d* oder *-t,* z. B. *salbon* 'salben' — *salboda — gisalbod, sōkian* 'suchen' — *sōhta — gisōht.* Sie zerfallen nach den Bildungssuffixen in drei Klassen: a) *ja-,* b) *-ō,* c) *ai*-Stämme, z. B. *wendian* 'wenden', *salbon* 'salben', *hebbian* 'haben' (2. Sg. Ind. Präs. *habes* = got. *habais*).

401. Die gemischten Verba vereinigen b-ide Formen, indem sie zu einem alten starken Präteritum, das Präsensbedeutung bekommen hat, ein neugebildetes schwaches fügen, z. B. *skal* 'soll' — *skolda.* Man nennt sie daher Präterito-präsentia.

Anm. Die schwachen und gemischten Verba zeigen auch gelegentlich Ablaut, vgl. *wirkian, workian* 'wirken' : Prät. *warhta; mag* 'vermag' : Prät. *mahta, mohta; williu, welliu* 'will' : Prät. *welda, walda, wolda* u. ä.

I. Flexion (Endungen).

1. Das Präsens.

A. Indikativ.

402. Die 1. Pers. Sg. geht bei den starken Verben gewöhnlich auf *-u*, bei den *ja*-Stämmen und den schwachen Verben 1. und 3. Klasse auf *-iu*, bei den schw. Verben 2. Klasse auf *-on* (aus *-ōm*), bei den unthematischen auf *-m (-n)* aus. Für *-u, -iu* steht seltener *-o, -io, -eo*, vgl. § 153.

Anm. 1. M hat 8, C 3, Gen. und Petr. Gl. je 2 mal *-o*. Wegen *willio* 'will' vgl. § 479, 3, wegen *-n* für *-m* § 185.

Anm. 2. Die langsilbigen starken Verba und *ja*-Stämme sollten nach § 153 ihre Endung verlieren, haben sie aber nach dem Vorbild der kurzsilbigen wiederhergestellt: *bindu* 'binde', *sōkiu* 'suche'.

403. Die 2. Pers. Sg. endet bei den starken Verben und den *ja*-Stämmen auf *-is*, bei den *ō*-Stämmen auf *-os*, bei den *ai* Stämmen auf *-es, -as* (oder *-is*), bei den unthematischen Verben auf *-s.* Nur das Verbum subst. hat *-st: bist*, nach Analogie der Präterito-präsentia.

Anm. Wegen der wechselnden Vokale in *habes* etc. vgl. § 466.

404. Die Endung der 3. Pers. Sg. ist bei den starken Verben und den *ja*-Stämmen *-id, -it, -ið*, bei den *o*-Stämmen *-od, -ot, -oð* oder *-ad, -at, -að*, bei den *ai*-Stämmen *-ed, -et -eð* oder *-ad* etc. oder *-id* etc., bei den unthematischen *-d, -t, -ð*. Das Verb. subst. hat *is* und *ist.*

Anm. 1. Wegen des Überganges von *-d* in *-t* vgl. § 248; *-d* und *-ð* stehen in grammatischem Wechsel.

Anm. 2. M und die kl. Denkm. haben meist *-d*, C, V und Gen. meist *-t*. Daneben zeigt M einige 20 *-t*, C etwa gleich oft *-d*, Gen. 3 *-d* (in *stēð*), von den kl. Denkm. die Ess. H., Beda, die Ess., Petr., Straß. und Wer. Gl. vereinzelte *-t* (Ess. und Wer. Gl. je 3). Dagegen ist *-ð* selten: am häufigsten erscheint es in C, vereinzelt in P, V und Gen. Vgl. van Helten, PBrB. 34, 141.

Anm. 3. Schwächung von *i* zu *e* zeigen vereinzelt C, Ess. H. und Wer. Gl., 3 mal die Fr. H. Wegen des Vokalwechsels bei den *ō-* und *ai*-Stämmen vgl. § 463 ff.

405. Die 3 Personen des Pl. haben die gemeinsamen Endungen: *-ad, -at, -ađ* bei den starken Verben, *-iad, -iat -iađ* oder *-ead* etc. bei den *ja*-Stämmen, *-od* etc. oder *-oiad* etc. bei den *ō-*Stämmen, *-d* etc. bei den unthematischen Verben. Das Verbum subst. zeigt *-nd: sind (sint)*.

Anm. 1. Die Formen *-ad, -od* etc. können nur die ursprünglich der zweiten Person zukommenden sein, die bei den starken Verben und *ja*-Stämmen den Suffixvokal der dritten angenommen hatten, vgl. ahd. *-at* neben *-it* = got. *-iþ*. Die Formen auf *-đ* dagegen stehen entweder im grammatischen Wechsel mit denen auf *-d* — vgl. die 3. Pers. Sg. — oder kamen ursprünglich der 3. Pers. Pl. zu, wobei ein westgerm. **-anþ* sein *-n-* verloren hätte. In beiden Fällen ist ae. *-ađ* etc. zu vergleichen. — Das *-t* ist aus *-d* entstanden, vgl. § 404 Anm. 1.

Anm. 2. Wie in der 3. Pers. Sg. ist *-d* die häufigste Endung in M und den kl. Denkm., *-t* in C, V und Gen. Daneben hat jedoch M 19 *-t*, die kl. Denkm. 3 *-t* (je eins in den Oxf., Petr. und Straß. Gl.), C 7 *-d*. Die Endung *-đ*, *-th* ist selten: 7 mal in C, je 1 mal in den Lam. Gl. und M.

Anm. 3. Zu *-ed* reduziert erscheint *-ad* 5 mal in Ps., 3 mal in der Fr. H. (neben je 1 *-ad*), je 1 mal in C und Beda.

Anm. 4. Die 2. und 3. Pers. zeigen in C mehrmals die hochdeutschen Formen *-ent, -and, -ond*, die auch je 1 mal in M und den Wer. Gl. auftreten. Über die Endungen der *ō-*Stämme vgl. diese.

B. Optativ.

406. Die 1. und 3. Pers. Sg. enden bei den starken und unthematischen Verben auf *-e* oder *-a*, bei den *ja*-Stämmen auf *-ia*, *-ea* oder *-ie*, bei den *ō-*Stämmen auf *-o, -oie, -oia*. — Keine Endung zeigt das Verb. subst.: *sī* 'sei'.

Anm. 1. Dies *-e, -a* ist eigentlich die Endung der 3. Pers. (got. *-ai*), woraus *ê*, *e* werden mußte. Wegen des Wechsels mit *a* vgl. § 150.

Anm. 2. In M steht bei den st. Verben *e* fast doppelt so oft als *a*, bei den schw. Verben sind die Endungen *-ea* und *-ie* nahezu gleich häufig, während *a* in C ganz selten ist (3 mal); Gen. hat nur *a*. Die kl. Denkm. haben mehr als doppelt so oft *a* als *e*, das auf die Segen, Hild., Par. Gl. und Ps. beschränkt ist und auch je 1 mal in den Oxf. und Wer. Gl. auftritt. Vgl. Schlüter, Unters. S. 210 f.

407. Die Endung der 2· Pers. Sg. ist *-es, -as* bei den starken
und unthemat. Verben, *-ies, -ias, -eas* bei den *ja-,* *-os* bei den ō-
Stämmen. Das Verb. subst. hat *sis*.

Anm. 1. Dies *-es* aus *-és* entspricht got. *-ais*, doch ist *-s* Neubildung nach dem Ind. (vgl. ae. *-e*). S. auch § 417 Anm. und
van Helten, PBrB. 34, 138.

Anm. 2. In M sind *-as* und *-es* fast gleich häufig, in C ist
ersteres ganz selten, während *-as* in den kl. Denkm. und in Gen.
bis auf je 1 *-es* in Gen. und den Ess. Gl. allein herrscht. Vgl.
Schlüter, Unters. S. 239 f.

408. Der Plur. zeigt in allen 3 Personen die Endung *-en, -an*
bei den starken und unthemat. Verben, *-ian, -ien, -ean* bei den *ja-,*
-on oder *-o(g)ian* bei den ō-Stämmen.

Anm. 1. Dieses *-en* aus *-én* entspricht got. *-aina* und ist also
die Form der dritten Person, wie beim Plur. Prät.

Anm. 2. M hat fast gleich oft *-an* und *-en*, Ps. nur *-en*,
während in C, Gen., V und den kl. Denkm. *-an* fast allein herrscht.
(C hat nur 1 *-en*.) Vgl. Schlüter, Unters. S. 235 f.

Anm. 3. *Wīta* 'allons!' (vgl. ae. *wuton*) ist ein alter Adhor-
tativ und aus *witan* 'gehen wir!' entstanden.

C. Imperativ.

409. Die starken und unthemat. Verba haben im Sg. keine
Endung, die *ja*-Stämme gehen auf *-i*, die ō-Stämme auf *-o*, die *ai-*
Stämme auf *-e* oder *-a* aus. Der Plur. hat dieselben Formen wie
der Indikativ.

Anm. Die langsilbigen *ja*-Stämme haben ihr *-i* nach Analogie
der kurzsilbigen neu gebildet (vgl. *sōki* = ae. *séc* 'suche').

D. Infinitiv und Gerundium.

410. Der Inf. geht bei den unthemat. Verben auf *-n* (seltener
-an), bei den starken auf *-an, -en,* bei den *ja*-Stämmen auf *-ian,*
-ean, -ien, bei den ō-Stämmen auf *-on, -an* oder *-oian, -ian* aus.

Anm. Die st. Verba haben in CM einigemal, je einmal auch
in V und der Fr. H., *-o-* statt *-a-*, vgl. Schlüter, Unters. S. 141. Die
ja-Stämme zeigen in M nicht ganz so oft, die st. Verba mehr als
halb so oft *-en* als *-an*, was sonst nur selten vorkommt (je 2mal
bei *ja*-Stämmen in den Oxf. Gl. und im Hild., je 1 mal bei starken
Verben in den Ess. Gl. und der Fr. H.). Vgl. Schlüter, Unters. S. 225 ff.

411. Der Gen. des Gerundiums auf *-(i)annias* erscheint nur
im Beicht., der Dat. auf *-ann(i)a, -anne, -(i)enne, -onn(i)a, -onne*
ist öfters belegt. Das unthemat. *duon* hat *duonne* Ps.

Anm. 1. Der Dat. geht bei den st. Verben in Gen., Beicht. und Ess. Gl. auf -*anna*, in MC auf -*anne* (1 mal C -*enne*) aus; bei den *ja*-Stämmen habeu P und Gen. -*eanna* und -*ianna*, Beicht. -*ianna*, während in M -*ienne* und -*eanne*, in C -*ianne* und -*eanne* die herrschenden Formen sind, woneben dort nur ganz selten -*enne(a)*, -*eannia*, -*ianne*, hier vereinzelt -*anne(a)*, -*enna*, -*onne* auftreten; Ps. hat -*enne*, die Greg. Gl. -*inna*. Der auslautende Vokal ist in MC meist, in Ps. stets -*e*, in den übrigen Quellen -*a*; M hat nur 3, C nur 2 -*a*.

Anm. 2. Eigentümlich ist der Dat. *te gănde* 'zu gehen' Fr. H., der die Form des Part. Präs. hat. Solche Formen sind im Mnd. und Afries. häufig. Vgl. dazu § 189 Anm.

E. Partizipium,

412. Die Endung ist bei den starken Verben -*andi*, bei den *ja*-Stämmen -*iandi*, -*iendi*, bei den *ō*-Stämmen -*ondi*, -*iandi* oder -*oiandi*. Die Partizipia flektieren als starke und schwache *ja*-Stämme, vgl. §§ 359 f. und 363 ff.

Anm. 1. Das Part. in seiner ursprünglichen Gestalt als konsonantischer Stamm liegt vor in den Substantiven *hêliand* etc., vgl. § 320.

Anm. 2. Die st. Verba haben regelmäßig -*andi*, woneben in MC und den Ess. Gl. vereinzelt -*endi* steht; letztere haben auch 1 mal mit Assimilation *driagundun*; bei den *ja*-Stämmen überwiegt in M -*eandi*, -*iandi* (selten -*andi*) die Formen auf -*iendi* (selten -*iondi*, -*endi*) noch recht stark, während sich in C -*(i)andi* (selten -*eandi*) und -*(i)endi* fast die Wage halten. In letzterer Hs. ist das -*i*- schon oft geschwunden; desgl. hat Gen. nur *libbendi*. Die kl. Denkm. haben bei den *ja*-Stämmen meist -*(i)andi*, wofür Ps. je 1 mal -*iondi* und -*endi*, die Ess. Gl. 2 mal, die Lam. und Par. Gl. je 1 mal -*indi* zeigen, das auch 1 mal in C steht.

Anm. 3. Die Wer. Gl. haben häufig, die Ess. Gl. 1 mal -*nthi* statt -*ndi*. Vgl. van Helten, PBrB. 25, 346 und 36, 141.

Anm. 4. Das auslautende -*i* ist schon in C und Gen. vereinzelt zu -*e* geworden (vgl. § 151). In C ist auch die Singularform auf -*i* nicht selten in den Nom. Pl. M. F. übertragen.

2. Das Präteritum.
A. Indikativ.

413. Die erste und dritte Person haben bei den starken Verben keine Endung, bei den schwachen gehen sie auf Dental (*d*, *t*) + *a* oder *e* aus, z. B. *folgoda*, -*e* 'folgte', *wahta* 'weckte'.

Anm. 1. Nur in Gen., M, C, Greg., Lam., Par. und Oxf. Gl.
kommt *-e* vor, und zwar in M und Oxf. Gl. etwa doppelt so oft als
-a, während letzteres in Gen. stark überwiegt; C hat nur 4, Greg.
Gl. 1 *-e* (neben 1 *-a*), Lam. und Par. Gl. nur *-e* (je 1mal). Vgl.
van Helten, PBrB. 34, 127.

Anm. 2. Ursprünglich endete die 1. Pers. aüf *-ō*, die 3. auf
-ē, was im As. *-a* resp. *-e* ergeben mußte. Später haben sich dann
die Formen gegenseitig beeinflußt, vgl. UG. § 219.

414. Die 2. Pers. hat 1. bei den starken Verben die Endung *-i*,
z. B. *driƀi* 'triebst'; 2. bei den Prät.-präs. *-t* oder *-st*, z. B. *maht*,
kanst 'kannst'; 3. bei den schwachen Verben (Dental +) *-es*, *-as*
oder *-os*, z. B. *haƀdes* etc. 'hattest'. Zum *-i* vgl. van Helten, PBrB.
34, 139.

Anm. 1. Bei den schw. Verben kennt M nur *-es*, C hat 4 mal
-os, 3 mal *-as*, Gen. und Trier. Seg. B je 1 mal *os;* *-es* entspricht
dem got. *-ēs*, aisl. *-er* und ae. *-es*, während *-os* seinen Vokal dem Einfluß der 1. Pers. verdankt (vgl. § 413 Anm. 2). Das *-as* von C kann
sowohl Ausgleichung nach der 1. 3. Pers., wie Abschwächung von
älterem *-os* sein. Vgl. Schlüter, Unters. S. 111.

Anm. 2. Die Endung *-st* des Prät.-präs. war ursprünglich nur
bei *darst* berechtigt, von da aus ist sie analogisch verbreitet worden.

415. Der Plur. hat in allen drei Personen die Endung der
3. Person *-un*, *-on* angenommen, z. B. *driƀun* 'trieben', 'triebt', *haƀdun*
'hatten', 'hattet'.

Anm. Für *-un* tritt zuweilen *-on* ein, so öfter in C und in
der Fr. H., aber nur 2mal in M, je einmal in Gen., Bed. (neben
1 *-ŏn*), Greg. und Straß. Gl. Das 4malige *-an* von C ist wohl Schreibfehler. Vgl. Schlüter, Unters. S. 80 und 88.

B. Optativ.

416. Die 1. und 3. Pers. enden auf *-i*, z. B. *driƀi* 'triebe',
haƀdi 'hätte' (vgl. § 80).

Anm. 1. Die ursprünglich nur der 3. Person zukommende
Endung *-i* (aus urgerm. *-ī*) sollte nach § 151 bei langsilbigen Stämmen abfallen, ist aber hier nach Analogie der kurzsilbigen wiederhergestellt worden, daher *bundi* 'bände' etc. — Einigemal in C, vereinzelt in P, M und Gen. ist *-i* zu *-e* geschwächt. Vgl. Schlüter,
Unters. S. 192 f. und 258.

417. Die 2. Pers. hat die Endung *-is* (aus *-īs*), z. B. *nāmis*
'nähmst', *haƀdis* 'hättest'.

Anm. Das *-s* stammt aus dem Ind. Präs. (vgl. ae. *-e*); die alte
Form zeigt noch *wili* 'willst' (got. *wileis*).

418. Der Plural hat in allen Personen die Endung der 3. Person angenommen, z. B. *wārin* 'wären', 'wäret', *haƀdin* 'hätten', 'hättet'. Anm. Das *i* war ursprünglich lang (got. *-eina*). Gen. hat dafür 1 mal die Schwächung *-en*.

C. Partizipium.

419. Die Endung ist bei den starken Verben in der Regel *-an*, seltener *-en*, *-in*, z. B. *gibundan* etc. 'gebunden'; das Verb *dōn* 'tun' hat *gidōn*, *giduan*, *gidān*. Das Part. flektiert wie die Adj., stark und schwach.

Anm. 1. Die Formen mit *-e-* sind häufig in M (98 *e* gegen 154 *a*) und den Oxf. Gl. (soviel *e* wie *a*), während Gen. und Wer. Gl. nur je 2, V, P, C, Ps., Fr. H., Greg., Lam., Par., Petr. und Wer. Gl. nur je 1 *e* aufweisen. Dies *e* entspricht dem *e* der aisl. und ae. Formen (z. B. *bundenn*, *ʒebunden*), wenn es nicht auf Assimilation an den Vokal der Flexionsendungen oder Vokalschwächung beruht, vgl. § 124. Die Endung *-in* findet sich 3 mal in Gen., 1 mal in C (*kumin*) und steht mit *-an* im Ablaut (vgl. got. *fulgins* 'verborgen' und die ae. und afries. Formen auf *-in*, *-en*): in *geslēgen* 'geschlagen' Wer. Gl. hat es Umlaut bewirkt. Vgl. Gallee, ZfdPh. 29, 145 ff.

Anm. 2. Selten wird *a* durch Vokalharmonie (vgl. § 124) verändert, z. B. *fargriponon* 'vergriffenen' M, *girunnunon* 'geronnenen' Wer. Gl.

420. Bei den schwachen Verben ist die Endung *-id*, *-it*, *-d* oder *-t* bei den *ja-* oder *ai-*Stämmen, *-od*, *-ot*, *-ad* bei den *ō*-Stämmen.

Anm. Nach Vokal ist *-d* in C häufig, in M fast nur im ersten Drittel in *-t* übergegangen (vgl. § 248), PV haben wie die meisten kl. Denkm. nur *d*, Gen. und Straß. Gl. fast ebenso oft *t* wie *d*, Petr. Gl. je 1 *t* und *d*. Die häufige Erhaltung des *d* erklärt sich durch den Einfluß der flektierten Formen. Nach Kons. bleibt *d*, z. B. *gitald* 'gezählt' etc., wenn nicht schon westgerm. hier *t* eingetreten ist. Über die Synkope des *-i-* vgl. unter Stammbildung, § 459 f.

421. Die Partizipia von einfachen Verben haben stets das Präfix *gi-*, außer *hêtan* 'geheißen', *drunkan* 'trunken', *fundan* 'gefunden', *wundan* 'gewunden', *wordan* 'geworden', *kuman* 'gekommen', *nēglid* 'genagelt', *kennid* 'erzeugt', *fūsid* 'geneigt', *fruodod* 'gealtert', *losod* 'los geworden', nebst den nur als Adjektiva vorkommenden *ôdan* 'beschert', *ôkan* 'schwanger'. Dazu kommen aus den kl. Denkm.: *áf-togan* 'exemptus', *wegan* 'perpensus', *fórth-brāht* 'ructatus', 'proditus' Wer. Gl., *numan* 'genommen' Oxf. Gl., *mĕngid* 'gemengt' Straß. Gl. — Zusammensetzungen mit *un-* haben bald *gi-*, bald nicht, vgl. *unlêstid* 'unerfüllt' Hel., *unwĕrid* 'unbekleidet' Gen. neben *ungiōfda* 'ungeübte' Ess. Gl., *ungimēlad* 'ungemalt' Oxf. Gl.,

ungimêdon 'incassum' Wer. Gl. Vgl. auch *hôh-hurnid* 'hochge-
hörnt' Hel.

Anm. Wegen der Nebenformen *ge-, i-, e-* des Präfixes vgl.
§§ 118 und 232. — Die Bedeutung von *gi-* war ursprünglich, das
Verb zu perfektivieren; darum fehlt es bei *fîđan* und *kuman* und.
den zusammengesetzten, denen bereits perfektive Bedeutung inne-
wohnt.

II. Stammbildung.
1. Die thematischen Verba.
A. Die starken Verba.
a. Ursprünglich ablautende.
Allgemeines.

422. Die ablautenden Verba verteilen sich auf die ersten
6 Ablautsreihen (§ 154 ff.) und entwickeln 2 bis 4 verschiedene Ab-
lautsstufen in den Tempusstämmen. Dieselben scheiden sich in
1. den Präsensstamm; 2. den ersten Perfektstamm: 1. und 3. Pers.
Sg. Ind.; 3. den zweiten Perfektstamm: 2. Pers. Sg. Ind., Plur. Ind.
und der ganze Opt.; 4. Part. Perf.

Man muß daher, um die Flexion eines starken Verbums zu
kennen, folgende 4 Formen wissen: 1. Sg. Ind. Präs. (oder Infinitiv);
1. Sg. Ind. Perf.; Plur. Ind. Perf.; Part. Perf., z. B. von *kiosan* 'wählen':
kiusu oder *kiosan, kôs, kurun, gikoran.*

423. Der Präsensstamm—zeigt von seiner ursprünglichen
Mannigfaltigkeit noch einige Reste, nämlich: 1. Bildungen mit dem
Suffix *-ja* in der 5. und 6. Reihe, z. B. *biddian* 'bitten', *swêrian*
'schwören'; 2. eine Bildung mit dem Infix *-n-*, allein in *standan*
'stehn'. Während bei diesen der Perfektstamm — mit Ausnahme
des Part. Prät. *gistandan* — noch seine alte Form bewahrt hat (vgl.
bad 'bat', *stôd* 'stand'), ist bei andern Verben der erweiterte Präsensstamm verallgemeinert worden, vgl. *fregnan* 'fragen', Prät. *fragn*
gegenüber got. *fraíhnan : frah*, oder *bregdan* 'knüpfen', Prät. *bragd*
mit aisl. *bregđa : brá* (aus **brah, *brag*).

424. Die Verba mit urgerm. stimmloser Spirans im Wurzelauslaut zeigen nach § 257 grammatischen Wechsel in den
beiden letzten Tempusstämmen, also im As. einen Übergang von *đ*
zu *d, s* zu *r, h* zu *g* oder *w,* z. B. *lîđan* 'gehen' : Pl. Ind. Prät. *lidun,*
kiosan 'wählen' : *kurun, slahan* 'schlagen' : *slôgun, farlîhan* 'verleihen' : Part. *farliwan.*

Bei altem *f* ist der Wechsel meist durch Übergang des inter-
vokalischen *f* in *ƀ* (§ 197) lautgesetzlich verschwunden, vgl. *hioƀan*

'wehklagen' (= got. *hiufan*) : **huƀun;* nur *hęffian* C 'heben' zeigt noch die ursprünglichen Verhältnisse: Pl. Prät. *hōƀun.*

425. Bei vielen Verben ist jedoch der grammatische Wechsel durch Ausgleichung der Formen verschwunden; vgl. *wurdun* 'wurden' neben *wurđun, lāsun* 'lasen' statt **lārun, bifulhun* 'übergaben' statt **fulgun, sāhun* 'sahen' neben *sāwun,* oder umgekehrt *slōg* statt *slōh (nach *slōgun*). Dazu kommt noch, daß infolge der mangelhaften Bezeichnung des *đ* in den Heliandhss. (§ 206) oft r e i n g r a p h i s c h der alte Wechsel von *đ* und *d* geschwunden ist. Vgl. auch § 247 Anm. wegen des Überganges von *rd* in *rđ.*

426. Auch der Schwund eines *n* vor Spiranten (§ 191) in Fällen wie *thīhan* 'gedeihen' : Part. Prät. *githungan* oder *fīđan* 'finden' : Pl. Prät. *fundun,* sowie der Wechsel von Geminata und einfachem Kons. (eventuell von Verschluß- und Reibelaut) bei den *ja-* Präsentia ist bemerkenswert; vgl. zu letzterem *liggiu* 'liege' : *ligis* 'liegst', *hębbiu* 'hebe' : *hębis.*

427. Nach §§ 223, 234, 248 und 252 werden stimmhafte Geräuschlaute im Auslaut stimmlos, vgl. *sterƀan* 'sterben' : Prät. *starf, stīgan* 'steigen' : *stêg, bindan : band, singan : sang,* während die stimmlosen Spiranten *f, th, s* im Inlaut stimmhaft werden, z. B. *hôf* 'klagte' : Inf. *hioƀan* (got. *hiufan*), *ward* 'ward' : Inf. *werđan* (got. *wairþan*), *las* 'las' : *lesan,* wenn auch die Schrift diesen Wechsel nicht immer bezeichnet. Ebenso wechselt die gutturale stimmlose Spirans *h* (= *ch*) mit dem Hauchlaut *h,* der schwinden kann, z. B. *sah* 'sah' : *sehan, sean,* die Geminata mit einfachem Kons., z. B. *spinnan : span;* -*w* schwindet, z. B. *hrau* 'reute' zu *hreuwan.*

428. Nach §§ 82 ff. und 101 ff. werden *e* und *io* vor *i, u* der folgenden Silbe, also im Sg. Ind. Präs., in *i* und *iu,* nach § 77 ff. *a* durch *i* zu *ę* umgelautet, während *u* nach § 86 ff. im Part. Prät. zu *o* wird, wenn es nicht durch Nasal + Kons. geschützt ist. So lauten die betreffenden Präsensformen von *kiosan* 'wählen' : *kiusu, kiusis, kiusid,* von *werđan* 'werden' : *wirđu, wirđis, wirđid,* von *slahan* 'schlagen' : *slęhis, slęhid;* im Part. Prät. vgl. *gikoran* mit *gibundan.* Im Sg. Imper. steht neben lautgesetzlichem *io* und *e* in C und den kl. Denkm. meist durch Einfluß der 2. Sg. Ind. *iu* und *i,* vgl. *teoh :* *tiuh* 'zieh', *seh : sih* 'sieh'. — Die *ja-*Präsentia, wie *liggian* 'liegen', haben natürlich im ganzen Präsensstamme *i,* solche wie *hębbian* 'heben' im ganzen Präsens *ę.* Vgl. die P a r a d i g m e n t a f e l auf S. 150 und 151.

A n m. 1. Der *i*-Umlaut von *e* ist in der 3. Sg. Ind. Präs. zuweilen (meist vor *l* + Kons.) durch Ausgleichung beseitigt, vgl.

A. Präsens.

1. Indikativ.

Sg. 1.	drīþu, -o[1]	kiusu	winnu	wirðu	biru	sihu	slahu
2.	drīþis	kiusis	winnis	wirðis	biris	sihis	slehis, slahis
3.	drīþid, -t; -ð	kiusid	winnid	wirðid	birid	sihid	slehid, slahid
Pl.	drīþad, -t; -ð	kiosad	winnad	werðad	berad	sehad	slahad

2. Optativ.

Sg. 1. 3.	drīþe, -a	kiose	winne	werðe	bere	sehe	slahe
2.	drīþes, -as	kioses	winnes	werðes	beres	sehes	slahes
Pl.	drīþen, -an	kiosen	winnen	werðen	beren	sehen	slahen

3. Imperativ.

Sg.	drīf	kios, kius	win	werð, wirð	ber, bir	seh, sih	slah

4. Infinitiv.

	drīþan	kiosan	winnan	werðan	beran	sehan	slahan

5. Partizip.

	drīþandi	kiosandi	winnandi	werðandi	berandi	sehandi	slahandi

B. Präteritum.

1. Indikativ.

Sg. 1. 3.	dref	kôs	ican	warđ	lar	sah	slôg
2.	driƀi	kuri	wunni	wurdi	bâri	sâvi	slôgi
Pl.	driƀun, -on	kurun	wunnun	wurdun	bârun	sâvun	slôgun

2. Optativ.

Sg. 1. 3.	driƀi, -e	kuri	wunni	wurdi	bâri	sâvi	slôgi
2.	driƀis	kuris	wunnis	wurdis	bâris	sâvis	slôgis
Pl.	driƀin	kurin	wunnin	wurdin	bârin	sârin	slôgin

3. Partizip.

| gidriƀan, -en | gikoran | giwunnan | wordan | giboran | gisewan | gislagan |

---

¹ Die beim ersten Paradigma angegebenen Nebenformen gelten auch für die übrigen.

sweltið 'stirbt' 1 C, *geldid* 2 Ess. Gl., *geldet* Ess. und Fr. H. 'gilt',
ginesid 'genest' 1 Ess. Gl., *swekid* (Hs. *swevid*) 'riecht' Wer. Gl., vgl.
§ 84 Anm. 1. In *werthid* 'wird' Ess. Gl., *werthit* Petr. Gl. kann dagegen Trübung des *i* vor *r* vorliegen; *leskid* 'erlischt' Straß. Gl. ist
wohl als schwache Form *(= lêskid)* aufzufassen, vgl. *brênnid*
'brennt' ib.

Anm. 2. Der *i*-Umlaut des *a* in der 6. Ablautssilbe, sowie
bei den ursprünglich reduplizierenden Verben mit kurzem *a* (z. B.
fallan) ist im Hel. öfter durch Ausgleichung beseitigt, vgl. § 80. Gen.
hat neben 4 Umlautsformen ein *fallit*, V, Bed. und Ess. Gl. *è*, Ps.,
Straß., Petr. Gl. *a*, Wer. Gl. beides. Vgl. Gombault S. 56 f.

Anm. 3. Die Umlautsformen des Imper. herrschen in C vor,
vgl. *tiuh* 'zieh', *hilp* 'hilf', *nim* 'nimm', *gif* 'gib', *sih* 'sieh', *wis* 'sei',
woneben nur 1 mal *wes* vorkommt; desgl. haben die kl. Denkm. meist
i: *hilp* Ess. Gl., *sprik* 'sprich', *wirth* 'werde' Wer. Gl., *stik* 'stich'
Elt. Gl.; M zieht die nicht umgelauteten Formen vor: *teoh*, *help*,
gef, *seh*, hat aber wie C *nim* und *wis*. Die Straß. Gl. zeigen nur
wes. Wegen *nim* vgl. jedoch § 83.

Anm. 4. Vereinzelt sind andere Vokalveränderungen, wie der
Übergang von *e* zu *i* in *giban* 'geben' und *niman* 'nehmen' (§ 83),
ir zu *er* in *werthid* 'wird' (§ 84 Anm. 2), *or* zu *ar* in *gibaran* 'geboren' (§ 86 Anm. 1), *ur* zu *or* in *worthun* 'wurden' (§ 88 Anm. 3),
der Wechsel von *u* und *o* in *ginuman* 'genommen' (§ 88 Anm. 1),
von *ā* und *ē* in *bādi* 'bäte', *gābi* 'gäbe', *lātið* 'läßt' neben *bēdi* etc.
(§ 91), von *ê*, *æ* und *ā*, *êi* in *arês*, *aræs*, *arās* 'stand auf' und *skān*
'schien' C, *skrêid* 'schritt' M (§ 97 Anm. 1), Dehnung von *a* in *slā*
'schlag' (§ 106).

Erste Ablautsreihe.

429. Der urgerm. Ablaut *ī : ai : i* erscheint als *ī : ê : i*, z. B.
grīpan 'greifen' : *grêp* : *gripun* : *gigripan*.

So gehen: *skrīan* 'schreien', *spīwan* 'speien', *hrīnan* 'berühren',
kīnan 'keimen', *skīnan* 'scheinen', *drīban* 'treiben', *biklīban* 'Wurzel
fassen', *bilīban* 'bleiben', *skrīban* 'schreiben', *hnīgan* 'sich neigen',
sīgan 'ziehen', *stīgan* 'steigen', *bītan* 'beißen', *flītan* 'streiten', *glītan*
'gleißen', *hnītan* 'stoßen', *hrītan* 'reißen', *slītan* 'schleißen', *bismītan*
'beflecken', *wītan* 'vorwerfen', *giwītan* 'gehen', *wrītan* 'schreiben',
blīkan 'glänzen', *swīkan* 'untreu werden', *wīkan* 'weichen', *bīdan*
'warten', *glīdan* 'gleiten', *hlīdan* 'schließen', 'decken', *rīdan* 'reiten'.

430. Grammatischen Wechsel sollten die Verba mit innerem
s, *ð* und *h* haben, z. B. *rīsan* 'sich erheben' : *rês* : **rirun* : **giriran*,
tnīdan 'schneiden' : *snēð* : *snidun* : *gisnidan*, *aftīhan* 'versagen' :
sêh : **tigun* : **gitigan*, *līhan* 'leihen' : *lêh* : *liwun* : *farliwan*. Doch

sind keine *r*-Formen belegt und der Wechsel von *đ* und *d* ist teils durch Ausgleichung, teils durch die häufige Verwechslung von *đ* und *d* in den Hss. verwischt, vgl. § 425. Über *h : g* vgl. Anm. 2.

Hierher gehören noch: *awīsan* 'sich enthalten', *līđan* 'gehen', *mīđan* 'meiden', **skīđan* 'scheiden', *skrīđan* 'schreiten', *thīhan* 'gedeihen', *giflīhan* 'richten auf' (nur 3. Sg. Ind. Präs. -*id* belegt, im Mnd. stark).

Anm. 1. Wegen vereinzelter ae. *ā* statt *ê* im Sg. Prät. in C und hochd. *ei* in M vgl. § 428 Anm. 4.

Anm. 2. Den Wechsel *h : g* zeigt *thīhan*, das jedoch eigentlich in die III. Klasse gehört, da es aus urgerm. **þiŋhan* entstanden ist (vgl. § 93). Das alte Part. *githungan* ist als Adj. 'tüchtig' erhalten, vgl. dazu *athengian* 'vollbringen'. Neben *farliwi* MC hat M die Neubildung *farlihi*. Bei letzterem und bei *spīwan* sollte *w* vor *u* nach § 164 schwinden; *spiwun* und *liwun* sind leicht erklärliche Neubildungen.

Anm. 3. Von **skīđan* (= mhd. *schīden*) kommt nur das Part. Prät. *giskidan* Ess. Gl. vor. C hat die Formen *mithun* und *gilithan* mit deutlicher Ausgleichung.

Zweite Ablautsreihe.

431. Der urgerm. Ablaut *eu* oder *ū : au : u, o* erscheint a) als *io, iu : ô : u : o*, b) als *ū : ô : u : o*, z. B. *biodan* 'bieten' : *bôd : budun : gibodan*; *lūkan* 'schließen' : *lôk : lukun : gilokan*. Wegen der Nebenformen von *io* vgl. § 101 f., wegen des Wechsels von *u* und *o* § 86 ff.

Hierher gehören: a) *klioðan* 'spalten', *liogan* 'lügen', *driogan* 'betrügen', *driopan* 'triefen', *fliotan* 'fließen', *giotan* 'gießen', *griotan* 'weinen', *hliotan* 'erlangen', *niotan* 'genießen', *skiotan* 'schießen', *athriotan* 'verdrießen', *liodan* 'wachsen'; b) **būgan* 'sich beugen', *sūgan* 'saugen', *hrūtan* 'schnarchen', **slūtan* 'schließen', *sprūtan* 'sprießen', *brūkan* 'brauchen', **dūkan* 'tauchen' (vgl. *dūcari* 'Taucher' und mnd. *dūken*).

Anm. 1. Vor *w* ist *eu* nach § 104 geblieben, es heißt daher **bleuwan* 'bleuen' (3. Sg. Inf. Präs. *bliuwid*), *breuwan* 'brauen', *hreuwan* 'reuen', Prät. *hrau*, vgl. §§ 100 und 168 f.

Anm. 2. *Būgan* und *slūtan*, im Präsensstamme unbelegt, sind auf Grund des Mnd. angesetzt.

432. Grammatischer Wechsel liegt vor in *kiosan* 'wählen' *kôs : kurun : gikoran; tiohan* 'ziehen' : *tôh : tugun : gitogan*.

So gehen noch: *driosan* 'fallen' (*r*-Formen sind nicht belegt), **hniosan* 'niesen' (nur *hnios-wurt* 'Nieswurz' belegt), *farliosan* 'verlieren', *fliohan* 'fliehen' (*g*-Formen nicht belegt). Bei *hioðan* 'klagen'

(got. *hiufan*) ist der grammatische Wechsel durch die as. Laut-
entwicklung verhüllt.

Anm. M hat durch Neubildung im Opt. Prät. 1 mal *tuhin* =
tugin C. Von *fliohan* lautet in den Wer. Gl. das Prät. *flô* (vgl. § 214).

Dritte Ablautsreihe.

433. Diese zerfällt in 2 Klassen: a) Verba, wo die Wurzel
auf Nasal + Kons., b) wo sie auf *l* oder *r* + Kons. ausgeht.

Erste Klasse.

434. In der ersten Klasse sind die urgerm. und as. Vokale
i : a : u, z. B. *bindan* 'binden' : *band : bundun : gibundan*.

So gehen: *grimman* 'wüten', *thrimman* 'schwellen', *brinnan*
'brennen', *biginnan* 'beginnen', *rinnan* 'rinnen', *winnan* 'arbeiten',
*spinnan 'spinnen', *swindan* 'schwinden', *windan* 'winden', *slindan*
'schlingen', *drinkan* 'trinken', *sinkan* 'sinken', *singan* 'singen',
springan 'springen', *swingan* 'schwingen', *thringan* 'dringen', *thwin-*
gan 'zwingen', *wringan* 'ringen', und mit schwachem Prät. (vgl.
§ 462) *þringan* 'bringen' (vgl. *hêm-brung* 'reditus' Oxf. Gl.).

Anm. 1. Neben *rinnan* ist im Hel. auf Grund der Allitteration
im Part. Präs. *irnandi* anzusetzen, vgl. § 180; *spinnan* ist nach dem
Mnd. und der Gl. *spin : tela* Oxf. Gl. angesetzt. Das zweite *m* resp. *u*
ist bei den Verben auf -*mm* und -*nn* ursprünglich Präsenssufûx.

Anm. 2. Von *thwingan* heißt der Pl. Prät. in den Wer. Gl.
thungun nach § 166 a, woneben die Part. *bethwungan* und *teswungan*
Hel. Neubildungen sind.

Anm. 3. Neben *bigan* steht ein schw. Prät. *bigonsta* (= ahd.
bigunsta, afrs. -*gonste*) Beicht. und Greg. Gl. Vgl. dazu Franck, ZfdA.
46, 332 f. Anm.; van Helten, PBrB. 35, 304.

435. Grammatischen Wechsel zeigt *fîđan, findan* 'finden' :
fand : fundun : fundan. Wegen *thîhan* vgl. § 430 Anm. 2.

Anm. In M und Gen. wechselt *fîđan* und das zu *fundun* etc.
neugebildete *findan*, C und Ps. kennen nur letzteres. Einmal (V. 2017)
haben MC den schw. Sg. Prät. *antfunda* (ae. *funde*). Das sonst dafür
erscheinende *fand* ist Neubildung statt **fâđ* oder **fôđ* (vgl. § 106).

Zweite Klasse.

436. In der zweiten Klasse sind die urgerm. und as. Vokale
e, i : a : u, o, z. B. *werpan* 'werfen' : *wirpu : warp : wurpan : giwor-*
pan. Wegen des Wechsels *e : i* vgl. § 84. — Im Präsens hat *u*:
spurnan 'treten'.

So gehen: *hellan* 'schallen', *swellan* 'schwellen', *biwellan* 'beflecken', *bidelƀan* 'begraben', *belgan* 'zürnen', *helpan* 'helfen', *smel-*

tan 'schmelzen', *sweltan* 'sterben', *geldan* 'zahlen', *skerran* 'kratzen',
werran 'verwirren', *sterðan* 'sterben', *swerðan* 'abwischen', *bergan*
'bergen', *swerkan* 'dunkeln'; desgl. mit *l* und *r* vor dem Wurzelvokal: *flehtan* 'flechten', *brestan* 'bersten', *fregnan* 'fragen', *bregdan*
'knüpfen'.

Anm. 1. Bei Verben wie *sweltan* sollte *w* vor *u* schwinden,
also **sultun*, aber solche Formen kommen infolge Ausgleichung
nicht vor, es heißt *swultun*, vgl. § 166 Anm. 1.

Anm. 2. Von *flehtan* sind allerdings beweisende Präterital-
formen nicht belegt, so daß es auch in die folgende Klasse gehören
könnte; das Part. Prät. lautet *giflohtan*. Das nur im Präsens vorkommende *fehtan* 'fechten' wird der Analogie von *flehtan* gefolgt
sein, obwohl es eigentlich in die V. Ablautsreihe gehört.

Anm. 3. *Fregnan* und *bregdan* haben die ursprünglichen
Präsenssuffixe durchgeführt, vgl. § 423. Über die Nebenform *fran(g)*
in CM vgl. § 231 Anm. 2.

437. Grammatischen Wechsel zeigt: *werðan* 'werden' : *ward* :
wurdun : *wordan*; *bifelhan* 'befehlen' hat ihn aufgegeben, *werðan*
häufig durch Ausgleichung oder ungenaue Schreibung beseitigt. Bei
hwerðan 'sich wenden' (ahd. *hwervan*) ist er infolge as. Lautentwick-
lung nicht mehr erkennbar.

Anm. Da *fregnan* einem got. *fraihnan* entspricht, scheint
hier der grammatische Wechsel durch Ausgleichung verschwunden
zu sein. Von *werðan* zeigen die kl. Denkm. nur *th*-Formen im Prät.,
also Aufgebung des grammat. Wechsels.

Vierte Ablautsreihe.

438. Urgerm. Ablaut *e*, *i* : *a* : *ē* : *u*, *o*, as. *e*, *i* : *a* : *ā* : *o*, z. B.
beran 'tragen' : *biru* : *bar* : *bārun* : *giboran*; mit *u* im Präsens: *kuman*
'kommen' : *quam* : *quāmun* : *kuman*.

So gehen: *neman*, *niman* 'nehmen', *giteman* 'geziemen'. *for-
dwelan* 'versäumen', *helan* 'hehlen', *quelan* 'sterben', *stelan* 'stehlen',
skeran 'scheren', und mit *l* oder *r* vor dem Wurzelvokal: *plegan*
'verantwortlich sein', *tregan* 'reuen', *drepan* 'treffen', *brekan* 'brechen',
sprekan 'sprechen', *wrekan* 'rächen'. Wegen *flehtan* vgl. § 436
Anm. 2. Bei *plegan*, *tregan*, *drepan* fehlen allerdings entscheidende
Belege; sie könnten auch zur 5. Abl. R. gehören.

Anm. *Neman* hat im Präsens häufiger *i* als *e*, im Part. Prät.
zuweilen *u*, vgl. §§ 83 und 88; *e* erscheint nur 2mal in M, 6mal
in C, ferner in Ps. und Ess. Gl., *u* nur je 1mal in M, Gen. und
Oxf. Gl.

Fünfte Ablautsreihe.

439. Urgerm. Ablaut *e*, *i* : *a* : *ē* : *e*, as. *e*, *i* : *a* : *ā* : *e*, z. B.
geƀan 'geben' : *giƀu* : *gaf* : *gāƀun* : *gigeƀan*.

So gehen: *weƀan* 'weben', *wegan* 'wägen', *etan* 'essen', *fretan*
'fressen', *bigetan* 'erlangen', *forgetan* 'vergessen', *stekan* 'stechen',
*swekan 'riechen', *gedan* 'jäten' (Prt. **iađ*), *knedan* 'kneten'.

Anm. 1'. *Geƀan* hat zuweilen *i* statt *e*, vgl. § 83; wegen *ē*
statt *ā* im Opt. Prät. vgl. § 91.

Anm. 2. Ob *etan* und *fretan* im Sg. Ind. Prät. *ā* hatten (vgl.
got. *frēt*, aisl. *āt*, ahd. *āz*), läßt sich nicht entscheiden.

440. Grammatischen Wechsel zeigen nur *wesan* 'sein' : *was* :
wārun (Part. Prt. fehlt), *queđan* 'sagen' : *quađ* : *quāđun* : *giquedan*,
sehan 'sehen' : *sah* : *sāwun* : *gisewan*, der aber bei *queđan* oft fehlt.

So ging auch *lesan*, das aber den grammat. Wechsel aufgegeben
hat; bei *ginesan* 'genesen' und *gehan* 'sagen' fehlen beweisende
Formen.

Anm. 1. CM haben oft die Neubildungen *sāhun*, *sāhi(n)*
neben den Formen mit *-w-*; im Part. Prät. hat nur C 3mal *-w-*, daneben 1 mal wie M *-h*.

Anm. 2. Beim Schwund des intervokal. *h* konnten *sehan* und
gehan leicht in die 2. Abl. R. übergehen, da dann die Diphthonge
iu und *ea* (*siu*, *sean* etc.) entstanden, vgl. § 101 f. So erklären sich
die Neubildungen *siaha* 'videam' Wer. Gl. und *giuhu* 'sage' Beicht.
Vgl. Mnd. *sēen* 'sehen', *süst* 'siehst', *süt* 'sieht'.

Anm. 3. Von *wesan* ist der Ind. Präs. nicht gebräuchlich,
vom Opt. Präs. kommt nur vereinzelt (je 2mal in MC) die 3. Pers.
Sing. vor. Geläufig ist dagegen der Imper. *wis*, *wes*.

441. Mit *j*-Suffix im Präsens erscheinen: *liggian* 'liegen',
sittian 'sitzen' und *biddian* 'bitten', die wie die kurzsilbigen schwachen
Verba der 1. Klasse (§ 455 ff.) flektieren, also 2. 3. Pers. Sg. Ind. Präs.
ligis, *ligid*, Imp. Sg. **ligi*, Pl. Ind. Präs. *liggiad*, Opt. *liggie*, aber Ind.
Prät. *lag* : *lāgun*, Part. *gilegan* etc.

Sechste Ablautsreihe.

442. Urgerm. und as. Ablaut *a* : *ō*; für letzteres erscheint auch
uo nach § 94. Beispiel: *faran* 'fahren' : *fōr*, *fuor* : *fōrun*, *fuorun* :
gifaran. Zum *i*-Umlaut der 2. 3. Pers. Ind. Präs. vgl. § 428 Anm. 2.

So gehen noch: *malan* 'mahlen', *spanan* 'locken', *waskan*
'waschen', *wahsan* 'wachsen', *graƀan* 'graben', *skaƀan* 'schaben',
dragan 'tragen', *k(a)nagan* 'nagen', *sakan* 'anschuldigen', *skakan*
'eilen', *hladan* 'laden'.

Anm. Das -*sk* von *waskan* war eigentlich Präsenssuffix, vgl. *watar* 'Wasser'.

443. Grammatischen Wechsel zeigen *lahan* 'tadeln' : *lōg* : *lōgun* : *gilagan*, wo das *g* durch Ausgleichung auch in den Sg. Prät. gedrungen ist, und *hĕffian* 'heben' : *hōf* : *hōƀun* : *gihaƀan* (vgl. § 444). So gehen noch: *slahan* 'schlagen', *thwahan* 'waschen' und die mit *j*-Präsens gebildeten **hlahhian* 'lachen' und **afsĕffian* 'bemerken', vgl. § 444.

Anm. 1. Wegen des Imp. *slā* und des Part. *geslĕgen* vgl. §§ 106 und 419 Anm. 1.

Anm. 2. *Thwahan* verliert vor *u* sein *w*: *thuog* C, vgl. § 166 a.

444. Ein *j*-Suffix im Präsens und z. T. grammat. Wechsel zeigen *swĕrian* 'schwören', **hlahhian* 'lachen' (got. *hlahjan*, ae. *hliehhan*), *hĕffian*, *hĕbbian* 'heben', **afsĕffian* 'bemerken' (nnl. *beseffen*), **skĕppian* 'schaffen' (ae. *scieppan*), **stĕppian* 'schreiten' (ae. *stæppan*), vgl. § 441.

Anm. 1. *Swĕrian* hat in den Oxf. Gl. das neugebildete Part. Prät. *forsworen* (nach Klasse IV). Im Prät. verliert es in C sein *w*: *suor*, vgl. § 166 a.

Anm. 2. Belegt sind die Formen: *hlōgun*, Part. *bihlagan*; *hĕffian* 1 C, sonst *hĕbbian*, *hōf*, *hōƀun*, *gihaƀan*; *afsōf*, *afsōƀun*; *skōp*; *stōp*. Wegen *-ff-* und *-bb-* vgl. § 199.

445. Nasalinfix im Präsens hat *standan* 'stehen': Prät. *stōd*, woneben Gen. und Trier. Seg. A je 1 mal die Neubildung *stuond* zeigen. Doch ist das *-n-* schon stets ins Part. gedrungen: *astandan*.

b. Ursprünglich reduplizierende Verba.

446. Bei den im Got. reduplizierenden Verben sind wie bei der 6. Ablautsklasse die Stämme des Präsens und des Part. Prät. einerseits, sowie der erste und zweite Perfektstamm andererseits gleich; statt der Reduplikation ist ein neuer Ablaut eingetreten, wonach sich diese Verba in drei Klassen einteilen lassen: 1. mit dem Ablaut *a* (*ā*) : *e*; 2. mit dem Ablaut *ā* oder *ĕ* (got. *ai*) : *ē*; 3. mit dem Ablaut *ō* oder *ó* (got. *au*): *eu* oder *io*, *eo*. Vgl. van Helten in PBrB. 21, 445; Feist, ib. 32, 447.

Erste Klasse.

447. Hierher gehören die Verba mit *a* + Doppelkonsonant, wie *haldan* 'halten' : *held* : *heldun* : *gihaldan*; ferner *hauwan* 'hauen' : *heu* (vgl. §§ 104 und 169) : *gihauwan*. In der 2. 3. Pers. Sg. Ind. Präs. tritt *i*-Umlaut ein.

So gehen noch: *fallan* 'fallen', *wallan* 'wallen', *faldan* 'falten', *skaldan* 'schalten', 'stoßen', *waldan* 'walten', *spannan* 'spannen', *blandan* 'mischen', *gangan* 'gehen'.

Anm. ·Nach Analogie der 2. Klasse sind in C die Formen *hield* und *wield* (je 1 mal) gebildet; daneben steht 1 mal *willun*. *Gieng* kommt in C 13 mal vor, wozu *fieng* und *hieng* (s. den folg. §) Veranlassung gegeben haben; die Ess. Gl. zeigen 1 mal *geing*.

448. Mit urgerm. Kontraktion von *aȷh* zu *āh* und grammat. Wechsel gehören hierher auch *fāhan* 'fangen' : *feng : fengun : gifangan* und **hāhan* 'hangen' (Part. *bihangan*). Wegen des mit der folgenden Klasse übereinstimmenden Präsensvokals sind die Perfektformen mit *ie* in C ziemlich häufig.

Anm. *fieng* kommt in C ebenso oft wie *feng* vor. Die hier und im vor. § aufgezählten (24) *ie* finden sich fast alle in den ersten 1250 Versen.

Zweite Klasse.

449. Die erste Abteilung bilden die Verba mit *ā* im Präsensstamme; das Perfekt hat *ē* resp. *ie* (§ 92). Beispiel: *lātan* 'lassen' : *lēt, liet : lētun, lietun : gilātan*.

So gehen noch: *slāpan* 'schlafen', *for-hwātan* 'verfluchen', *andrādan* 'fürchten', *brādan* 'braten', *rādan* 'raten'; wegen des ursprünglich hierher·gehörenden **grātan* 'weinen' vgl. § 452 Anm. 1.

450. Eine besondere Bildung zeigt das Verbum *sāian* 'säen' (ae. *sāwan*) : Prät. *seu* 1 C (ae. *séow*), woneben jedoch häufiger die schw. Form *sāida* steht.

Anm. Ob *thrāian* 'drehen' ebenso flektiert (vgl. ae. *þráwan : þréow*) ist wegen mangelnder Belege nicht zu entscheiden.

451. Die zweite Abteilung hat *ê* = got. *ai* im Präsensstamme; hierher gehören nur *hêtan* 'heißen' : *hēt, hiet : ·hêtan*, **swêpan* 'treiben' (?) : nur Prt. *swēp*, und mit ursprünglich grammat. Wechsel, der jedoch stark verwischt ist: *skêđan* 'scheiden' : *skēd* : *giskêđan*.

· Anm. Im Präs. hat M nur *đ*, C 3 *d* gegen 1 *đ*, das Prät. kommt nur 1 mal in den Wer. Gl. als *scêht* (= *scêth*), das Part. Perf. 1 mal in der Fr. H. als *ġiscêthan* vor. — Zu *swêpan* vgl. ae. *swāpan*, ais. *sveipa* (Prt. *sveip*).

Dritte Klasse.

452. Die erste Abteilung hat *ō, uo* im Präsens- und *eo*, *io* etc. (§ 102) im Perfektstamm, z. B. *hrōpan* 'rufen' : *hriop : gihrōpan*.

So gehen noch: *far-flōkan* 'verfluchen', (nur Part. Perf. belegt) und *swōgan* 'rauschen' (nur Inf. belegt), sowie mit *ja*-Präsens: *wōpian* 'weinen' (Opt. Prt. *wiopin* M, *wēpin* C).

Anm. 1. Dem Perf. nach gehört auch *greotan* 'weinen' hierher, denn *griat* M, *griot* C entspricht got. *gaigrōt*, wozu der Inf.
grētan (= aisl. *gráta*) lautet. Dieser ist aber im As. wie im Ae. durch
Einfluß des gleichbedeutenden **reotan* (ae. *réotan*, ahd. *riozan*) zu
greotan umgebildet worden, vgl. Rödiger, AfdA. 20, 243 f., Janko,
IF. 20, 283.

Anm. 2. Das ursprünglich hierher gehörende *būan* 'wohnen'
ist schwach geworden: Perf. *būida*. Von *glōian* 'glühen' kommen
nur Präsensformen vor, *blōian* 'blühen' hat ein schw. Prt. *giblōid*.
Vgl. van Helten, PBrB. 35, 278 ff.

453. Zur **zweiten Abteilung** gehören mit *ô* = got. *au* im
Präsens und *eo*, *io* etc. im Perfekt Verba wie *stôtan* 'stoßen : *steot* :
gistôtan.

So geht noch *hlôpan* 'laufen'; nur im Part. Perf. kommen vor:
ôkan 'schwanger' und *ôdan* 'beschert'.

B. Die schwachen Verba.

Erste schwache (*ja-*)Klasse.

454. Diese zerfällt in 2 Abteilungen: a) ursprünglich **kurzsilbige**, b) ursprünglich **langsilbige** Verba. Erstere zeigen
jedoch im Westgerm. meist Doppelkonsonanz vor *j*. Jede dieser
beiden Abteilungen läßt sich wieder in 2 Klassen: **Verba mit** und
Verba ohne Bindevokal *i* im Prät. einteilen. Vgl. Krüer,
Palaestra 125.

a) Kurzsilbige.

455. Der Infinitiv der ursprünglich kurzsilbigen Verba hat im
As. Doppelkonsonanz vor *j*, außer bei den auf *r* und *đ* ausgehenden,
z. B. *settian* 'setzen' (got. *satjan*) neben *nerian* 'retten' (got. *nasjan*).
Bei ersteren wechselt einfacher Konsonant in der 2. 3. Sg. Ind. Präs.
und im Sg. Imper., sowie im ganzen Präteritum mit Doppelkonsonant
in allen übrigen Formen. Dabei ist zu beachten, daß die Gemination von *đ* als *bb* erscheint, vgl. § 224.

456. Nach der Bildung des Prät. zerfallen die kurzsilbigen
Verba wieder in α) regelmäßige mit Prät. Ind. auf -*ida*, Part. Prät.
-*id*, β) solche mit Prät. ohne Bindevokal, also auf -*da*, -*d* oder -*ta*, -*t*.

α) Regelmäßige.

457. Als Paradigma für die Verba mit Bindevokal im Prät.
sei hier **antswebbian* 'einschläfern' durchkonjugiert:

Präsens.

	Indik.	Opt.	Imp.
Sg. 1.	swébbiu	swébbie, -ia, -ea	—'
2.	swębis	swébbies, -ias, -eas	swébi
3.	swébid, -t; -đ	= 1. Pers.	—
Pl.	swébbiad, -ead	swębbien, -ian, -ean	= Ind.

Inf.	Part.
swébbian, -ien, -ean	swébbiandi, -iendi, -eandi.

Präteritum.

	Indik.	Opt.	Part.
Sg. 1. 3.	swébida, -e	swébidi	giswébid, -t
2.	swébides, -as, -os	swębidis	
Pl.	swébidun	swébidin	

Wegen der Endungen vgl. § 402 ff., wegen des Wechsels von -i- mit -e- und seines Schwundes in späteren Hss. § 171 ff.

So gehen: a) mit r und đ im Wurzelauslaut (vgl. § 171): dérian 'schaden', férian 'schiffen', nérian 'retten', skérian 'bescheren', térian 'zehren', wérian 1. 'wehren', 2. 'bekleiden', giburian 'sich ereignen', wrédian 'stützen' und im Präsens das starke Verbum swérian 'schwören'; b) mit Geminata: *siuwian 'nähen', niuwian, nīgian 'erneuen' (vgl. § 168), *bihéllian 'verhüllen', quéllian 'töten', bihullian 'verhüllen', frémmian, frummian 'vollbringen', *thęnnian 'dehnen', wénnian 'gewöhnen', *dunnian 'dröhnen', *farmunnian 'verurteilen', *hrissian 'beben', sképpian 'schöpfen', *slékkian 'schwächen', rękkian 'erzählen', *jukkian 'jucken', *wéggian 'bewegen', thiggian 'bitten', und von starken Verben im Präsens: *stéppian 'schreiten', *sképpian 'schaffen', héffian, hébbian 'heben', afséffian 'bemerken', *hlahhian 'lachen' (vgl. § 444), sowie sittian 'sitzen', biddian 'bitten' und liggian 'liegen' (vgl. § 441). — Bei den mit * bezeichneten sind Formen mit Geminata zufällig unbelegt.

β Verba ohne Bindevokal im Prät.

458. Ohne Bindevokal bilden ihr Prät.:

séllian 'übergeben'	— salda	— gisald
téllian 'erzählen'	— talda	— gitald
léttian 'hindern'	— latta, létta	—
séttian 'setzen'	— satta, sétta	— gisét Oxf. Gl.
wékkian 'wecken'	— wahta	— (awékid)
quéddian 'grüßen'	— quadda, quédda	—

skuddian 'schütten' — skudda —
léggian 'legen' — lagda, légda — (gilégid)
buggian 'kaufen' — — giboht
huggian 'denken' — hogda, hugda — gihugd.

Anm. 1. Die Formen létta 1 C, 2 M neben latta 1 C, sétta 2 CM und Gen. neben satta 2 C, quédda CM neben quadda 1 M und légda M, 2 C neben lagda 3 C und Eıs Gl. zeigen Anlehnung an den Präsensstamm; wegen hogda, hugda vgl. § 88 Anm. 2.

Anm. 2. Awékid ist Neubildung für *awaht, gilégid für *gilagd; gihugd (2 M) ist Adj. in der Bedeutung 'gesinnt' geworden und erscheint in der Neubildung gihugid 4 mal in C, 2 mal in M. Im Prät. hat C die Neubildung wékida.

Anm. 3. Nach Ausweis des Ae. und Ahd. gehörten ursprünglich auch quéllian und rékkian hierher, die aber ihr Prät. neu auf -ida gebildet haben, vgl. § 457 b.

b) Langsilbige.

α) Regelmäßige.

459. Bei diesen bleibt im Präsensstamme der Endkonsonant unverändert, z. B. von ménian 'meinen' im Ind.: méniu, ménis, ménid, méniad etc.; im Präteritum fügen sie meist mit Synkope des -i- (vgl. § 138, 6) die Endungen -da oder -ta je nach der Beschaffenheit des vorhergehenden Lautes (vgl. § 248) an, z. B. ménda 'meinte' neben dôpta 'taufte'. Wegen der Anfügung dieser Endungen ist jedoch § 254 zu beachten!

a) Die Endung -da tritt stets an bei: délian 'teilen', fôlian 'fühlen', féllian 'fällen', fullian 'füllen', lérian 'lehren', fôrian 'führen', hôrian 'hören', mérrian 'hindern', kūmian 'klagen', rūmian 'räumen', tômian 'lösen', dômian (Hs. thômian) 'duften', wānian 'wähnen', ménian 'meinen', sônian 'sühnen', ant-kénnian 'erkennen', léƀian 'übrig lassen', gilôƀian 'glauben', drôƀian 'trüben', kūđian 'künden', wîsian 'weisen', lôsian 'lösen', wêgian 'quälen', wrôgian 'anklagen', gitôgian 'zeigen', glêdian 'gleiten machen', lêdian 'leiten', strîdian 'streiten', fôdian 'ernähren', hūdian 'hüten', spôdian 'fördern', nôdian 'zwingen', farskuldian 'verschulden', awérdian 'verderben', méndian 'sich freuen', séndian 'senden', wéndian 'wenden', skundian 'antreiben'.

b) Dagegen haben -ta: kussian 'küssen', giskérpian 'schärfen', umbétian 'abspringen', bôtian 'büßen', grôtian 'grüßen', môtian 'begegnen', héftian, héhtian 'heften', trôstian 'trösten', āhtian 'verfolgen', rihtian 'richten', liuhtian 'leuchten', *rittian 'ritzen', *thrukkian 'drücken' (Prt. thucdad = thructa? Wer. Gl.).

Anm. 1. Ob die langen Vokale vor Geminata in Fällen wie *hŏdda*, *bŏtta* schon in as. Zeit gekürzt sind? Selten steht hier einfaches *d*, vgl. § 253, 4, was auf langen Vokal weist.

Anm. 2. Da die Synkope älter als der Umlaut ist, sollte man bei den Verben mit *ė* als ·Wurzelvokal im Prät. *a* erwarten. Doch ist der Umlaut meist durch Ausgleichung durchgeführt und nur *sėndian* hat im Prät. *sanda* neben *sėnda*.

460. Das Suffix -*i*- bleibt bei Verben, deren Wurzel auf Geräuschlaut + *l* oder *n* ausgeht, wie *twīflian* 'zweifeln', *lôgnian* 'leugnen', *druknian* 'trocknen', *tėknian* 'zeichnen', *bôknian* 'bezeichnen'. Nach Analogie dieser und der kurzsilbigen Stämme, sowie des Part. Prt. ist häufig das -*i*- im Prät. wieder eingeführt worden und nicht selten stehen synkopierte und unsynkopierte Formen nebeneinander, z. B. *diurda : diurida, dôpta : dôpida*. Stets liegen die längeren Formen bei den vokalisch auslautenden Wurzeln vor, z. B. *sāida* 'säte', *strôida* 'streute', *būida* 'baute'.

a) **Doppelformen** mit und ohne -*i*- erscheinen bei: *hêlian* 'heilen' Seg. A, *mahlian* 'reden' (-*ida* 2 CM), *diurian* 'preisen' (3 C), *nėmnian* 'nennen' 1 CM, *dôpian* 'taufen' 2 C, *lêstian* 'leisten' 1 C, *sėnkian* 'senken' C, *bėldian* 'ermuntern' 1 CM; *wīhian* 'weihen' bildet meist *wīhida* (in Bed. *wīeda*), und 1 mal in C *wīhda*, wohl mit stummem *h*.

b) Nur -*ida* zeigen außer den 5 genannten: *gihīwian* 'coire', *gėrwian* 'bereiten' (1 -*eda* Gen.), *gistillian* 'still werden', *mārian* 'rühmen', *andbėrmian* 'entbärmen', 'reinigen', *wėrnian* 'wehren', *strůbian* 'sträuben', *hwėrƀian* 'wenden', *nādian* 'streben', *wrêdian* 'zürnen', *thrāsian* 'schnauben', *nāhian* 'nahen', *hneihian* 'wiehern', *hnêgian* 'neigen', *fėlgian* 'beilegen', *lėskian* 'löschen', *thurstian* 'dürsten', *forohtian* 'fürchten' (1 -*eda* C), *antwordian* 'antworten' (1 -*eda* C).

Anm. 1. *Mahlian* hat ohne -*i*- im Prt. gegen die Hauptregel *mahalda* und *mālda* (4 C), vgl. §§ 106, 144, 218, *nėmnian : nėmda*, vgl. § 188.

Anm. 2. Wegen der Nebenform *strėida* ·M und Wer. Gl. vgl. § 167 Anm. 2, wegen der Schwächung von -*i*- zu -*e*- (3 C, je 1 M und Gen.) § 129.

461. Das Part. Prät. geht meist auf -*id*, -*it* aus, während die Kasus obl. das -*i*- synkopieren sollten, z. B. *gihôrid : gihôrdes* etc. Doch ist die Synkope nur bei den in § 357 verzeichneten Formen durchgeführt, sonst durch Ausgleichung beseitigt. Selten zeigen die unflektierten Formen Synkope, z. B. *stillian* 'stillen' : *gistild* Ess. Gl., *brėnnian* 'brennen' : *gibrand* Wer. Gl., *skundian* 'antreiben' : *giskund*

Oxf. Gl. neben *farskundid* C, *bōtian* 'anzünden' : *gibŏt* Ess. Gl. neben *gibuotid* Hel., *mĕltian* 'mälzen' : *gimĕlt* Fr. H.

Anm. Nach Analogie von *brénnian* : *gibrand* ist auch *spĕnnian : *gispandan* (Akk. Sgl. M.) 'entwöhnt' (statt *gispénid) Wer. Gl. gehildet.

β) Verba ohne Bindevokal im Prät.

462. Hierher gehören mit Konsonantveränderung im Prät. (vgl. § 255 f.):

sōkian 'suchen'	— *sōhta*	— *gisōht*
wirkian 'wirken'	— *warhta*	— *giwarht*
thĕnkian 'denken'	— *thāhta*	—
thunkian 'dünken'	— *thūhta*	—
brĕngian 'bringen'	— *brāhta*	— *brāht*.

Anm. 1. Das auch hierher gehörige *rōkian* 'sich kümmern' ist nur im Präs. belegt; neben *brĕngian* hat C ein starkes Präs. *bringan*, vgl. § 434. Über *werkian* C, Ps. und Beicht. = *wirkian* vgl. § 84 Anm. 2; Ps. bietet daneben noch *workian* (vgl. § 88 Anm. 3) = got. *waúrkjan*. Vgl. auch *giwurht* 'Tat'.

Anm. 2. Neben dem Part. Prät. *farkôpod* 'verkauft' Hel. erscheint in den Ess. Gl. ohne Bindevokal *ferkôft*, in den Wer. Gl. der D. Pl. *ferkôpton*. Letzterer wird zu einem Nom. Sg. *ferkôpid gehören.

Zweite schwache (-ō-)Klasse.

463. In den zahlreichen (abgeleiteten) Verben dieser Klasse ist das stammbildende -ō- bereits kurz geworden, wie der nicht seltene Übergang desselben in *a* beweist. Einige sind aus der 3. Klasse hierher übergetreten oder schwanken zwischen beiden (vgl. § 466 Anm. 1 ff.), andere zeigen auch Formen der 1. Klasse. Beispiele: *bedon* 'beten', *éscon* 'heischen', *makon* 'machen', *tholon* 'dulden', *éndion* 'enden', *frāgon* 'fragen', *thianon* 'dienen'. Die Formen sind (vgl. Hortling, Studien S. 71 ff.):

Präsens.

	Ind.	Opt.	Imp.
Sg. 1.	*makon*	*mako(ie)*, -ogea	—
2.	*makos*	*makos*	*mako*
3.	*makod*, -t; -d	(— 1. Pers.)	—
Pl.	*mako(ia)d*, -t; -đ -iađ	*mako(ia)n*, -ian, -ien	= Ind.

Inf.	Part.
mako(ia)n, -ogean, *makian*	*mako(gea)ndi*, *makiandi*.

Präteritum.

	Ind.	Opt.	Part.
Sg.	*makoda*	*makodi*	*gimakod, -t*
	etc.	etc.	

464. Zu diesen Formen ist zu bemerken:

1. Die volleren Formen mit *-oia-*, *-ogea-* oder *-oie-* finden sich nur im Hel. und in der Gen. neben den kürzeren mit *-o-*, die bereits die Mehrzahl bilden, vgl. Schlüter, Unters. S. 100*). Statt *-oian-* hat C mehrfach, VM vereinzelt *-ian- (-ion-)* mit silbigem *i* (vgl. § 171); 1mal hat C den Inf. *friehan* 'lieben' (ae. *fréoʒan*). Im Gerund. finden sich die Formen *-onn(i)a* und *-ianna*.

2. Selten ist *-o-* in *-u-* übergegangen, so hat Gen. 3mal, C 2mal im Inf. *-un*, M 2mal im Part. *-undi;* häufiger ist dagegen Schwächung zu *a* im Hel. (besonders M), in der Gen. (6mal) und einigen kl. Denkm., vgl. Schlüter, Unters. S. 96 ff. Die Oxf. Gl. haben etwa gleich oft *o* wie *a*, die Wer. Gl. neben überwiegendem *o* 2 *a*, die Lam. und Gand. Gl. je 1 *a* (einziger Fall). Die *a*-Formen können jedoch z. T. auch Bildungen nach der 3. Klasse sein, vgl. § 466.

Dritte schwache *(ai-)*Klasse.

465. In diese gehören nur noch die 3 Verba *hêbbian* 'haben', *sêggian* 'sagen' und *libbian* 'leben'; die andern sind in die 1. oder 2. Klasse übergetreten. Bloß die 2. und 3. Pers. Sg. Ind. Präs., sowie die 2. Imper. zeigen *ai*-Formen, die jedoch z. T. schon von *ja*- und *ō*-Bildungen verdrängt sind, die übrigen Präsensformen folgen der *ja*-Klasse. Das Prät. ist ohne Bindevokal gebildet. Die Formen sind:

Präsens.

Ind. Sg. 1.	*hêbbiu, habbiu*	*sêggiu*	*libbiu*
2.	*haƀes, -as; -is*	*sagis; sêgis*	—
3.	*haƀed, -ad; -id*	*sagad; -id*	*liƀod*
Pl.	*hêbbiad, habbiad*	*sêggiad*	*libbiad, -iod*
Opt. Sg. 1.	*hêbbie, -ea, habbie*	*sêggie*	*libbie*
Imp. Sg.	*haƀe, -a; -i*	*saga; -i*	—
Inf.	*hêbbian, habbien*	*sêggian*	*libbian*
Part.		—	*libbiandi, -endi.*

Präteritum.

| Ind. Sg. | *haƀda, habda, hadda,*
hafda | *sagda* | *liƀda, lebda* |
| Part. | *gihabd, gihad* | *gisagd* | *gilibd.* |

466. Zu diesen Formen ist zu bemerken:

1. Bei *hebbian* haben M und Gen. in der 2. Sg. Ind. Präs. und im Sg. Imp. die Endungen mit -*e*, -*a*, C mit -*i*, außer 1 *haƀes; havid* steht auch in den Elt. und Ess. Gl. Die umlautlosen Formen (Neubildungen nach *haƀes* etc.) *habbiu, habbiad, habbie, habbian* finden sich mehrfach in M, je 1 mal in C, Hild. und Oxf. Gl. Über die Prät. *haƀda, gihabd* etc. vgl. § 221 Anm. 2. M hat 1 mal *hafda*, 2 mal *haƀdi*, sonst, wie P und Gen., stets *habda*, das auch in C überwiegt; V hat *haƀda* bewahrt. Das Part. *bihadd* findet sich 1 mal in C.

2. *Sagad* steht in M und Gen., -*id* in C und Wer. Gl., der Imp. *saga* in M, -*i* in C; die 2. Sg. hat nur -*is: sagis* 2 C, 1 M, *segis* 1 C. Einmal hat C den Opt. Prät. *sahdi*.

3. Die 3. Sg. *liƀod* findet sich nur in M, der Pl. *libbiod* und das Prät. *lebda* nur 1 mal in M. C hat 1 mal *liƀda*, sonst *libda*, vgl. § 221 Anm. 2. Ps. bietet das Adj. *leƀindig*.

4. In den Endungen der 2. 3. Pers. Ind. Präs. und im Sg. Imp. haben M und Gen. meist *a*, seltener *e*.

Anm. 1. Ursprünglich gehörten auch (vgl. das Ahd.) *halan* 'holen', *tholan* 'dulden', *fāran* 'nachstellen', *rūman* 'räumen', *rōman* 'streben', *mornan* 'trauern', *hlinan* 'lehnen', *folgan* 'folgen', *sorgan* 'sorgen', *huggian* 'denken', *hatan* 'hassen' u. a. hierher, die (vielleicht) noch in einigen Formen dieser Klasse folgen, im übrigen sich den *ja*- oder *ō*-Stämmen angeschlossen haben, vgl. Schlüter, Unters. S. 99, sowie Hortling, Studien S. 55 ff., Sundén, Minnesskr. S. 300 f.

Anm. 2. Deutlich zeigen sich die alten Verhältnisse noch bei *huggian*, Prät. *hogda, hugda*, das sonst wie ein kurzsilbiger *ja*-Stamm flektiert, bei *hatan* 'hassen' mit dem Part. *hetteand(i)* 'Feind' (neben *hatandi* 1 M) und bei *mornan*, das im Opt. *morna* M neben *murnie* C hat. Übrigens sind die in MC, Oxf. und Wer. Gl. vorkommenden *a*-Formen auch als Schwächungen von *o* oder durch Schwund eines vorhergehenden -*j*- zu erklären; Gen. hat 1 mal *ruomes*.

Anm. 3. Bei *gitrūon* 'vertrauen', *tilian* 'erreichen' (nur Inf. belegt), *wonian, wunian* 'wohnen', *thagian* 'schweigen' ist vollständiger Übertritt in die 2. Klasse eingetreten.

C. Gemischte Verba.

Präterito-präsentia.

Erste Ablautsreihe.

467. Hierher gehören *witan* 'wissen' und *êgan* 'haben'.
1. Präs. Ind. Sg. 1. 3. *wêt* 'weiß', *nêt* 'weiß nicht' (§ 166 b).
2. *wêst*. Pl. *witun*. Opt. *witi*. Inf. *witan*. Part. *witandi*. — Prät.
Ind. Sg. *wissa*. Pl. *wissun*. Opt. *wissi*. 2. *farwistis* Wer. Gl. Part.
giwitan Ess. Gl.; ferner die Adjektiva *wis(s)* 'gewiß' und *wîs* 'weise'
(vgl. § 256 c).
Anm. *Wistis* zeigt Neubildung nach den übrigen Präterital-
formen auf *-ta*.
2. Präs. Ind. Sgl. 1. **êh*. 2. **êht*. Pl. *êgun*. Opt. *êgi*. Inf.
êgan. — Prät. Ind. *êhta*. Opt. *ëhti*. Part. *êgan* 'eigen' ist Adj.
Bemerke das Fehlen des Ablauts!

Zweite Ablautsreihe.

468. **Dugan* 'taugen'. Ind. Präs. 1. 3. *dôg*. Pl. *dugun*. Opt.
dugi. — Prät. Ind. **dohta*. Andere Formen fehlen.

Dritte Ablautsreihe.

469. Hierher gehören a) mit Nasal + Kons. im Wurzelauslaut:
*unnan 'gönnen', **kunnan* 'können'; b) mit Liq. + Kons.: **durran*
'wagen', **thurðan* 'bedürfen'.

a) 1. Nur das Prät. Ind. Sg. 3. *gionsta* ist belegt (vgl. § 192 und
afonstig 'mißgünstig' Greg. Gl.). Die anderen Formen lauteten wie
bei *kann*.
2. Präs. Ind. Sg. 1. 3. *kan*. 2. *kanst*. Pl. *kunnun*. — Prät. Ind.
Sg. *konsta*. Pl. *konstun*. Opt. *konsti* M, *kunsti* C (vgl. §§ 88 Anm. 2
und 192). Part. *kūđ* 'kund' (vgl. § 191) ist Adj.
b) 1. Fräs. Ind. Sg. 1. 3. *gidar*. 2. **darst*. Pl. **durrun*. Opt.
*durri. — Prät. Ind. Sg. *gidorsta*. Pl. *dorstun* Ess. Gl., Opt. *gidôrsti*
(vgl. § 88 Anm. 2).
Anm. *Gidar* (für *gidarr*) zeigt Ausgleichung nach dem Pl.
*durrun aus **durzun;* vgl. das umgekehrte Verhältnis in got. *gadars :*
gadaúrsun. *Onsta* und *konsta* sind Neubildungen nach *dorsta*, vgl.
PBrB. 9, 155 und § 470 Anm. Über das *-st* vgl. van Helten, PBrB.
35, 304 f.
2. Präs. Ind. Sg. 1. 3. *tharf*. 2. *tharft*. Pl. *thurðun*. Opt. *thurði*.
— Prät. Ind. Sg. *thorfta*. Pl. *thorftun*. Opt. *thorfti* (vgl. § 88 Anm. 2),
thorti Ess. Gl. (vgl. § 214).

Anm. M schreibt statt *th* hier öfters *d*, vgl. § 200 Anm. 1, wohl durch Anlehnung an *durran*, wie im Afries.

Vierte Ablautsreihe.

470. Hierher gehören **skulan* 'sollen', **munan* 'glauben' und **farmunan* 'verachten', 'verleugnen'. 1. Präs. Ind. Sg. 1. 3. *skal.* 2. *skalt* (Gen. *salt*, Glau. *schalt*). Pl. *skulun.* Opt. *skuli.* — Prät. Ind. Sg. *skolda.* Pl. *skoldun.* Opt. *skoldi* (vgl. § 88 Anm. 2). 2. Präs. Ind. Sg. 1. 3. *farman.* 2. *farmanst.* Pl. **munun*, Opt. *muni* Ess. Gl. — Prät. Ind. Sg. *formonsta* C, *farmunste* M. Pl. *farmuonstun* C.

Anm. *Monsta* ist Neubildung nach *dorsta*, wie *onsta* und *konsta*, vgl. § 469 Anm. und den ae. Opt. *gemỹste*.

Fünfte Ablautsreihe.

471. Nur **mugan* 'vermögen'. Präs. Ind. Sg. 1. *mah, mag.* 2. *maht.* Pl. *mugun.* Opt. *mugi.* — Prät. Ind. Sg. *mahta, mohta.* Pl. *mahtun, mohtun.* Opt. *mahti, mohti.*

Anm. *Mahta* überwiegt in M, *mohta* in C (1 mal *muohta*), Gen. und Ess. Gl. haben nur *mahta.* *Mugun* ist nach der 2., 3. und 4. Abl. R. neugebildet (vgl. got. *magun*), desgl. *mohta* (got. *mahta*).

Sechste Ablautsreihe.

472. Nur **mōtan* 'dürfen', 'vermögen'. Präs. Ind. Sg. 1. *mōt.* 2. *mōst.* Pl. *mōtun.* Opt. *mōti.* — Prät. Ind. *mōsta.* Opt. *mōsti.*

Anm. *Mōsta* ist Neubildung wie *wista* und got. *gamōsta* gegenüber ahd. *muosa.*

2. Die unthematischen Verba.

1. Das Verbum 'sein'.

473. Dieses bildet einen Ind. und Opt. Präs. von den Stämmen *bheu* und *es;* die übrigen Formen stellt das Verbum *wesan.* Die Formen sind (vgl. van Helten, PBrB. 35, 291 ff.):

	Ind.	Opt.
Sg. 1.	*bium, -n, bion*	*sī*
2.	*bist, bis*	*sīs*
3.	*is, ist; nis, nist* 'ist nicht'	*sī*
Pl.	*sind(un), -on, sundon, sint*	*sīn.*

Anm. Über *bium, biun* vgl. § 185 Anm. 3; *bium* steht jedoch auch 1 mal in C, das neben gewöhnlichem *biun* 1 mal *bion* hat. *Bis* steht 1 mal in C vor *thū;* über *is, ist* vgl. § 239 Anm. 2. Auch die

Wer. Gl. haben 1 mal *ist*. Die Neubildung *sindun* findet sich nur vereinzelt in MC, Fr. H., Ps., Ess. und Wer. Gl., *sindon* je 1 mal in Ess. Gl. und Fr. H. Letztere hat auch 1 mal *sundon* (vgl. Verf., PBrB. 43, 354). Wegen *sint* vgl. § 248.

2. Das Verbum 'tun'.

474. Die Formen sind:

Präsens.

	Ind.	Opt.	Imp.
Sg. 1.	*dōm, -n, duom, -n*	*dōe, dūo, dūa, -e*	—
2.	*dōs, duos*	*duoas*	*dō, duo*
3.	*dōd, duod; dōit*	= 1. Pers.	—
Pl.	*dōd, duod, dūad*	*dōen,-an, duon, dūan, duoian*	= Ind.

Inf.   Gerund.
dōn, duon, dōan, -en, dūan, duoan | D. *te duonne*.

Präteritum.

	Ind.	Opt.	Part.
Sg. 1. 3.	*deda, -e*	*dādi; dĕdi*	*gidōn, -dōen, -dūan;*
2.	*dādi; dĕdos*	— —	*gidān.*
Pl.	*dādun; dĕdun*	*dādin; dĕdin*	

475. Zu diesen Formen ist zu bemerken:

1, Über *-m, -n* in der 1. Sg. Ind. Präs. vgl. § 185 Anm. 3, über *ō, uo* und *ūa* § 94 f. Ob im einzelnen Falle *uo* = *ō* oder *ūo* mit Übergang von *ō* zu *ū* und Anschluß an die thematische Konjugation (besonders die *ō*-Klasse) vorliegt, läßt sich nicht entscheiden. Im Opt. Prs. hat *dōn* die Endungen der themat. Verba angenommen, vgl. van Helten, PBrB. 35, 286.

2. Die Formen mit *ō* sind auf M beschränkt, das daneben jedoch auch oft *uo* und *ū* aufweist: im Präs. Ind. 1. Sg. stehl in M *ō* und *uo*, in C und Ess. Gl. *uo*, in Beicht. *ŏ*, in der 2. Sg. in M *ō* und *uo*, in C und Gen. *uo*, in der 3. Sg. in M *ō* und *uo*, in C und Ess. Gl. *uo*, die Neubildung *dōit* 1 mal MC; im Pl. Ind. und Imp. hat M meist *ō*, weniger oft *ūa*, 1 mal *uo* wie V, C meist *uo*, seltener *ūa* wie die Wer. Gl.; im Opt. 1. und 3. Sg. hat M *ōe* und *ūe*, C *uo* und *ūa*, die 2. Sg. ist nur in Gen. belegt, im Pl. hat M *ōe, ōa* und *uo*, C meist *ūa*, je 1 mal *uo* und *uoia* (wie ein schw. *ō* Stamm), im Imp. Sg. M meist *ō*, 1 mal wie C, Trier. Seg. A und Ess. Gl. *uo*. — Im Inf. haben P nur, M meist *ūa*, selten *ōa, ō* und *ōe*, C *uo* und *ūa*, Gen. *uoa*, das Ger. kommt nur in Ps. vor. — Das Part. Prät.

hat in M meist *ūa* wie in C, Gen. und Wer. Gl., vereinzelt *ōe* und
ō; *ŏ* steht nur in Beda, *ā* (= Mnd. und Ahd.) nur in den Oxf. Gl.
3. Im Prät. Ind. hat Gen. in der 1. 3. Sg. 1 mal *dæda* neben
deda, die 2. Sg. lautet 1 mal *dādi* (vgl. *gāƀi*) CM, 1 mal *dedos* C und
Gen., der Pl. in CM ebenso oft *dādun* wie *dedun*, M hat 1 mal *gi-
dēdun*, der Opt. hat in Beicht. nur *ā*, in Gen. nur *e*, in MC je 1 mal
mehr *ē* als *ā*. Das *e* kann entweder kurz (nach dem Sg. *deda*) oder
lang sein (sicher in *dēdi* C 3575), vgl. §§ 29, 3 und 91.

3. Das Verbum 'gehn'.

476. Belegt sind nur der Inf. *gān* Wer. Gl., *fulgān* 'erfüllen'
1 M, das Ger. *te gānde* Fr. H. (vgl. § 411 Anm. 2), sowie die 3. Sg.
Ind. Fräs. *begēd* 'begeht' Bed. Sonst steht dafür *gangan*.

4. Das Verbum 'stehn'.

477. Auch dies kommt nur in einigen Formen vor: Inf. *stān*
2 C, 2. Sg. Ind. Präs. *stēs* 2 C, 3. Sg. *stēd* stets in C und Gen., seltener in M, das meist *stād*, 1 mal neugebildetes *steid* wie die Münzinschrift hat, Pl. *stād* 1 CM. Sonst steht dafür *standan*. Vgl. zu
beiden Verben: van Helten, PBrB. 35, 285 ff.

Anm. Das *ē* ist in beiden Verben = urgerm. *ai*, das *ā* =
urgerm. *ē*. Ersteres war ursprünglich auf den Opt. und die 2. 3.
Pers. Sg. Ind. Präs. beschränkt; später traten Ausgleichungen ein.

5. Das Verbum 'wollen'.

478. Der alte Opt. Präs. dieses Verbums hat Indikativbedeu-
tung und z. T. Indikativformen angenommen, woneben dann ein
neuer Opt. gebildet worden ist. Das Prät. flektiert schwach. Die
Hauptformen sind (vgl. van Helten, PBrB. 35, 297 ff.):

Präsens.

	Ind.	Opt.
Sg. 1.	*williu, -eo; willi; wélliu, -eo*	*willie*
2.	*wili(s); wilt*	*willies; -ias, -eas; wéllies*
3.	*wil(i), will*	*willie, -ea; wéllie*
Pl.	*williad, -ead; wélliad, -ead*	*willean; wéllean.*

Inf.   Part.

willien; wéllian | *willeandi, -iendi.*

Präteritum.

	Ind.	Opt.
Sg. 1. 3.	*welda, -e; walda; wolda*	*weldi; woldi*
2.	*weldes, -es*	—
Pl.	*weldun; woldun*	*weldin.*

479. Zu diesen Formen ist zu bemerken:

1. Die Formen mit *é* (*i*-Umlaut von *a*) neben *i* als Wurzelvokal des Präsensstammes finden sich nur in C, wo *i* im
ganzen seltener ist; ursprünglich hatte (wie noch im Ahd.) bloß der
Sg. Fräs. *i*, der Plur. und die übrigen Präsensformen *a*, resp. *é* (Ablaut). Dies Verhältnis ist dann durch Ausgleichung so verschoben
worden, daß alle Denkm. außer C das *i* ganz durchgeführt, dieses
dagegen das *é* nicht nur in größerem Umfange bewahrt, sondern
auch in die 1. Pers. Sg. Ind. Präs. übertragen hat.

2. Über den Wechsel von -*i*- mit -*e*- vor den Endungen vgl.
§ 172. In C ist es schon mehrmals geschwunden, also *wéllu* etc.,
vgl. § 173.

3. In der 1. Sg. Ind. Präs. hat C etwas häufiger *i* als *é*; wegen
der Endung -*o*, die sich in P und einigemal in CM findet, ist entweder auf § 402 zu verweisen, oder wir haben hier noch den Reflex
des got. *wiljau*. Vereinzelt stehen *wéllia* C (Schreibfehler?) und das
durchgehende *willi* in Gen. (Analogie nach der 3. Pers.), woneben
je 1 *willik* und *wille* (statt *willeo*?) vorkommen.

4. In der 2. Sg. ist *wili* die regelmäßige Form in CM und Hild.
(got. *wileis*), vereinzelt finden sich daneben die Neubildungen *willi*,
wilt (nach *skalt*) CM, *wilis* Gen. und 4mal in Gen. *wilthū* 'willst
du', das auch 1mal in C auftritt.

5. In der 3. Sg. ist *wili* (= got. *wili*) die regelmäßige Form in
CMVP und Wer. Gl., woneben C fast halb so oft, M vereinzelt *wil*
(nach *skal*) hat; 1mal steht in C die Neubildung *wilit*.

6. Im Pl. hat C meist *é* und nur 4mal *i* in der Wurzel.

7. Im Inf. hat C *é*, M *i* als Wurzelvokal.

8. Im Prät. haben CM meist, PV und Gen. stets *e* (vgl. got.
wilda), wofür man in Pl. Ind. und im Opt. *i* erwarten sollte, daneben erscheint in C doch 26mal das in M ganz seltene *o* (vgl. ae.
afr. *wolde*, ahd. *wolta*); *walda* findet sich nur 2mal in C (= ae. *walde*).

Dritter Hauptteil.
Syntaktisches.

Fünfzehntes Kapitel.
Wortgefüge.

I. Direkte Verbindung.
1. Nominalrektion.
a. Genitiv.

480. Der Genitiv bezeichnet die verschiedenartigsten Beziehungen zwischen zwei Nomina; man merke besonders:

1. den Gen. objectivus, z. B. *stemna giwald* 'über die Stimme'; *drohtines gibed* 'zum Herrn'; *is minnea* 'zu ihm'; *thīn wān* 'Hoffnung auf dich'; *waldandes geld* 'Opfer für Gott'.

Anm. 1. Statt des Gen. kann auch ein Possessivpronomen stehen: *mīna minnea* 'zu mir'.

2. des Stoffes, z. B. *hôbidband thorno* 'aus Dornen'; *gumkunnies wīf;*

3. partitivus, z. B. *tian êmber honegas; êngilo unrīm; al siokoro manno; wundarlīkas filu; manag werko; fiundo ginuog; werodes lūt; sum iro; fahoro sum* 'mit wenigen'; *ên thero idiso; manno nigên; themo liudio; hwat manno* 'was für ein Mensch'; *hwilīkun gumono; sundeono mêr; barno bêzt.* Wegen des Gen. bei Zahlwörtern vgl. § 381 ff.

Anm. 2. Statt des Gen. steht auch *fan* + Dat., z. B. *threa man fan thero thiodu.*

Anm. 3. Das den Gen. part. regierende Wort kann fehlen, z. B. *warth thar gisamnod seokoro manno* Hel. 2222.

Anm. 3. Adjektiva, Zahlwörter und Pronomina können auch
attributiv stehen, vgl. *soroga ginuogia* Pl.; *undar iu middium*
'mitten unter euch' (neben *thurh middi thes folkes*); *sia fiori* 'ihrer 4';
birilos twêlibi; sum it 'etwas davon' etc. — Das regierende Wort
ist zu ergänzen in *ward brôdes te lêbu.*

4. epexegeticus, z. B. *Jordanes strôm; kuninges namo;*

5. der Ergänzung bei Adj., die Fülle, Mangel, Wert, Schuld,
Kenntnis, Gewohnheit, Lust, Unlust oder eine Gemütserregung bedeuten; letztere werden jedoch nur mit *thes* und prädikativ gebraucht.
Beispiele: *giwitties ful; hluttar lêdaro gilêsto; barna lôs; sundeono
tômi, sikur; werkes werd; dôdes wirdig; libes skolo; ferahes skuldig;
sprākono spāhi; wiges wīs; wurdun thes giwar; weroldskattes giwono;
mordes gern; ubiles anmôd; is willig; widerward willeon mīnes;
hriuwig thes thū gidedos; ward thes hrômag; wurdun thes sō malske;
thes wirdid sō fagan man.* Ebenso steht *āno* 'ohne' prädikativ: *sō
hwilīk sō āno sī sundeono.*

Anm. 4. Bei einigen Adj. steht auch der Dativ resp. Instrumental, vgl. §§ 481 und 482.

6. Ein freierer Gen. bezeichnet bisweilen bei Adjektiven das
Gebiet oder den Umfang, worin die Eigenschaft sich zeigt, vgl.
helpono quod; mêdmo mildi; wirdid is wirsa 'in Bezug darauf'.
Vgl. § 482, 1 u. 2.

Anm. 5. Bei *mildi* steht auch *mid.*

b. Dativ.

481. Ein Dat. des Interesses oder der Beteiligung steht
1. bei Substantiven, z. B. *bist ênsago allon thiodon; wārun imu
friund;*

2. bei Adjektiven und Adverbien, die Nähe, Gleichheit,
Gesinnung, Annehmbarkeit, Nutzen, Bereitschaft, Bekanntschaft und
das Gegenteil ausdrücken, vgl. *sedle nāhor; himile bitêngi; imu an
sibbiun bilang; gilīk drohtine; gilīko imo; theodone hold; waldande
wirdig; widerward mannun; ôdi ist êldibarnun; managon kūd; lande
rūmur; wirs is thêm ôdrum.* — Aber auch mit andern prädikativ
gebrauchten Adjektiven, wie *lat, ginuog, luttik, leoht, skôni, stark*
etc., steht öfters die beteiligte Person im Dat., vgl. § 492.

Anm. Der Gen. bei *werd* und *wirdig* hat natürlich eine
andere Bedeutung, vgl. § 480, 5.

c. Dativ-Instrumental.

482. Dieser nur bei gewissen Stämmen und Klassen erhaltene
Kasus (vgl, §§ 258, 288, 335, 338, 341, 353 ff.) wechselt nicht selten

mit dem **Dativ**, der ihn auch vertritt, wo Instrumentalformen nicht
mehr gebildet werden können. Er bezeichnet:

1. das **Mittel** oder den **Grund**, z. B. *wundun siok; wāpnum
wund; sibbeon bitêngea* 'durch Sippe verbunden';

2. **Hinsicht** oder **Beziehung**, z. B. *wordun spāhi, wīs;
dādiun māri; mahtiun swīđ.*

Anm. 1.   Wegen des Gen. in derselben Bedeutung vgl.
§ 480, 6..

3. das **Maß** beim **Komparativ**, vgl. *sehs nahtun êr; mikilu
bêtara; thiu latoro; suliku swīđor* 'um so stärker'.

Anm. 2.   In derselben Funktion steht *than* (go. *þana*, ae. *þon*),
z. B. *than mêr the* 'um so mehr als' und **absolut** in negativen
Sätzen: *thār ni was werodas than mêr.* Vgl. van Helten, PBrB.
28, 566 ff,

2. Verbalrektion.
A. Verbindung mit einem Kasus.
a. Nominativ.

483.   Der **Prädikatsnominativ** steht bei den Verben:
a) 'sein, bleiben, werden, scheinen, heißen', z. B. *ik is êngil bium;
wiht unlêstid bilîđe; wirđid im waldand gram; thunkid mī thit sōmi
thing; thiu burg Jericho hêtid;* b) 'gemacht, gewählt, genannt werden', z. B. *wārun im sô forahta gifrumida; the thār lêreon wārun
akoran; Mária wārun sie hêtana.*

Anm.   Zuweilen steht statt des Nom. auch *te* + Dativ: *te
banon werđan; was gikoran te kuninge.*

484.   Ebenso steht der Nom. bei Verben der Ruhe und Bewegung, jedoch kann derselbe hier nur ein **Adjektiv** oder **Partizip** sein, vgl. *thiu nū bihlidan standat; griotandi sātun; hē sō
hriuwig sat; the hīr sō siok ligid; quik libbian; heođandi geng;* aber
auch bei andern, wie *skulun sorgondi sehan* etc.

b. Akkusativ.

485.   Der Akkusativ steht bei Verben als:

1. Akk. des **Objekts**: *drōgun ênna siokan; ik drinku ina* (den
Kelch); *ina thurstida;* reflexiv: *balg ina;*

2. des **Resultats**: *namon giskrīđan;*

3. des **Inhalts**: *êđ giswōr;*

4. der **räumlichen** und **zeitlichen Ausdehnung**: *êna mêri
līđan; gengun wegos êndi waldos; bidun allan dag.* Letzterer kann
rein **adverbial** werden und steht dann auch bei andern Verben,
vgl. *managan dag biliđi wārun giwordan;*

5. des Zieles (selten): *gifaran is fader ōdil; up gistīgan himilrīki.*

Anm. 1. Wegen des Gen. bei trans. Verben vgl. § 486, wegen des Gen. und Instr.-Dat. bei Zeitbestimmungen §§ 487, 2 und 490, 5. Im letzteren Falle können auch die Präpos. *umbi,. te, an* und *be* stehen, vgl. § 508 ff.

Anm. 2. Wenn *dōn* als Vertreter eines anderen Verbs steht, so regiert es dessen Kasus, vgl. *sō hwē sō mīn farlōgnid, sō dōm ik is self.*

c. Genitiv.

486. 1. Der prädikative Genitiv bei *wesan* bedeutet Zugehörigkeit oder Abstammung: *wārun is hiwiskeas; hē is theses kunnies hinan.*

2. Ein teils partitiver, teils objektiver, teils ablativischer und teils intrumentaler Gen. steht bei den Verben:

a) des Wahrnehmens und des Denkens: *mênes ni sāhun; hôrian gibodskêpies; gifōlian is fardio; is antkènnian; fāres hugdun; thènkean thero thingo; ferhes ni wāndun; thes gī gilôbian skulun; ik thes thinges gitrūon;*

b) 'achten auf, sich abgeben mit': *that gī mīn gihugdin; wiggeo gômian; thes sorogan; thes līkhamon huoddun; thes wīhes wardon; plegan dèrbaro dādio; is alles rādan; welda is helpan; thie himiles giwaldid; the mankunnies farwardot; biginnid im guodero werko; godes ni fargāti;* — —

c) des Erstrebens, Suchens und des Gegenteils; *helpono bad; bêd torhtaro têkno; drankes thigidin; gerod gī thes rīkeas! aldres āhtian; thes gigirnan; te hwī thū thes èskos? is frāgoian; firiho fandon; wordo fāron; frêson is ferahes; is koston; rōmod gī rehtero thingo! siakoro ne wīsoda; habda thes werkes fordwolan; mīđe thes māges; treuwono giswīkan; wènkid thero wordo; that thū thīnes thiodnes farlôgnis; hē is ferahes habad farwerkot; lībes farwarhti;*

d) des Nehmens, Erlangens, Genießens und des Gegenteils: *samnon gumono; nam thes muoses; mates ni antbêt; wateres drinkan; wurteo gifāhan; hleotad gī alles; frumono biknêgan; wastmes tilian; brūkan theses ôdwelon; wunneono neotan; brôdes libbian;* — *tharbon welon; thū is bitharft; lībes tholon;*

e) des Zustandebringens durch Wort und Tat: *ik gihu nīthas; mênes ni swèrī; is bithīhan; habdi mordes giskuldit, wītie giwerkot;*

f) der Gemütsbewegung: *hlōgun is; thes thinges mèndian; that wīf faganoda thes; ne lāt thū thes thīnan sebon swerkan; thes thram imu mōd; thes gornunde; wundrodun thes werkes;* ähnlich bei Zusammensetzungen: *was thes an luston;*

g) des Trennens, Versehens und Mischens, wenn sie passivisch stehen: *skapu wārun līdes alārit; bidêlit* oder *berôbod diurđo; aldres afhêldit; sprāka bilôsid; tionon atuomid; ferahes gifullid; hugi was baluwes giblandan.* Wegen der aktivischen Konstruktion vgl. § 494.

Anm. 1. Viele dieser Verba, wie *sehan, hôrian, antkênnian, (gi)huggian, wardon, biginnan, bīdan. mīđan, niman, antbītan, drinkan, fāhan, hliotan, tholon, swêrian* und *giwerkon* können auch mit dem Akk. verbunden werden, wobei meist der Unterschied besteht, daß der Gen. die teilweise, der Akk. die gänzliche Bewältigung des Objektes bezeichnet, vgl. *thō ina thiu mōdar nam* mit: *nam hē thō thes môses.* Besonders in negativen Sätzen ist der Gen. beliebt. Mit Akk. verbunden bedeutet *tholon* 'dulden'.

Anm. 2. *Helpan, giwaldan, gitrūon* und *gilôbian* haben auch den Dat. bei sich: *giwaldan kristinum folke; gitrūoian thes wībes wordun; gilôbian mīnan lêrun.*

Anm. 3. Bei *gitrūon, gilôbian, huggian, thênkian, koston, rômon, swīkan, fullian* und *blandan* stehen auch Präpositionen, vgl. *trūodun sie an is mundburd; gilôbdin te mī, an is lêra; huggead an ōđar, te gode; umbi thie maht godes ni hugid; thāhta wiđ them thinge; umbi is kraft koston; rômod te waldandes rīkea; umbi is hêrron swêk; gifulda sindun mid dādion* Ps.; *sebo mid sorgun giblandan.* — *Fāhan* mit *te* oder *an* bedeutet 'sich wenden'.

487. Ein freierer Gen. bezeichnet häufig 1. die näheren Umstände, Beziehung, Grund oder Mittel, z. B. *that ênig ni dūa geldes efđo kôpes* 'bei Zahlung oder Kauf'; *hwat thī thes* ('in Bezug darauf') *thunkea; thes* ('deshalb') *môtun sie niotan sīnes rīkies; that mīn* 'meinetwegen' *êldibarn arbed habdin; that hē thena kuning sprākono gespôni endi spāhun wordun; hē gibôd torohtero têkno* etc.

Anm. Im letzteren Falle steht auch der Instrumental (resp. Dativ), vgl. *spāhun wordun* neben *sprākono,* oder es treten Präpositionen wie *mid* ein.

2. Zeit, Ort, Art und Weise, vgl. *dages endi nahtes gode thionoda; wī gisāhun morgno gihwilīkes blīkan thena sterron; bifellun forđwardes; im tegêgnes sprak; stuod wrêđes willion.*

d. Dativ.

488. Ein Dativ des Interesses steht:

a) bei den Verben des Dienens, Gehorchens, Glaubens, Dankens, Zürnens, Widerstehens. Nützens, Helfens, Schadens, Dünkens, Gefallens. Mißfallens, Herrschens, z. B. *gode thionoda; hie im hôrda;*

farfolgon is friunde; liudiun gilôₒda; gitruoian thes wîbes worₒun; gode thankode; was im god abolgan; widerstandan thêm mid strîde; bigan im wêrian; thoh it im ni ₒugi; formon is ferahe; friₒoda ira ferahe; hie iro mundoda; im halp; skal iu dêrian; im gitiune an; mî thunkid wundar; imu bihagod; im thie suno lîkode; that sie im iro harmwerk hreuwan lêtin; ne thurₒun iu thius werk tregan; biginnad im is werk lêₒon; giwaldan kristinum folke;

b) bei einigen andern Verben, um zu bezeichnen, für wen etwas geschieht oder statt hat, vgl. *mōtun gî Israheles folkun adêlian; buotta thêm, thâr blinde wârun; geldad im mid gōdu; wili drohtin gilônon hwilîkumu; wîsda them weroda; im waland geliuhte; skulun erlo gihwem uₒilo githîhan; lātad iuwa lioht liudiun skînan; wuohs mêti manno gihwemu; iru thâr sorga gistuod; flêsk is ūs antfallan; imu hleor brast; than im that lîf skridi, thiu sêola besunki; sō lango sō mî mîn hugi warod; diuriₒa sî drohtine! ni mahte imu fruma werₒan; ne forhti thū thînum ferhe* 'für dein Leben';

c) bei vielen Verben der Ruhe und Bewegung, der körperlichen und geistigen Tätigkeit (entsprechend dem griechischen Medium, sogen. Dat. *ethicus*), z. B. *būida im bî thero brūdi; sitit imo thâr; wârun im barno lôs; gang thî! arés im thuo; fiskodun im; sōkead iu lioht godes; than sprikid im god; mênda im; hê im ni antriedi; im farwirkian* und ähnl.

A n m. 1. Bei *hôrian* steht auch der Akk. oder Gen. (vgl. § 486), bei *giwaldan* und *gitrūon* auch der Gen., bei *widerstandan* auch der Akk., bei *gilôₒian* auch die Präpos. *an, aftar, te*. Über den Gen. der Sache bei *helpan* vgl. § 486 b.

A n m. 2. Bei den unter b) genannten Verben kommen auch andere Konstruktionen vor, wobei sich oft die Bedeutung ändert, vgl. *dōmas adêlian; buottun thiu nêttu* 'besserten aus'; *sundea buotean* 'büßen'; *wîsda manig mârlîk thing* etc.

489. Ein Dativ des Zieles steht bei Verben der Bewegung, vgl. *im an drôme quam drohtines êngil; imu is āₒand nâhid; hie im thâr muotta; wî im folgodun; fulgangan godes lêrun; thiu im gigangan skal; ik gangu im tuo; im gilêstid* ('folgt') *thie gilôₒo; imo swîkid wân êndi willeo; goda selₒun hnêg.*

A n m. Bei *nâhian* und *hnîgan* steht auch *te* + Dativ, bei ersterem stets, wenn das Ziel ein sächliches ist: *te Hierusalem. Fulgangan* hat einmal den Instrum. *thiu* bei sich, *folgon* einmal im Ps. den Akk. (nach lat. *sequi*); *gilêstian* mit Akk. bedeutet 'vollbringen'.

e. Dativ-Instrumental.

490. Ein mit dem Dativ wechselnder Instrum. (vgl. § 482) bezeichnet:

1. die begleitende Person bei Verben der Bewegung, z. B. *hwarf brahtmu thiu mikilun; gisáhun werod kuman brahtmu;*

2. begleitende Umstände, Art und Weise, vgl. *trahni wôpu awellun; hreopun hlûdero stemnun; werod fôr folkum tô; tholoda githuldion; listiun talde; strîdiun geng; mî is firinun tharf;* so werden Adjektive zu Adverbien: *hriop gâhom; was mî grôtun tharf;*

3. das Mittel, z. B. *qualmu sweltan; fiuru bifallan; mênu giméngid; ward swerdu gimâlod; wordu gibôd; handun slôg; swiltid swerdes éggiun; ôra wundun brast; wordun séggean, wehslan;*

4. eine Beziehung in *handon gibundan* 'an den Händen'; *liduwastmon belamod;*

5. Die Zeit, z. B. *giwêt im ôðersîdu; skîn was that hiudu; tholodun hwîlon; jâro gihwem abiddian skoldun; sâtun wânamon nahton.*

Anm. 1. In den drei ersten Fällen steht auch die Präpos. *mid*, bei Zeitbestimmungen auch der Akk. und Gen., vgl. § 485 Anm. 1.

Anm. 2. Selten ist eine dem lat. Ablat. absol. entsprechende Konstruktion, vgl. in Beda: *that wi bekuman te themo êwigan lîva, helpandemo ûsemo drohtine.*

491. Selten sind Fälle wie *wordu miðan, wôpu awîsan*, wo der Dat.-Instr. einen alten Ablativ vertritt, sowie *thiu fulgangan*, wo der Instr. für den Dativ von *that* steht (§ 489 Anm.).

Anm. *Miðan* regiert auch den Akk. und Gen. (vgl. § 486 Anm. 1).

B. Verbindung mit zwei Kasus.

a. Mit Nominativ und Dativ.

492. Bei *wesan, werdan* und *thunkian* kann zu dem prädikativen Nom. ein Dat. der beteiligten Person treten, z. B. *wâri ûs that willeono mêsta; that wirðid thî werk mikil; mî thunkid wundar mikil.* Besonders häufig steht éin Adjektiv als Prädikat: *héllie sind imu opan; warð im is hugi blîði.*

b. Mit doppeltem Akkusativ.

493. Ein doppelter Akk. steht:

1. als Akk. des persönlichen Objekts + Akk. des Inhalts bei *lêrian*, z. B. *lêrda thia liudi langsamana râd;*

2. als Akk. des Objekts + Akk. des Prädikats bei den Verben 'machen, lassen, halten, haben, tragen, geben, nennen,

wissen, sehen, finden, ergreifen', z. B. *that ina mahta god sō ala-jungan giwirkean; gideda ina quikana; ne lātad gī iuwon hugi swī-kandean; iro fader ênna forlētun; that siu ina sō hêlagna haldan mōsti; habda ina god ginêridan* (= Perfekt); *al that sea bihlidan êgun; druog it gibundan; dādi, thie hē sō dêreðia gifrumida; that man iru hôðid gāði alôsid; ina sō rīkean têliđ; hwat sia that barn hêtan skoldin; thār sie ina uðilan ni wissin; sia quikan sāwin thena erl; fundun ina gifaranan; iu slāpandie ni bifāhe.*

Beim Passiv tritt der Nom. des Prädikats ein, vgl. § 483.

Anm. 1. Statt des Prädikatsakk. können auch die Präposs. *for* oder *te* stehen, z. B. *habdun ina* ('hielten ihn für') *for wārsagon; hêbbie sie te hīwun* 'zur Gattin'; *hwilīkan hē têllian weldi te skaðon; welda ina te furiston dōn; im that wīf ginam te quenun; kiosan* hat stets *te*.

Anm. 2. Ein Gen. qualit. steht statt eines präd. Adj. in *the hē īdeles herton findid* Ps. — Bemerkenswert ist der lat. Vokativ in: *hêtan skulun thī s a n k t e Pēter* (vgl. *sancte Stephan* Trier. Seg. B).

Anm. 3. Bei zusammengesetzten Verbalformen steht gelegentlich ein d r e i f a c h e r Akk., vgl. *thū ina hêbbias dôdan gidūanan.*

c. Mit Akkusativ und Genitiv.

494. Ein Akk. der P e r s o n + Gen. der S a c h e steht:

a) bei den Verben 'lösen, reinigen, befreien, berauben, hindern, zwingen, bitten, fragen, mahnen', z. B. *liðes weldi ina bilôsian; hē mag gihwena sundeono sikoron; hē managan līkhamon balusuhteo antband; sie kuning lêðes alāti; welda manno barn mordes atōmian: rôðodun ina rôðes lakanes; ferahes āhtian Krist; bedêldun sie iuwara diurða; lêttun sie thes gilôðon; ōthra mêrda theru hêlagun lecciun; sia ni thorftun Krist dôðes bêdian; williu ik is sie thiggian, fergon folkskêpi; hwes siu thena ward biddean skoldi; frāgoda sie wīsaro wordo; hē gimanoda manno gihwilīkan thero skatto.*

Anm. Bei *alātan* steht auch Dat. der Pers. + Gen. oder Akk. der Sache, vgl. § 496a; bei *bilôsian* .auch Instr. der Sache, vgl. § 497a; bei *āhtian* auch Dat. der Pers., vgl. § 498a. Mit Akk. der Pers. und Gen. der Sache steht *helan* nur in Gen.: *willi ik is helan holdan man*, während hier sonst Dat. der Pers. + Akk. der Sache erscheint. Statt des Gen. treten auch Präposs. ein, vgl. *lôsda af theru lêfhêdi liudi* oder umgekehrt: *lôsean af thesaro werold wrêða sundea; thū sie af suhtiun atuomies; ina fan naglun atuomda;* bei *biddian* steht auch Gen. oder Akk. der Sache + *te* oder *at: te hêrron helpono biddean; hwat thū at thesaru thiodu thiggean willies.*

b) bei den r e f l e x. V e r b e n *bigehan, biwānian* und *giniudon: bigihit ina sō grôtes; thū thik biwānis treuwono; giniudot sie ginōges;*

c) bei dem unpersönlichen *lustean: ina bigan muoses lustean.*

495. In loserer Verbindung mit Objektsakk. steht der Gen. häufig:

1. um den Anlaß der Handlung zu bezeichnen, z. B. *that iu thes man ni loðon, ni diurean thero dādeo; weldun ina wītnon thero wordo; sagdun thank thes;*

2. das Mittel, vgl. *sō ina god hêlages gêstes gimarkoda; thene kuning sprākono gispōni; watares thiu fatu fullian.*

Anm. Statt des Gen. steht gewöhnlich der Instr., vgl. § 497, oder die Präpos. *mid*, wie in *dag fulliad mid iro ferahu.*

d. Mit Akkusativ und Dativ.

496. Der Akk. der Sache und der Dat. der beteiligten Person stehen:

a) bei den Verben des Zukommenlassens und des Gegenteils, des Erklärens, Mitteilens, Zeigens, Hervorbringens u. ähnl., vgl. *gaf it is jungaron; im is giwādi bināmun; gode sêlliad that thār sīn is! imo wīti adélian; habda god liudeon farliwan rīkeo mêsta; alātid iu god firinwerk; im that siluðar bôd; ni mag thī laster man fīðan; im ni mahti alêttean man sulīka gambra; im mēda gihēt; ne wīt thū that theson werode; sagda thêm ōlat; im engil sweðan gitôgda; thie unk thesan haram giried; mag im giwirkean huldi; woldun Krist alêdian thêm liudiun* etc.

Anm. 1. Bei *farlīhan* steht auch ein Gen. der Sache, vgl. § 498; bei *alātan* auch Akk. oder Dat. der Person + Gen. der Sache, vgl. §§ 494a und 498; bei *biniman* auch Akk. der Pers. + Instr. der Sache, vgl. § 497a.

Anm. 2. Statt des Akk. der Sache sowohl wie des Dat. der Person können auch präpositionale Wendungen eintreten, im ersteren Falle steht dann die Person im Akk., z. B. *sunu drohtines adêldun te dôde; wid iu sundea gewirkea; agāþun thena godes sunu under fiundo folk; mid thius skoldis thū ūs geþon.*

b) bei vielen Verben, wobei das Objekt ein Bestandteil, Besitz, eine Eigenschaft, ein Zustand der beteiligten Person ist, z. B. *antklêmmi imu thia kinni; hie wirrid im is rīki; hie thurftigumu manne thurst gihêlie.* — Die Person kann aber auch im Gen. stehen oder durch ein Poss.-Pron. bezeichnet werden;

c) bei reflexiven Verben, die eine Bewegung, eine körperliche und geistige Tätigkeit ausdrücken, z. B. *fôrun im ōdran weg; imu tinsi sōkid; Krist imu thero liudeo hugi aftarwarode; im*

thea wardos wiht ne antdrēdin; wardoda im thia sundiun. Bei letzterem steht auch *wið* 'vor'.

e. Mit Akkusativ und Instrumental-Dativ.

497. Ein Akk. des Objekts nebst Instr. (resp. Dativ) der
Sache steht:

a) bei den Verben des Versehens und Entziehens, z. B. *than
man thena līkhamon mōsu bimorna; the sēolīdandean naht nebulo
biwarp; habda thena māreostun hôbdu bihauwan; that hē ādrana
aldru bineote; hôbdu bilôsda erl ôdarna; that sie barn lîbu bināmin;
gihēle that hers theru spurihēlti!*

Anm. *Biniman* hat auch Dat. der Person + Akk. der Sache
bei sich, vgl. § 496 a; *biwerpan* kann auch statt des Instr. mit der
Präpos. *mid* verbunden werden, z. B. *bewurpun ina mid werode,* oder
es kann ein Akk. der Sache + präpositionalem Ausdruck der Person
eintreten, z. B. *sō than swārostun (suhti) an firiho barn fiund
bewurpun.*

b) bei verschiedenen transitiven Verben, wobei der Instr.-Dat.
das Mittel oder Werkzeug bezeichnet, z. B. *god wordun lobodun;
dôpte Krist handun sīnun; wāpnes ēggiun frēmidun firinwerk;*

c) desgl., wobei der Instr.-Dat. eine Beziehung oder einen
Grund ausdrückt, z. B. *sia thia grimmun liudi bênon bebrākon* 'an
den Beinen'; *wili iu lônon iuwomu gilôbon.* Im letzteren Falle kann
auch Akk. + Dat. nach § 496 b eintreten.

f. Mit Dativ und Genitiv.

498. Ein Dat. der Person + Gen. der Sache steht bei:

a) den Verben 'erlassen, geben, bringen, entziehen, gönnen,
mißgönnen, weigern, fehlen, im Stich lassen, nachstellen, glauben,
hören, danken', z. B. *ef gī williad alātan liudeo gihwilīkun thero
sakono; that hē im farliwi theses liohtes; ef thū mī thera beda tuīdos;
hwemu ik gebe mīnes muoses; that man imu thes brôdes tharod gi-
drāgan weldi; hē nū mī gifôrea watares; that hē is barnun brôdes
aftīhe; ne gionsta mā thero fruhtio; afonsta hebanrīkies mankunnie;
giwērnidun imu iuwaro welono; im thes wīnes brast; gī skulun mī
giswīkan iuwes theganskêpies; sia im ferahes tuo, aldres āhtin; thes
ni gilôbiad mī these liudi; weldun is im hôrian; gode thankade thes.*

Anm. Bei *alātan* und *farlīhan* kann auch Dat. der Person +
Akk. der Sache (vgl. § 496 a), bei *alātan* und *āhtian* auch Akk. der
Person + Gen. der Sache stehen (vgl. § 494 a). Die Konstruktion
von *twīdon* ist klarer im Ae.

b) bei *gibiodan: hē iru gibôd torohtero têkno,* wo der Gen. statt
des Instr. steht.

g. Mit Dativ und Instrumental.

499. Diese Verbindung findet sich bei *hôrian*, z. B. *imu wordu hôrdin* 'aufs Wort'.

3. Verbalverbindungen.

a. Mit dem Infinitiv.

500. Der Inf. steht als Objekt:

a) nach den Verben des Wissens, Könnens, Dürfens, Wagens, Bedürfens, Sollens, Wollens, Hoffens, Beginnens, Gebens und Bittens, z. B. *mîđan siu is ni wissa; ni kunnun ênig fihu winnan; ik mag beran; frêmmean muosti; frâgon ni gidorstun; theonon thorfta; skalt thû libbian; hôrian ni weldun; ina niđar werpan hogdun; ne wândun iro ferah êgan; im thero dâdio bigan wundron; giƀu ik iu etan; drinkan biddian; bad gerno wrîtan;*

b) nach *kuman*, wo wir ein Part. Prät. setzen, z. B. *swôgan quam êngil* 'kam angerauscht'; *weros gangan quâmun; im wallan quâmun trahni;* dafür kann jedoch auch das Part. Präs. stehen: *quam gangandi,* vgl. § 504;

c) seltener bei Adjektiven und Substantiven, vgl. *thâr was hie upp giwono gangan; the gî skuldige sind an that geld geƀan; hwan is thîn eft wân kuman? iu ist niud sehan.*

Anm. 1. Der Inf. eines Verbs der Bewegung kann bei *skulan* und *willian*, der Inf. *wesan* ferner bei *skulan* ausgelassen werden, vgl. *gî an that fiur skulun (gangan); that sie skulin te mî (kuman); thô sie thanan weldun (faran); that skolda sinnon (wesan). Wesan* fehlt stets bei *lâtan: lâte im ginôgi an thiu!*

Anm. 2. *Skulan* + Inf. dient oft zur Umschreibung des Futurums und Konditionalis, z. B. *ik skal iu sêggean; wâh warđ thesaro weroldi, ef thû iro skoldis giwald êgan!*

Anm. 3. Bei *kunnan* und *thurƀan* kann auch *te* + Ger. stehen, vgl. § 510 unter *te.*

501. Der Inf. bezeichnet den Zweck nach Verben der Bewegung, selten nach *wesan*, vgl. *geng wiđ iro kind sprekan; fuorun that barn sehan; geng im gisittian; geng furi is thiodan stân; ûte wârun weros wiggeo gômean.*

Anm. Pleonastisch steht der Inf. in Ausdrücken wie *giwêt im faran, gangan; giwitun im sîđon; sîđodun gangan* (vgl. das homer. βῆ δ' ἴμεναι).

502. Der Akkusativ mit Infinitiv steht nach Verben des Wahrnehmens, Wissens, Lassens, Machens, Befehlens und Lehrens, z. B. *hie ina kuman gisah; thâr hê thena man wissa gôma thiggean; gihôrdun ina têllian; fundun ina sittian; that man ina gangan liet;*

thū mahtis that hūs standan gidūon; ik giwaldan muot thik quikan
lātan; thes ik sia lêstian hêtu; bādun drohtin antlūkan thia lêra;
fuor sō ina fiundo barn (faran) manodun; thū ūs bedon lêras. —
Nach Verben der Wahrnehmung steht jedoch auch statt des Inf.
das Part. Fräs., vgl. *fand sia slāpandia;* desgl. bei *witan: thār hie*
wissa hrêo hangondi.

Anm.   Nach *giwaldan* steht auch *te* + Ger., vgl. § 510, S. 185.

b. Gerundium.

503.   Der Genitiv des Ger. erscheint nur bei *gehan* in *ik giuhu*
swêriannias, kussiannias Beicht.

c. Partizipium.

504.   Das Part. Fräs. wird a) prädikativ mit *wesan* und
werđan verbunden, um einen dauernden Zustand oder eine dauernde
Tätigkeit zu bezeichnen: *thia muoder thes mêndendia sind; wurdun*
im is wangun blīkandi; b) mit Verben der Ruhe und Bewegung
(auch wo wir das Part. Prät. gebrauchen), z. B. *quam gangandi.*
Über den Gebrauch des Inf. in diesem Falle vgl. § 500 b.

Anm.   Statt des Akk. + Inf. kann auch Akk. + Part. stehen,
vgl. § 502.

505.   Das Part. Prät. dient a) zur Umschreibung des Per-
fekts und Plusquamperfekts mit *hébbian, êgan, wesan* und
werđan, vgl. *hē is ferahes haƀad farwerkot; habđa sie ginêrid; that*
sea bihlidan êgun; sind mīna-tīdi kumana; sia wārun kuman;
b) zur Bildung des Passivs mit *wesan* und *werđan,* z. B. *werđad*
mīna hêndi gibundan; wurdun farworpan; nū is Krist giboran;
Erodes was gikoran. Hier bezeichnet *wesan* den Zustand, *werđan*
den Vorgang.

Anm.   Merke als abweichend vom Nhd.: *habđa gigangan* 'er
war gegangen' und den Gebrauch von *werđan* in: *wurdun kumana;*
warđ fargangan, tegangan, bifallan; that hē giō giboran ni wurdi
(= non fuisset). Die Verba *ginémnan* 'nennen' und *hêtan* 'heißen'
haben stets *wesan* bei sich.

4. Verneinung.

506.   Ein Verbum kann verneint werden:

a) durch die einfache Negation *ne, ni,* z. B. *ni tharft thū stum*
wesan; durch Verschmelzung sind die Formen *nis(t)* 'ist nicht' und
nêt 'weiß nicht' entstanden;

b) durch *ne* + *wiht, eowiht* 'etwas': *that sia im wedares giwin*
wiht ni andrēdin; ni was iu werđ eowiht;

c) durch *ne*, *ni* in Verbindung mit einer andern, zur Verstärkung dienenden Negation, vgl. *ne ik giō mannes ne warð wīs;
nek it ôk god`ni geskōp; noh ênig gumono ni skal; nia thana wīh
ni forlēt; ne ik thī ni dêriu neowiht; ni swêrea neoman; ni was im
tweho nigên.* Zwei Negationen heben sich also gegenseitig nicht auf!

II. Verbindung durch Präpositionen.

1. Allgemeines.

507. Nomina und Verba können zu einem Nomen durch Präpositionen in Beziehung gesetzt werden, wobei letzteres im Akk.,
Dat. oder Instr. steht.

1. **Nur mit Akk.** erscheinen: *and*, *und* 'bis', *āno* 'ohne',
forūtar 'ohne', *thuru(h)* 'durch', *umbi* 'um'.

2. **Nur mit Dat.**: *af* 'von', *êr* 'vor', *biforan* 'wegen', 'vor',
angêgin 'entgegen', *fram* 'aus'.

3. **Mit Dat. und Instr.** *after* 'nach', *fan(a)*, *fon* 'von', *mid(i)*
'mit', *te*, *ti (tō)* 'zu'.

4. **Mit Akk. und Dat.**: *at* 'bei, an, zu', *inna(n)* 'in', *oðar*
'über', *uppan* 'auf'.

5. **Mit Akk., Dat. und Instr.**: *an* 'in, an', *be*, *bi* 'bei', *far*,
for(a), *fur(i)* 'vor, für', *undar* 'unter', *wid*, *wiðar* 'gegen'.

Die unter 3. und 5. genannten haben jedoch — mit Ausnahme
von *mid(i)* — nur die pronominalen Instrumentalformen *hwī*, *hwiu*
und *thiu* bei sich.

Anm. Die Präposs. können auch nachstehen, z. B. *ina āno*
'ohne ihn'; *stōd ina werod umbi*.

2. Zum Gebrauch der Präpositionen im Einzelnen.

a. Mit Akkusativ.

508. *and*, *und* steht nur zeitlich: *and thena êndi; und āband.*

āno bedeutet 'ohne' und 'außer': *āna orlôf gaf; āna that holt
te thên hôgetīdon.*

for-, *farūtar* ist selten: *libdun im f. laster; f. mankunnies wiht.*

thuru(h) steht a) räumlich: *quam thuru thiu wolkan;* b) instrumental: *alah thuru erlo hand arihtid; hie thuru kêsures thank
rīkt habda;* c) kausal 'aus': *hwat gī thuru is minnea dūat; hie it
thuru thit werod deda* 'um dieses Volkes willen'.

umbi desgl. a) lokal: *stōdun umbi that hūs; erlos hwurðun
umbi Jōhannen; wundun ina ūdion umbi hring* 'ringsum'; *hwilīkan
hê mōd haðad, hugi umbi is herta;* bei ungefähren Angaben:
wārun umbi Galileoland hardo gihugide; b) temporal: *umbi threa*

naht aftar thiu; c) modal 'um, wegen, betreffs': *ni gornot gī umbi. iuwa gigaruwi! hē umbi is drohtin swêk.*

b. Mit Dativ.

509. *af* bezeichnet Herkunft und Trennung 'von, aus': *stōp af themu stamne; wêndian af weroldi; up gitôh fisk af flôde; nêri ūs af thesaru nôdi! bihwī ni hêtis thū brôd af thesun stênun werđan?*

angêgin 'entgegen': *angêgin themu godes sunie.*

fram 'aus — heraus' kommt nur 1 mal vor: *imu mahlidin fram mōdaga wihti.*

êr ist nur zeitlich 'vor': *êr dōmes dage.*

biforan 'wegen' ist nur 1 mal belegt: *gornondie b. theru dādi* und steht sonst adverbial 'vor', z. B. *fuorun thêm b.; êr biforan.*

c. Mit Dativ und Instrumental.

510. Der Instr. erscheint bei *after, fan* und *ti* nur in den Pron.-Formen *thiu, hwī, hwiu,* während *mid* auch mit nominalem Instr. verbunden wird. Wo letzterer fehlt, steht dafür der Dativ.

after, -ar steht a) räumlich, entweder in der Bedeutung 'nach, hinter': *wī gengun a. them bôkne,* oder 'längs, durch, über . . . hin': *wīrôk drôg a. them alahe; wiggeo gômean a. felda;* b) zeitlich 'nach Verlauf von': *a. thêm fiuwartig dagun;* c) modal 'nach, gemäß': *werđe mī a. thīnum wordun!* d) das Ziel bezeichnend 'um': *wirkead a. mēdu! a. thiu skal sorgon alloro liudeo gihwilīk.* Sonst bedeutet *a. thiu* nur 'darauf, dann'.

fan(a), fon steht a) räumlich 'von, aus' Ursprung, Herkunft, Ausgang, Trennung bezeichnend: *quāmun fan Kaina kraftaga liudi; giboran fan thīneru idis; fan himila skīnid thiu sunna; gang fan thema bêne! ginêrid fan theru nôdi;* ferner bei Verben des Sagens: *gihôrdun wilspel fon gode sêggian;* b) zeitlich 'von . . . an, seit': *fan mīnero kindiski;* c) kausal 'von, durch': *holt lêskid van êia. —* Mit Instr. nur in: *fan thiu the* 'seitdem' Beicht. — *fan* bezeichnet also nicht das Subjekt beim Passiv!

mid(i), mid, med bezeichnet a) Begleitung und Gemeinschaft 'mit': *habdun that barn mid im; wesan mid thiu barnu; mid them barne gangan; gisprākun mid thera thiornun;* ferner 'bei, unter': *mid mannun;* b) begleitende Umstände, Gesinnung: *mid hwilīku arbediu thea erlos lebdin; wōpit sie mid trahnun; tholoda mid githuldion;* c) Werkzeug und Mittel 'mit, durch, vermittelst': *mid handun skrīban; biwand ina mid wādiu; gitald habdun mid wordun; awêkid mid wīnu; drōgun wīn mid orkun; bigan im is hugi mid sorgon wallan; weslean mid wordun* 'Worte wechseln'; merke die

Negation *mid wihti* 'mit nichten'. Die Konstruktion: *that lôn was thuo at handum mikil mid morđu* Gen. erklärt sich aus dem Gebrauch der Präp. bei Verben des Kaufens.

te, ti steht a) räumlich auf die Frage wohin?, um Richtung und Ziel zu bezeichnen 'nach, in, zu, hin ... zu': *giwitun im te hūs; te weroldi sėndean; that folk te kerikon quāmi;* so, z. T. neben dem reinen Dativ, bei den Verben des Neigens, Niederfallens, Betens, Sprechens, Denkens, Glaubens, der Gesinnung, des Gebens, Nehmens und Forderns, wo wir 'vor, zu, an, von' gebrauchen: *ef thū wili hnīgan te mī; fellun te thêm kinda an kneobeda; sō thū bādi te mī; kūdian te im; te thêm hėliđon sprak; hrōpat te mī; thāhta gerno te goda; sō hwē sō gilôƀid te mī; thū thī ne belges te mī; sō hwē sō haƀad treuwa te gode; hē im te them wīƀe genam minnea; siu te them alahe gaf all; deda it them barne te mūđe; mī te thesaru thiodu farkôpos; thea te goda hėbbian fasto gifangan; nam is mēda te is frôion; the imu te thesumu kunnie tinsi sōkid;* b) desgl. auf die Frage wo? *Krist gesah te Hierusalem blīkan thene wal; te Amūthon thiu kirika;* c) zeitlich 'zu, bei' oder 'bis': *te ênaru tīdi; te dage* 'heute'; *te pinkoston; te ėwandage* 'bis in Ewigkeit'; d) um Zweck oder Bestimmung auszudrücken: *fīđad sie mėti te kôpe; te banon werđan; garu standu te sulīkon ambahtskipie; te brūdi halon;* so besonders mit dem Gerundium nach Verben der Bewegung, des Strebens, Befehlens, Gebens, Lernens, Lehrens, Vermögens, sowie nach dem unpersönlichen *girīsan* 'geziemen', z. B. *gisėndid was te rihtianne; fundos te faranne; hē im bifalh te sėggeanne; sō man mī ni gāƀi hėttendiun an hand te wēgeanne; thū gilīnod haƀes mėnigi te blizzanne; sia giwīsodin ... te gisėggianne sundea; hie kan te gethėnkianne,* vgl. § 500 Anm. 3; *ik giwaldan muot thik te spildianne; ūs girīsid gihwilīk te gifullianne;* ferner als Ergänzung bei Substantiven + *wesan, werđan* und *hėbbian,* bei Adjektiven und Pronomina, vgl. *was im tharf mikil te gihôrianne; giwald habda te gitôgianne; garo te geƀanne; fūs te faranne; that wirđid werk mikil, thrim te githolonne; guod te gifrummianne; werđ te bimīđanne; that is mīn te duonne;* c) modal 'gemäß, nach': *gilêstid te iro landwīsun; te wārun sėggian.* — Mit dem Instr. steht *te* in den Verbindungen *te thiu* 'dazu' und *te hwī* 'wozu, warum'.

Anm. Mit dem Adverb *tō* verbunden erscheint *te*: *im tō selƀun, te them barne gangan; gereko mīn līf tuote thīneru gisihti!* Ps., vgl. Leitzmann, PBrB. 26, 251. Die Fr. H. gebraucht *tō* als Präp. neben *te.*

d. Mit Dativ und Akkusativ.

511. Bei den folgenden Präp. bezeichnet der Akk. im allgemeinen die Richtung, der Dat. die Ruhe, was natürlich im
Verbum ausgedrückt liegt.

at steht 1. mit Dat. a) räumlich 'in, an, zu, auf, bei': *haƀda
at them wīhe gelibd; imu at is hoƀe kūđid; lag at thêm duron;
findis thū at hūs* (vgl. § 265, 4); *at thêm gômun was; dôđ iro is at
héndi; hē im at tharƀun halp;* so auch nach Verben des Nehmens,
Bittens, Lernens, wo auch *an* und *af* vorkommen, vgl. *sie at éni-
gumu manne mēda ni nāmun; skulon at gode geld antfāhan; hwat
thū at thesaru thiodu thiggean willies; it at is friunde abad; wī it
at thī līnon mōtin;* selten b) zeitlich: *at latstan; at themu éndie.* In
den Hss. wechselt *at* häufig mit *an*. — 2. Mit Akk. nur zeitlich in
dem vereinzelten *at érist.*

inna(n) steht 1. mit Dat. auf die Frage wo?: *warth Erodesa
innan briostun harm.* — 2. Mit Akk. auf die Frage wohin?: *giwêt
imu inan Bethania.*

oƀar, -er steht 1. mit Dat. auf die Frage wo? in der Bedeutung 'über, auf': *the sterro skên oƀar them hūse; oƀar thesaru erđu*
'auf'; so auch halb temporal: *oƀar thêm gômun.* — 2. Mit Akk.
meist räumlich und bezeichnet a) die Richtung wohin 'über auf':
stên, the sia oƀar that hrêo sāwun thia liudi léggian; b) 'über —
hinweg': *sprak oƀar bord skipes; sôhta im ōđra oƀar brêdan berg;
oƀar that haƀad hē ôk himiles lioht; oƀar willeon* 'gegen'; c) eine
Ausdehnung, Erstreckung 'über — hin': *oƀar thesa werold; frāgon
oƀar that folk; oƀar al* 'überall': so bei Verben des Herrschens:
giwald habda oƀar middilgard; d) zeitlich 'nach': *oƀar twā naht.*

uppan steht 1. mit Dat. auf die Frage wo? 'auf': *bīdan uppan
themo berge.* — 2. Mit Akk. auf die Frage wohin?: *uppan that
hūs stigun.*

e) Mit Dativ, Instrumental und Akkusativ.

512. Der Instr. erscheint auch hier nur in den Pronominalformen; der Unterschied im Gebrauch des Dat. und Akk. ist derselbe wie im vorigen Abschnitt.

an steht 1. mit Dat. auf die Frage wo? oder wann? a) örtlich 'in': *lag an béndion; hugi was an sorogun;* bei *werđan: wurdun
an gewinne* 'gerieten in Streit'; verstärkt durch *innan: an them
wīhe innan;* b) desgl. 'an, auf': *wardos an them felda; Krist qual
an themo krūcie;* verstärkt durch *uppan: an theson berge uppan;*
c) desgl. 'unter': *an hiupon; an Judeon;* d) zeitlich 'in, an, bei,

auf': *an êrdagun; an ôđrun dage; an twêm jāron; an rūnun* 'beim
Rate'; *an them sīđa;* e) modal 'gemäß, in, zu': *quaddun ina an
kuningwīsun; an iuwes drohtines namon; ik sundioda an flôkanna;
thīn thionost is im an thanke;* f) bei den Verben des Nehmens und
Trennens, wo wir 'von, aus' gebrauchen: *nāmun an thêm liudiun
mêđmos; up gitôh fisk an flôde* M (*af* C); *an thêm bénkium arês.* —
2. Mil Instr. nur in: *an thiu* 'daran'; *an thiu the* 'damit, wenn'.
— 3. Mit Akk. auf die Frage wohin?   a) örtlich 'in, unter': *légda
that kind an êna kribbiun;* verstärkt durch *innan: an thena hēl
innan faran: an that werod innan;* b) desgl. 'an, auf': *an krūci
gislagan; an thena berg giwêt; fāhit im an sālig thing;* verstärkt
durch *uppan: giwêt an that gibirgi uppan;* c) bei Verben des Glaubens und Denkens 'an, über': *an thena hêleand gilôbian; huggiad
an ôđer; riedun an Krist;* d) zeitlich 'gegen, zu': *an āband: an
thea tīd;* e) kausal: Zweck, Gemäßheit, Ziel bezeichnend 'zu, für,
gemäß, nach, auf': *an ôđar gimarkod; wīeda it an ūses drohtines
êra; an willeon sīnan; dôpean an thena hêlagon gêst;* f) modal,
Art und Weise ausdrückend: *an unreht* 'auf unrechte Weise'; *hē an
aðuh lêrid.*

be, bi steht 1. mit Dat. auf die Frage wo? oder wann?
a) räumlich 'bei, an': *be Kriste; sātun bi wege;* b) desgl. 'in': *be
godes êwa lāsun;* c) instrumental 'durch, mit, bei': *bi them bôkna
farstôdun; ôdana be is brôđor; grôtta bi namon; swêrian bi himile;*
d) kausal 'wegen, aus': *bi hungros githwinge;* e) modal 'nach, gemäß': *be is gôdi; bi rehton;* f) zeitlich 'zu': *bi Nôees tīdion.* —
2. Mit Instr. nur in: *bi hwī* 'weswegen, inwiefern' und: *bi thiu*
'deswegen'. — 3. Mit Akk. nur bei Verben des Sprechens 'über':
thū gisprāki bi drohtin thīnan; lugina ahêbbian bi than drohtin
und in *be that* 'während, indem'.

far, for(a), fur(i) steht 1. mit Dat. auf die Frage wo?
a) räumlich 'vor, angesichts': *stôd imu fora themu wīhe; ik furi
them werode skal tholon; furi them dôđe; fora daga* Gen.; b) einen
Vorrang bezeichnend: *furi allon wībon giwīhid;* c) kausal 'vor, für,
wegen': *drôbda for themu dôđe; dôian for drohtine; ne galpo thū
for thīnun geðun!* — 2. Mit Instr. in: *for thiu* 'darum, deswegen'.
— 3. Mit Akk. auf die Frage wohin? a) räumlich 'vor': *brêngian
fora that barn;* b) kausal 'wegen, für': *ik giðu mīn ferah furi thik;*
c) prädikativ bei *hêbbian* 'haben, halten', 'für, als': *skalt ina furi
suno hêbbian; haba ina than far hêđinan!*

undar steht 1. mit Dat. auf die Frage wo? a) räumlich
'unter': *hwat under themo lakane was;* übertragen: *sī undar giwēldi*

adalkuninges; b) 'zwischen, in': *haldad thī undar iro handun;
undar thêm kāflun nam skattos;* c) 'zwischen, in Gemeinschaft von':
wōhs undar them weroda; undar im 'untereinander'; d) 'auf': *liet
ina undar baka liggian* 'rücklings'. — 2. Mit Instr. in: *undar
thiu* 'unterdes, währenddessen'. — 3. Mit Akk. auf die Frage wohin?
a) räumlich 'unter': *kuman undar thena stēn; undar bak fellun,
besah* 'rücklings, rückwärts'; b) 'zwischen': *lêddun ina undar ederos;*
c) 'unter' von einer Gemeinschaft: *faran sō lamb undar wulbos.*
Zur Verstärkung wird *twisk* hinzugefügt: *undar twisk erda endi
himil* 'zwischen Erde und Himmel'.

wid(ar) steht 1. mit Dat. a) bei Verben des Schützens und
Rettens 'gegen, vor': *giwredian wid themu winde; ginêrid wid iro
nīde; hilp ūs widar allun ubilon dādiun! hêlean w. héttendion;*
b) des Widerstehens und Streitens 'wider, gegen': *wunnun widar is
wordun; that withar mīneru kristinhêdi wāri* Beicht.; b) des Han-
delns, Kaufens und Tauschens 'gegen, für': *that man imu wid is
thiodane gaf; habdun mêdmo filo gisald wider wurtion;* ähnlich:
tôgead im liof widar iro lêde; d) des Zürnens 'über, wegen': *wrêdean
wid iro gewinne;* e) der Gesinnung 'gegen': *treuwa haldan wid them
thīnum muoda.* — 2. Mit Instr. nur in *wid(ar) thiu* bei a) Verben
des Hütens: *wesad wara widar thiu;* b) des Vergleichens: *ni lātan
ūsa ferah wid thiu wihtes wirdig!* c) des Tauschens und Gebens:
*hē gābi is drohtin wid thiu; skal githīhan widar thiu the hī mīn
word frumid.* — 3. Mit Akk. a) bei Verben des Kommens 'gegen,
bis an': *quāmun weros widar wolkun;* b) des Helfens und Schützens
*wid hélliegithwing helpan; gaf im wid thia fīund fridu; an fride
fōrun widar fiundo nīd;* c) des Widerstehens und Streitens: *wārun
starkmuode widar grama thioda; strīd afhôf wid that folk;* d) des
Sprechens 'mit, gegen': *wid mahtigna wordun wehslan; thingon wid
thena thegan;* e) des Sühnens: *wid liudeo barn thea saka ni gi-
sōnead;* f) des Zürnens: *balg ina wid thes werodes gewin; man widar
ôdrana bilgid;* g) der Gesinnung: *habda grimman hugi wid is thiodan;
widar ôdran man inwid hugis.*

III. Verbindung durch Konjunktionen.

513. Die zur Verbindung von Worten (und Sätzen) dienenden
Konjunktionen sind:

1. anreihende, und zwar a) positive: *endi, gia, ja, g(i)e,
giak, jak, gek* 'und', *ge — ge, ge — gia, ja — ja, ja — jak, jak
— jak* 'sowohl — als auch'; b) negative: *ne — ne, ne — nek, ne
— noh* 'weder — noch'; *ne* wechselt mit *ni* (vgl. § 120);

2. unterscheidende: *efdo, the* 'oder', *efdo — efdo* 'entweder — oder';

3. entgegensetzende: *b(i)ūtan, botan, nevan, newan* 'außer', *ak* 'sondern, aber';

4. vergleichende: *sō* 'wie', *al sō* 'so wie', *than* 'als', *sō — sō, sō samo — sō* 'so — wie'.

Anm. M und C haben je 1mal *thanna, -e* für *than*, vgl. PBrB. 28, 568.

Über andere, Nebensätze einleitende Konjunktionen vgl. die Satzlehre §§ 524 ff.

IV. Kongruenz.

1. Genus.

514. Von der Regel, daß alle zusammengehörigen Satzteile möglichst gleiches Genus haben müssen, wird zuweilen abgewichen.

Anm. 1. Gelegentliche Ausnahmen erklären sich meist durch Formübertragung, so der Eintritt der Pluralformen des M. und F. statt des N. bei Adj. und Pron., z. B. *barn mōdage; wunsama wīf; wārun siu blinda; wārun wīf kumana* (vgl. §§ 332, 10; 336, 7; 339,4; 354, 10). Umgekehrt wird das N. *bêdiu* als Konjunktion gesetzt, z. B. *bêdiu githologean, ge hosk ge harmquidi.* Der Gebrauch von *selbo* beim Fem. ist schon in § 340 Anm. 1 erwähnt. — Zuweilen fehlt auch die Fem.-Form, z. B. *burgeo gihwem; thiu was lībes skolo.* — Ungenau ist: *thene mêti wihide, gaf it.*

1. Bei *barn* kann, bei *wīf* und *frī* muß das natürliche Geschlecht das grammatische überwiegen, vgl. *gisāhun that barn ênna standan* (vom Jesusknaben); *ên wīf, thiu habda wam gifrumid; that frī biheld an ira hugiskêftiun.*

2. Adjektiva, Partizipia, Pronomina und Zahlwörter, die sich auf Subst. verschiedenen Geschlechtes beziehen, stehen im Neutr., vgl. *thiu gōdun twê, Jōsêp êndi Mária, bêdiu; wārun [Zacharias + Elisabeth] im barno lôs; wīn êndi brôd wihide bêdiu.* Doch finden sich einzelne Ausnahmen.

Anm. 2. So hat die Gen.: *wit [Adam+Eva] hier bara standat;* der Hel.: *that sie [Zach. + Elis.] êrbiward êgan ni môstun; the thegan mid thera thiornun, sie weldun bêdia;* die Beichte: *mīnan fader êndi môder.*

3. Das neutr. Pron. steht als Subjekt oder Prädikat ohne Rücksicht auf das Genus des Prädikatsnomens: *that was fruod gumo; thit is selbo Krist; Mária, that was diurlīk wīf; hwē skal that wesan, that thī farkôpon wili? Sagde, that hê it was; ik bium, that thār sāiu* 'der das da sät'. Vgl. § 519.

Anm. 3. Statt *it* als Subj. kann auch *hē* stehen: *sagde, that hē* (M, *it* C) *iro hêrro was.*

2. Numerus.

515. Bei kollektivem Subjekt steht das Prädikat selten im Plur., z. B. *thegan manag hwurƀun;* häufiger geschieht dies jedoch, wenn das Kollektiv durch einen G. Plur. bestimmt wird oder an das Prädikat des Kollektivs sich ein weiteres Verb anschließt, vgl. *werod Judeono gripun; that folk warđ an forhtun ēndi frāgodun.* — Auch das ein singulares Kollektiv aufnehmende anaphor. Pron. steht oft im Pl.: *was manag thegan, thie gāƀun; tefōr folk mikil, sīđor iro fraho giwêt; warđ managumu manne mōd gihworƀan, sīđor sie gisāhun.*

Anm. Selten zeigt das einem plural. Subjekt vorangehende Verb den Sg.: *themu is bêđiu gidūan.*

516. Nach dem G. Pl. *thero* des Rel.-Pron. steht fast immer der Sing. des Verbs mit Rücksicht auf ein vorhergehendes *ēnig* oder einen singularen Superlativ: *ēnig thero the hēr wāri; allaro barno bēzta, thero the giboran wurdi.* Nur einmal (V. 4408) zeigt M den Pl.: *thero mêđmo thero the io manno barn gewunnun.*

517. Wenn zwei durch *ēndi* verbundene Singulare das Subjekt bilden, so steht:

a) der Pl. des Verbs bei Personen: *giwitun Jōhannes ēndi Pētrus;*

b) der Sing., wenn das Verb voran- oder zwischensteht: *wan wind ēndi water; imu thiu wurđ bihagod ēndi wederes gang;*

c) der Sg. oder Pl., wenn es nachfolgt: *imu hleor ēndi ōra brast; mī hunger ēndi thurst wêgdun* C, *wêgde* M.

518. a) Bilden mehrere Variationen in verschiedenem Numerus das Subjekt, so richtet sich das Verb meist nach dem zunächststehenden Subst., z. B. *bigan that folk undar im, rinkos rādan; nū sind tīdi kumana, Giudeono pāscha; — ina thea liudi, thioda ni thrungi; sō manag man, weros wundradun.*

b) Besteht das Prädikat aus Verb und Adjektiv, die durch das Subjekt getrennt sind, so gilt dieselbe Regel: *skal Judeono filu, rīkeas suni, berôƀode werđan.*

c) Steht das Verb dazwischen, so richtet es sich meist nach dem ersten Gliede: *mī legar bifeng, swāra suhti.*

d) Ein Rel.-Pron. richtet sich im Numerus nach dem zunächst stehenden Gliede: *kraftiga wihti, selƀon Satanasan, the spênit.* — Bei andrer Wiederaufnahme variierter Begriffe tritt der Pl. ein, wenn der neben dem Pl. stehende Sgl. kollektiven Sinn hat, z. B. *them weroda, thêm liudiun kŭđđa, that sie bŏttin;* bezeichnet er ein Individuum, so steht der Sgl.: *ni gidorstun dĕrnea wihti, nīđhugdig fiund, nāhor gangan: wānde . . . .*

519. Subjekt und Prädikat können durch ein neutrales Pron. im Sgl. ohne Rücksicht auf den Numerus des zugehörigen Subst. gebildet werden: *thit sind thie skuldi; that skulun iuwa seolon wesan.* Ähnlich bei Namen: *Mária wārun sie hêtana.* Vgl. § 514, 3.

520. Das prädikative Adjektiv und Partizip stehen nach plural. Subjekt ebenfalls im Plur., vgl. *quidi werđad wāra; fand sie slāpan sorgandie; hie habit sia farfarana; wurdun giôgida; weros sind kumane.* Doch tritt auch schon öfters die Singularform auf, nämlich:

a) bei erstarrten Formen, wie *sia wurdun giwar(o), giwuno;*

b) vereinzelt bei *wesan* und anderen Verben+Adj., z. B. *héllie sind im open* M (*opana* C)*; thia sind haft; the hêrost wārun;* desgleichen bei prädikat. Gebrauch des Part. Prät.: *wurti, thea stād giblōid; sie drunkan drômead; sea liggian skulun, fêgia bivallan* Gen.;

c) häufig beim Part. Präs., sowie bei *hébbian, êgan, wesan* und *werđan* + Part. Prät., z. B. *quāmun willendi; griotandi sātun; thea habdun thea liudi farlêdid; wārun thea wīson westan gihworban; thes mōtun sie werđan gifullit.* Vgl. Löffler, Das Passiv bei Otfrid und im Hel. Diss. Tübingen 1905, S. 4.

3. Kasus.

521. Das Prädikatsadjekt. und -Part. steht im selben Kasus wie das Objekt, z. B. *hê ina hluttran wêt; habdun im widersakon gihaloden te helpu.* Beim Part. Prät. + *hébbian* tritt aber schon oft die unflektierte Form ein, z. B. *habda im hêlagna gêst bifolhan.* Vgl. § 520.

Anm. Vereinzelt kommen auch Adjektiva so vor: *findis thū gisund* M (*-an* C) *magujungan man; welde ina te furiston dōan, hêrost obar is hīwiski.* Besonders erscheint *mikil* unflektiert in formelhaften Verbindungen wie *obar hlust, gelp mikil; kūđean kraft mikil* etc.

4. Person.

522. In dem Relativsatze, der sich an ein Pron. der 1. Person anschließt, steht das Verbum in der 1. Pers., vgl. *Gabriel bium ik hêtan, the for goda standu; ik selbo bium, that thār sāiu* 'ich bin es, der das da sät'.

Sechzehntes Kapitel.
Satzgefüge.

I. Selbständige (unabhängige) Sätze.

523. Fragesätze werden charakterisiert durch den Frageton
und die Stellung der Glieder; außerdem können sie (bei zu ergän-
zendem zweiten Gliede) durch *hweđer* eröffnet werden, vgl. *hweđer
lêdiad gī wundan ḡold?* — In Doppelfragen steht entweder einfaches *the*, vgl. *is it reht, the nis?*, oder *hweđer . . . . the*, z. B.
hweđer thū that fan thī selƀon sprikis, the it thī ōđra sagdun?

II. Unselbständige (abhängige) Sätze.

**1. Solche, die nicht von einem Imperativ- oder Optativsatze
abhängen.**

A. Nominalsätze.

a. Relativsätze.

524. Diese können eingeleitet werden:

a) durch das Demonstrativpron. *the, thiu, that* mit oder ohne
verstärkendes *thār*, z. B. *sagda thêm siu welda; buotta thêm thār
blinda wārun;* und mit Beziehungswort im Hauptsatze: *hie it gihuggian ni muot, thes hie bitharf;*

b) durch die Relativpartikel *the, thē, thie, thi* mit oder ohne
thār, z. B. *thena balkon the thū haƀes; thia the thār gifulda sindun* Ps.;

c) durch die Partikel *the* etc. mit vorhergehendem Demon-
strativ- oder folgendem anaphorischen Pron., vgl. *mannon sagda
thêm the hie gikoran haƀda; manega wāron, the sia* ('quos') *iro
mōd gespōn;*

d) durch Ortsadverbia, z. B. *te them knuosle, thanan hie was;
fuor hie thār hie wolda,*

e) durch *sō* allein oder mit Pron., vgl. *allaro erlo gihwem, sō
im fruokno tuo ferahes āhtid; kuningduom, sō ina thie kêsur gaf.*

f) ohne Relativum, z. B. *ik selƀo bium, that thār sāiu* (vgl.
§ 522).

Anm. 1. Da das Dem.-Pron. eigentlich zum Hauptsatze gehört, kann es in der vom Verbum desselben geforderten Rektion
stehen, vgl das zweite Beispiel unter a). Sonst schließt es sich dem
Verbum des Relativsatzes an.

Anm. 2. Wegen des Sg. nach *thero the* vgl. § 516.

Anm. 3. Die Formen *thie* und das seltenere *thi* der Partikel
finden sich nur in C (neben *the*) in größerem Umfange; einmal hat

auch Gen. *thie.* Häufig — besonders im Nom. Sg. M. — sind die Partikel und die syntaktisch entsprechenden Formen des Pron. nicht zu unterscheiden, so daß die Konstruktion zweideutig bleibt.

Anm. 4. Als Korrelativ kann auch das Fragepron. im vorangestellten Relativsatze dienen, vgl. *hwena thū gibiodan wêllies, thêm ist bêđiu gidōn.* — Selten steht das Fragepron. im Relativsatz: *ne mag that gitêllean man, hwat thār warđ.*

525. In Relativsätzen steht der Optativ mit dem Indikativ wechselnd nach einem Superlativ, vgl. *hordes mêst thero thie giō man êhti* neben *alloro līđo lofsamost thero the ik eo gisah;* der Opt. nach unbestimmten oder negierten Ausdrücken, z. B. *bist thū ênig thero thi'hier êr wāri? sō hwat sō ik thes gideda, thes withar mīneru kristinhêđi wāri* Beicht.; *ni was forlêbid wiht, that skenkion druogin;* selten steht nach *wiht* der Ind.: *ne williad thes farlātan wiht, thes sie spênit.*

b. Indirekte Fragesätze.

526. Diese werden entweder durch fragende Pronomina und Adverbia, oder durch die Konjunktionen *ef, of* 'ob' bei der einfachen, *hweđer ... the* 'ob ... oder ob' in der Doppelfrage eingeleitet. Bei diesen steht immer der Opt.

Über die Modi merke man im übrigen:

a) der **Ind.** steht nach den Verben des Wahrnehmens, Wissens, Mitteilens und Verbergens, z. B. *hôrdun, hwō thiu êngilo kraft loþodun; ni forstōdun, bihwī hē gisprak; wêt god, hwes thea bithurđun; kūđđun, hwilīk im thār bilidi warđ gitôgid; ni williu ik helan, hwat iu skal te sorgu gistandan;*

b) der **Opt.** nach denen des Fragens, Suchens, Lernens, Wartens, Erwägens, Wollens, Bestimmens, Ratens und der Gemütserregung, z. B. *frāgodun, ef hē wāri that barn godes; wolda is muodseþan undarfindan, hwat hie mohti; līnodun, hwō sea lof skoldin wirkean; bidun, hwan êr the dag quāmi; bigan thenkean, hwō hē sie forlēti; was im willeo mikil, hwat sia bringan mahtin; gıbôd, hwar sie gangan skoldin; bigan that folk rādan, hwō sie Krist wêgdin; wundrodun, bihwī hē thorfti; was thes an lustun, hwat hē gifrêmidi; gī ni thurþun an sorgun wesan, hwat gī skulin gesprekan;* endlich nach *queđan: hwat queđat these, hwat ik sī?*

c) beide Modi nach einigen Verben des Denkens, Sagens und Schreibens, vgl. *hē gihugid, hwat hē gifrêmida; that mênid liudio barn, hwō sie god giwarhta; skal lêrean, hwō sea skulun; gitald habdun, hwō hē gifōdid was; mag seggian, hwō it giwerđan skal;*

*gisprokan habdun, thurh hwilīk ôdmōdi hē thit erdrīki sōkean welda;
giskrīdan was it, an bōkun giwritan, hwō giboden habad alomahtig
fader;* — *hie it gihuggian ni mōt, hwō hie giwirkie; mênda hêlagna
gêst, hwō thena firiho barn antfāhan skoldin; habda gilêrid, hwō sie
lof wirkean skoldin; talda, hwō sie skoldin bōtean; sagda, hwilīk
thero wāri; sprak, hwō wurhteon quāmin; wolda skrīdan, hwō sia
skoldin frummian; bad wrītan, hwat sie that barn hêtan skoldin.*

Anm. Bei *sĕggian* steht der Ind. nach dem Präs. und wenn
die indirekte Rede nicht weiter geht, z. B. *sĕggiu ik, hwō êo gibiudit;*
nach *sĕggian* und *sprekan* folgt der Opt. besonders häufig, wenn sie
im Präteritum stehen. Der Opt. nach *wolda skrīdan* und *bad wrītan*
erklärt sich wohl nach Regel b).

c. 'Daß'-Sätze.

527. Sie sind entweder Subjekts- oder Objektssätze und werden
durch *that* 'daß' oder *ne, nebu* 'daß nicht' eingeleitet und zeigen
bald den Ind., bald den Opt. Bei genit. Verhältnis steht *thes*, vgl.
sagda waldande thank, thes ('dafür daß') *hē ina mid is ôgun gisah,*
nach *thiu* aber *the: skal werk githīhan widar thiu, the hie mīn word
frumid.*

α) Positive.

528. Der Opt. steht nach:

a) den Verben des Befehlens, Anweisens, Bittens, Wünschens
u. ä., um eine Absicht auszudrücken, z. B. *hiet, that fruod gumo
foroht ni wāri; gibôd, that git it hētin sō; kūdda, that sie buottin;
wīsda, that sie lêstin; ni gibu ik that te rāde, that hē biginne;
bādun, that sie mōstin; thigida ina, that hie muosti alôsian; ne wêlleo
ik, that gī it wiodon; thes willeon habad, that hē gilêstea.*

Anm. 1. Durch Konstruktionsmischung steht gelegentlich der
Imperativ: *êwa gibiudit, that thū man ni slah!* Der Ind. bezeichnet
zuweilen die Wirkung der Aufforderung, z. B. *gibodan habad, that
sie wardos sind.*

b) den Verben des Erlangens und Bewirkens, wenn sie verneint sind, z. B. *wit thes gigirnan ni mohtun, that wit ĕrbiward êgan
mōstin; hwō mag that giwerdan sō, that ik magu fōdie?* (negativer
Sinn); *ni mahtun giwinnan, that sie farfengin; hē ni mahta gibid-
dian, that man weldi; god ni giskuop, that the bôm bāri;*

c) den Ausdrücken des Gewohnt-, Bereit-, Würdig-, Gut-, Lieb-
und Nötigseins, z. B. *ne wārun gewuno, that sie gehôrdin; ik bium
garo, that ik fasto gistande; gern was hē, that hē mōsti; wirdig is
the wurhteo, that man ina fōdea; thea gumon giward, that sie ina*

gihōðin; is bêtara, that hē werpa; liof is gihwilīkumu, that man ina alāte; was im tharf mikil, that sie gihogdin; that is mīn te duonne, that ik mīna fuoti sêtte Ps.

Anm. 2. Nach den Ausdrücken der Fähigkeit und Bereitschaft kann auch der Ind. eintreten, um die wirkliche Tatsache zu bezeichnen, z. B. *stuod ên man garo, that hie nam; hē haƀad maht, that hē alātan mag.*

529. Ind. und Opt. stehen abwechselnd bei den Verben des Übergebens, Zulassens, Bestimmens und Wählens; doch geht bei den beiden ersteren Gruppen dem Opt. des abhängigen Satzes stets ein Prät. voraus, vgl. *im giwald fargaf, that sie mōstin; im habde farliwan, that hē mohte; ni was im thiu fruma giƀidig, that sie mōstin; haƀad gimarkot, that wī skulun; gikoran habda, that hē welda; ef thū gikiosan wili, that man giwirkea.*

530. Nach den Verben der objektiven sinnlichen und geistigen Wahrnehmung, sowie des Kundwerdens oder Kundtuns einer solchen steht der Ind., z. B. *gisāwun, that thanan bluod ēndi water sprungun; farstōd, that hie hêrron habdun; was that skīn, that hē drohtin was; gikūdda, that hie habda kraft;* der Opt. steht dagegen, wenn dieselben Ausdrücke negiert sind, oder wenn ein bloß subjektives Meinen, Hoffen und Fürchten bezeichnet werden soll, vgl. *ni weldun antkẹnnian, that hē god wāri; ni gilôƀdun, that hie alowaldo wāri; wāniu ik, that thanan stank kume; mī thunkid, that hie sī bêtara; gitrūoda siu, that is waldandes barn helpan weldi; antdrēd, that sie bināmin.*

531. In der indirekten Rede steht im allgemeinen der Opt. nach den Verben des Sagens und Mitteilens, z. B. *quādun, that sie wissin; hiet skrīƀan, that that wāri kuning Judeono; ārundi brāhta, that siu gisāwi.* Nach *sẹggian* erscheint:

a) der Ind., wenn das Verbum im Präs. steht, z. B. *sẹggiu ik iu, that gī ne mugun fargeƀan;*

b) der Opt. im gleichen Falle bei bloß subjektiver oder für irrig gehaltener Aussage, z. B. *sum sagad, that thū Elias sīs; hie sagit, that hie drohtin sī;*

c) Ind. und Opt. nach dem Prät., jedoch so, daß in Absichtssätzen der Ind., in futurischen mit *skulan* dagegen der Opt. steht, z. B. *sagda, that that barn kuning sōkean welda; sagda, that kuman skoldi ên kuning.* Im übrigen läßt sich keine Regel aufstellen.

Anm. Nach *queðan* kann *that* fehlen: *quað, hē is geld gėrewedi* Gen. Hier steht auch einmal im Absichtssatze der Opt.: *sagda, that hie weldi.*

β) Negative.

532. Nach negat. Hauptsatze stehen *ni, ne* und *neƀu, -o, -a*
'daß nicht, ohne daß' (= lat. *quīn*) mit Ind. oder Opt., und zwar
bei *ni* der Ind. nach einem Prät., der Opt. nach einem Präs., z. B.
*thō ni was lang the thiu, ni it gilêstid ward; ni mahta hē bimīđan,
ni hē sprak; nis thes tweho ênig, ni sie fargelden; that eo ni bilīƀid,
ni hē thes lôn skuli antfāhan; — nis thī werd eowiht te bimīđanne,
neƀo thū simlun that reht sprikis; it wesan ni mag, neƀu ik tholoie;
ni was im tweho nigên, neƀu sie weldin sīdon.*

Anm. Eine Ausnahme ist: *gī biwardon ni mugun, ni gī
awêrdiat,* wo man den Opt. erwartet. Vgl. auch § 541.

B. Adverbialsätze.
a. Temporalsätze.

533. Die einleitenden Konjunktionen, bei denen das Verb im
Ind. steht, sind: *ant (that)* oder *unt that, te thiu that, und êr* 'bis',
be that 'wenn', *nū* 'da', *sīđor, fan thiu the* 'seitdem, nachdem, wann',
sō 'da, als, indem, während', *alsō* 'als', *sō hwan sō* 'wann immer',
sō lango sō 'so lange als', *than* 'als, da, wann, sobald als, wenn',
than lang(o) the 'so lange als', *thār* 'während, als', *thō* 'als, indem',
under thiu 'während', z. B. *that jār furđor skrêd, und that that
barn fiartig habda dago; be that hē thea wurdi farsihid, than wêt
hē; sō hē thena wirôk drōg, grurios quāmun im* etc. Wegen *nū*
vgl. auch § 538.

534. Bei den durch *êr (than)* 'ehe, bevor' eingeleiteten Nebensätzen steht bei negativem Hauptsatz der Ind., bei positivem
der Opt., vgl. *thes sie ni mahtun farstandan, êr it im Krist sêggean
welda,* gegenüber: *wit habdun aldres twêntig wintro, êr than quāmi
thit wīf.*

b. Vergleichungssätze.

535. In den mit *sō, alsō* 'wie, als ob' eingeleiteten Sätzen
bezeichnet der Ind. die wirkliche, der Opt. die bloß scheinbare Gleichheit zweier Größen oder Handlungen, vgl. *habda hē
gilêstid, al sō is gigêngi was; was im thō, al sō hē thrītig habdi
wintro.*

Anm. Vergleichungssätze können die Bedeutung von Ein-
räumungssätzen annehmen, z. B. *sō deda the sunu, sō neo Judeon
umbi that thiu mêr ni gilôƀdun.* — Zuweilen läßt sich *sō* in negativen Sätzen durch 'ohne daß' übersetzen, vgl. *sō kumid the dag, sō
it êr these liudi ni witun.*

536. Nach einem Komparativ steht *than* 'als' mit dem Ind.
bei negativem, mit dem Opt. nach positivem Vordersatz, vgl.

ni gisah ênig mêron minnia, than hê te thêm mannum ginam; thiu habad fridu mêran, than thea man êgin. Bei der Vergleichung zweier verschiedenartiger Handlungen bedeutet *than* 'als daß', vgl. *bêtara is imu than ôdar, that hê thana friund farwerpa, than sie helligithwing bêdea gisôkean.* ・

Anm. 1. Wenn *than* so viel wie 'bis' bedeutet, folgt der Opt., z. B. *thia man hangon ni lietun lengeran hwīla, than im that līf skridi.*

Anm. 2. Statt *than* steht *the* in *than mêr the ni* 'ebensowenig als' nach negat. Satze, vgl. *ni mugun iuwa werk biholan werdan, than mêr the thiu burg ni mag, thiu an berge stād, biholan werdan.*

c. Folgesätze.

537. Diese werden eröffnet durch *that* und stehen nach positivem Hauptsatz im Ind., nach negativem im Opt., vgl. *habda them hêriskipie herta gisterkid, that sia habdun bithwungana thiodo gihwilīka,* und: *ni was fêmea sō gōd, that siu lang libbian mōsti.* Statt *that* kann auch *sō* eintreten, vgl. *willik thī tôgean sulīk tēkan, sō thū an treuwa maht wesan an werolde.*

d. Kausalsätze.

538. Nach den Konjunktionen *hwand(a)* 'da, weil', *nū* 'da nun' und *sō* 'indem, da' steht im allgemeinen der Ind., vgl. *that was sō sālig man, hwand hie gerno gode thionoda; ik thī skal biddean, nū ik sus gigamalod bium; sō wit sō managan dag wārun an thesaru weroldi, sō mī thes wundar thunkid.*

e. Absichtssätze.

539. Durch *that* eingeleitet zeigen sie gewöhnlich den Opt., vgl. *harmskara, the im hêlag god, mahtig marcoda, that hê godes ni forgāti.* In einigen Fällen steht jedoch der Ind., wenn entweder unter der Form eines Absichtssatzes eine neue Tatsache berichtet, oder aber die Wirkung resp. die erfüllte Absicht bezeichnet werden soll, vgl. *lêddun ina ford, that sie an Abrahames barm seola gisettun; gengun, that sie wid Krist sprākun.*

Anm. Selten steht *an thiu the, thiu mêr = that,* vgl. *hwat skal ik dūan, an thiu the ik hebanrīki gehalon mōti? Sie hietun im hwīt giwādi umbi leggian, thiu mêr hie wurdi thêm liudion te gamne.*

f. Bedingungssätze.

540. Bei der Konjunktion *ef, of* 'wenn' (vgl. § 121) steht im Vorder- und Nachsatz der Ind., wenn das Eintreten der Bedingung

als möglich, der Opt. (Prät.), wenn die Bedingung als unbe-
stimmt, zweifelhaft oder nichtwirklich hingestellt wird, z. B.
*ef thū ni bist that barn godes, bist thū than Helias? ef it giwerđan
muosti, than ne wurdi giō the dag kuman; lībes weldi ina bilôsian,
of hē mahti.* Im letzteren Falle kann auch die Partikel fehlen, was
aber nur beim Verbum *wesan* vorkommt und Fragesatzstellung er-
fordert, vgl. *wāri it nū thīn willio, than ni wāri ūs wiht sō guod;
wissin sia that, than ni gidorstin sia.*

Anm. 1. Seltener stehen andere Konjunktionen, wie *sō, thār,
nū, an (widar) thiu the, that,* vgl. *muot ik thī frāgon, sō thū mī
thiu gramara ni sīs; thār thū mī nāhor wāris, than ni thorfti ik
sulīk harm tholon; hū skulun wit libbian, nū hier wind kumit?* Gen.
(in der ae. Übersetzung *зif*); *an thiu the sea libbian weldin* ib.; *wāri
that willeone mêsta, that wī ina gisāhin.*

Anm. 2. Wenn Vorder- oder Nachsatz verschiedenen Modus
zeigen, so ist ein Gedanke zu ergänzen, z. B. *welda ina man gerno
farlātan, thār hie is habdi giwald,* wo zu ergänzen ist 'und er hätte
dies auch getan...' In Ausrufen wie: *wāh warđ* ('wehe') *thesaro
weroldi, ef thū iro skoldis giwald êgan!* soll das sichere Eintreten
der Folgerung durch den Ind. ausgedrückt werden.

541. Negative Bedingungssätze (Ausnahmesätze) werden durch
newan oder *nowan that, b(i)ūtan that, thār* 'wenn nicht, außer daß'
eingeleitet und die Modi stehen wie bei *ef,* vgl. *hie ni mohta sprekan, newan that hie wīsda; thit was alloro lando skôniust, thār thū
thêm ni hôrdis* (Ellipse). Einfaches *ni* steht nur bei den Optativen
sī und *wāri,* vgl. *mīđ is, ni sī* ('es sei denn') *that imu god helpa
farlīhe; bi hwī it mahti giwerđan sō, ni wāri that it gibod godes
selđes wāri.*

Anm. Über *b(i)ūtan, botan* vgl. § 122. C hat dafür fast stets
newan, seltener *nowan.* Vgl. auch § 532. Die mit diesen Konjunktionen beginnenden Sätze sind meist durch Mischung verschiedener
Konstruktionen entstanden.

g. Einräumungssätze.

542. Die Konjunktion *thoh* 'obgleich' wird im Hel. stets mit
dem Opt. verbunden: *ne lāt thū sie thī thiu lêđaron, thoh siu êgi
barn; warđ sprāka bilôsid, thoh hē spāhan hugi bāri.* Nur Gen. 200
steht der Ind.: *thoh thu ... haƀes.*

Anm. Haupt- und Nebensatz können vertauscht werden, wie
in: *al was im that te hoske giđūan, thoh hē it githolodi.* Über Ein-
räumungssätze in Form von Vergleichungssätzen vgl. § 535 Anm.

2. Solche, die von einem Imperativ- oder Optativsatze abhängen.

543. In solchen Nebensätzen steht in der Regel der Opt., vgl. *iuwan welon giðat gī mannon, the ina iu ni lônon! that thia sāliga wārin, thia hier wārin arma; — saga ūs, hwat thū sīs! that sie im gikūðdin, hwar hē thena kuning skoldi sōkean; — ênig ne dūa, that hē unreht gimet mako! it mahti giwerðan sō, that ôdan wurdi barn; — ni dō thū it, than thū bifelhas! that gī it hētin sō, than it quāmi; lāte man sie wahsan, und êr beuwod kume; werðe mī, alsō his willeo sī! that hē sō mildiene hugi ni ̣bāri, sō skoldi hébbian barn godes; — than wārin sō starkmōde jungaron mīne, sō (= that, vgl. § 537) man mī ni gāði liudiun; — that sie ni mōstin te banon werðan, hwand it iro giwono ni wāri; hē weldi wesan thes līðes skolo, ef it mahti ênig séggian; ef thū sīs godes suno, bihwī ni hêtis thū ...?* (Imp. in Frageform).

Anm. Dem Imp. gleichwertig sind Verbindungen von *skal* und *mag* + Inf., vgl. *skulun gī sorgon, than gī faran.*

544. Doch tritt auch nicht gerade selten der Ind. auf, wodurch der Nebensatz selbständiger erscheint, vgl. *sélliad that thār sīn ist! hwē that wāri, that thār quam; — sō lāta imu thit an innan sorga (wesan), hwō hē skal standan! that hē giséggea, hwō ik hér tholon; — that sie thes god loðon, thes hē iu sulīka lêra forgaf; — sō skulun gī biddean, than gī hnīgad; hweðer im swōtiera thunkie, sō lango sō sie sind; — dōd, sō ik iu lêriu! that hē mahti giformon, al sō hē dede; — queðe jā, ef it sī, queðe nên, ef it nist.*

Anm. Nur bei der irrealen Bedingung steht immer der Opt.: *ne wāri, that it thī god fargāði*, wie bei der realen der Ind.

III. Kongruenz.

545. Für die Tempora von Hauptsätzen und optativischen Nebensätzen gilt die Regel, daß auf ein Präsens wieder ein Präsens, auf ein Präteritum wieder ein Präteritum folgt (sog. Consecutio temporum), z. B. *quiðit, that hē Krist sī; quāðun, that that ni mahti giwerðan.* Doch kann auch nach dem Präs. des Hauptsatzes im abhängigen Satze das Prät. stehen, wenn die Vorstellung der Vergangenheit angehört: *nis ênig sō ald, that mēr gisāhi* 'gesehen hätte' (vertritt also den fehlenden Opt. Perf. des Latein.).

Anm. In Fällen wie *wêst thū, that thū giwald hébbian ni mohtis* hat der Opt. Prät. absolute, d. h. hier hypothetische Bedeutung. Desgleichen ist in *that sea skoldin ahébbean godspel, that drohtin diurie* der Opt. Präs. unabhängig gesetzt.

546. Gegen die Kongruenz des Satzbaus verstößt der häufige Übergang von indirekter in direkte Rede, z. B. *skérida im, that hē ni mahta sprekan,* «*êr than thī wirđid kind giboran*»; *gibôd, sō hwē sō bithwungan wāri,* «*sō ganga imu te mī!*» Auch Anakoluthe bei längeren Perioden sind nicht selten, vgl. Hel. V. 1044 ff. und 3661 ff., desgleichen Ellipsen.

Vierter Hauptteil.
Lesestücke.[1]

1. Wiener Segensprüche.

A. *De hoc quod spuriha[l]z dicunt.*
Primum pater noster.

*Visc flôt aftar themo uuatare, verbrustun sīna vetherun: thō
gihêlida ina ūse druhtin. The selvo druhtin, thie thena visc gihêlda,
thie gihêle that hers theru spurihêlti! Amen.*

B. *Contra vermes.*

*Gang ūt[2], nesso, mid nigun nissiklīnon, ūt[2] fana themo margę
an that bên, fan themo bêne an that flêsg, ūt fan themo flêsgke an
thia hūd, ūt fan thera hūd an thesa strāla! Drohtin, uuerthe sô!*

2. Trierer Segensprüche.

A. *Ad catarrum dic:*
*Crist uuarth giuund,
thō uuarth hē hêl gi ôk gisund,
that bluod forstuond:
sō duo thū, bluod!*
Amen ter, pater noster ter.

B. *Incantacio contra equorum egritudinem,
quam nos dicimus spurihalz.*

*Quam Krist ēndi s̄c̄e. Stephan ti[2] ther[o] burg ti[3] Saloniun.
Thar uuarth s̄c̄e. Stephanes hros entphangan. Sō sō Krist gibuotta[4]*

---

[1] Ergänzungen stehen in eckigen Klammern.   [2] *út* Hs.   [3] *zi.*
[4] *gibuozta.*

themo s̄c̄e. Stephanes hrosse that¹ entphangana, sō gibuotiu² ic³ it mid
Kristes fullêsti thessemo hro[sse]. ·Paternoster. Uuala Krist, thū
geuuertho gibuotian⁴ thuruch thīna ginātha thessemo hrosse that¹ ant-
phangana atha that¹ spuri[h]alta⁵; sōse thū themo sce. Stephanes
5 *hrosse gibuottos⁶ ti⁷ thero burg Saloniun! amen.*

---

3. Aus dem Bruchstücke⁸ einer Psalmen-
auslegung (Schluß).

Domine, deduc me⁹. Uuola thū, drohtin, ūt¹⁰ lêdi mik an
thīñemo rehte thuru mīna fī(and)a, endi gereko mīnan uueg an
thīnero gesihti! Uuola thū, drohtin, gereko mīn līf tuote thīneru
hêderun gesihti, thuru thīn emnista reht tōte thên êuuigon mēndislon :
10 *thuru mīna fīanda endi t(hi)a heretikere endi thia hêthinun. That*
is mīn te duonne, that (ik) mīna fuoti sêtte an thīnan uueg, endi
that is thīn (te) duonne, that thū mīnan gang gir(eko)s . . .¹¹ (Th)iu
uuārhêd nis an themo mūthe thero heretikero : uuan thiu īdalnussi
beuual(d)id iro (he)rtono. Uuan thiu (t)unga folgod thena selfkuri
15 *thes muodes. Uuan sia ne hêbbed (sia) an iro herton. Uuan alla*
thia besuīkid the fī(and), the hē īdeles herton findid.

---

4. Aus dem Beichtspiegel.

Confessio. Ik giuhu goda alomahtigon fadar endi allon
sīnon hêlagon uuīhethon endi thī, godes manne, allero mīnero sun-
diono, thero the ik githāhta endi gisprak endi gideda fan thiu the
20 *ik êrist sundia uuerkian bigonsta. Ôk iuhu ik sō huat sō ik thes*
gideda, thes uuithar mīneru cristinhêdi uuāri, endi uuithar mīnamo
gilôvon uuāri, endi uuithar mīnemo bigihton uuāri, endi uuithar mī-
nemo mêstra uuāri, endi uuithar mīnemo hêrdōma uuāri, endi uuithar
mīnemo rehta uuāri. — Ik iuhu nīthas endi avunstes, hêtias endi
25 *bisprākias, suêriannias endi liagannias, firinlustono endi mīnero gi-*
tīdio farlātanero, ovarmōdias endi trāgi godes ambahtas, hōruuilliono,
manslahtono, ovarātas endi overdrankas; endi ôk untīdion mōs fehoda

---

¹ *thaz.* ² *gibuozi.* ³ *ihc.* ⁴ *gibuozian.* ⁵ *-alza,* ⁶ *gibuoztos.*
⁷ *zi.* ⁸ Die in runden Klammern stehenden Buchstaben sind jetzt
verschwunden. ⁹ Ps. V, 9: *Domine, deduc me in justitia tua; propter*
inimicos meos dirige in conspectu tuo viam meam! ¹⁰ *uth-* Hs.
¹¹ Ib. 10: *Quoniam non est in ore eorum veritas; cor eorum vanum est.*

*ėndi drank. Ôk iuhu ik, that ik giuuīhid mōs ėndi drank nithar-
gôt, ėndi mīnas hêrdōmas raka sō ne giheld, sō ik scolda, ėndi mêr
tėrida, than ik scoldi. Ik giuhu[1], that ik mīnan faḍer ėndi mōder
sǫ ne êroda ėndi sō ne minnioda, sō ik scolda, ėndi ôk mīna brôthar
ėndi mīna suestar ėndi mīna ōthra nāhiston ėndi mīna friund sō ne 5
êroda ėndi sō ne minnioda, sō ik scolda. Thes giuhu ik hluttarlīkó,
that ik arma man ėndi ōthra ėlilėndia sō ne êroda ėndi sō ne minnioda, sō ik scolda . . . . . Ik gihôrda hêthinnussia ėndi unhrênia
sespilon. Ik gilôfda thes ik gilôvian ne scolda. Ik stal, ik farstolan
fehoda, āna orlôf gaf, ana orlôf antfeng, mênêth suōr an uuī[h]ethon, 10
abolganhêd ėndi gistrīdi an mī hadda ėndi mistumft ėndi avunst . . .
Ėndi nū dǒn ik is allas hluttarlīkio mīnan bigihton goda, alomahtigon
fadar, ėndi allon sīnan hêlagon ėndi thī, godas manna, gerno an
godas uuillion te gibōtianna, endi thī biddiu gibedas, that thū mī te
goda githingi uuesan uuillias, that ik mīn līf ėndi mīnan gilôvon an 15
godas huldion giėndion mōti!*

5. Übersetzung einer Homilie Bedas.

*Uuī lesed, thō sanctus Bonifacius pāvos an Rōma uuas, that
hē bēdi thena kiėsur Advocātum, that hē imo an Rōmǒ ên hūs gēfi,
that thia luidi uuīlon Pantheon hēton; wan thār uuorthōn alla afgoda
inna begangana. Sō hē it imo thō iegivan hadda, sō wīeda hē it an 20
ūses drohtines êra ėnde ūsero frūon sanctę Mariun. ėndi allero Cristes
martiro, te thiu, alsō thār êr inna begangan uuarth thiu mėnigi
thero diuvilo, that thār nū innna begangan uuertha thiu gehugd
allero godes hêligono. Hē gibôd thō, that al that folk thes dages,
alsō the kalend november an stėndit, te kerikǒn quāmi; ėndi alsō 25
that gǒdlīka thianust thār al gedǒn was, sō wither gewarf manno
gewilīk frā ėndi blīthi te hūs. — Ėndi thanana sō warth gewonohêd,
that man hǒdigǒ ahter allero thero waroldi begêd thia gehugd allero
godes hêligono, te thiu, sō uuat sō uuī an allemo themo gēra ver-
gômelôson, that wī it al hǒdigǒ gefullon ėndi that uuī thur thero 30
hêligono gethingi bekuman te themo êwigon līva, helpandemo ūsemo
drohtine.*

---

[1] *iugiuhu* Hs.

6. Bruchstück eines Glaubensbekenntnisses.

*Flêskas arstandenussi, that thū an themo flêska, the thū nū
an bist, te duomesdaga gistandan schalt. — Endi gilôvis thū līvas
achter dôtha?*

7. Das Essener Heberegister.

Van Vēhūs ahte ênde ahtedeg· mudde maltes ênde ahte brôd,
5 *tuêna sostra êrito, viar mudde gerston, viar vôther thiores holtes; te
thrim hôgetīdon ahtetian mudde maltes ênde thriuu vôther holtes ênde
viarteg[1] bikera, ênde [te] ūsero hêrino misso tuā crūkon. — Van
Êkanscêtha similiter. — Van Hukretha similiter, āna that holt te
thên hôgetīdon: that ne geldet thero ambahto neuuethar. — Van*
10 *Brōkhūson te thên hôgetīdon nigen mudde maltes ênde tuênteg bikera
ênde tuā crūkon. — Van Horlôn nigen ênde vīftech mudde maltes
ênde tuê vôther thiores holtes, tuê mudde gerston, viar brôt, ên suster
êrito, tuênteg bikera êndi tuā crūkon, nigen mudde maltes te thên
hôgetīdon. — Van Nīanhūs similiter. — Van Borthbêki similiter.*
15 *— Van Drêne te ūsero hêrano misso tian êmber honegas, te pincoston
sivondon halvon êmber honegas êndi ahtodoch bikera êndi viar crūkon.*

8. Aus der Freckenhorster Heberolle.
(Z. 17—3 nach der Hs. K.)

*Thit sint thie sculdi van themo vrâno vēhūsa: van themo hove
selvomo tuulif gerstena malt ênde X malt huêtes ênde IIII muddi
ênde IIII malt roggon ênde ahte muddi ênde thrū muddi bânano*
20 *ênde vier kôgii ênde tuê specsuīn, vier cōsuīn, vier êmbar smeras
ênde alle thie verscange, the hīrtō hâred[2], ōther half hunderod hônero[3],
tuê muddi êiero, thriu muddi pênikas, ênon salmon. Ênde thero
abdiscon tuulif sculdlakan ênde tuê êmbar hanigas ênde ên suīn
sestein peninggo uuerth[4] ênde ên scāp ênde sehs muddi huêtes ênde*
25 *tein scok garvano. Ande tō themo âsteron hūs vīf gerstena malt
gimêlta [in nativitate domini et in resurrectione domini tō thên
côpon][5] ênde sehs muddi ênde tuêntigh muddi gerston êndi viertih*

---

[1] *viarhteg.*   [2] *hared* M, *hered* K.   [3] So M, *hanero* K.   [4] *uuerht.*
[5] Fehlt K.

muddi haveron ėndi sehs muddi ėrito ėndi fier malt rokkon ėnde ėn
muddi ėndi ėn muddi huėtes ėnde tuė speksuīn ėnde tuė suīn iro
iehuethar ahte penningo uuerth[1] ..... *Van Hamerethi: Vokko thrie*
scillinga denarios tō kiėtelkâpa ..... *Van Ėlmhurst: Sahsgêr ėnon*
scilling penninga themo bathere. Van Liuzikon ammahte: van 5
Bōcholte[2] *Tiediko tuė malt rockon thên batheron* ..... *Van Anin-*
geralô themo ammahte: Vocko van Grōnhurst ėnde Bōio van Tėl-
tingtharpa iro iahuethar ênon scilling penningo thên muleniron .....

---

[1] *uuerht.* [2] *Bócholte.*

Poesie.

Vorbemerkung.

Die as. Dichtungen sind in Langzeilen ohne strophische
Gliederung abgefaßt; jede Langzeile wird durch eine Zäsur (natür-
liche Pause) in zwei Halbzeilen geschieden, die durch Anreim
oder Allitteration miteinander verbunden sind. Jede normale
Halbzeile hat zwei Haupthebungen, die auf die in der natür-
lichen Prosasprache am stärksten betonten Silben fallen, vgl. § 67 ff.
Jedoch können auch die nebentonigen Stammsilben zweiter Kompo-
sitionsglieder, seltener schwere Ableitungs- und Endsilben, einen
Versiktus tragen, vgl. § 74. Die Hebungen fallen meist auf lange
Silben, d. h. solche, die entweder einen langen Vokal, oder einen
Diphthongen, oder einen kurzen Vokal + Konsonanz (z. B. *dag, bindan*)
enthalten, doch kann dafür auch eine kurze Silbe + Senkung eintreten (Auflösung). So ist *béran* metrisch = *hūs.* Die schwächer
betonten Glieder des Verses heißen Senkungen und können sowohl durch nebentonige wie unbetonte (tonlose) Silben gebildet werden; sie dürfen ein- und mehrsilbig sein.

Die Allitteration besteht darin, daß zwei oder drei Hebungen
der Langzeilen entweder vokalisch oder mit demselben Konsonanten
anlauten. Jedoch allitterieren die Gruppen *sp, st, sk* nur mit sich
selbst; *g* und *j* gelten als gleichwertig, vgl. § 229. — In der zweiten
Halbzeile ruht die Allitteration (der Hauptstab) stets auf der ersten
Hebung, in der ersten Halbzeile können entweder beide Hebungen
allitterieren oder bloß eine.

Die einzelnen Halbzeilen lassen sich nach ihrem Bau in fünf
Grundformen oder Typen einteilen, wobei die Haupthebungen

durch Akut, die Nebenhebungen durch Gravis, die Senkungen durch
ein × bezeichnet sind:

1. A: ⏑́ × | ⏑́ × oder ⏑́ ⏑̀ | ◡ ×, z. B. *fíundes kráftu; sinlíf*
   séhan;
2. B: × ⏑́ | × ⏑́, z. B. *an líudeo líoht;*
3. C: × ⏑́ | ◡ ×, z. B. *an knéo kráftag; an é'rdágun;*
4. D: } ⏑́ | ◡ ⏑̀× oder ⏑́ | ⏑́ ◡ ×, z. B. *mód mórnòndi; thíod-*
   kúnìnge; wís wàrsàgo;
   } ⏑́ | ⏑́ × ⏑̀, z. B. *líof. lándes wàrd;*
5. E: ⏑́ ◡ × | ⏑́, z. B. *é'nòdies árd; órlègas wórd.*

Diese Grundtypen können e**r**weitert werden:

a) durch Vermehrung der Eingangs- und Mittelsenkungen;

b) durch Auftaktbildung bei A, D und E;

c) dadurch, daß die Schlußsenkungen von A und C zweisilbig
sein können;

d) durch Einfügung von Senkungen nach der ersten Hebung
in D und E.

Neben den Normalversen erscheinen bei erregter Stimmung
dreihebige Schwellverse in größeren oder kleineren Gruppen;
mindestens pflegen zwei geschwellte Halbverse verbunden zu sein.
Der erste Halbvers hat gewöhnlich Allitteration auf der 1. und 2.,
seltener auf der 2. und 3. oder der 1. und 3. Hebung; nur ausnahmsweise steht einfache Allitteration. Der Hauptstab steht im
zweiten Halbverse in der Regel auf der 2., selten auf der 1. Hebung.
Beispiel: *míldi máhtig sélbo, thie múotun eft wílleon gibídan.*

Genaueres siehe bei Sievers, Altgerman. Metrik, S. 150 ff.

---

1. Aus dem Heliand.

1. Die Hochzeit zu Kana.

(Nach M.) V. 1994—2087.

Geuuê't imu thô umbi thréa naht áftar thiu thesoro thíodo dróhtin
an Gálileo lánd, thār hē tē énum gō'mun uuárđ[1]
gebédan that bárn godes: thār scolda man éna brúd gében[2],
múnalīca mágat[h]. Thār María uuás
5 *mid iro súni sélbo[3], sálig thíorna,*
máhtiges mõder, Mánagoro đróhtin

---

[1] *uuard.* [2] *gebán.* [3] *selbo.*

géng imu thō mid is iúngoron,   gódes ē'gan barn,
an that hô'ha hús,   thār thiu¹ hē'ri dránc,
thea Júdeon an themu gástsēli: hē im ôc at thêm gô'mun uuás,
giác hi thār gecúdde²,   that hē habda cráft gódes,
hélpa fan hímilfader,   hē'lagna gē'st,   5
uuáldandes uuísdōm.   Uuérod blídode³,
uuárun thār an lúston   líudi atsámne,
gúmon gládmōdie.   Géngun ámbahtman,
skénkeon mid scálun,   drōgun skírianne uuín
mid órcun éndi mid álofatun;   uuas thār érlo drô'm   10
fágar an flēttea,   thō thār fólc úndar im
an thêm bénkeon sō bézt   blídsea afhóðun⁴,
uuárun thār an uúnneun.   Thō im thes uuínes brást,
thém líudiun thes líðes: is ni uuas farlē'ðid⁵ uuíht
huérgin an themu húse,   that for thia⁶ hē'ri fórð⁷   15
skénkeon drógin,   ac thiu scápu uuárun
líðes⁸ alárid.   Thō ni uuas láng te thíu,
thát it sān antfúnda   frío scô'niosta,
Crístes móder: geng uuið⁹ iro kínd sprécan,
uuið⁹ iro súnu sélbon¹⁰,   ságda im mid uuórdun,   20
that thea uuérdos thō mē'r   uuínes ne hábdun
thêm géstiun te gô'mu[n].   Siu thō gérno bád,
that is the hē'logo Críst   hélpa geríedi
themu uuérode te uuílleon.   Thō habda éft is uuórd gáru
máhtig bárn godes   éndi uuið⁹ is móder sprác: 25
„Huat ist mí éndi thí', quad hē,   „umbi thesoro mánno líð¹¹,   .
umbi theses uuérodes uuín?   Te huí sprikis thū thes, uuíf, sō fílu,
mános mī far thesoro mēnigi?   Ne sint mína nóh
tídi cúmana'.   Than thoh gitrúoda¹² siu uuél
an iro húgiskéftiun,   hē'lag thíorne,   30
thát is aftar thêm uuórdun   uuáldandes bárn,
hē'leandoro bézt   hélpan uuéldi.
Hēt thō thea ámbahtmán   ídiso scô'niost,
skénkeon éndi scápuuardos,   thea thār scoldun thero scólu thíonon,
that sie thes ne uuórd ne uuérc   uuíht ne farlétin,   35
thes sie the hē'logo Críst   hē'tan uuéldi
lē'stean far thêm líudiun.   Lárea stódun thār

---

¹ the.   ² gecudde.   ³ blidode.   ⁴ hobun.   ⁵ -lebid.   ⁶ thene M.
⁷ ford.   ⁸ lides.   ⁹ uuid.   ¹⁰ selbon.   ¹¹ lid.   ¹² So C, gitrooda M.

stênvatu séhsi. Thō sō stíllo gebô'd
máhtig bárn godes, sō it thār mánno fílu
ne uuíssa te uuărun, huō hē it mit [is][1] uuórdu gesprác;
hē hēt thea skĕnkeon thō skíreas uuátares
5 thiu fátu fúllien, éndi hī thār mid is fíngrun thố
ségnade sélƀo[2], sínun hándun,
uuárhte it te uuíne, éndi hēt is an ên uuê'gi hláden,
skĕppien mid ênoro scálon, éndi thō te thêm skĕnkeon sprác,
hĕt is thero gĕsteo, the at thêm gô'mun uuás
10 themu hé'róston an hánd géƀan[3],
fúl mid fólmun, themu the thes fólkes thăr
geuuéld aftar themu uuérde. Reht sō hī [thō][4] thes uuínes gedránc,
sō ni máhte hē bemídan[5], ne hī far theru mĕnigi sprác
te themu brúdigúmon, quaƌ that simbla that bĕzte lĭƌ
15 alloro érlo gehuílīc ê'rist scóldi
géƀan[3] at is gô'mun: ,Undar thiu uuirƌid[6] thero gúmono húgi
auuĕkid mid uuínu, that sie uuél blíƌod[7],
drúncan drô'mead. Than mag man thār drágan áftar thiu
líhtlīcora[8] lĭƌ: sō ist thesoro líudeo tháu.
20 Than haƀas[9] thū nū uúnderlíco uuérdskĕpi thínan
gemárcod far thesoro mĕnigi: hêtis far thit mánno fólc
alles thínes uuínes that uuírsiste
thīne ámbahtmán ê'rist brĕngean,
géƀan[10] an thīnun gô'mun. Nū sint thīna gĕsti sáde,
25 sint thīne drúhtingos drúncane suíƌo[11],
is thit fólc frô'môd[12]: nū hêtis thū hīr fórƌ drágan
alloro líƌo[13] lófsamost, thero [the] ic eo an thesumu líohte gesáh
huĕrgin hĕbbean. Mid·thius scoldis thū ūs híndag ê'r
géƀon[14] éndi gô'mean, than it alloro gúmono gehuílīc
30 gethígedi te thánke!' Thō uuard[15] thār thégan mánag
geuuár aftar thêm uuórdun, síƌor[16] sie thes uuínes gedrúncun,
that thār the hé'logo Críst an themu húse ínnan
tê'can uuárhte: trúodun sie síƌor[16]
thiu mê'r an is múndburd, that hī habdi máht gódes,
35 geuuáld an thesoro uuéroldi. Thō uuard[15] that sō uuído cúƌ[17],
oƀar[18] Gálileo lánd Júdeo líudiun,
huō thār sélƀo[2] gedéda súnu dróhtines

---

[1] Fehlt M. [2] selbo. [3] geban. [4] Fehlt M, thuo C. [5] bemidan.
[6] uuirdid. [7] blidod. [8] lihd- M, lith- C. [9] habas. [10] geban. [11] suido.
[12] fruo-. [13] lido. [14] gebon. [15] uuard. [16] sidor. [17] cud. [18] obar.

uuáter te uuíne: that uuarđ thār uúndro érist,
thero [the] hī thār an Gáliléa Júdeo líudeo[n]
técno getó'gdi.

2. Der Sturm auf dem Meere.
(Nach C.) V. 2232—2268.

Thuo uuas thār uuérodes sō fílo
allaro élithiodo cúman te thêm éron Crístes,   5
te¹ sō máhtiges múndburd. Thuo uuelda hie thār éna mĕri líthan,
thie gódes suno mid is iúngron an eban² Gálilealánd,
uuáldand ênna uuágostrôm. Thuo hiet hie that uuérod óđar
fórthuuerdes fáran, éndi hie giuuêt im fáhoro súm
an ênna nácon ínnan, nĕriendi Crist,   10
slápan síthuuorig. Ségel úpp dādun
uuéderuuīsa uuéros, lietun uuínd áfter
mánon ođar thena mĕristrôm, unthat hie te míddean quám,
uuáldand mid is uuérodu. Thuo bigan thes uuédares cráft,
úst úp stīgan, úthiun uuáhsan;   15
suáng gisuérc an gimang: thie séu uuarth an hrúoru,
uuán uuínd éndi uuater; uuéros sórogodun;
thiu mĕri uuarth sō múodag, ni uuānda thero mánno nigén
léngron líbes³. Thuo sia lándes uuárd
uuékidun mid iro uuórdon éndi sagdun im thes uuédares cráft,   20
bádun that im gináthig nĕriendi Crist
uúrdi uuid⁴ them uuátare: ‚eftha uuī sculun hier te uúnderquálu
suéltan an theson séuue'. Sélf úpp arǽs
thie gúodo gódes suno éndi te is iúngron sprák,
híet that sia im uuédares giuuín uuíht ni andrédin⁵: 25
‚Te huī sind gī sō fórhta?' quathie. ‚Nis iu noh fást húgi,
gilóbo is iu te lúttil. Nis nū láng te thíu,
that thia strô'mos scúlun stílrun uuérthan
gi thit uuéder uuínsam⁶'. Thuo hie te them uuínde sprák
ge te them⁷ séuua sō sélf éndi sia smúltro híet   30
bé'thia⁸ gibáreon. Sia gibód léstun,
uuáldandes uuórd: uuéder stíllodun,
fágar uuarth an them flúode. Thuo [bigan]⁹ that fólc únder im
uuérod uúndraian¹⁰, éndi suma mid iro uuórdon sprákun,
huílīc that sō máhtigro mánno uuári,   35

---

¹ the. ² eban. ³ libes. ⁴ uurđi uuid. ⁵ drǽdin. ⁶ -sā. ⁷ thê·
⁸ bethiu. ⁹ Fehlt C. ¹⁰ So M, uueroda uundroda C.

that im sō thie uuínd ēndi thie uuág   uuórdu hō'rdín,
bē̃'thia¹ is gibódscipies.   Thuo habda sia that bárn gódes
ginērid fan thero nō'di: thie náco fúrthor² scrêd,
hō'[h]³ húrnidscip; hēlithos quámun⁴,
5 *thia líudi te lándœ,   sagdun lóf góde,*
máridun is mēgincraft.

3. Von der Zerstörung Jerusalems und dem jüngsten Gerichte.

A. (Nach M.)   V. 4270—4377.

Géng imu thō the gódes sunu   ēndi is iúngaron míd imu,
uuáldand fan themu uuíhe,   all sō is uuíllio géng,
iac imu uppen thene bérg gistē'g   bárn dróhtines:
10 *sát imu thār míd is gesídun⁵   ēndi im ságde fílu*
uuároro uuórdo.   Sie bigunnun im thō umbi thene uuíh sprékan,
thie gúmon umbi that gódes hūs,   quádun that ni uuāri gódlícora
álah obar érdu⁶   thurh érlo hánd,
thurh mánnes giuuérk   mid mēgincráft[u]⁷
15 *rákud aríhtid.   Thō the ríkio sprák,*
hē'r hébencuning⁸ — hō'rdun the ódra⁹ —:
,Ik mág iu gitēllien', quað.¹⁰ hē,   ,that noh uuirðid¹¹ thiu tíd kúmen,
that is afstánden ni scál   stē'n obar ódrumu¹²,
ac it fállid ti fó[l]du   ēndi it fiur nímid,
20 *grádag lô'gna,   thoh it nū sō gódlic sí,*
sō uuíslíco giuuárht,   ēndi sō dōd all thesaro uuéroldes giscápu,
teglídid gróni uuang'¹³.   Thō gengun imu is iúngaron tó,
frágodun ina sō stíllo: 'Huō lango scal stánden nóh', quádun sie,
'thius uuérold an uúnniun,   êr than that giuuánd kúme,
25 *that the lásto dág   líohtes skíne .*
thurh uuólcanskíon,   eftho huan is thīn éft¹⁴ uuán kúmen
an thenne míddilgárd,   mánno cúnnie
te adē'liánne¹⁵ [an themo dága sélbo,
Kríst álouualdo,] quíkun ēndi dō'dun¹⁶,
30 *frô' mīn the gódo? Ūs is thes fíriuuit míkil,*
uuáldandeo Kríst,   huan that giuuérðen¹⁷ scúli'.

---

¹ *bethiu* C, *bedea* M.   ² *fŏrthor* C, *furdor* M.   ³ *hó.*   ⁴ *qua-
mum.*   ⁵ *gesidun.*   ⁶ *obar erdu.*   ⁷ So C, *craft* M.   ⁸ *heben-.*   ⁹ *odra.*
¹⁰ *quad.*   ¹¹ *uuirdid.*   ¹² *obar odrumu.*   ¹³ So C, *gang* M.   ¹⁴ So C,
eft thin M.   ¹⁵ So C, *mankunni te adomienne* M.   ¹⁶ *dodun endi q.*
¹⁷ *giuuerden.*

Thō im ánduuórdi álouualdo Krist
gódlic fargáf thêm gúmun sélƀo[1]:
'*That háƀad*[2] *sō biděrnid', quađ*[3] *hē, ,dróhtin the gódo,*
iac sō hárdo farhólen hímilrīkies fáder,
uuáldand thesaro uuéroldes, sō that uuíten ni mág   5
ênig mánnisc bárn, huan thiu mărie tīd
giuuírđid[4] *an thesaru uuéroldi, ne it ôk te uuáran ni kúnnun*
gódes ĕngilos, thie for imu gĕginuuárde
símlun sindun: sie it ôk gisĕggian ni múgun
te uuáran mid iro uuórdun, huan that giuuérđen[5] *scúli,*   10
that hē uuillie an thesan míddilgárd, máhtig dróhtin,
fíriho fándon. Fáder uuêt it ê'no
hê'lag fan hímile: élcur is it bihólen állun,
quíkun endi dô'dun, huan is kúmi uuérđad[6].
Ik mág iu thoh gitĕllien, huilīc hēr tê'can bivóran   15
giuuérđad[6] *uúnderlīc, êr [than]*[7] *hē an these uuérold kúme*
an themu máreon dága: that uuirđid[4] *hēr êr an themu mánon skīn*
iac an theru súnnon sō sáme: gisuérkad siu bê'thiu,
mid finistre uuerđad[6] *bifángan; fállad stérron,*
huƚt héƀentungal[8]*, endi hrísid érđe*[9]*,*   20
bívod thius brê'de uuérold — uuirđid[4] *sulīcaro bô'kno fílu —:*
grímmid the grô'to sê'o, uuírkid thie géƀenes[10] *strô'm*
ĕgison mid is ûdiun érđbúandiun[11]*.*
Than thórrot thiu thíod thurh that gethuíng míkil,
fólc thurh thea fórhta; than nis frídu[12] *huĕrgin,*   25
ac uuirđid[4] *uuíg sō máneg oƀar*[13] *these uuérold álla*
hĕtilīc afháƀen[14]*, endi hĕri lê'did*
kúnni oƀar óđar[15]*: uuirđid*[4] *kúningo giuuín,*
mĕginfard míkil: uuirđid[4] *mánagoro quálm,*
ópen úrlagi: — that is égislīc thíng,   30
that io sulīk mórđ[16] *scúlun mán afhĕbbien —:*
uuirđid[17] *uuól sō míkil oƀar*[18] *these uuérold álle,*
mánsterƀono[19] *mê'st, thero the giō an thesaru míddilgárd*
suúlti thurh súhti: liggiad séoka mán,
dríosat endi dô'iat endi iro dág ĕndiad,   35
fúlliad mid iro férahu; fĕrid únmet grôt
húngar hĕtigrim oƀar[18] *hĕliđo*[20] *bárn,*

---

[1] *selbo.*   [2] *habad.*   [3] *quad.*   [4] *-uuirdid.*   [5] *-uuerden.*   [6] *-uuerdad.*
[7] So C, fehlt M.   [8] *heben-.*   [9] *erde.*   [10] *gebenes.*   [11] *erd-.*   [12] *fridu.*
[13] *obar.*   [14] *-haben.*   [15] *obar odar.*   [16] *mord.*   [17] *uuirdid.*   [18] *obar.*
[19] *-sterbono.*   [20] *helido.*

mĕtigêdeono mĕʼst: nis that mínníste
thero uuîteo an thesaru uuéroldi,   the hēr giuuérđen¹ scúlun
êr dómes² dáge.   Sō huan sō gī thea dáđi gisé[h]an
giuuérđen¹ an thesaru uuéroldi,   sō mugun gī than te uuáran
5 *that than the lázto dág   líudiun náhid   [farstánden,*
mári te mánnun   ėndi máht gódes,
hímilcraftes hróri   ėndi thes héʼlagon kúmi,
dróhtines mid is díuriđun³·   Huat, gī thesaro dáđeo múgun
bi thésun bóʼmun   bíliđi⁴ antkĕnnien:
10 *than sie brústiad ėndi blóiat   ėndi bládu tóʼgeat,*
lóʼf antlúkad⁵,   than uuitun líudio bárn,
that than is sắn áftar thiu   súmer gináhid
uuárm ėndi uúnsam   ėndi uuéder scóʼni.
Sō uuítin⁶ gī ôk bi thesun téʼknun,   the ik iu tálde hḗr,
15 *huan the lázto dág   líudiun náhid.*
Than sĕggio ik iu te uuáran,   that êr thit uuérod ni mót,
tefáran thit fólcscĕpi, ‥ êr than uuerđe⁷ gefúllid só,
mīnu uuórd giuuáʼrod.   Noh giuuánd kúmid
hímiles ėndi érđun⁸,   ėndi stêid mīn héʼlag uuórd
20 *fást fórđuuardes⁹   ėndi uuirđid al gefúllod só,*
giléʼstid an thesumu líohte,   sō ik for thesun líudiun gespríku.
Uuácot gī uuáralīco¹⁰: iu is uuíscúmo
dúomđag the máreo   ėndi iuuues dróhtines cráft,
thiu míkila¹¹ mĕginstrĕngiu   ėnđi thiu márie tíđ,
25 *giuuánd thesaro uuéroldes.   Fora thiu gī uuárdon scúlun,*
that hē iu slápándie   an suéfrĕstu
fárungo ni bifáhe   an fírinuuércun,
méʼnes fúlle.   Mútspelli cúmit
an thíustrea náht,   al sō thíof, fĕrid
30 *dárno mid is dáđiun,   sō kumid the dág mánnun,*
the lázto theses líohtes,   sō it êr these líudi ni uuítun,
sō samo sō thiu flóđ déda   an fúrndágun,
the thār mid lágustróʼmun   líudi fartĕride
bi Nóeas tíđiun,   biútan that ina nĕride gód
35 *mid is híuuískea,   héʼlag dróhtin*
uuiđ¹² thes flódes fárm: sō úuard¹³ ôk that fiur kúman
héʼt fan hímile,   that thea hóʼhon búrgi

---

¹ *giuuerden.*   ² *domos.*   ³ *diuridun.*   ⁴ *bilidi.*   ⁵ *loð antlukid.*
⁶ *uuitun* M.   ⁷ *uuerde.*   ⁸ *erdun.*   ⁹ *ford-.*   ¹⁰ *warlico* M.   ¹¹ *mikilo.*
¹² *uuid.*   ¹³ *uuard.*

umbi Sódomo lánd   suárt ló'gna bifeng
grím éndi grádag,   that thār nênig gúmono ni ginás
biūtan Lóth é'no: ina antlé'ddun thánen
dróhtines éngilos   éndi is dóhter tuá
an ênan bérg úppen: that ódar[1] *al brínnandi fiur*   5
\ *ia lánd·ia líudi   ló'gna fartéride:*   [*só sámo:*
só fárungo uuard[2] *that fiur kúmen,   só uuard*[2] *é'r*[3] *the flód*
só uuirdid[4] *the lázto dág.   For thiu scal allaro líudio gehuílīc*
thénkean fora themu thínge   — thes is thárf mikil
mánno gehuílīcumu —:   be thiu lātad iu an iuuuan môd sórga!   10

B. (Nach C) V. 4378—4456.

Huand só huánn só that giuuírthit,   that uuáldand Crist,
mári mánnes suno   met thera máht gódes
cúmit mid thiu cráftu   cúningo rīkost
síttian an is sélbes[5] *maht   éndi sámod mid im*
álla thia éngilos,   thia thār úppa sínd   15
hé'laga an hímile,   thann sculun tharod hélitho bárn,
élithioda cúman   álla tesámne
líbbiandero líudio,   só [huat só] gi[ó][6] *an theson líohte uuárth*
firiho afúodit.   Thār hie thiem fólke scál,
allon máncúnnie   mári dróhtin   20
adé'lian after   iro dádeon.   Than scédit[7] *hie thia fardúanun*
thia faruuárahtun uuéros   an thia uuínistrun hánd: [mánn,
sô dúot hie ôc thia sáligun   an thia suídrun hálf;
grúotit[8] *hie than thia gúodun   éndi im tegégnes sprikit:*
'Kúmet gī', quithit hie, 'thia thār gicórana síndun   éndi antfáhet[9] 25
thit cráftiga rīki,
thit gúoda, that hierr gigéruuid sténdit,   that thār uuárth gúmono
bárnon
giuuáraht fan thesaro uuéruldes éndie: iuu hábit[10] *giuuíhid sélbo*
fáder allero firi[h]o bárno:' gī múotun the[sa]ro frúmo[no][11] 30
níotan,
giuuáldan thieses uuídon[12] *rīkies,   huand gī oft mīnan uuílleon*
gifrúmidun,
fulgéngun mī gérno   éndi uuārun mī iuuuera géba mílda.[13]*
than ik bithuúngan uuás   thúrstu éndi húngru,   35
fróstu bifángan,   eftha ik an féteron lág,

---

[1] odar.   [2] uuard.   [3] ér.   [4] uuirdid.   [5] selbes.   [6] io M, gi C.
[7] scedit.   [8] gruote C, grotid M.   [9] -fahent.   [10] habit.   [11] So M, thera
fruma C.   [12] uuidion C.   [13] mildi C.

beclĕmmid an cárcre: oft uurdun¹ mī [kúmana]² thárod
hélpa fan iuuuon hándon: gī uuārun mī an iuuuon húge mílda,
uuĩsodun mīn uuérthlīco.ɔ Thann sprikit im ĕft that uuérod
angĕgin:

5 ɔFrô mīn thie gúodoɔ, quethat sia, ɔhuan uuāri thū bifángan só,*
bithuúngan an sulīcon thárⁿon, sō thū for thesaro thíeda tĕli̧s,
máhtig mé´nis? Huann gisah thī mánn ê´nig
bithuúngan an sulīcon thárⁿon? Huat, thū haⁿis³ allaro thíodo
gie sō sámo thero mé´thmo, thero the io mánno bárn · [giuuáld

10 *giuuúnnun an thesaro uuéruldiɔ. Thann sprikit im é[t uuáldand gód:*
ɔSō huát sō gī dádunɔ, quithit hie, ɔan iuuues dróhtines námon,
gódes fargāⁿun⁴ an gódes ê´ra
thêm mánnon, thia hier mínnistun sindun, thia nū undar thȩsaro
mĕnigi stándat

15 *èndi thuru ô´dmúodi⁵ ᐟ árma uuārun*
uuéros, huand sia mīnan uuílleon frúmidun: sō huát sō gī
im iuuuaro uuélono forgāⁿun⁴,
gidádun thuru diuritha mína, that antféng iuuua dróhtin sĕlⁿo,
thiu hélpa quam te hĕⁿancúninge⁶. Bithiu uuill iuu the hê´lago

20 *lô´non iuuuan gilô´ⁿon: giⁿit⁷ iuu līf⁸ ê´uuigɔ. [dróhtin*
Uuĕndit ina thann uuáldand an thia uuínistrun hánd
dróhtin te thêm fardúanon mánnon, ságit im that sia sculin thia
dád an[t]géldan,
thia mánn iro mé´nuuerc: ɔNū gī fan mī scúlunɔ, quithit hie,

25 *ɔfáran sō farflúocana an that ĵiur ê´uuig,*
that thār gigĕruuid uu̧árth gódes ántsa̧con,
fíondo fólke bi fírinuuérçon,
huánd gī mī ni húlpun, than mī húngar èndi thúrst
uuê´gdun te uúndron eftha ik giuuádes lô´s

30 *géng iámormuod — uuas mī grô´tan thárf —:*
thann ni hábda ik thār êniga hélpa, thann ik gihĕftid uuás,
an líthocospon bilócan, eftha mī légar biféng,
suárra súhti: thann ni uueldun gī mīn séokes thár
uuĩson mid uuíhti: ne uuas iu uuérth íouuiht,

35 *that gī mīn gihógdin. Be thiu gī an hĕllia scúlun*
thólon an thíustreɔ. Thann sprikit im ĕft thiu thíod⁹ angĕgin:
ɔUuóla, uuáldand godɔ, quethat¹⁰ sia, ɔhuī uuili thū sō uuiđ thit
uuérod sprécan,

---

¹ *uurthun.* ² Fehlt C. ³ *habis.* ⁴ *-gabun.* ⁵ *od-.* ⁶ *heban-.*
⁷ *gilobon gibit.* ⁸ *liđ.* ⁹ *thiud.* ¹⁰ *quethent.*

máhlian uuið¹ thesa měnigi? Huann uuas thī [giŏ] mánno thárf,
gúmono gúodes? Huat, sia it all be thīnon géðon ě'gun,
uuélon² an thesaro uuéroldi.' Than sprikit ěft uuáldand gód:
'Than gī thia ármóstun', quithit hie, 'ěldibárno,
mánno thia mínnistun an iuuuon múodsěðon³   5
hělithos farhógdun, lētun sia iu an iuuuon húgie lě'tha,
bedě'ldun sia iuuuera díurtha, than dedun gī iuuuana dróhtin sō
                                    sámo,
giuuěrnidun imu⁴ iuuuero uuélono: be thiu ni uuill iu uuáldand gód
antfáhan fáder iuuua⁵, ac gī an that fíur scúlun,   10
an thena díopon ðô'ð, diuðlon thíonon,
uurě'thǒn uuiðarsacon, huand gī sō giuuárahtun bifóran.'
Thán after thêm uuórdon [skěðit]⁶ that uuérod an tuě',
thia gúodun éndi thia úðilun: farat thia forgrípanun mánn
an thea hě'tun hěll hríuuigmúoda,   15
thia faruuárahtun uuéros, uuǐti antfáhat⁷,
úðil éndilôs. Lěðit úpp thánan
hě'r hěðancuning⁸ thia hlúttrun thíoda
an that lángsama lioht: thār is líſ⁹ ě'uuig,
gigěriuuid gódes rīki gúodera thioda.   20
Sō gifra[g]n ik that thêm rincon thúo rīki dróhtin
umbi thesaro uuéroldes giuuánd uuórdon tálda,
huo thiu fórth fárid, than lang the sia fíri[h]o bárn
árdon múotun, gie huo siu an them ěndie scál
teglídan éndi tegángan.   25

II. Aus der Genesis.

1. Kains Strafe für den Brudermord.

V. 27—79.

Sǐðoda im thuo te sěliðon¹⁰, habda im súndea giuuáraht,
bǐttra an is brúoðar, liet ina undar báka líggian
an ěnum¹¹ díapun dála drô'ruúoragana,
líðas lô'san, légarběðd uuáran,

---

¹ uuið. ² So M, uuelono C. ³ -sebon. ⁴ So M, mi C. ⁵ iuuuer.
⁶ So M, tefarid C. ⁷ -fahent. ⁸ heban-. ⁹ lið. ¹⁰ selidon. ¹¹ enam.

gúman an gríata. Thuo sprak im gód sélƀo tuo,
uuáldand miđ is uuórdun   — uuas im uurế đ an is húgi,
them bánan gibólgan —, frāgoda¹, huuar hē habdi is·bróđar thúo,
kíndiungan gúman². Thō sprak im éft Káin angếgen —
5 *hábda im miđ is hándun háramuuerek míkil*
uuámdādiun giuuáraht, thius uuérold uuas sō³ suíđo
besmítin an súndiun —: 'Ni ik thes sóroguh ni scál', quađ hē,
'gô'mian huar hie gánga, ni it mī gód ni gibô'd,
that [ik] is huếrigin híer húodian thórofti,
10 *uuárdon an thesaro uuéroldi.' Uuánde hē suíđo,*
that hē bihélan mấhti hế'rran sínum,
thia dấdi bidểrnian. Thuo sprak im éft ūsa dróhtin túo:
'All haƀas⁴ thū sō giuuérekot', quađ hē, 'sō thī ti thīnaro uuéroldi
					mág
15 *uuésan thīn húgi hríuuuig, thés thū miđ thīnum hándon⁵ gidédos,*
that thū uuurdi thīnes brúođar báno: nū hē blúodig⁶ lígit,
uuúndun uúorig, thes ni habda hē êniga geuuúruhte te thí,
súndea gisúohta⁷, thoh thū ina nū aslágan hểbbias,
dô'dan gidúanan. Is drô'r sinkit nū an érđa,
20 *suế't súndar lígit, thiu séola huároƀat⁸,*
thie gế'st giámarmuod an gódas uuíllea[n];
drô'r hruopit is te dróhtina sélƀun⁹ éndi ságat huễ thea dấdi
					frúmida,
that mé'n an thesun míddilgárdun: ni mạg im ênig mánn than
25 *uuéro faruuírikian an uuéroldrîkea		[suíđor*
an bíttron bálodādion, than thū an thīnum brúođar háƀas¹⁰
fîrinuuerek gifrểmid.' Thuo an fórahtun uuárd
Káin aftar thêm guídiun dróhtinas, quáđ that hie uuísse gároo,
that is ni mahti uuérđan¹¹ uuáldand uuiht an uuéroldstúndu
30 *dádeo bidểrnid: 'Sō ik is nū mạg drúƀundian¹² húgi', quađ hē,*
'béran an mīnun bréostun, thes ik mīnan brúođar slúog
thuru mīn hándmếgin. Nū uuêt ik, that ik scal an thīnum hểli líbƀian,
fórđ an thīnum¹³ fîundscépi, nū ik mī thesa fírina gidéda.
Sō mī mīna súndia nú, suíđaron thúnkiat,
35 *mísdād mé'ra, than thīn míldi húgi,*
sō ik thes nū uuírdig ni blum, uuáldand thie gúodo,
thát thū mī alátas lế'das thíngas,
tianono atúomeas¹⁴. · Nū ik ni uuelda mīna tréuuua¹⁵ háldan

---
¹ *frágoda.* ² *kuman.* ³ *só.* ⁴ *habas.* ⁵ *handon.* ⁶ *blŏdig.*
⁷ *gisŭhta.* ⁸ *huarobat.* ⁹ *selbun.* ¹⁰ *habas.* ¹¹ *uuerdan.* ¹² *dru-*
bundian. ¹³ *thinun.* ¹⁴ *atuemeas.* ¹⁵ *triuuua.*

uuid[1] them thīnum hlúttrom múoda,   nū uuéʼt ik, that ik hier ni
                                        mag êniga huíla líbbian,
huánd mī antuuirikit,   sō huuat sō mī an thisun uuéga findit,
aslēhit mī bi thesun súndeun.ʼ   Thuo sprak im éft sélbo[2] angĕgin
hēƀanes uuáldand: ʻHier scalt thū nóh nū', quaƌ[3] hē,   5
ʻlíbbian lánga[4] huíla.   Thoh thū sus aléʼƌit sís,
mid firinum bifángan,   thoh uuillik thī frithu sĕltean[5],
tôʼgean sulīc téʼkean,   sō thū an tréuuua máht
uuésan an thesero uuérolde,   thoh thū is uuirƌig[6] ni sís:
flúhtig[7] scalt thū thoh éndi fréʼƌig fórƌuuardas[8] nū   10
libbean an thesum lánda,   sō lango sō thū thit líaht uuáros;
forhuátan scúlun thī   hlúttra[9] líudi,
thū ni salt io fúrthur cúman   te thīnes fráhon[10] spráko,
uuéslean thār mid uuórdon[11] thínon: uuállandi stéʼt[12]
thīnes bróthor uuráca   bitter an hĕlli!ʼ   15

2. Adams und Evas Trauer; Seths Geburt; seine und Kains Nachkommen; der Menschen Bosheit; Prophezeiung vom Antichrist.

V. 80—150.

Thō géng im thanan miƌ grímmo hugi,   habda ina gód sélbo[13]
suíƌo farsákanan. Sóroga uua[r]ƌ thār thuo gikúƌit
Ádama éndi Ēvun,   ínuuidd míkil,
iro kíndes quálm,   that hē ni muosta quík líbbian.
Thes uuarƌ Ádamas húgi ínnan bréostun   20
suíƌo an sórogun,   thuo hē uuíssa is súnu dôʼdan[14]:
sō uuárƌ is ôk thiu múodar[15],   the thana mágu fúodda,
bárn bi iro bréostun. Thuo siu blúodag uuúosk
hréʼugiuuádi,   thuo uuarƌ iro húgi séʼrag.
Béʼtho uuas im thō an sórogun: iac iro bárnas dôʼƌ[16],   25
thes hĕliƌas hínfard[17], iac that im mid is hándun forƌæda
Káin an sulīcun quálma: siu ni habdun thuo noh kíndo than méʼr
líbbendero an them líahta,   botan thana ênna, thie thuo aléʼdid uuás
uuáldanda be is faruuúrohtiun: thār ni habdun siu êniga uuúnnia
                                        túo   30

---

[1] hugi uuid. [2] selbo. [3] quad. [4] libbian an thesun landæ lango.
[5] sĕltean. [6] uuirdic. [7] fluhtik. [8] ford-. [9] hluhtra. [10] herron.
[11] uuordon. [12] stĕ. [13] selbo. [14] doƌan. [15] muoƌar. [16] dod.
[17] -farƌ.

níudlīco ginúman,   uuand hie sulīcan nīđ ahúof_[1],
that hē uuarđ[2] is brúodar[3] báno.   Thes im thuo bē'thiun uuárđ
sínhīun tuē'm   sē'r umbi hérta.
Oft siu thes górnúnde   an gríata gistúodun,
5 sínhīun sámad[4];   quādun[5], that sia uuissin, that im that iro súndia
that im ni múostin áftar   ĕrebiuuárdos[6],   [gidédin,
thégnos thī[h]an.   Thólodun siu bē'điu
mîkila mórđquala,   unt that im ĕft máhtig gód,
hē'r hébanes[7] uuard   iro húgi búotta,
10 thát im uurdun ó'dana[8]   ĕrebiuuárdos[6],
thégnos éndi thíornun,   thígun áftar uuel,
uúohsun uuánlīko,   geuuítt līnodun,
spáha sprâka.   Spúodda thie máhta,
is hándgiuuérek,   hē'lag dróhtin,
15 that im uuarđ súnu gibóran,   them scuopun siu Sēđ te náman
uuárom uuórdum: them[9] uuástom lē'h
hébanas[10] uuáldand   éndi húgi gúodan,
gám[an]līcan gáng.   Hē uuas góda uuírđig,
mîldi uuas hie im an is múoda,   sō thana is mánno uuél,
20 thie io mid sulīcaro húldi múot   hē'rron thíonun.
Hie lóboda[11] thuo mē'st   líodio bárnun
gódas huldi gúmun: thanan quāmun gúoda mánn,[12]
uuórdun uuīsa,   geuuítt lînodun,
thégnos githâ[h]te,   éndi thígun áftar uuel.
25 Thann quâmun ĕft fan Káinā   kráftaga líudi,
hē'liđos[13] hárdmuoda,   habdun im húgi strángan,
uuré'đan uuíllean,   ni uueldun uuáldándas
lē'ra lē'stian,   ac habdun im lé'đan strīd[14];
uúohsun im uurísilīco: that uuas thiu uuírsa gibúrd,
30 kúman fan Káina.   Bigunnun im cố'pun thúo
uuéros uuīf[15] undor tuisk: thas uuarđ auuĕrdit[16] sân
Sēđas gesīđi[17],   uuarđ sĕggio fólc
mē'nu gimĕngid[18],   éndi uurdun[19] mánno bárn,
líudi lē'đa   them thitt líoht giscúop,
35 botan that iro ē'n hábda   érlas gihúgdi,
théganlīca githâht[20]:   uuas im githúngin mánn,

---

[1] afluf. [2] uuard. [3] bruodar. [4] samah. [5] quadun. [6] erebi-.
[7] hebanes. [8] ođana. [9] uuordū thē. [10] hebanas. [11] loboda. [12] mĕnn.
[13] helidos. [14] strīđ. [15] uuiđ. [16] anuuerđit. [17] -sidi. [18] gimengiđ.
[19] uurdun. [20] githatt.

uuîs éndi uuórdspāh, habda giuuitt míkil,
Ē'noch uuas hie hē'tan. Thie hier an érđu uuárđ
mánnum te márđum ođar thesan míddilgárd¹,
thát ina hier sō quíkana kúningo thie bĕzto,
libbendian an is líchaman, sō hie io an thesun líahta ni stáraf —
ac sō giháloda ina hier hēđanas uuáldand
éndi ina thằr gisĕtta, thằr hie símlon múot
uuésan an uuúnnion, untat ina éft an thesa uuérold sĕndi[t]
hē'r hēđanas uuard hēliđo² bárnằm,
líodiun te láro[n]. Thann hier ôk thie lē'đo kúmit,
that hier Ántikríst álla thíoda,
uuérod auuĕrdit³, thann hē mid uuápnu scál
uuerđan Ē'nocha te bánon, ĕggiun scárapun
thuruh is hándmĕgin: huiríbit⁴ thiu séola,
thie gē'st an gúodan uueg, éndi gódas éngil kúmit,
uurikit ina uuámmscađon uuápnaš ĕggiun:
uuirthit Ánticríst áldru bilô'sid,
thie fíund bivĕllid. Fólk uuirđit éft gihuórođan⁵
te gódas ríkea, gúmuno gisíđi
lánga huîla, éndi stêđ⁶ im sīđor thit lánd gisúnd. · 2

3. Sodomas Untergang.
V. 248—337.

Gódes éngilos fórt[h]
síđodun⁷ te Sódoma, sō im sélđo gebô'd⁸
uuáldand mid is uuórdo, thuo hie sea hiet⁹ an thana uuég fáran.
Scóldun sie befíđan, huuat t[h]ār férahtéra
umbi Sódomabúrg, súndeono túom[er]a¹⁰ 2
mánna uuári¹¹, thie ni habdin mĕ'nes¹² fílu,
fírinuuerco gifrúmid. Thō gihôrdun siǥ fĕ'gero¹³ kárm
an allaro sēliđa gihuuén súndiga líudi
fírinuuerk frĕmmian: uuas thār fíundo gimáng,
uurê'đaro uuíhteo, thea an that uuám¹⁴ hábdun 3
thea líudi farlē'did: that lô'n uuas thuo at¹⁵ hándum
míkil mid mórđu¹⁶, that sia oft mĕ'n drîbun.

---

¹ márđum obar. -garđ. ² hebanas uuarđ helido. ³ auuerdit.
⁴ huiribit. ⁵ gihuoroban. ⁶ stéd. ⁷ sidhodū. ⁸ selbó gebód.
⁹ hiđ. ¹⁰ túoma. ¹¹ uuári. ¹² ménes. ¹³ fegere. ¹⁴ uuđ. ¹⁵ hat.
¹⁶ mordhu.

Thanna sát im thār an ínnan   ádalburdig[1] *mán,*
Lóth mid thêm lludium[2]*,   thie oft lóf gódas*
uuárahte[3] *an t[h]esaro uuéroldi*[4]*:   habda im thār uuélono ginúog*
gúodas giuúnnan: hē uuas góde uuírdig.

5 *Hē uuas Ábrahámas   ádaliknóslas*[5]*,*
his bróđer bárn: ni uuas bétara[6] *mán,*
umbi[7] *Giórdanas stáđos   mid gúmkústium*[8]*,*
giuuérid mid geuuíttio: him uuas ūsa uuáldand hóld.
Thuo te séđla hnê'g   súnna thiu huuíta[9]*,*

10 *alloro bô'kno béra[h]tost,   thuo stuond hie fore thes búruges dóre.*
Thuo gisáh[10] *hē an áđand*[11] *éngilos tué'ne*
gángan an thea gárdos,   sō sea fan góde quámun
geuuéride mid geuuíttio: thuo sprak hē im sān mid is uuórdum túo.
Géng thuo tegégnes,   endi góde thánkade,

15 *héđankúninga,   thes hē im thea hélpa ferlê'ch*[12]*,*
that hē múosta sea mid is ô'gum   án lúokoian[13]*,*
iac hē sea an knéo kústa   endi kúsco bád,
that sea súo[h]tin his séliđa: quat that hē im sélbas dúom
gávi sulīcas gúodas,   sō im gód hábdi

20 *farlluuen an them lánda: sea ni uurdun te láta huuérigin,*
ac sē géngun im an is géstséli,   e[n]di hē im giúngardúom
frémide férahtlīca[14]*,   sea im filo ságdun*
uuáraro uuórdo[15]*.   Thār hē an uuáhtu sát,*
héld is hé'rran bodan   hé'laglīca,

25 *gódas éngilos.   Sia him gúodas sō filo,*
súođas giságdun[16]*.   Suárt fúrđur*[17] *skrêd*
nárouua náht an skion,   náhida móragan,
an allara[18] *séliđa gihuuém   sáng úhtfugal*[19]
fora dága hrúomag[20]*.   Thō habdun ūsas dróhtinas bódon*

30 *thea fírina bifúndan,   thea thār frémidun mé'n*
umbi Sódom[a]búrug.   Thō ságdun sia Lôđa,
that thār mórđ[21] *míkil   mánno bárno*
scolda thera lludio uuérthan[22] *endi ôk thes lándas -sō sámo.*
Híetun ina thuo géreuuian,   endi hietun[23] *thō gángan thánan,*

---

[1] *burug adal-.*   [2] *liudiū.*   [3] *uuarathe.*   [4] *uuelordi.*   [5] *adal-.*
[6] *bétara.*   [7] *ūbi.*   [8] *gū kustiū.*   [9] *sedla hnég súnna thiu huuíta.*
[10] *gisha.*   [11] *hađand.*   [12] *-léch.*   [13] *ógum an lókoian.*   [14] *ferath-.*
[15] *uuordu.*   [16] *gisagdū.*   [17] *furdhur.*   [18] *allcora.*   [19] *uhtfugal sang.*
[20] *huoam.*   [21] *mord.*   [22] *huuerthan.*   [23] *hiđun.*

firrian hina fon thêm fiundum¹ endi lêdian is frî mid him,
idis ádalborana². Hē ni habda thār his ádalias³ than mêʼr,
botan is dóhtar tuá, mid thêm hietun⁴ sie, that hie êr dága uuári
an ênum⁵ bérga úppan, that hina brínnándi
fiur ni bivéngi. Thō hē te there férdi⁶ uuárd   5
gáhun gigéreuuid, géngun éngilos,
hábdun hina bi [h]ándum, hébankuningas bódon,
léʼddun hina endi léʼrdun lánga⁷ huíla,
untát⁸ sea ina gibráhtun bi thera búrug útan.
Hietun⁹ that sice io ni gehôʼrdin sulîc gehlúnn míkil   10
brákon an thêm búrugium¹⁰, that sia io under bák sáuuen,
an thíu thie sea an them¹¹ lándce libbian uuéldin¹².
Thuo [h]uúrubun éʼt uuider¹³ héʼlega uuárdos,
gódas éngilos, géngun sníumo,
sídodun¹⁴ te Sódomo: thanan súdar fúor   15
Lóth thoro hira [lêʼra], flôh thera líodio gimáng,
dérebioro¹⁵ mánno: thō uuard dág kúman.
Thuo uuard¹⁶ thār gi[h]lúnn míkil hímile biténgi,
brást endi brácoda, uuard¹⁶ thero búrugeo gi[h]uuílîc
rôʼkes¹⁷ gifúllit, uuard¹⁶ thār fan rádura sō vílu   20
fiures gifállin, uuard¹⁶ féʼgero kárm,
léʼdaro líodio: lôʼgna áll biveng¹⁸,
bréʼd búruggisetu¹⁹: brán áll samad²⁰,   .
stéʼn endi érda, endi sō manag strídin mán
suúltun endi súnkun: suébal²¹ brínnandi   25
uuél after uuíkeom²², uuáragas thólodun
léʼdas lôʼngeld. That lánd ínn bisank,
thiu érda an áfgrundi, ál uuard²³ farspíldit
Sódomaríki, that is ênig séʼg²⁴ ni ginás²⁵,
ac sō bidôʼbit²⁶ an dôʼdséu, sō it noh te dága sténdit,   30
flúodas gifúllit. Thuo habdun iro²⁷ firindádi
all Sódomothíod séʼro antgóldan,
bótan that thār iro éʼnna út²⁸ entléʼdde
uuáldand an is uuíllian endi thiu uuíf míd im,
thríu míd them²⁹ thégna. Thō gi[h]ôrdun sea thero thíodo quálm, 35

---

¹ fiundū. ² adal-. ³ hadalius. ⁴ thē gidun. ⁵ enū. ⁶ there
ferdi. ⁷ lérdun lango. ⁸ huntat. ⁹ hidun. ¹⁰ thē burugiū.
¹¹ thē. ¹² uúeldin. ¹³ uuider. ¹⁴ sídodun. ¹⁵ derebioro. ¹⁶ uuard.
¹⁷ rokos. ¹⁸ bihueng. ¹⁹ burugugisdu. ²⁰ samad. ²¹ suebal. ²² uuíkeom.
²³ uuard. ²⁴ theg. ²⁵ i über e. ²⁶ bidódit. ²⁷ hiro. ²⁸ út. ²⁹ thē.

búrugi brínnan, thō thār under bác bisách
ídis¹ ádalboren²: siu ni uuelde³ thera éngílo
lé'ra lé'stian: that uuas Lóthas⁴ brúd,
than láng the siu an them⁵ lánda líbbian múosta.
5 *Thuo siu an them⁵ bérega gistúod   éndi under bák bisách,*
thuo uuárđ⁶ siu te sté'ne,   thār siu stándan scál
mánnum te márthu   ođar⁵ middilgárd
áfter [te] é'u[u]andage⁶,   sō lango sō thius érđa lé'đot⁷.

Explicit.

¹ *ídis.* ² *adał-.* ³ *uueldere.* ⁴ *Lohthas.* ⁵ *ođar.* ⁶ *heuan-.* ⁷ *lebot*

Anmerkungen.

S. 201. Wiener Segen B. Man glaubte, daß Schmerzen und Krankheiten von Würmern herrührten, die hier in einen an die leidende Stelle gehaltenen Pfeil zu ziehen beschworen werden.

S. 201. Trierer Segen B. Zum lat. Vokativ *sancte Stephan* vgl. § 493 Anm. 2. — *Salonium* ist Jerusalem. — *entphangan:* von einer Krankeit angefallen. — *that entphangana:* die Krankheit.

S. 202, Z. 11. *mīn* 'meine Pflicht', lat. Original: *meum est.* — Z. 17. Zu *giuhu* vgl. § 440 Anm. 1. — Z. 18. Vor *uuīhethon* ist — wenn es keine Glosse ist — wohl *éndi theson* zu ergänzen.

S. 203, 1. *giuuīhid mōs éndi drank* bezieht sich auf das hl. Abendmahl. — 9. *farstolan,* 'gestohlenes Gut'. — Der Beichtspiegel ist eigentlich für **Klosterleute** bestimmt, vgl. ZfdA. 60, 134 ff. — 17. *Bonifacius* ist Bonifaz IV, Papst 608—615. — 18. *Advocatum,* im Orig. *a Phoca Caesare;* Phokas war oström. Kaiser von 602—610. — 20. Die Einweïhung des *Pantheons* fand um 610 statt. — 25. In Wirklichkeit verlegte erst Gregor IV (835) das Fest auf den 1. Nov. — 31. Vgl. § 490 Anm. 2.

S. 204, 7. *ūsero hêrino misso,* d. h. am Tage der heil. Cosmas und Damianus, der Patrone des Stiftes, am 27. September. Desgl. Z. 15.

S. 206, 1. *gewêt imu,* vgl. § 488 c. — 5. *selƀo,* vgl. § 340 Anm. 1.

S. 207, 21. *mêr ... ne* 'nicht mehr', 'keinen Wein mehr'. — 31. *is* gehört zum folgenden *helpan,* vgl. § 486, 2 b. — 37. *lārea,* vgl. § 514 Anm. 1.

S. 208, 2. *sō* 'so daß', vgl. § 537. — 18. *druncan,* vgl. § 520 b.

S. 209, 9. *fahora sum,* vgl. § 480, 3.

S. 210, 1 f. *wordu* und *gibodskipies* gehören beide parallel zu *hôrdin*, vgl. §§ 498 a und 499. — 17. *kumen* ist Part. Prät., vgl. § 505 Anm. — 26. *thîn* ist Gen., abhängig von *wân*, zu letzterem gehört wieder der Inf. *kuman*, vgl. § 500 c: 'wann ist Hoffnung auf dich zu kommen?', 'wann ist deine Ankunft zu erwarten?'. — 30. *mîn*, vgl. § 330, 1.

S. 211, 2. *gôdlîc* gehört zu *andwordi*. — 5. *sô* 'so daß'. — 11. *willie*, erg. *kuman*, wovon der folgende Inf. *fandon* abhängt, vgl. § 500 Anm. 1 und § 501. — 21 f. sind Schwellverse. — 30. *heri* ist Objekt, *kunni* Subjekt. — 34. *swulti*, vgl. §§ 516 u. 525.

S. 212, 1. *that* 'das das'. — 17. *werđe:* C hat *wirđit*. Nach § 534 sollte man auch den Ind. erwarten; ist vielleicht *werđad* wegen des Folgenden zu lesen? — 31. *sô ... ni* 'ohne daß'. — 36. *warđ kuman*, vgl. § 505 Anm.

S. 213, 4. *dohter twâ* ist Objekt. — 5. *that ôđar al* ist Objekt; parallel damit steht *ja land ja liudi* Z. 6, sowie *lôgna* mit dem Subjekt *brinnandi fiur*. — 10. *sorga*, erg. nach § 500 Anm. 1 ein Verb der Bewegung. — 14. *sittian*, vgl. § 501. — 27. Über *hierr* vgl. § 253 Anm. 1. — 34. *geđa* ist Gen. Sg., vgl. § 480, 6.

S. 214, 3. *mîn* ist Gen. von *ik*, vgl. § 486, c. — 18. *thuru diuritha mîna* 'mir zu Ehren', vgl. § 480 Anm. 1. — 30. *grôtan* ist = *grôtun*, Adv. — 33. *suhti:* aus dem vorhergehenden *bifeng* ist *bifengun* als Präd. zu ergänzen, vgl. § 518 c. — ib. *mîn seokes* 'mich kranken', vgl. § 337 Anm.

S. 215. 6. *lêtha*, erg. *wesan* nach § 500 Anm. 1. — 7. *dedun* steht für *bedêldun*, vgl. § 485 Anm. 2. — 11. Zu *sculun* ist ein Verbum wie *faran* zu ergänzen, wovon der Inf. *thionon* Z. 12 abhängt. — 21. *guodera th.* ist Dat., abhängig von *gigêriwid*. — 27. *sîđoda*, nämlich Kain. — 30. *waran* = *waron*, wovon der Akk. *legarbédd* abhängt, während *guman* S. 216, 1 zu *liet liggian* Z. 28 gehört.

S. 216, 6. *wamdâdiun* ist instrum. Dat. — 9. *is*, sc. Abels; der Gen. hängt ab von *huodian*. — 15. *thes* ist relativ, abhängig von *hriuwig*. — 17 f. Vgl. Kock, Anglia 45, 128. Haupt- und Nebensatz scheinen vertauscht, vgl. § 542 Anm. — 21. *an godas willean* 'wohin Gott will'. — 24. *im* ist reflexiv. — 29. *is* hängt von *wiht* ab, *waldand* ist Dat. — 30. *dâdeo* steht parallel mit dem vorhergehenden *is; is* in Z. 30 gehört zu *drûbundian hugi beran* (vgl. § 486, f) und weist auf das folgende *thes* 'daß' hin. — 33. *nû* 'nachdem'. — 34 f. *sô — sô* 'so sehr — daß'. — 38. *Nû* 'da — nun'.

S. 217, 7. *Thoh* 'obgleich', in Z. 3 'doch'. — 11. *thit liaht*, das Licht der Welt. — 13. *salt = skalt*, vgl. § 242 Anm. 2. — *thīnes frahon* 'mit deinem Herrn', Gen. objekt. — 14. *thār*, bei Gott. — 15. *thīnes brōthor* 'für deinen Bruder', Gen. objekt. — 19. *hē* vgl. § 514, 1. — 25. *Bêtho* (= *bêđiu*) *was*, vgl. § 515 Anm. — 27. Über *than* vor *mêr* vgl. § 536 Anm. 2. — 29. Zu *thār* gehört *tuo*.

S. 218, 2 und 4. *Thes* 'deswegen', vgl. § 487, 1. — 13. *Spuodda thie mahta* 'es förderte, der es konnte', Subj. ist *drohtin*. — 14. *handgiwerek:* Adam und Eva. — 19. *hie:* Gott, *im:* dem Seth; *sō thana is manno wel* 'wie es demjenigen von den Menschen wohl ergeht'; bei *wel* und *wê wesan* kann sowohl der Dat. wie der Akk. der beteiligten Person stehen, vgl. Braune, Bruchst., S. 59, 112. — 25. *thanan:* von Seth. — 30. *cōpun:* nach altgerm. Sitte wird die Braut den Eltern abgekauft. — 31. *thas* 'dadurch', vgl. § 487, 1. — 34. *them = them the.*

S. 219, 3 f. *warđ the mārđum* 'ward berühmt bei'. — 5 f. *sō* 'so daß'; der Satz bildet ein Anakoluth: statt mit *gihaloda* abzuschließen, ist ein neuer Hauptsatz (Z. 10) mit *ac sō gihaloda ina* angefangen. — 8 ff. Diese Erzählung von der Wiederkunft Enochs, der dann vom Antichrist erschlagen und von einem Engel an diesem gerächt wird, entspricht der mittelalterlichen Glaubenslehre. — 10. *Thann* 'wenn', *thie lêđo*, der Teufel. — 14 f. *thiu seola, thie gêst*, näml. Enochs, der ja jetzt erst gestorben ist. — 16. *ina* 'ihn den'. — 18. *gihworoƀan* ist intrans., vgl. § 505 Anm. — 28 und 220, 28. Zu *sēliđa*, vgl. § 283, 6. — 29 f. *fīundo, wrêđaro* meint Teufel. — 32. *that* 'dafür daß'.

S. 220, 9. *Thuo* 'als'. — 18. *thes* 'dafür daß', abhängig von *thankade.* — 18. *im* ist D. Pl., *selƀas* bezieht sich nicht auf *sulīcas guodas*, denn *selƀas duom* ist ein alter Rechtsausdruck und bedeutet 'freie Verfügung über', vgl. *an is selƀes dōm* Hel. 4488, ae. *seolfes dóm*, aisl. *siálfdœme.* — 19. *im* 'ihm', Loth.

S. 221, 1. *hina* 'sich'. — 10 f. *that siæ ni gihôrdin ...*, *that sia sāwen* 'wenn sie auch noch so großes Getöse hörten, daß sie (dann doch) nicht zurückblicken sollten'. — 12. *an thiu thie* 'wofern'. — 25. *swultun*, vgl. § 515. — 26. *wel*, Prt. von *wallan.* — ib. *waragas* ist Nom. Pl. — 27. *lêđas* ist Gen. Sg. N. (Gen. obj.), abhängig von *lôngeld.* — 30. erg. *warđ* aus Z. 28. Zu *bidôƀit* vgl. aisl. *deyfa*; die Besserung stammt von Kock. — 31. *habdun:* Subjekt ist *thiod*, vgl. § 515.

———————※———————

Glossar und Register.

Abkürzungen: A(kkusativ), abl(autendes), Ad(jektiv), Adv(erb), D(ativ), F(emininum), G(enitiv), I(nstrumental), k(onsonantisch), Komp(arativ), Konj(unktion), M(askulinum), m(it), N(eutrum), -n(ame), Num(erale), Part(izip), Pl(ural), Präf(ix), Präp(osition), Pron(omen), Prt.-Prs. = Präterito-Präsens, red(uplizierendes), refl(exiv), rel(ativum), s(iehe), Sup(erlativ), sw. = schwaches, unth(ematisches), V(erbum). — Die der Genusbezeichnung beigefügten Buchstaben bezeichnen die Stammklasse; «sw. F. ō» bedeutet, daß das betreffende Fem. stark und schwach flektiert. — Die den Verben beigefügten Zahlen bezeichnen die Klasse, die eingeklammerten Zahlen weisen auf die §§ hin, ein * auf die Nachträge.

b, ð und d, đ sind nicht getrennt; c = k suche man unter k, in- und auslautendes th unter đ, v unter f, oder ð, uo unter ō, die Diphthonge eo, io, ia, ie meist unter io, seltener unter eo, konsonant. i unter j, konsonant. u, uu unter w. — Bildungen mit unbetonten Präfixen stehen unter dem Hauptwort.

a.

a- Präf. (116. 227) er-.
āband M. a. (192 Anm. 257 Anm. 2) Abend.
Abbo sw. M. (246 Anm.) Eigenn.
abdiska sw. F. (77 Anm. 1. 140 Anm. 2. 241 Anm. 2. 244. 247. 253, 2) Abtissin.
abuh (130. 512) übel; an a. Adv. verkehrt.
abunst F. i. k. (65. 192. 220. 299 Anm. 1) Mißgunst, Neid.
adalboran von edler Geburt. Vgl. beran.
∼burdig dasselbe.
∼kuning M. a. König.

adali N. ja (81. 161) edles Geschlecht (vgl. édili).
∼knōsal N. a. dasselbe.
āđar, ōđar, andar Adj. Pron. Num. (29, 7. 106. 124 Anm. 1. 137. 138, 2. 140 Anm. 1. 191. 192 Anm. 257 b und Anm. 2. 346 g. 355 Anm. 2. 358. 391 Anm.) ander, zweite; ā. — ā. der eine — der andere. ōđarsīđu zum andern Male; an ō. anders; ōđerhalf 1½.
∼hwedar (346 f) einer von beiden.
ādom M. a. (185) Atem.
ādro Adv. früh.
af I. Präp. m. D. (30. 509) von, aus. — II. Konj. s. ef.

af-, of- Präf. (116 Anm.) ab-.
∽*god* M. a. (265, 5) Abgott.
∽*grundi* N. ja. Abgrund.
aftar, ahter I. Adv. (124. 125
Anm. 196) darnach, -auf, hinterdrein, nach. — II. Präp. m.
D. u. I. (510) nach, hinter;
längs, über, durch — hin; um.
agalêto Adv. (143) eifrig.
agastria sw. F. (81. 126) Elster.
aha F. ō. Wasser.
ahar N. k. (325 a) Ähre.
ahospring M. a. (283, 3) Wasserquell.
ahsla sw. F. ō· (284 Anm. 1)
Achsel.
ahte s. *ahto.*
ahter s. *aftar.*
āhtian sw. 1 (89. 486, 2 c. 498
Anm.) nachstellen (+ *tō*).
ahto, -e Num. (152 Anm. 2) acht.
antáhtoda, ahtodoch, -edeg (69.
384) achtzig.
ahtodo (388) der achte.
ahtotehan, -tian achtzehn.
ak sondern, aber.
akkar M. a. (143. 243. 269*
Anm. 1) Acker.
akus F. k. (130. 151. 166 Anm. 3.
243 Anm. 1. 325 Anm. 1)
Axt.
al I. Adj. (149 Anm. 253, 1. 350)
all, ganz. — II. Adv. ganz,
durchaus; *al sō* s. *sō.*
alah M. a. (323 Anm.) Tempel.
alajung (149) ganz jung.
alamōsna, almōsa sw. F. ō (76.
138, 4 Anm. 139 Anm. 187*.
284 Anm. 1) Almosen.
ala- s. *alo-.*
ald (76 Anm. 1. 353. 364, 1.
370) alt.
aldar N. a. 142. 272 Anm. 1)
Leben.
∽*(gi)lagu* N. a. Pl. (291 Anm. 1)
Lebenszeit.
gialdarod Part. (143) gealtert.
ald(i)ro, êldiro sw. M. (129
Anm. 2. 138, 2. 140 Anm. 1.
367. 369 Anm.) Vorfahr; Pl.
Eltern.

alligilīko Adv. (149 Anm.) ganz
gleich.
almahtig s. *alom.*
almōsa s. *alamōsna.*
alofat N. a. Biergefäß.
al(o)mahtig (67. 149 Anm.) allmächtig.
alowaldo sw. M., Adj. (130. 350 c)
allwaltend(er).
alsō s. *sō.*
altari M. ja. (276) Altar.
alung (130. 355) ewig.
ambaht N. a. (125. 213. 245)
Amt, Gutsverwaltung, Dienst.
∽*man* M. k. (322) Diener.
∽*sképi* M. i. (291) Dienst.
amballa F.(130 Anm. 244) Flasche.
ambu- s. *anbu-.* ·
ammaht s. *ambaht.*
Amūtha Ortsn. (106) Muiden (am
Zuiderzee). Vgl. *aha.*
an I. Adv. (30. 148) an, hinan.
— II. Präp. m. D., I. u. A.
(116 Anm. 512) an, in, auf,
unter, über, bei, gemäß, nach,
für, zu, gegen, von, aus; *an
eðan* neben, bei; *an twê* ent-
zwei, in 2 Teile; *an thiu the*
(539 Anm. u. 540 Anm. 1) daß,
wenn.
an- Präf. (249) s. *and-.*
āna s. *āno-*
anafang M. a. (148. 257 d) An-
fassen.
∽*gin* M. a. (148) Anfang, Beginn.
anbusan F. i. (188. 256 Anm.)
Gebot. ·
and, ant Präp. m. A. (156. 205.
508) bis; *antt(h)at* Konj. (533)
bis daß. Vgl. *und.*
and- Präf. (116. 249) ent-, emp-.
andar s. *ādar.*
andbāri N. ja. Aussehen.
∽*sako* sw. M. Widersacher.
∽*swōr* (134 Anm.) Antwort.
∽*wurdi,* ∽*wordi* N. ja (88
Anm. 3) Antwort.
ande s. *êndi.*
āne s. *āno-.*
anginni N. ja. Anfang, Beginn.

angul M. a. (130) Angel.

Aningeralô Ortsn. Ennigerloh.

anmōd (480, 5) entschlossen zu.

āno, -a Präp. m. A. (152 Anm. 1 und 2. 480, 5. 507 Anm. 508) ohne; außer; frei von.

anst F. i. (192) Gunst, Gnade.

ant- Präf. (248. 249) s. *and-*.

ant- Präf. (69. 384) -zig.

antat s. *and.*

antprest M. a. (238 Anm. 2) Erklärer.

apl, appul M. (142 Anm. 143 Anm. 237. 269 Anm. 2) Apfel.

arƀed, -id F. i. (136. 298) Arbeit, Mühsal.

arƀedi, -idi N. ja. (144. 278. 299 Anm. 3) dasselbe.

ardon sw. 2 bewohnen.

arm M. a. Arm.

arm (144) arm.

∽*līk* (369) elend.

armōd(i) (144. 306 Anm. 3) Armut, Elend.

aru wa. (165 Anm. 1) bereit, fertig.

ārundi N. ja. (130. 275, 4) Botschaft.

ās s. *ōs.*

askman M. k. (241 Anm. 1) Seeräuber.

âster s. *ôster.*

at I. Adv., dabei, zur Hand. — II. Präp. m. D. u. A. (511) in, an, zu, auf, bei.

āt N. a. (158) Speise.

atha s. *efđo.*

b.

bađeri M. ja. Bader.

bak N. a. Rücken; *undar b.* rückwärts, zurück; *u. baka* rücklings, auf dem Rücken.

bakkeri M. ja. (243*) Bäcker.

bakkan abl. 6 (445*) backen.

bal M. i. (297) Ball.

bald (203) kühn.

balg M. i. (297 Anm. 2) Balg.

balko sw. M. Balken.

balo, -u N. wa. (165. 280) Übel, Verderben.

∽*dād* F. i. Übeltat.

∽*suht* F. i. verderbliche Krankheit.

bâm s. *bôm.*

bâna s. *bôna.*

baneđi, biniđi N.? ja. (78. 81) Totschlag.

bank F. i. Bank.

bannan red. (447*) bannen.

bano sw. M. Mörder.

bar bar, bloß.

bāra sw. F. ō (157. 284 Anm. 1) Bahre.

barg M. a. (144) verschnittener Eber.

gibārian sw. 1. sich benehmen.

bar(a)līko Adv. (149) offenbar.

barm M. a. Schoß.

barn N. a. (157. 514, 1) Kind, Sohn.

bat s. *bêt.*

be- s. *bi.*

Bevarnon Ortsn. Bevern.

gibed N. a. Gebet.

bêd s. *bėddi.*

beda F. ō. Bitte, Gebet.

bėd(di) N. ja. (174. 274. 277 Anm. 1) Bett.

bêdia (97 Anm. 206. 379, 2. 514 Anm. 1) beide; N. *bēdiu — ge, ėndi, jak* sowohl — als auch.

bêdian sw. 1 (97. 494 a) zwingen.

bedon sw. 2. beten.

bėki M. i. (78. 126. 290) Bach.

bėkkin N. a. (133. 243) Becken.

belgan abl. 3, 2 (485, 1) zürnen; Part. Prt. *abolgan* (488 a) erzürnt (vgl. *abolganhêd*).

bên N. a. Bein, Knochen.

bėndi F. i. Pl. Bande.

bėniwunda sw. F. ō. (151. 285 Anm. 4) Todeswunde.

beo s. *beu.*

bêr M. a. (97 Anm.) Eber.

beran abl. 4 tragen; *gi*∽ gebären.

-berand M. k. (321) Träger.

berg M. a. (144) Berg.

bɛr(a)ht (82 Anm. 2. 144. 180) glänzend.

bèri, biri N. ja. (78. 126. 277) Beere.

besmo sw. M. (59) Besen.

bèt, bat Adv. Komp. (151 Anm. 2. 159. 375) besser.

bètara, -era Adj. Komp. (371) besser.

bètian sw. 1. beizen; *und* ∽ (116 Anm. 188. 249) absteigen.

bètst, bèzt Adj. u. Adv. (139. 209. 238. 239 Anm. 1. 375) beste; am besten.

beu N. wa. (279. 281) Ernte.

beuwod M. N. a. (104. 134) Ernte.

bi, be Präp. m. D., I. u. A. (117. 512) bei, an, in, durch, mit, wegen, für, aus, nach, gemäß, zu, über; *bi hwī* weswegen; *bi thiu* deswegen; *bi that* (533) während, indem, wenn.

biðon sw. 2 (84) beben.

bīdan abl. 1 (486, 2 c) (er)warten.

biddian abl. 5 (250. 441. 486 c. 494 Anm. 500 a) bitten, einladen; *a*∽ (511) erbitten, sich ausbitten; *gi*∽ erbitten, bewirken.

bīdon sw. 2. weilen, bleiben.

bígihto sw. M. (68) Beichte; Gelübde.

bíhêt M. a (68) Drohung.

bikeri M. ja. (84. 275, 2) Becher.

bil N. ja. (277) Schwert.

biliðan N. a. (68) Speise, Zukost.

biliði N. ja. Bild, Gleichnis.

bindan abl. 3, 1. binden: *and*∽ (494 a) entbinden, befreien; *gi*∽ zusammenbinden, fesseln.

binidi s. *baneði.*

biodan abl. 2 (487. 498 b) bieten, gebieten.

gibirgi N. ja. (278) Gebirge.

biril M. a. Korb (zu *beran*).

biskop M. a. (117. 130. 244) Bischof.

bismersprāka F. ō. (68) Spottrede.

bisprāki N. ja. (68. 132) Verleumdung.

biti M. i. (289, 4) Biß.

bittar (143. 154. 240. 358 Anm.) bitter

bium ath. (185 Anm. 3. 473) bin.

blad N. a. Blatt.

blādara sw. F. (145) Blatter.

blandan red. 1 (486, 2 g Anm. 3) mischen.

blāo wa. (361) blau.

blāsan red. (449*) blasen.

blêk hell, bleich.

bleuwan abl. 2 (105. 168. 431 Anm. 1) bläuen, schlagen.

blī N. (85. 278 Anm. 2) Farbe.

blīði ja. fröhlich, heiter.

blīðon sw. 2. fröhlich sein.

blīdsea F. jō. (209. 285) Fröhlichkeit.

blīdsian sw. 1 (ib.) erfreuen.

blīkan abl. 1. glänzen.

blind blind.

blindi(a) F. jō. ī. (293 Anm. 2. 294) Blindheit.

blīz- s. *blīds-.*

blōd N. a. Blut.

blôð(i) a. ja. (368) furchtsam.

blôði F. ī. (294) Furchtsamkeit.

blōdig blutig.

blōian sw. 1 (452 Anm. 2) (er)blühen.

gibod N. a. Gebot; ∽*skipi* Ni. dass.

boðam M. a. (202) Boden.

boðlos M. a. Pl. (201) Haus und Hof.

bodo sw. M. Bote.

bōg M. i. (232. 304) Bug.

bôgian sw. 1, b (357 Anm. 1) beugen.

bōk F. k., N. a. (325 Anm. 6) Buch.

Bōcholt Ortsn. Bocholt.

bôkan N. a. (142 Anm. 241 Anm. 3) Zeichen.

abolganhêd F. u. (71. 306) Jähzorn; s. *belgan.*

bôm, bâm M. a. (29, 9) Baum.

bôna, bâna F. (29, 4) Bohne.

bord M. a. Bord, Rand; Schild.

Borthbèki Ortsn. Borbeck.

bōsom M. a. (185. 267) Busen, Schoß.

botan s. *ūtan.*

bōtian sw. 1, b (115. 159. 461. 488 b Anm. 2) ausbessern, büßen; anzünden; heilen.

brâd s. *brôd.*

brāha s. *brāwa.*

brahtom N. a. Lärm, Gedränge.

brakon sw. 2. krachen.

brāwa, brāha F. (164 Anm. 2. 218 Anm. 1. 286) Braue.

brēƀian sw. I b (92. 220) schreiben.

brêd breit, weit.

brêf M. (92. 194) Brief, Schrift, Urkunde.

bregdan abl. 3, 2 (423) knüpfen.

brekan abl. 5. brechen; *bi⌒* (497 c) zerbrechen.

brengian sw. 1 (75 a, 4. 256 b. 421. 462) bringen.

brennian sw. 1 b (461) verbrennen.

brestan abl. 3, 2 (488 b. 498 a) bersten; gebrechen, mangeln; *far⌒* zerbrechen.

breuwan abl. 2 (431 Anm. 1) brauen.

bringan abl. 3, 1 (421) bringen.

brinnan abl. 3, 1. brennen.

briost N. a. Pl. Brust; Inneres.

brôd, brâd N. a. (29, 9) Brot.

brōdar M. k. (319) Bruder.

Brōkhūson Ortsn. Brockhausen.

brokko sw. M. (157) Brocken.

brordon sw. 2 (225) sticken.

brūd F. i. (296, 2) Frau, Gattin. *⌒lôht* (196) Brautlauf, Hochzeit.

brūdigumo sw. M. (115) Gatte.

bruggia sw. F. (164 Anm. 3. 235. 252 a. 285 Anm. 2. 316) Brücke.

brūkan abl. 2 (486, 2 d) genießen.

bruki M. i. (157) Bruch.

brunnia F. jō. (172 Anm.) Brünne, Panzer.

brunno sw. M. (310 Anm.) Born, Quell; Wasser.

brustian sw. 1. aufbrechen.

bū N. wa. (279. 281) Wohnung, Haus.

būan abl., sw. 1 (452 Anm. 2. 488 c) wohnen, bleiben.

būgan abl. 2 (431 Anm. 2) sich beugen.

buggian sw. 1, a (256 b. 458) kaufen.

Bunna (87) Bonn.

burdinnia F. jō. (285) Bündel.

giburd F. i. (299 Anm. 1) Geburt.

burg F. i. (141. 144. 234 Anm. 1. 324. 325 Anm. 3) Burg, Stadt. *⌒giset* N. a. Burgsitz.

burgio sw. M. (232) Bürge.

būtan s. *ūtan.*

d.

dachwilek Adj. (133 Anm. 265, 7. 348 Anm.) täglich.

dād F. i. (160. 298) Tat, Ereignis.

dādsisas M. a. Pl. (84 Anm. 1) Totenklagen (vgl. *dôd*).

dag M. a. (265, 4) Tag; *te daga* heute. *⌒skīmo* sw. M. Tagesglanz. *⌒werk* N. a. (149) Tagewerk.

dagething N. a. (149) Frist.

dâgol s. *dôgol.*

dal N. a. Tal.

darno Adv. (373) heimlich.

darnungo Adv. (73, 3. 373 Anm. 2) heimlich.

dasga F. (241 Anm. 1) Tasche.

degmo sw. M. (82. 139 Anm. 229. 241 Anm. 3) Zehnte.

dêlian sw. 1, a. teilen; *a⌒* (488 b Anm. 2) zuerkennen, verurteilen, Urteilsprechen; *bi⌒* (486, 2 g. 494 a) entziehen.

dennia F. jō. (77 Anm. 2) Tanne.

derƀi ja. (144) kräftig, feindlich, böse.

dērian sw. 1 (488 a) schaden.

dērni ja. (373) verborgen, beimtückisch.

dērnian, bi⌒ sw. 1. verbergen, verhehlen.

diop tief.

disk M. i. (247) Tisch.

diuƀal, -vil M. a. (72. 103. 130. 138, 1. 220. 222 Anm. 1. 264. 269 Anm. 1) Teufel.

diupi F. ī. (151. 294) Tiefe.

diurđa s. *diuɩiđa.*

diuri ja. (359) teuer, wertvoll.

diurian sw. 1 (495, 1) preisen.

diur(i)đa F. ō. (138, 5) Ehre,
  Herrlichkeit; Liebe.

diurlīk (103 Anm. 1 u. 2) teuer.

dōan s. *dōn.*

dōđian sw. 1. senken; *biↄ* ver-
  senken.

dôđ M. a. (29, 9. 304) Tod.

ↄsêu M. wa. totes Meer.

dôd tot; *ↄan dōn* töten.

dôgol (29, 9) geheim.

ↄnussi F. jō. ī. (294 Anm. 2)
  Schlupfwinkel.

dohtar F. k. (128 Anm. 319)
  Tochter.

dôian sw. 1 (99) sterben.

dōm M. a. (160) Urteil, Gericht;
  Entscheidung; freie Verfügung,
  Belieben; Ruhm.

ↄdag M. a. Gerichtstag.

dōmesdag M. a. dass.

dōmian sw. 1. richten; *aↄ* dass.

dōn unth. (95. 160. 474. 475.
  485 Anm. 2. 493 Anm. 1) tun,
  machen, handeln; geben, reichen; *farↄ* refl. m. D. übel
  tun; Part. Prt. böse.

dôperi M. ja. (131) Täufer.

dôpi F. ī. (294) Taufe.

dôpian sw. 1 (460) taufen; *an*
  auf.

dôpisli N. ja. (278) Taufe.

dor N. a. Tor.

dou M. wa. (100) der Tau.

andrādan s. *hrādan.*

dragan abl. 6 (498 a) (auf)tragen,
  bringen.

dragari M. ja. (81) Träger.

drān M. od. F. i. (157) Drohne.

drank M. Trank.

dref (238 Anm. 1) Leuchtturm.

drĕmbil M. a. (200 Anm. 1) Ober-
  kleid.

Drêne Ortsn. *(Dragini)* Drehn.

dreno sw. M. (157) Drohne.

drīɓan abl. 1. treiben; verüben.

drinkan abl. 3, 1 (421. 486, 2 d)
  trinken.

driogeri M. ja. (131) Betrüger.

driosan abl. 2. fallen.

drōɓi ja. trübe, betrübt.

drōɓian sw. 1. betrübt werden.

droht- s. *druht-.*

drokno s. *drukno.*

drôm M. a. Getriebe, Leben;
  Traum; Jubel.

drômian sw. 1. sich umhertreiben;
  jubeln.

drôr M. a. Blut.

ↄwōrag Adj. a. durch Blutver-
  lust betäubt.

drūɓon sw. 2. niedergeschlagen
  sein.

druht-, drohtfolk N. a. (88 Anm. 1)
  Volk.

ↄskĕpi M. i. (73, 1. 239) Herrschaft.

druhtin, drohtin M. a. (88 Anm. 1.
  138 Anm.) Herr, Gott.

druhting, drohting M. a. (88
  Anm. 1. 240 Anm.) Genosse,
  Brautführer.

drukno, drokno Adv. (88 Anm. 1)
  trocken.

drunkan (421) trunken.

drūpia F. jō. (155) Traufe.

drupil M. a. (155) Tropfen.

dūɓa sw. F. ō. (220 Anm. 2. 315
  Anm. 1) Taube.

dugan Prt.-Prs. 2 (468. 488 a)
  taugen, nützen.

dumb (246) dumm.

dun (226) dunkel.

dung M. (252) Webestube.

dur s. *dor.*

durran Prt.-Prs. 3, 2 (469 b)
  wagen.

duru, dora F. u. ō. (88 Anm. 3.
  300) Tür.

dwelan abl. 4. säumen; *farↄ*
  versäumen.

e.

eɓan (184 Anm. 1. 222 Anm. 2.
  360 Anm. 370. 373) eben,
  gleich; recht, billig; *an eɓan*
  s. *an.*

ĕbbiunga F. ō. (284) Ebbe.

ĕbenin (78. 133 Anm.) von Hafer.
ĕbur M. a. (130) Eber.
ed- Präf. (121 Anm.) wieder-.
ĕđ M. a. Eid, Schwur.
eđđo, ođđo Konj. (121. 208 Anm.)
oder; *eđđo — eđđo* entweder
— oder.
eder M. a. Zaun.
ĕdili ja. (81. 161) edel (s. *ađali*).
ef, af, of Konj. (86 Anm. 1. 121.
148. 153 Anm. 3. 158 Anm.
208 Anm. 526. 540) ob; wenn.
efđo, -a, efto, ofđe, atha Konj.
(121. 152 Anm. 2. 200. 204.
208 Anm.) oder; *efđo — efđo*
entweder — oder.
efno Adv. (222. 373) in gleicher
Weise, gerade.
ĕft, ĕht (196) wieder, andrerseits.
efto s. *efđo.*
ĕgan Prt.-Prs. 1 (467; 2. 520 c)
haben; ∾ Part. (357 Anm. 2)
eigen.
ĕggia F. jō. (285) Schneide,
Schwert.
Ĕgil- (232) Eigenn.
ĕgislīk (232) schrecklich.
ĕgiso sw. M. (129) Schrecken.
ĕgithassa, ĕwidehsa F. (128 Anm.
215. 257 e) Eidechse.
ĕhaft (167. 280 Anm. 2) gesetzlich.
eht s. *eft.*
ehuskalk M. a. (149) Pferdeknecht.
ei N. ja. (98. 138, 2. 175. 273.
325 a) Ei.
eislīk s. *ĕgisl.*
ĕk F. k. (325) Eiche.
Ĕkanscĕtha Ortsn. Eickenscheid.
ĕkid M. od. N. a. (133. 247) Essig.
giĕknon sw. 2 (138, 4. 231 Anm. 1)
eignen.
ĕkso sw. M. (233*) Besitzer.
ĕld N. a. (108 Anm. 1) Feuer.
ĕldi M. i. Pl. Menschen.
ĕldi(a) F. ī. (293 Anm. 2) Alter.
∾*barn* N. a. Pl. Menschenkinder.
ĕldiro s. *aldiro.*
ĕlilandig (126. 15 fremdländisch.

ĕlilĕndi N. ja. (ib.) Fremde.
∾*lĕndi* Adj. ja. fremd; elend, un-
glücklich.
∾*thiod(a)* F. ō. (283) fremdes
Volk.
ĕlimōsina s. *alam.*
ĕlkor (139. 378) sonst, anders,
außerdem.
ellĕban (108 a. 129 Anm. 1. 188.
380. Anm.) elf.
ellian N. a. (178) Mut.
ellifto (388) elfte.
Ĕlmhurst Ortsn. (88) Elmen-
horst.
ĕmbar, ĕmmar M. N. a. (97. 108 a.
188. 245) Eimer.
emnist s. *eban.*
ĕn Adj., Num., Pron. (138, 4.
346 b. 355 Anm. 1. 379,1) ein,
einzig, allein; ∾*es* Adv. (391)
einmal.
∾*dihwedar* Pron. (346 f.) einer von
beiden.
∾*fald* (195) einfach.
∾*koro* sw. M. (99) Einsiedler.
∾*odi* F. ī(?). (134. 306 Anm. 3)
Einöde.
∾*dago* sw. M. Todestag.
∾*sedlio, -setlio* sw. M. (84 Anm. 1.
201) Einsiedler.
∾*strīdigi* F. ī. (232) Hartnäckigkeit.
∾*wurdi, -wordi* ja. (88 Anm. 3)
einstimmig.
ĕndi M. ja. Ende, Ziel; Anfang.
∾*lôs* unendlich.
ĕndi, ande Konj. (79. 151 Anm. 1)
und.
ĕndion sw. 2. enden.
ĕngi ja. (362. 367) enge.
ĕngil M. a. (77. 129 Anm. 1.
138, 1. 251. 269 Anm. 1) Engel.
ĕnig Pron. (140. 346 c. 355
Anm. 2) irgend ein.
ent- s. *and-.*
ĕo M. wa. (280 Anm. 1. 281)
Gesetz; ∾ *sago* sw. M. Schrift-
gelehrter.
eo Adv. s. *io.*
eo-, ieridfolk N. a. (83. 102. 136.
149) Reitergeschwader.

êr M. u. (97. 304) Bote.
êr I. Adv. Komp. (375. 482, 3.
509) eher, früher. — II. Konj.
(534) ehe; *hwan êr* wann. —
III. Präp. m. D. (509) vor.
∾*dagas* M. a. Pl. frühere Tage.
êra F. ō. Ehre; Schutz.
erḍi N. ja. (144) das Erbe.
∾*ward* M. a. der Erbe.
erḍa sw. F. ō. (284 Anm. 1) Erde.
erḍbūandi M. ja. (360) Erd-
bewohner.
∾*rîki* N. ja. Erdreich.
êrist Sup. (129. 372. 375. 387)
erst; zuerst.
êrit F. k. (165. 325 Anm. 1)
Erbse.
erl M. a. Mann.
ernust M. (130) Ernst.
Erodes (72) Herodes.
êron sw. 2. ehren; unterstützen;
geben.
errislo s. *irrislo.*
êsil M. a. (129) Esel.
êskin (241 Anm. 1) eschen.
êskon sw. 2 (486, 2c) (er)fragen.
etan abl. 5 (439 Anm. 2) essen.
êtisk (139) Saatfeld.
ettar N. a. (108a. 240) Gift.
ettho s. *eḍḍo.*
euwa, iuwa (104. 329 Anm. 1 u.
2. 354, 4) euer.
êwandag M. a. (127. 138, 4)
Ewigkeit.
êwi F. i. (164. 292) Schaflamm.
êwidehsa s. *ĕgithassa.*
êwig ewig.

f.

fadar M. k. (128. 319) Vater.
fāḍi, fōḍi N. ja. (106. 191. 275,4)
Gang, Gehen.
faḍmos M. a. Pl. (202) Arme.
fagan (480, 5) froh.
faganon sw. 2 (486, 2 f) sich
freuen.
fagar (142 Anm. 143. 358. 370)
schön.
gifagiriḍa F. ō. (80. 143) Schmuck.
faho s. *fao.*

fāhan red. 1 (257 d. 448. 486, 2 d
Anm. 3. 512) fangen, fassen;
sich wenden; *and*∾empfangen;
bi∾ umfangen, erfassen, ergreifen; *far*∾ sich wenden;
fangen, umfangen; stützen, auf-
fassen.
fakla sw. F. (139 Anm.) Fackel.
faldan red. 1 (203) falten.
fallan red. 1 (80. 195) fallen, zu
Grunde gehen; *and*∾ (488 b)
abfallen; *bi*∾ (505 Anm.)
fallen, befallen.
falu wa. (165 Anm. 1. 167. 361)
fahl, falb.
fan(a), fon Präp. m. D. u. I.
(76 Anm. 2. 127 Anm. 1. 510)
von, aus, von — an, seit,
durch; *f. thiu the* (533) seitdem, nachdem.
fandon sw. 2 (486, 2c) heim-,
versuchen.
fano sw. M. (195 Anm.) Tuch.
fao wa. (164. 167. 350. 361
Anm. 2) wenig.
far s. *for.*
far- Präf. (123) ver-.
fār M. a. Nachstellung.
faran abl. 6 (485, 5. 496 c. 501)
fahren, ziehen, reisen, gehen;
fur∾ vorausgehen; *te*∾ vergehen, auseinandergehen.
fard F. i. (79. 295. 299 Anm. 2)
Fahrt, Reise, Gang, Weg.
farm M. a. (159) Zug.
fāron sw. 2 (486, 2 c) auflauern.
fārungo Adv. (373 Anm. 2) plötzlich.
fast a. fest, beständig.
fastnon sw. 2 (138, 4) befestigen;
fesseln.
fasto Adv. (152) fest.
fastunnia F. jō. (130. 285) Fasten.
fat N. a. (195 Anm.) Gefäß.
fē s. *fehu.*
feḍar N. a. (92. 222) Fieber.
feḍera sw. F. (145) Feder, Flosse.
fêgi ja. dem Tode verfallen.
fêh (97) bunt.
fehon sw. 2. verzehren; *far*∾
(83) wegraffen.

fehu, fihu, fē N. u. (82 Anm. 1.
106. 130. 301. 302) Vieh; Besitz.
fēkni ja. arglistig.
feld N. a. (156) Feld.
felhan abl. 3, 2 (144. 218) verbergen; *bi∾* empfehlen, übergeben, begraben.
fēlīk (106) fürs Vieh bestimmt;
s. *fehu.*
fēlis, filis M. a. (29, 12. 78) Fels,
Stein.
fēllian sw. 1 (80 Anm. 1) fällen;
bi∾ niederwerfen.
fēmia F. Weib.
fēni N. ja. (275, 3. 277) Sumpf.
fer Adv. (253, 1. 372) fern.
fer- s. *far-.*
fer(a)h N. a. (82 Anm. 2. 144.
304 Anm. 2) Leben, Geist.
feraht (144) weise, fromm.
∾līko Adv. frommen Sinnes.
fergon sw. 2 (494a) bitten.
fern N. a. (82) Hölle.
ferrana (147) von ferne.
ferristo, -osto (84 Anm. 1. 372)
fernste.
ferskang, -ung M. a. (84 Anm. 2.
161. 180) Frischling.
feteros M. a. Pl. (83. 276 Anm. 2)
Fesseln.
fiar s. *fiuwar.*
fīand s. *fīund.*
fīdan, findan abl. 3, 1 (191. 421.
426. 435. 496a. 502) finden,
entdecken an (Dat.); *and∾*
finden, wahrnehmen; *bi∾* er-
forschen; *undar∾* ergründen.
fier s. *fiuwar.*
fīf (106. 191. 197) fünf.
∾fold (127) fünffach.
fīfoldaro sw. M. (127. 197) Falter.
fīftig (129 Anm. 1. 234 Anm. 1)
fünfzig.
fīfto (388) fünfte.
figa sw. F. (229) Feige.
fihu s. *fehu.*
filis s. *fēlis.*
fila F. (214) Feile.
fillul M. a. (130. 178) Patenkind.
filu (195. 362 Anm.) viel.
findan s. *fīdan.*

fingar M. a. (269) Finger.
finistar N. a. Finsternis.
finistri F. ī. (293 Anm. 2) dass.
fion s. *fehon.*
fiond s. *fiund.*
fior s. *fiuwar.*
fiordo (388) vierte.
firihios M. ja. Pl. (144. 276 Anm. 3)
Menschen.
firina F. ō. (129) Frevel; D. Pl.
-*nun* Adv. (490, 2) sehr.
firindād F. i. Freveltat.
∾lust(a) F. sw. ō. i. sündige Lust.
∾werk N. a. Freveltat.
fīrion sw. 2 (93) feiern.
firios s. *firihios.*
firiwit N. ja. (277) Neu-, Wiß-
begier.
firrian sw. I b. entfernen.
fisk M. a. (241 Anm. 1) Fisch.
fiskari M. ja. (131) Fischer.
fiskon sw. 2 (488 c) fischen.
fiterios M. ja. Pl. (83. 276 Anm. 2)
Fesseln.
fiuhtia F. (103. 147) Fichte.
fiund, fiond, fiand M. k. (85.
93. 108 b. 127 Anm. 3. 321
Anm. 2) Feind; Teufel.
∾skepi M. i. Feindschaft.
fiur N. a. (103 Anm. 1*) Feuer.
fi(u)war, fior, fiar (102. 164. 380
Anm.) vier.
fi(u)wartig, fiarteg, viertih Num.
(383 Anm. 2) vierzig.
flāt N. a. (29, 9) Floß.
flehtan abl. 3, 2 (436 Anm. 2)
flechten.
flēon sw. 2 (201) schmeicheln.
flēsk N. a. (241 Anm. 1) Fleisch,
Leib.
flet N. ja. (277) Gemach, Haus.
fliohan abl. 2. (201) fliehen.
fliotan abl. 2. schwimmen.
flōd M. F. u. (153. 304. 306) Flut.
flōkan red. 3, 1 (452) fluchen;
far∾ verfluchen.
flugi M. i. Flug.
fluhtig flüchtig.
fluti M. i. (155) Fluß.
fōder N. a. Fuder.
fōdi s. *fādi.*

fōdian sw. 1, b. nähren; gebären; *a∞* dass.

gifōgiđa sw. F. (284 Anm. 1) Fügung, Verbindung.

fohs M. a. (86) Fuchs.

Fokko M. k. (253 a, 3*) Eigenn.

fol s. *ful.*

folda sw. F. ō. (88 Anm. 1. 156. 284 Anm. 1) Erde.

folgon sw. 2 (489 Anm.) folgen; *far∞* (488) verfolgen.

fōlian sw. 1 (486, 2 a) fühlen, wahrnehmen.

folk N. a. Volk, Schar. *∞skēpi* N. i. (242) Volk.

folmos M. a. Pl. Hände.

fon s. *fan.*

for- s. *far-.*

for(a), *fur(i)* I. Adv. vor. — II. Präp. m. D., I. u. A. (86 Anm. 1. 88 Anm. 3. 372. 512) vor, für, wegen, als; *f, thiu darum.*

foraht- s. *forht-.*

bifora(n) I. Adv. (86 Anm. 1. 195) vorn, voran, zuvor, vorher. — II. Präp. m. D. (509) wegen.

ford F. (86) Furt.

forđ (372) hervor, vorwärts; fort, weg; fortan, fernerhin. *∞wardes, -werdes* (487, 2) vorwärts, weiter; fortan.

fordro s. *furđro.*

for(a)ht furchtsam.

forahta F. ō. (86 Anm. 1. 144) Furcht.

for(a)htian sw. 1 (88 Anm. 3. 214. 488 b) fürchten.

fōrian sw. 1 (159. 498 a) führen.

forma, furma (88 Anm. 3. 372. 387) erste.

formon sw. 2 (488 a) helfen, schützen.

forn, furn (88 Anm. 3) vormals. *∞dagos* M. a. Pl. frühere Zeit.

forna F. (214) Forelle.

fōstermōder F. k. (256 c) Hebamme.

fōt M. k. (323) Fuß.

frā s. *frô.*

fraḃillīko (124. 253, 5) hartnäckig.

fraḃolo (143 Anm. 1) dass.

frāgon sw. 2 (486, 2 c. 494 a) fragen.

frah s. *frô.*

fram Adv. Präp. m. D. (509) aus — heraus.

frâno s. *frô.*

fratah M. od. N. a. (166 Anm. 2. 286 Anm. 1) Zierrat.

fratahon sw. 2 (144. 166 Anm. 2. 218 Anm. 1) schmücken.

frêđig verbannt.

fredu s. *friđu.*

fregnan abl. 3,2 (143 Anm. 2. 436 Anm. 3) fragen; *gi∞* erfahren.

frēmiđi ja. (81) fremd.

frēmmian sw. 1 a (186) ausführen, vollbringen, tun.

frêson sw. 2 (486, 2 c) versuchen; gefährden.

fretan abl. 5 (116 Anm. 439 Anm. 2) fressen.

frī 1. N. ja. (85. 93. 175. 218 Anm. 1. 278 Anm. 2. 514, 1) Weib.

frī 2. Adj. ja. (85. 93) frei; *∞līk* edel.

frīdhof M. a. (154) Friedhof.

frīđon sw. 2 (488 a) schützen.

friđu, fređu M. u. (84 Anm. 1. 130. 154. 302, 2. 303) Friede, Schutz, Sicherheit.

frīehan, frīohon sw. 2 (85. 218 Anm. 1) lieben.

friund M. k. (85. 103 Anm. 134 Anm. 1. 320) Freund; Verwandter.

frô(ho), fraho, frôio sw. M. (99 Anm. 2. 167 Anm. 1 u. 2. 218 Anm. 1. 311 Anm.) Herr; G. Pl. *frāno* herrschaftlich.

frô, fra(o) wa. (99 Anm. 2. 106. 167. 218 Anm. 1. 361. Anm. 1) froh; *∞līko* Adv. fröhlich.

frōḃra F. ō. (179. 220. 222) Trost.

frōd alt; erfahren.

frōdon sw. 2 (421) altern.

frôho s. *frô* 1.

frôio s. *frô* 1.

frōkno Adv. kühn.

froma s. *fruma.*

frô-, frahmōd Adj. a. (vgl. *frô* 2) frohgemut.

frônisko, fränisko Adv. (129) (vgl. *frô* 1) herrlich.

frost M. a. Frost, Kälte.

frūa sw. F. (96) Frau.

fruht M. i. (87. 108 Anm. 1. 213. 297) Frucht.

fruma F. ō. (88 Anm. 1) Vorteil, Nutzen.

frummian sw. 1, a. tun, ausführen, vollbringen.

fugal M. a. (88. 141. 142 Anm. 267) Vogel.

fūhtiđa F. ō. (138, 5) Feuchtigkeit.

ful N. a. Gefäß.

ful, fol (88 Anm. 1. 350. 480, 5) voll.

fulgān, -gangan s. *gān, gangan.*

fūliđa F. (138, 5) Fäulnis.

fullēst F. i. Hülfe.

fullēstian sw. 1, b (71. 136) helfen.

fullian sw. 1, b (115. 357 Anm. 1. 486 g u. Anm. 3. 495, 2 u. Anm.) (er)füllen.

fullon sw. 2. erfüllen.

fundon sw. 2. streben.

fur s. *for.*

furđ(i)ro, forđrō Komp. sw. M. (88 Anm. 3. 138, 2. 367. 369. 372) größer; Vorfahr.

furđor Adv. Komp. (375) nach vorn, vorwärts, vollständiger; später, fortan, ferner.

furi s. *for.*

furka F. (87) Forke.

furma s. *forma.*

furn- s. *forn.*

furnia F. (214) Forelle.

fūs (191. 256 c) strebend, bereit.

g.

gâ, gô M. N. ja. (99 Anm. 2. 167 Anm. 2. 278 Anm. 2) Gau.

gaflie F. jō. (222) Gabel.

gāhun Adv. D. Pl. (490, 2) eilig, schnell.

galla F. (178) Galle.

galpon sw. 2. sich rühmen.

gamal (124) alt.

gigamalod Part. gealtert.

gaman N. a. (272) Lust, Spiel, Spott; ∽lik freudig.

gambra F. ō. Zins.

gān unth. (91 Anm. 476. 505. Anm.) gehen; *bi*∽ feiern; *ful*∽ (68. 489 Anm. 491) folgen; sorgen für; erfüllen.

gang M. a. Gang, Gehen, Weg.

gangan red. 1 (447 Anm. 485, 4. 488 c. 489. 501. 505 Anm.) gehen; *bi*∽ sorgen für; *far*∽ (505 Anm.) vergehen; *ful*∽ (68. 476. 489 Anm. 491) folgen, sorgen für, erfüllen; *te*∽ zer-, vergehen.

garđa F. Garbe.

gard M. a. Pl. Wohnung, Haus.

garo 1. Adj. wa. (144. 165. 167. 361 Anm. 1 u. 2. 510) bereit.

garo 2. Adv. (373) gänzlich, gar wohl.

garwian s. *gérwian.*

gast M. i. (77 Anm. 2. 80. 295. 296, 4) Gast.

∽*sêli* M. i. (81 Anm. 151) Speisesaal.

ge Pron. Konj. s. *gi.*

ge- Präfix, s. *gi-.*

geđa F. ō. (83) Gabe, Gnade.

geđan 1. M. a. (184) Meer.

geđan 2. abl. 5 (83. 251 Anm. 439 Anm. 1. 498 a. 500 a) geben; verheiraten; *a*∽hingeben, überliefern, verlassen; *far*∽ vergeben, verleihen.

geđon sw. 2. (be)schenken.

gêda F. (266 Anm. 1) Not.

gedan abl. 5 (170) jäten.

geder N. a. (102 Anm. 2. 170 Anm. 272 Anm.) Euter.

geđeshwē (108 Anm. 2. 346 d) irgend ein.

gêdia s. *métig-.*

gégin Präp. (129 Anm. 1. 232) gegen; *an-* Adv. Präp. m. D. (139. 232. 509) entgegen; wiederum.

∽*ward* Adj. (161) gegenüberstehend, gegenwärtig, zugänglich, offen.

te-gêgnes (139) entgegen, gegenüber, vor.

gêgnungo Adv. (139. 373 Anm. 2)
unmittelbar, offenbar, gerade
zu, in Wahrheit.

gehan abl. 5 (170. 440 Anm. 1, 2.
486, 2 e. 503) bekennen, sich
erklären, aussprechen; *bi∽*
(494 b) sich vermessen.

geld N. a. Bezahlung, Lohn, Opfer.

geldan abl. 3, 2 (251 Anm. 488 b)
zahlen, entrichten, lohnen;
and∽ ent-, vergelten, büßen;
far∽ zahlen, lohnen, erkaufen;
und∽ (116 Anm.) entgelten.

gelo wa. (144. 165. 361 Anm. 2)
gelb.

gelp M. a. (83) Hohn.

gêndra Adj. (170. 372) jenseitig.

gi-gêngi N. ja. Termin.

genowar, ginuwar Adv. (130. 170)
dort.

gêr s. *jâr.*

gerd s. *segelg.*

gêrdia sw. F. (285 Anm. 2. 316)
Gerte.

gern (480, 5) verlangend, eifrig,
bereit.

gernian s. *girnian.*

gerno bereitwillig, gern, eifrig.

geron sw. 2 (486, 2 c) begehren.

gersta sw. F. Gerste.

gerstin s. *girstin.*

gigêrwi N. ja. (79. 165) Kleidung, Rüstung.

gêrwian sw. 1 (78. 79. 144. 165.
460 b) bereiten, fertig machen,
bekleiden.

gêst M. a. Geist.

gêstsêli s. *gast-.*

gêt F. k. (325) Geiß.

far-getan abl. 5. vergessen.

gî, ge Pron. pers. (327, 2) ihr.

gi, ge Konj. (118 Anm.) und;
gi — gi sowohl . . als auch.

gi- Präf. (118. 251. 421) ge-.

gia s. *ja.*

giak s. *jak.*

giâmar s. *jâmar.*

giba s. *geba.*

giban s. *geban.*

gibidig Adj. a. beschert.

gie s. *ge.*

gilp s. *gelp.*

bi-ginnan abl. 3, 1 (434 Anm. 3.
486, 2 b. 500 a) beginnen.

ginuwar s. *genowar.*

gio s. *io.*

giotan abl. 2 (ver)gießen.

giri F. î. (294) Begier.

girnian sw. 1, b (84 Anm. 2) begehren; *gi∽* (486, 2 c) erreichen.

girstin (84 Anm. 2) aus Gerste.

girwian s. *gêrwian.*

gîsal M. a. (143 Anm. 1. 267.
269 Anm. 2) Geisel.

git (326. 328, 5) ihr beide.

giung s. *jung.*

giuwa s. *euwa.*

gladmôdi ja. fröhlich.

glas M. a. (29, 1. 76 Anm. 1) Glas.

glau wa. (100. 169. 361 Anm. 1.
362) klug.

glauwi F. î. (110. 168) Klugheit.

glîdan abl. 1. gleiten; *te∽* vergehn.

gnornon s. *gormon.*

gô s. *gâ.*

god M. a. (86 Anm. 2) Gott.

∽spel N. a. (73, 1) Evangelium.

gôd N. a. Gut, Besitz.

gôd Adj. (371. 480, 6) gut.

∽lîk herrlich, hehr, feierlich.

∽nissia F. jô. î. (275) Herrlichkeit.

∽sprâki Adj. ja. (91) wohlredend.

gôdi F. î. (293 Anm. 2) Güte.

goduwêb(bi) N. ja. (149. 277)
Seidenzeug, Scharlach.

gold N. a. (203) Gold.

gôma F. ô. Pl. Gastmahl.

far-gôme-lôson sw. 2. versäumen.

gômian sw. 1 (482, 2 b) acht haben,
hüten; bewirten.

gomo s. *gumo.*

gornon sw. 2 (179 Anm. 486, 2 f.)
trauern.

gôs F. k. (106) Gans.

grâdag gierig, hungrig.

gram grimmig, zornig, feindselig.

gramo sw. M. Feind, Teufel.

grāo wa. (29, 3. 361) grau.
grē s. *grāo.*
grim (253, 1) grimmig, feindlich, böse.
grimman abl. 3, 1. wüten.
grio wa. (361) grausig.
griot N. a. (238 Anm. 1) Kies, Sand, Ufer.
griotan red. 3 (452 Anm. 1) weinen.
grīpan abl. 1. greifen; *far∾* vergreifen; Part. Prt. verdammt.
Grōnhurst Ortsn. Grönhorst.
grōni ja. grün.
grōt groß; D. Pl. *-un* (490, 2) sehr.
grornon s. *gornon.*
grōtian sw. 1. anreden, grüßen.
gruri M. i. Schreck, Graus.
gūdia F. jō. (191. 285 Anm. 4) Kampf.
guldin Adj. a. (87. 133) golden.
gumkunni N. ja. Gedles eschlecht.
∾kust F. i. männliche Trefflichkeit.
gumo sw. M. (88 Anm. 1) Mann, Mensch.
gurdisli N. ja. (278) Gürtel.

h.

habbian s. *hēbbian.*
habero sw. M. Hafer.
hābian sw. 1 (191. 197) lähmen.
hāf (191. 356) lahm.
hāfdon s. *hōbdon.*
haft, haht (196. 214. 256 a) gefangen; schwanger.
bi-hagon sw. 2 (488 a) behagen.
hagustald M. a. (127. 149) Diener.
hald Adv. Komp. (77 Anm. 2. 228. 375) mehr; *than hald ni* ebensowenig.
haldan red. 1 (447. 493, 2) halten, beobachten; *bi∾* dass.
half 1. F. ō. (283, 2 u. 6) Seite.
half 2. Adj. (350. 391 Anm. 2) halb; *ōderhalf* 1½.
halling M. a. (222 Anm. 2) Heller.
halon sw. 2 (76. 466 Anm. 1) holen, erlangen.
halsmēni N. i. (291) Halsband.

hamar M. a. (124) Hammer.
Hamerethi Ortsn. Hemmerde.
hand F. u. (29, 2. 80. 305) Hand; Seite; *at handum* vorhanden, bei der Hand, bevorstehend.
∾giwerk N. a. Werk, Geschöpf.
∾mēgin N. a. Kraft der Hände.
hangon sw. 2. hangen.
hanig s. *honeg.*
hano sw. M. (159) Hahn.
hanup M. a. (127) Hanf.
hāp s. *hōp.*
hard (29, 1. 76 Anm. 1. 362) hart, kühn.
∾buri M. i. (290) Obrigkeit.
∾mōd Adj. a. kühn.
hardo Adv. hart, böse, sehr.
harm M. a. Harm, Kummer, Sorge.
∾quidi M. i. Schmährede.
∾skara F. Leid.
∾werk N. a. Übeltat.
hatol (130. 159. 161. 357 Anm. 2) feindselig.
haton sw. 2 (466 Anm. 2) hassen, verfolgen.
hauwan red. 1. (100. 168. 447) hauen; *bi∾* (497 a) abhauen.
hē, hī (92. 331) er.
heðan M. a. (124. 139. 184. 268 Anm. 2) Himmel.
∾kuning M. a. Himmelskönig.
∾rīki N. ja. Himmelreich.
∾tungal N. a. Himmelsgestirn.
hēbbian 1. abl. 6 (199. 257 a. 424. 443. 444 Anm. 2) heben; *a∾, an∾* erheben, beginnen; *af∾* (257 a) erheben, sich erh.
hēbbian 2. sw. 3 (80. 224. 465. 466. 493, 2 u. Anm. 1. 505. 520 c. 521) haben; halten für.
hēd M. u. (304) Stand; als Suffix F. -heit (306 Anm. 2).
hēdar (358 Anm.) heiter, klar.
hēdin (138 Anm.) heidnisch; Subst. *∾o* sw. M. Heide.
∾nussia F. jō. ī. (285) heidnisches Wesen.
hēffian s. *hēbbian* 1.
hēftian, hēhtian sw. 1 (196) heften, fesseln.

hêl, hêllia M. F. jō. i., sw. F. (285 Anm. 1) Hölle.

hêl heil.

hêlag (29, 4. 124. 138, 7. 140. 355 Anm. 2. 357 Anm. 2. 370) heilig; ᴖ*līko* Adv. dass.

helan abl. 4 (494 Anm.) verhehlen: *biᴖ* verbergen, -heimlichen; *farᴖ* dass.

hêldian sw. 1, b. neigen; *afᴖ* (486, 29) zu Ende kommen.

hêlgon sw. 2 (138, 7) heiligen.

hêlian sw. 1 (497 a) heilen, retten, sühnen.

hêliand M. k. (321) Heiland.

hêlið M. a. (129. 323 Anm.) Held, Mann.

hêllia s. *hêl*.

ᴖ*(e)githwing* N. a. Höllenzwang.

helpa F. ō. Hilfe, Rettung.

helpan abl. 3, 2 (486, 2b u. Anm. 2. 488a) (ab)helfen.

hêlti F. ī. (294) Lahmheit.

hêm M. a. (265, 4) Heim.

hênginna F. jō. (78. 285) Hängen.

hêr (370) hehr, vornehm.

ᴖ*dōm* M. a. (73, 1) Obrigkeit, hohes Amt.

hēr, hīr (29, 5. 75a, 3. 92 Anm. 333 Anm.) hier.

herd s. *hard*.

herdi s. *hirdi*.

hêrdian sw. 1 (79) härten.

hêrdisli F. ī. (79. 294 Anm. 1. 309 Anm.) Kraft, Stärke.

hêrdislo sw. M. (79) dasselbe.

heretikeri M. ja. Ketzer.

hêri M. ja. (276) Menge, Volk.

ᴖ*skêpi* N. i. Menge, Volk.

ᴖ*togo* sw. M. (73. 1. 257 d) Herzog.

hêri F. ī. (97 Anm. 276 Anm. 1. 294) vornehmes Volk.

hêrro sw. M. (138, 2. 253, 4. 369) Herr.

hers s. *hros*.

herta sw. N. (307) Herz.

heru- M. u. (82. 303) Schwert.

hêt (97 Anm.) heiß.

hêtan red. 2, 2 (421. 451. 505 Anm.) heißen; *giᴖ* verheißen.

hêti M. i. (290) Haß, Feindschaft.

ᴖ*grim* grimmig.

ᴖ*līk* (129 Anm. 1) feindselig.

hêttiand, hêttendi M. k. (321 Anm. 2. 466 Anm. 2) Verfolger, Feind.

hildia F. jō. (285 Anm. 1) Kampf.

hildiskalk Ma. (285 Anm. 4) Krieger.

hilta F. (283, 1) Griff.

hīmakirin F. jō (167. 285 Anm. 1) Kupplerin.

himil M. a. (129. 177 Anm. 2. 184) Himmel; *-isk* (355) himmlisch.

ᴖ*fadar* M. k. himmlischer Vater

ᴖ*kraft* F. i. himmlische Schar.

ᴖ*līk* (253, 5) himmlisch.

ᴖ*rīki* N. ja. Himmelreich.

hinan(a) (333. 376) von hier.

hindag (333) heute.

hinfard F. i. Hingang, Tod.

hinginna s. *hêng-*.

hioðan abl. 2 (197. 424) wehklagen.

hīr s. *hēr*.

hirdi M. ja. (84 Anm. 2. 151. 274) Hirt, Herr.

hiudu, hūdigu (74, 5. 103 Anm. 1. 125. 137. 138, 7. 164. 253, 4*. 333) heute.

hīwa sw. F. Gattin.

hīwian sw. 1 (167) coire.

hīwiski N. ja. Familie.

hladan abl. 6. laden, hineintun.

hlahhian abl. 6. (219. 444 Anm. 2. 486, 2 f) lachen.

hleo (85) Schutz, Decke.

hlêo M. oder N.? wa. (281) Grab.

bi-hlīdan abl. 1. einschließen, decken.

hlinon sw. 2 (84. 466 Anm. 1) lehnen.

hlior N. a. Wange.

hliotan abl. 2 (486, 2d) davontragen.

hliuning M. a. (103. 129) Sperling.

hlūd laut.

hlùst F. i. Ohr; Aufmerksamkeit.

hluttar (108. 240. 358. 369. 480, 5) lauter, rein.

hluttarlīko Adv. offen.

hluttro Adv. (373) aufrichtig.

hnêian sw. 1 (98. 175. 218 Anm. 1. 460b) wiehern.

hnap M. a. (237) Napf.

hnéppin N. a. Schüssel.

hnīgan abl. 1 (489 Anm.) sich neigen.

hôðan N.(?) a. (198) Wehklage.

hoðaward M. a. (149) Hofwart, Hund.

hôðdon sw. 2 (29, 4) enthaupten.

hôðid N. a. (129. 137. 221. 272) Haupt.

∼*band* M. a. Krone.

hôdian sw. 1 (486, 2b) hüten.

hôdigố s. *hiudu.*

hof M. a. Hof.

hôfslaga F. ō. (257 d) Hufspuren.

hôgetīd s. *hôh-.*

hôgi N. ja. (167 Anm. 2. 278)

hôh (218) hoch. . [Heu.

∼*gitīd* F. i. hohes Fest.

hôi s. *hôgi.*

hold (203. 481, 2) hold, zugetan, gnädig.

holt ˈN. a. (238 Anm. 1) Holz; Gehölz.

hôn N. a. (138, 2. 159. 273. 325a) Huhn.

hônða F. ō. (138, 5. 192. 284) Schmach.

honeg M. a. (86 Anm. 1*. 88ˈAnm. 1. 193) Honig.

hôp M. a. (29, 9) Haufe.

hoꝛd N. a. (225. 247 Anm. 1.) Schatz.

hôrian sw. 1, b (486, 2a. 488a u. Anm. 1. 498a. 499) hören, gehorchen.

Horlôn D. Pl. (218. 265, 8) Ortsn. Horl.

hornobero sw. M. (149 Anm.) Hornisse.

hornut M.? F.? (130. 226) dass.

horo M.? N.? wa. (281) Kot, Schmutz.

hôrwillio sw. M. unkeusche Begierde.

hosk M.? N.? a. (88 Anm. 1. 241 Anm.) Spott.

hôti ja. (159) feindselig.

hrāo wa. (167 Anm. 1. 354, 6. 361 Anm. 2) roh.

hrêlīk (167. 280, 2) feralis.

hrêni ja. rein.

hrênkorni N. ja. (88 Anm. 3) reines Korn.

hrêo N. wa. (108 Anm. 1. 167. 281) Leiche.

∼*giwādi* N. ja. Leichengewand.

hreuwan abl. 2 (104. 168. 431 Anm. 1. 488a) leid tun, beklagen.

hrīd N. a. (191. 273. 325a) Rind.

hrīderin (273) rindern.

hring M. a. Ring; *umbi h.* ringsum.

hringodi ja. (134) beringt.

hripsian sw. 1 (236 Anm. 1) schelten.

hrissian sw. 1 a (212) beben, zittern.

hriulīk (169. 286 Anm. 2) betrübt.

hriuwig (105. 480, 5) dass.

∼*môd* dass.

hriuwon sw. 2 (105 Anm. 1) bekümmert sein.

hrōmag (480, 5) übermütig; freudig.

hrōpan red. 3, 1 (452) rufen.

hrōra F. ō. Bewegung.

hrōri F. I. (293 Anm. 2. 294) dass.

hros, hers N. a. (86 Anm. 1. 180. 253, 3) Roß.

hū Adv. (96. 166a. 342, 4) wie.

hūd F. i. (299 Anm. 2) Haut.

gihuddigon sw. 2 (230) sich erinnern.

hūdere M. ja. = *hlūdere* Läuter?

gi-hugd F. i. (231 Anm. 1) Verstand, Gesinnung, Gedächtnis.

-hugdig Adj. a. (230) gesinnt.

huggian sw. 1a (88 Anm. 2. 394, 3. 458. 466 Anm. 2. 486, 2a u. Anm. 3) denken, hoffen; *far*∼ verachten.

hugi M. i. Gedanke, Sinn.

∼*skêfti* F. i. Pl. (256a) Gesinnung, Gedanken.

Hukretha Ortsn. Huckarde.

huldi F. I. (293) Huld, Ergebenheit.
hullidōk N. a. (285 Anm. 4) Schleier.
Hūmbraht (188) Eigenn.
hund(erod) N. a. (124. 145. 386) hundert.
huneg s. *honeg*.
hungar M. a. (142. 269. 304) Hunger.
hunno sw. M. (294 Anm.) Zentrichter.
huo s. *hwō*.
hurnidskip N. a. (421) geschnäbeltes Schiff.
hurst (88) Horst, Gebüsch.
hūs N. a. (265, 4. 273) Haus.
husk s. *hosk*.
hwan 1. wann; *h. êr* wann.
hwan 2. s. *hwanda*.
hwanan(a) (376) woher.
hwanda, hwan(d) denn, weil, da.
hwar (376) wo, wohin.
hwarðon sw. 2. sich wenden, gehen.
hwargin s. *hwërgin*.
hwarod Adv. (376) wohin.
hwas(s) (256 c) scharf.
hwātan red. 2. fluchen; *far~* verfluchen.
hwē, hwat Pron. int. u. indef. (92. 107. 228. 341. 343. 346 d) wer, was; irgendein, irgend etwas; — *hwat* Int. wahrlich, traun! *sō hwē sō* jeder der; *sō hwat sō* alles was; *gi~* jeder, all.
hwedar Pron. (344. 348 b) welcher von beiden; einer von beiden; *sō hw. sō* jeder, welcher von beiden auch; *gi~* jeder von beiden.
hweđer Adv. Konj. (523. 526) ob; *hw. — the* ob — oder ob.
hwēlik s. *hwilīk*.
hweo Adv. (108 b. 342, 4) wie.
hwerðan abl. 3, 2 (144) sich wenden, gehen.
hwërðian sw. 1 (144) drehen.
hwërgin Adv. (77 Anm. 1. 144) irgend, irgendwo; *ni hw.* nirgends.

hwêti M. ja. (115) Weizen.
hwī, hwiu Adv. Konj. (342, 4) wie, warum, wozu.
hwīl(a) F. ō. (283, 2) Zeit; D. Pl. -on (490, 5) früher, zu Zeiten.
hwilīk, hwēlīk (84 Anm. 1. 345. 348 c) welcher; irgendein; jeder; *sō hw. sō* jeder der; *ên hw.* (346 e) irgendeiner; *gi~* (177 Anm. 1. 242. 348 c) jeder.
hwīt Adj. a. weiß, leuchtend.
hwiu s. *hwī*.
hwō, huo (166 a. 342, 4) wie.

i.

i- s. *gi-*.
ia s. *io*.
ich M. a. (218 Anm. 2) Eibe.
īdal (138, 1) eitel, leer.
~nussi F. jō. ī. (285) Eitelkeit.
idis F. k. (325 Anm. 4) Frau, Weib.
ie s. *io*.
ierid- s. *eorid-*.
ik (326) ich.
īlian sw. 1. eilen.
in Adv. hinein, ein.
~gang M. a. Eingang, Eintritt.
innadri N. ja. (134) Eingeweide.
inna(n) I. Adv. (dr)innen, innerhalb; hinein. — II. Präp. m. D. u. A. (511) in, innerhalb, hinein nach.
inwid N. ja. (253, 5. 277) Bosheit Tücke, Übeltat.
io, giō Adv. (102. 107. 108 Anm. 2. 167. 170 Anm.) je, jemals; immer; *ni io* nie.
~gihwē (348 a) jeder.
~gihwēlīk (348 c) dass.
~hwedar (348 b) jeder von beiden.
~mêr, iemar (108 Anm. 2. 136) immer.
~wiht (347 d) etwas.
irmin- Präf. (144) groß.
irri ja. (179) zornig.
irrislo sw. M. (84 Anm. 2. 309) Ärgernis.
is (473) ist.
it (84. 331) es.

iuwa s. *euwa.*

ivenin s. *ĕ̆enin.*

j.

ja (118 Anm.) und; *ja — ja* sowohl — als auch.

jā ja.

jak und; *jak — jak* sowohl — als auch.

jāmar (142 Anm.) traurig.

~*lik* (369) jammervoll.

~*mōd* traurig, betrübt.

jār, gēr N. a. (29, 2) Jahr.

jō s. *io.*

Jōsēp Eigenn. (236) Joseph.

Judeo sw. M. (87. 132. 247. 308, 6) Jude.

jugud F. i. (164 Anm. 3. 135. 191. 298) Jugend.

juktâm M. a. (88) Jochumfriedigung(?)

jung jung.

jungardōm M. a. Jüngerschaft, Dienst.

jung(ar)o sw. M. (138, 2. 140 Anm. 1. 364, 1. 369 u. Anm.) Jünger, Schüler; Stiftsjungfer(?).

k.

kāflos M. a. Pl. (198) Kiefern.

kakeli (81) Eiszapfen.

kālend M. calendae, der erste.

kalf N. k. (325 a) Kalb.

kamara F. (125) Kammer.

kapsilin N. a. (77 Anm. 1) Kapsel.

kappa F. (237) Mantel.

kara F. ō Klage, Kummer.

karkari M. ja. (81. 128. 138, 2. 276) Kerker.

karm M. i. (297 Anm. 2) Geschrei.

karra F. (181) Karre.

kāsi, kēsi M. ja. (91. 242) Käse.

kástel N. a. (72. 253, 5) Burg.

kĕ̆is F. k. (242) Kebse.

kĕlik M. a. (77. 129) Kelch.

kĕnnian sw. I b (242. 421) erzeugen; *and*~ (486, 2 a) erkennen.

kĭrika s. *kirika.*

kĕrvila F. (242) Kerbel.

kēsi s. *kāsi.*

kêsur M. a. (73, 4. 97. 124. 135. 242) Kaiser.

kĕtelare M. ja. Kesselmacher.

kĕtil M. a. (129 Anm. 1. 242) Kessel.

~*kâp* M. a. Kesselkauf.

kie- s. *ke-.*

kin N. ja. M. F. u. (241 Anm. 1. 277 Anm. 2. 304 Anm. 1) Kinn.

kind N. a. (192 Anm. 257 Anm. 2) Kind; ~*jung* jugendlich.

kindiski F. ī. Jugend.

kiosan abl. 2 (257 c. 432. 483. 493 Anm. 1) wählen; *a*~ erwählen.

kirika, kerika sw. F. (84 Anm. 2*. 129. 140) Kirche.

kirsikbôm M. a. (241 Anm. 2) Kirschbaum.

klapunga F. ō Klappern.

klê M. wa (167) Klee.

kleddĕ F. ō. (208) Klette.

kleddo sw. dass.

klĕi M. ja. (176) Klei, Ton.

klĕmmian sw. 1. klemmen; *and*~ aufzwängen; *bi*~ einschließen.

kleuwin N. a. (105 Anm. 1. 177) Knäuel.

klĭ̆on sw. 2 (84) kleben.

klīda F. (247*) Flechtwerk.

kluflôk M. a. (88. 177) Knoblauch.

klūstar N. a. (96. 142) Verschluß.

knagan abl. 6 (145) nagen.

bi-knêgan (486, 2 d) erlangen.

kneo, knio N. wa. (83. 102. 218 Anm. 1. 279—281) Knie.

knōsal N. a. (209) Geschlecht.

kō F. k. (173 Anm. 3. 325 Anm. 1) Kuh.

~*swīn* N. a. Sau.

kok M. a. (86) Koch.

kop M. a. (86) Kopf.

kôp M. a. (99) Kauf.

kōpa F. (94) Kufe.

kôpian sw. 1 (256 a. 462 Anm. 2) kaufen; *far*~ verkaufen.

kôpon sw. 2 (236 Anm. 2) kaufen.

koppodi ja. (237) mit Kamm versehen.
kos s. *kus.*
kosp M. a. (86. 236) Fessel.
kostarari M. ja. (86. 135) Küster.
koston sw. 2. (486, 2 c u. Anm. 3) versuchen.
kostunga F. ō. Versuchung.
kraft, kraht M. N. a. F. i. 196. 299 Anm. 1—3) Kraft, Stärke; Schar, Menge.
kraftag, -ig (80. 196. 214. 355. 369. 370) kräftig, stark, mächtig.
kribbia sw. F. (224. 285. Anm. 2) Krippe.
Krist Eigenn. a. (268 Anm. 1) Christus.
kristin (133) christlich.
⁓*hêd* F. u. Taufgelübde.
krūci M. N. ja. (49. 96. 209) Kreuz.
krūd N. a. Kraut, Unkraut.
krūka sw. F. Krug.
kūd (191. 257 b. 481, 2) kund, bekannt.
kūdian sw. 1. verkünden.
kullundar M. a. (124. 178) Koriander.
kuman abl. 4 (88. 421. 438. 489. 500 b 504. 505 Anm.) kommen; *bi*⁓ gelangen.
kumb(a)l N. a. (143 Anm. 183. 272 Anm.) Zeichen.
kumi M. i. Ankunft.
kuniburd F. i. (275, 3. 277 Anm. 3) Geschlecht.
kuning M. a. (193) König.
⁓*dōm* M. a. Königswürde.
⁓*wīsa* sw. F. ō. königliche Art; *an k.* wie es einem König zukommt.
kunnan Prt.-Prs. 3, 1. (88 Anm. 2. 469 a 2. 500 Anm. 3) wissen, verstehen, können.
kunni N. ja. (189. 277) Geschlecht.
kunst F. i. (192. 298) Weisheit.
kuri M. i. (257 c) Wahl.
kursina F. (138, 4 Anm.) Pelzrock.

kus, kos M. u.? (88 Anm. 1 304.) Kuß.
kūsko Adv. sittig.
kussian sw. 1 b (212) küssen.
kust F. u. (306 Anm. 1) Wahl, Willen; das Beste.

l.

laðil (77 Anm. 1. 128 Anm.) Becken.
laðoian sw. 2 (80 Anm. 2) laden.
lāga F. (158) Lage.
lagustrôm M. a. (130. 303) Gewässer.
lahan abl. 6 (443) tadeln.
lakan N. a. Laken, Tuch, Vorhang; Gewand.
lāknon sw. 2 (138, 4) heilen.
lamb N. a. (273. 325 a) Lamm.
bi-lamon sw. 2 (490, 4) lähmen.
land N. a. Land.
⁓*wīsa* sw. F. ō. Landesbrauch.
lang (138, 2. 367. 369) lang, ewig; *than lang the* Konj. so lange als; *bi*⁓ (481,2) verbunden.
⁓*sam* (355. 557) langdauernd.
lango Adv. lange; *sō* ⁓ *sō* so lange als.
lāra s. *lêra.*
lāri ja. leer.
a-lārian sw. 1 (486, 2 g) leeren.
lastar N. a. (215 Anm. 272 Anm. 1) Tadel, Schmähung.
lat (160. 370. 481, 2) träge, spät, langsam.
lātan red. 2, 1 (160. 449. 500 Anm. 1) lassen; *a*⁓ (498 Anm.) er-, freilassen; *far*⁓ ver-, unter-, entlassen.
latta sw. F. ō. (208) Latte.
lazto, lęzto (139. 239. 370) letzte.
lêba F. ō. Überbleibsel; *te* ⁓ *werðan* übrig bleiben.
lêbian sw. 1, übriglassen; *far*⁓ dasselbe.
leðindig (84 Anm. 1) lebendig.
lēbon sw. 2 (97) übrig bleiben.
leccia sw. F. (49. 84 Anm. 1) Lektion, Lesung.

lêd N. a. Böses, Sünde.

lêd (369) widerwärtig, verhaßt, böse, feindlich; *the lêdo* der böse Feind, der Teufel.

lêdian sw. 1 (257 b) leiten, führen, bringen; *and~* fortbringen, wegführen; *far~* verleiten.

a-lêdian sw. 1. verleiden.

lêdon sw. 2 (488 a) leid tun.

lêf Adj. a. (92. 138, 4. 198 Anm. 355 Anm. 1) schwach, gebrechlich.

~hêd F. u. Gebrechlichkeit.

legar N. a. (272 Anm. 1) Krankenlager; Krankheit.

~bêd N. ja. Totenlager.

far~néssi F. jô. i. (285) Ehebruch.

léggian sw. 1 a (235. 458) legen.

lêhen N. a. (143. 154. 272 Anm. 1) Lehen.

lêia sw. F. ô. (98. 175. 284 Anm. 1) Fels.

lektor (142) Pult.

lêmi F. î. (294) Lahmheit.

lêng Adv. Komp. (77 Anm. 2. 151. 375 Anm.) länger.

lêra sw. F. ô (29, 4. 284 Anm. 1) Lehre, Gebot.

lêreo sw. M. Lehrer.

lêrian sw 1 (225. 493, 1) lehren.

lêriand M. k. (321) Lehrer.

lernunga F. ô. (227) Lehre.

lês Adv. Komp. (375 Anm.) weniger.

lesan st. 5. (auf)lesen.

lêskian sw. 1. (er)löschen.

gi-lêsti N. ja. Tat.

lêstian sw. 1 (489 u. Anm.) leisten, ausführen, befolgen, tun; Part. *unlêstid* (357 Anm. 1. 421) unerfüllt.

lêttian sw. 1 a (458. 494 a) hindern; ablassen; *a~* entziehen.

lêwerka F. (164) Lerche.

bi-liban abl. 1 (332) bleiben.

lêzto s. *lazto.*

libbian, lebon sw. 3 (221 Anm. 2. 465. 486, 2 d) leben.

lid M. u. a. (302, 3. 303 Anm.) Glied.

lid N. a. u. (304 Anm. 2) Wein, starkes Getränk.

lidan abl. 1 (257 b. 485, 4) gehen, fahren (über).

lidi ja. (191) gelinde, gnädig.

lidokosp M. a. Fessel.

~wastom M. a. Glied.

lif N. a. Leib, Leben.

liggian abl. 5 (235. 441) liegen.

lihan abl. 1 (257 e. 430 Anm. 2) (ver)leihen, schenken; *far~* (496 Anm. 1) verleihen.

lihtlik gering.

lihto Adv. (93) leicht.

gi-lik gleich.

—nissi(a) F. jô. i. (285) Bild.

likhamo sw. M. (73, 1. 124) Leib, Körper.

likkon sw. 2 (84 Anm. 1. 243) lecken.

gi-liko (481, 2) auf gleiche Weise.

likon sw. 2 (488 a) gefallen.

lilli M. oder N. ja. (108. 178. 277) Lilie.

linin (133) leinen.

linon sw. 2 (154. 227. 511) lernen; *at* von.

liodi s. *liudi.*

liof 1. N. a. Liebes, Freundlichkeit.

liof 2. (155. 356. 368. 369) lieb, freundlich.

liogan abl. 2. lügen.

lioht 1. N. a. Licht; Welt.

lioht 2. (481, 2) licht; aufrichtig.

liomo sw. M. (215 Anm.) Lichtstrahl.

far-liosan abl. 2 (257 c) verlieren.

list M. F. i. Klugheit.

liud M. i. (103 Anm. 1 u. 2. 297 Anm. 1) Volk, Pl. Leute.

liudibarn N. a. Pl. Menschenkinder.

liuhtian sw. 1 (103 Anm. 1 u. 2) leuchten; *gi-* (488 b) erleuchten.

gi-lôbian sw. 1 (115. 486, 2 a, Anm. 2 u. 3. 488 a, Anm. 1. 498 a) glauben.

gi-lôbo sw. M. Glaube.

lobon sw. 2 (495, 1) loben, preisen.

loda sw. F. (86 Anm. 1) Lode.

lof N. a. (155) Lob.

16*

lofsam lobwürdig.

lôf N. a. Laub.

lôgna sw. F. ō (231) Lohe, Flamme.

lôgnian sw. 1. leugnen; *far~* (486, 2 c) verleugnen.

lôh M. od. N. a. (265, 8) Wald.

lohs M. (86. 215) Luchs.

lokoian sw. 2. blicken.

lôn N. a. Lohn, Strafe, Vergeltung.

~geld N. a. Vergeltung.

lônon sw. V. 2 (497 c) lohnen, vergelten.

far-lor N. a. (257 c) Verlust.

lôs (356. 480, 5) los, ledig, beraubt, ohne etwas.

lôsian sw. 1 (137. 494 Anm.) lösen, wegnehmen, erlösen; *a~* (357 Anm. 1) ab-, erlösen, befreien; *bi~* (486, 2 g. 494 Anm. 497 a) berauben.

loson sw. 2 (421) dass.

lubbian sw. 1 b (224) heilen.

lūđara sw. F. (145) Kinderzeug.

luft M. F. u. (304. 3u6) Luft.

lugina F. ō. Lüge.

luidi s. *liudi.*

lūkan abl. 2. schließen; *and~* erklären; *bi~* verschließen.

lungandia sw. F. (189 Anm. 316) Lunge.

lungar (138, 2) kräftig.

lust F. ō. (306 Anm. 1) Lust, Freude.

lustian sw. 1 (494 c) gelüsten.

lūt Adj. wenig.

luttik (138, 7. 240. 481, 2) klein.

luttil (138, 1. 140. 240. 355. 371) dass.

m.

mādmundi ja. (106. 191. 202) sanftmütig.

māg M. a (158) Verwandter.

magađ F. k. (81. 126. 325 Anm. 2) Maid, Jungfrau, Weib.

magu M. u. (158. 303) Sohn.

~jung jung.

mahal N. a. (142. 201. 267) Gericht; Rede.

mahlian sw. 1 (79. Anm. 106. 218. 460 Anm. 1. 489 Anm. 1) reden; sich verloben.

maht F. i. (256 b. 299 Anm. 2) Macht.

mahtig (79 Anm. 133. 140 Anm. 1. 234. 240 Anm) mächtig.

māki M. N. ? ja (276) Schwert.

makirin F. jō. (131. 151. 285 Anm. 1) Macherin, Stifterin.

makon sw. 2. machen.

malan abl. 6. mahlen.

malere M. ja. Müller.

mālon sw. 2 (29, 2) zeichnen, malen.

malsk (480, 5) übermütig.

malt N. a. Malz; ein Maß.

maltere M. ja. Mälzer, Brauer.

man M. k. (253, 1. 322. 346 h) Mann, Mensch; Diener; Pron. man, jemand.

~kunni N. ja. Menschengeschlecht.

~slahta F. ō. Mord.

~sterƀo sw. M. Sterben.

manag, -ig (80 Anm. 2. 125 Anm. 2. 350 Anm. 355) manch, viel.

gi-mang N. a. Schar; *an~* zusammen, dazwischen.

mangon sw. 2 (182) handeln.

mankus M. (139 Anm.) eine Goldmünze.

mannisk s. *mennisk.*

māno sw. M. (323 Anm.) Mond.

mānođ, -uđ M. a. (29, 6. 134. 323 Anm.) Monat.

manon sw. 2 (494 a. 502) treiben, mahnen.

mānuđ s. *mānođ.*

mārđa s. *māriđa.*

marg N. a. (225) Mark.

māri (91. 370. 482, 2) glänzend, herrlich, berühmt.

mārian sw. 1. rühmen, verkünden.

mār(i)đa F. ō. (138, 5) Kunde, Ruhmestat.

markat (131) Markt.

markon sw. 2 (144. 495, 2) bestimmen, bemerken.

mārlīk herrlich.

martir M. a. (77 Anm. 1. 138, 2. 269 Anm. 1) Märtyrer.

mat N. a. Speise.

med s. *mid.*

mêda sw. F. ŏ. (92. 227. 284 Anm. 1) Lohn.

mêdian sw. 1 (357 Anm. 1) kaufen, mieten.

mêđom M. a. (142. 202. 267) Kleinod.

mêgin N. a. (232) Kraft; Schar.

∾*fard* F. i. Heerfahrt.

∾*folk* N. a. (149) Schar.

∾*kraft* F. i. Kraft; Schar.

∾*strèngi* F. ī. Kraft.

∾*sundia* sw. F. (393) Sünde.

mêhlian s. *mahl.*

mehs N. a. (215 Anm.) Mist.

mêhtig s. *mahtig.*

mèiar M. a. (98. 138, 2. 269) Meier, Gutsverwalter.

Mêinword M. a. (127) Eigenn.

melo N. wa. (165. 280, 2. 281) Mehl.

mēlon s. *mālon.*

mèltian sw. 1 b (357 Anm. 1. 461) mälzen.

mên N. a. Frevel, Verbrechen.

∾*êđ* M. a. Meineid.

∾*giwerk* N. a. Frevel.

mèndian sw. 1 b (257 Anm. 2. 486. 2f) sich freuen.

mèndislo sw. M. (73, 3. 309) Freude.

mêngian sw. V. I b (357 Anm. 1. 421. 490, 3) mischen, mengen.

mênian sw. 1 b (488 c) meinen, im Sinne haben, erwähnen; bedeuten.

mènigi F. ī. (81. 293 Anm. 2) Menge, Schar.

mênnisk (355) menschlich.

mènnisko sw. M. (80) Mensch.

mêr Adv. Komp. (228 Anm. 350 Anm. 375) mehr.

mèrge F. (172 Anm.) Mähre.

mèri F. i. (78. 151. 292) Meer, See

∾*griot* N. a. (102. 129 Anm.) Perle.

∾*strôm* M. a. Meerflut.

mêri s. *māri.*

mêro (225. 371) größer.

mèrrian sw. 1 b (225. 494a) ärgern; stören, hindern.

mêst I. Adj. Sup. (371. 375) größte, meiste. — II. Adv. am meisten.

mêstar M. a. (97. 138, 2. 142. 269) Meister, Lehrer, Vorgesetzter.

met s. *mid.*

un-met (188) sehr.

gi-met N. a. Maß.

metan abl. 5 (439*) messen.

mèti M. i. Speise.

∾*gêdia?* (165 Anm. 2. 286 Anm.) Hungersnot.

mɐtod M. a. (130. 139) Geschick.

mèzas N. a. (139. 209. 215) Messer.

mid(i), miđ, med (84 Anm. 1. 121 Anm. 248. 257 b. 490 Anm 1. 510) I. Adv. mit. — II. Präp. m. D. u. I. mit, durch, unter.

miđan abl. 1 (486, 2 c. 491 Anm. 500 a) meiden, vermeiden, unterlassen, lassen von; verheimlichen; bi∾ (532) vermeiden.

middi N. ja. (480 Anm. 3) Mitte.

middi Adj. ja. (350) in der Mitte, mittler; *m. dag* Mittag.

middia sw. F. Mitte.

middilgard M. a., F. k. (325 Anm. 5) Erdkreis.

mikil (129 Anm. 1. 139. 140. 355. 357 Anm. 2. 371. 521 Anm.) groß; D. Pl. *-un* Adv. sehr.

mildi ja. (367. 480, 6) freundlich, freigebig.

miluk F. k. (130. 325 Anm 1) Milch.

mīn (329. 330, 1) mein.

minnia F. jŏ. (189) Minne, Liebe.

minnion sw. 2. lieben.

minnira (371) minder, weniger, kleiner.

minnista (371) geringste, kleinste.

minsion sw. 2 (192) verkleinern, verringern.

minta F. (84) Minze.
miri s. *mêri.*
misdād F. i. Missetat.
∽*tumft* F. i. (192) Zwietracht, Zwist.
missa F. ō. (84) Messe; Feiertag, Fest.
missiburi M. i. (290) Geschick.
mist M. (215 Anm.) Mist.
mŏd M. a. Mut; Gemüt, Sinn, Gesinnung.
∽*seƀo* sw. M. Herz, Gemüt.
mōdag zornig, aufgeregt, böse.
mōdar F. k. (128 Anm. 319) Mutter.
mōnođ s. *mānođ.*
morđ N. a. Mord.
∽*quala* F. ō. tödliche Qual.
morgan M. a. (138, 4. 144. 269 Anm. 1) Morgen.
mornian, -on sw. 2, 3 (88 Anm. 1. 466 Anm. 2) trauern; *bi*∽ (497 a) versorgen.
mōs N. a. (256 c) Speise, Essen.
mōtan Prt.-Prs. 6 (472) in der Lage sein, dürfen (ver)mögen, müssen.
mōtian sw. 1 b (489) begegnen.
mūđ, mund M. a. (191. 192 Anm. 257 b u. Anm. 2) Mund.
muddi N. ja. (87. 151 Anm. 1. 250. 277) Mütte, Metze.
mūdspelli M.? N.? ja. (84 Anm. 1*. 277) Weltuntergang.
mugan Prt.-Prs. 5 (256 b. 471) vermögen, können, Ursache haben.
muggia sw. F. (164 Anm. 3. 316) Mücke.
mūlbôm M. a. (96. 177 Anm. 2) Maulbeerbaum.
muleniri M. ja. (131. 133 Anm.) Müller.
munalīk s. *munilīk.*
munan Prt.-Prs. 4 (88 Anm. 470, 2) glauben; *far*∽ verachten, leugnen.
mund s. *mūđ.*
mundboro sw. M. (157) Schützer.
∽*burd* F. i. (249. 299 Anm. 2) Schutz.

gi-mundi N. ja. (257 Anm. 2) Mündung.
mundon sw. 2 (488 a) helfen.
munilīk (129 Anm. 1. 290) lieblich.
munita F. ō (87. 133) Münze.
muniteri M. ja. (87. 140 Anm. 2) Münzer, Wechsler.
mūr (96) Mauer.
murmulon sw. 2 (138, 1) murmeln.
murnian s. *mornian.*
muskula F. (130) Muschel.
mūtspelli s. *mūd-.*

n.

naƀugêr M. a. (283, 3) Bohrer.
nābūr M. a. (214) Nachbar.
nādara F. (145) Natter.
gi-nāđa F. ō. Gnade.
gi-nādig gnädig.
nāđian sw. 1 b (106. 191) streben.
nāđla sw. F. (201) Nadel.
nagal M. a. Nagel.
nāh I. Adj. (361 Anm. 2. 370. 481, 2) nah. — II. Adv. nahe.
nāhian sw. 1 b (166 b. 489 Anm.) nahen.
nāhisto sw. M. Nächste.
naht F. k. (324) Nacht.
nahtigala F. (79. 324 Anm.) Nachtigall.
nako sw. M. Nachen, Schiff.
namo sw. M. Name.
naro sw. M. (165 Anm. 1. 311) Narbe.
naru wa. (144. 165 Anm. 1. 361 Anm. 1. 368. 373 Anm. 1) eng, drückend.
ne s. *ni.*
neƀa, -o, -u Konj. (120. 527. 532) wenn nicht, außer daß; sondern.
neƀal M. a. (143. 222. 267. 269 Anm. 1) Nebel, Dunkel.
neƀo sw. M. (323 Anm.) Neffe.
néglian sw. 1 b (143. 421) nageln.
nehweđar (347 b) keiner von beiden.
nek (506 c) auch nicht, noch.

neman s. *niman.*
némnian sw. 1 b (184. 188. 460 Anm. 1) nennen.
nên (97 Anm. 2. 120) nein.
neo, nio (108 Anm. 2. 120. 506 c) nie, nimmer.
~*man* (347 c. 506 c) niemand.
~*wiht, niet* (108 Anm. 2. 164 Anm. 1. 347 d. 506 c) nichts; nicht.
nérian sw. 1 a (171. 225. 257 c) retten, heilen, erlösen.
nériand M. k. (126. 321 Anm. 2) Heiland, Erlöser.
gi-nesan abl. 5 (257 c) gerettet worden, davonkommen.
-néssi s. *-nussi.*
nessiklīn N. a. (84 Anm. 1. 193 Anm.) Würmchen.
nesso sw. M. Wurm.
nêt = *ni wêt* (120. 166 b) weiß nicht.
nét(ti) N. ja. (151 Anm. 3. 174. 275, 5. 277 Anm. 1) Netz.
newan, nowan Konj. Adv. (125. 541) außer; *n. that* wenn nicht, außer daß.
ni, ne I. Part. (120. 506. 532. 541) nicht; *ni — ni* weder noch. — II. Konj. daß nicht, ohne daß (nach negat. Vordersatze); wenn nicht.
nian (97 Anm. 2) kein.
Nīanhūs Ortsn. (105 Anm. 2. 168) Nienhaus.
nīđ M. a. Haß, Zorn, Feindschaft.
~*hugdig* (230) feindselig.
nidar nieder, herab.
niên (347 a) kein.
niet s. *neowiht.*
nīgean s. *niuwian.*
nigên (66. 97 Anm. 213 Anm. 2. 347 a. 506 c) kein.
nīgi s. *niuwi.*
nigun, -on (84. 130. 164 Anm. 3. 229) neun.
nigunte, nichonte (384) neunzig.
nigudo, nigundo (135. 191. 388 Anm. 1) neunte.
niman, neman abl. 4 (83 Anm. 1.

88 Anm. 1. 421. 438 Anm. 486, 2 d u. Anm. 1. 493. 511. 512) nehmen, fassen, empfangen, erhalten; *at* von, *an* von; *bi*~ (497 Anm.) berauben, nehmen.
nimid (129) Hain.
nio s. *neo.*
niotan abl .2 (486, 2 d) genießen; *bi*~ (497 a) berauben.
-nissi s. *-nussi.*
gi-nist F. i. (298) Erlösung.
nis(t) = *ni is(t),* vgl. 120.
niud M. N.? a. (103) Anm. 2. 500 c) Verlangen.
~*liko* Adv. (103 Anm. 2. 248) eifrig.
gi-niudon sw. 2 (103 Anm. 2. 494 b) sich erfreuen.
Niumagan Ortsn. (169) Nimwegen.
niusian sw. 1 b (103 Anm. 2. 215 Anm.) versuchen.
niuson sw. 2. dasselbe.
niuwi, nīgi ja. (105 Anm. 2. 168. 173 Anm. 3. 360 Anm.) neu.
niuwian, nīgian sw. 1 b (105 Anm. 2. 168. 173 Anm. 3) erneuen.
nôd F. i. Not.
~*thurft* F. i. (196) Notdurft.
gi-nōg(i) (234 Anm. 1. 350. 360 Anm. 480 Anm. 3. 481, 2) genug.
noh 1. Adv. noch; *noh than* noch.
noh 2. Konj. (506 c) und nicht, auch nicht, noch.
nōn F. ō. (94. 283, 2) Nachmittag, die neunte Tagesstunde.
nord (86 Anm. 1) nordwärts.
nôtil N. a. (153. 270) Vieh.
nowan s. *newan.*
nū I. Adv. (96. 107) nun, jetzt, schon. — II. Konj. (533. 540 Anm. 1) da nun, da, wenn nun.
gi-nuft-samida F. ō. (126. 116) Fülle.
-nussi Suff. F. i. jō. (126. 294 u. Anm. 2) -nis.

o.

oƀan oben.

oƀana (127 Anm. 2) von oben her.

oƀar Präp. m. D. u. Akk. (124. 511) über, über — hin, auf, jenseits, gegen.

∾*āt* M. a. Übermaß im Essen.

∾*drank* M. Völlerei.

∾*mōdi* N. ja. Über-, Hochmut.

oƀast-, ofstlīko Adv. (116 Anm. 131. 136. 139 Anm. 191. 223) schnell.

obult s. *orbulht.*

ôdag reich.

ôdan Part. (421) beschert.

ōđar s. *āđar.*

ôdi ja (481, 2) leicht.

ōđil M.? Heimat, Stammsitz.

ôđmōdi N. ja. (202) Demut.

ôdwelo sw. M. Reichtum.

of s. *ef* und *af.*

ofđe s. *efđo.*

ofliges N. a. (270) Abgabe.

ofstlīko s. *oƀastl.*

oſt(o), ohto Adv. (196) oft.

ofthe s. *efđo.*

ôga sw. N. (312) Auge.

ôgian sw. 1 b. zeigen.

ohtho s. *eđđo.*

ohto s. *ofto.*

ôk auch, und.

ôkan Part. (421. 458) schwanger.

ōlat M. od. N. a. Dank.

opan (124. 139. 357 Anm. 2) offen.

opanon sw. 2 (124) öffnen.

opper Na. (237) Opfer.

ôra sw. N. (312) Ohr.

oral (131) Mantel.

orbulht (227 Anm. 214) Wut.

ork M.? a. (86) Krug.

orlåg(i), légi N. a. i. (88 Anm. 3. 291 Anm. 1. 325 a Anm.) Krieg.

orlôf M. a. (88 Anm. 3. 225) Urlaub, Erlaubnis.

ōs (191) Gott.

ôstan(a) (138, 4) von Osten her.

ôstar Adj. (29, 9. 145. 358 Anm.) östlich; ∾ Adv. ostwärts.

ôstroni ja. (134) östlich.

p.

păƀos M. a. (127. 220) Papst.

Pathelbrunno (127 Anm. 2) Paderborn.

páléncea F. jō. (49. 126. 285) Palast.

páradīs N.? a. (72) Paradies.

păscha N. a. (50. 89) Ostern.

péllel (129 Anm. 1. 130 Anm. 178. 265, 6) Seidenstoff.

pénik N. a. Hirse.

pénning M. a. (78. 189 Anm. 193. 249. 265, 5) Pfennig.

pik N. a. (84) Pech.

pīna F. ō. (93) Pein, Qual.

pinkcoston sw. F. Pl. (84. 130 Anm. 137. 140 Anm. 2. 188. 239. 242) Pfingsten.

pinnig s. *pénning.*

plāstar N. a. (89) Pflaster.

plegan abl. 4 (486, 2 b) verantwortlich sein, einstehen für.

pravendi (123) Präbende.

prēstar M. a. (92. 138, 2. 269 Anm. 1) Priester.

pund N. a. (87. 248) Pfund.

q.

quāgul (130. 241) Lab.

quala F. ō. (157) Qual.

qualm N. a. (157) Tod, Mord.

quān F. i. (157) Weib.

queđan abl. 5 (257 b. 440) sprechen, sagen.

quéddian sw. 1 a (158. 256 b. 458) grüßen, begrüßen.

quelan abl. 4. sterben, Qual leiden.

quena sw. F. (157) Weib, Gattin.

quern F. u. (82. 306 Anm. 1) Mühle.

quidi M. i. (158. 257 b) Rede, Wort.

quik Adj. a. (84. Anm. 1. 355. 362) lebendig.

r.

rād M. a. Rat, Gewinn; *te rāde geƀan* raten.

rāda F. (165) Raden.

rādan red. 2 (486, 2 b) raten, beraten; *an* gegen; *gi∽* raten, ausführen, verschaffen.

rādislo sw. M. (309) Rätsel.

radur M. a. (130) Himmel.

raka F. ō. Sache, Angelegenheit, Rechenschaft.

rukud M. a. (130) Tempel.

rasta sw. F. ō. (284. Anm. 1) Rast; Lager; Tod.

rêđia F. jō. (171. 208. 285 Anm. 2) Rede, Rechenschaft.

regin M. a. (142 Anm.) Regen.

reht N. a. Recht, Pflicht; *un∽* Unrecht, *an∽* auf unrechtmäßige Weise.

reht Adj. recht, gut, wahr; *reht sō* Konj. (533) als eben, indem; *∽o* Adv. (152 Anm. 2) auf rechte, richtige Weise.

Rêinesburg (232) Regensburg.

gi-rekon sw. 2. zubereiten.

Rêngêrengthorp Ringeldorf.

rihtian sw. 1 b. aufrichten; beherrschen; *a∽* auf-, errichten.

rīki N. ja. (151 Anm. 3. 274) Reich, Herrschaft, Volk.

rīki Adj. ja. (370 Anm.) mächtig, vornehm.

rīm M. a. Zahl.

rink M. a. Mann.

rinnan abl. 3, 1 (180) rinnen, fließen.

rīsan abl. 1. aufstehen; *a∽* (488 c. 512) sich erheben, auf(er)stehn (*an* von); *gi∽* sich ziemen.

rispsinga F. (226 Anm. 1) Schelte.

rôbon sw. 2 (494 a) bekleiden; *bi∽* (486, 2 g) berauben.

rôd (29, 9) rot.

rôđer N. k. (106) Rind.

roggo sw. M. (252) Roggen.

rôk M. (297 Anm. 2) Rauch.

rokko s. *roggo.*

Rôma s. *Rûma.*

rōmon sw. 2 (29, 6. 486, 2 c u. Anm. 3) streben.

bi-rôpian sw. 1 (357 Anm. 1) raufen.

Rûma F. ō. (96) Rom.

rukkin a. (252 a, Anm.) von Roggen.

rûmo (481, 2) weit weg.

rûna F. ō. vertrautes Gespräch; *an rûnon* insgeheim.

S.

sad a. satt.

sāfto (106. 191) sanft, leicht.

sahs N. a. (215) Messer.

Sahso sw. M. (6 Anm.) Sachse.

sāian red. 2, 1 u. sw. I b. 172 Anm. 450. 460) säen.

saka F. ō. Sache, Schuld, Rechtshandel, Gericht.

sakan abl. 6. streiten; *far∽* zurückweisen.

salbon sw. 2. salben.

sāl(i)đa F. ō. (138, 5. 203 Anm.) Glückseligkeit.

sālig (355. 369) selig, glücklich, fromm.

salmo sw. M. Salm, Lachs.

sama s. *samo.*

samad (124) zusammen.

at-, te-samne (69. 139. 184) zusammen.

samnon sw. 2 (80 Anm. 2. 184. 486, 2 d) (sich) sammeln.

samnunga F. ō. (161) Zusammenkunft; Gemeinde; Konvent.

samo (340 Anm. 2) gleicherweise, ebenso.

sān(a) (als)bald, sogleich, schon

sang M. a. (281 Anm.) Gesang Schrei.

sankte (493 Anm. 2) heiliger.

sê s. *sêo.*

seđo sw. M. Gemüt, Herz.

sedal N.? a. (201 Anm. 267) Sitz.

af-sêffian abl. 6 (116 Anm. 444 Anm. 2) wahrnehmen, erkennen.

seg M. i. (235 Anm. 2. 252 a. 275, 3. 297 Anm. 1) Mann.

segel N.? a. (142) Segel.

∽gêrd F. jō. (76 Anm. 1) Segelstange, Rahe.

séggian sw: 3 (465. 466. 526 Anm. 531) sagen.

ségina F. ō. (77. 133. 229) Netz.
segnon sw. 2 (82. 231) segnen.
sehan abl. 5 (166b. 218. 257e.
440 Anm. 1. 486, 2a) sehen,
blicken; *bi~*, *far~* dass.
sehs (215. 381 Anm.) sechs.
~tehan, sestein sechzehn.
sehsto (215 Anm. 388) sechste.
sékil M.? a. (253, 5) Seckel.
sêl N. a. (154) Seil.
selƀo s. *self*.
sélđa s. *sélida*.
seldlīk (84 Anm. 1) wunderbar.
self, selƀo (340) selbst, selber;
sō self Adv. ebenso.
~kuri M. i. Bestimmung, Wahl.
sêli M. i. (290) Saal, Gemach,
Haus.
sélida F. ō. (139. 166b. 283, 6.
286) Wohnung, Haus.
séllian sw. 1a (458) übergeben;
verkaufen.
sélskipi (139) Gesellschaft.
senap (82) Senf.
séndian sw. 1b (77. 257b. 459
Anm. 2) senden.
séo, sê M. wa. (108 Anm. 1. 164
Anm. 1. 167. 280, 1 und 2)
See, Meer.
~lîđand M. k. Seefahrer.
seola, siola sw. F. ō. (108b. u.
Anm. 2. 137. 167. 284 Anm. 1)
Seele, Geist.
sêr N. a. Schmerz.
sêrag schmerzerfüllt.
sêro Adv. schmerzvoll, sehr.
sespilo sw. M. (84 Anm. 1. 253, 2)
Totenklage.
sestein s. *sehstehan*.
séttian sw. 1a (240. 458) setzen,
legen, bringen, einsetzen, ver-
fassen.
sī sei, s. *wesan*.
sibbia F. jō. (285. 473) Sippe,
Verwandtschaft.
siƀođo, siƀondo (135. 191. 388
Anm. 1) siebente.
siƀun (130 Anm. 381) sieben.
ant-siƀunta (69. 384) siebzig.
siƀuntig (384) siebzig.
sīđ M. a. (191. 257b. 391) Gang,

Weg, Mal; *gi~* Begleiter;
~wōrig reisemüde.
sīđ Adv. s. *sīđor*.
gi-sīđi N. ja. (201) Sitz.
gi-sidli N. ja. Gefolge, Schar.
sīđon sw. 2 (501 Anm.) reisen,
ziehen, gehen.
sīđ(or) I. Adv. (375) Anm.) später,
nachher, seitdem. — II. Konj.
(533) seitdem, als, wann.
sidu M. u. (302, 2. 303) Sitte.
Sidūni M. Pl. (96) Sidonier.
Sigi- (232. 325a, Anm.) Sieg-.
gi-siht F. i. Gesicht, Anblick.
sikor (84. 135. 355. 480, 5)
sicher, frei (von).
sikoron sw. 2 (494a) befreien.
siluƀar N. a. (130. 272) Silber.
~skat M. a. Silbermünze.
siluƀrin (222. 355) silbern.
sim(b)la, -un (183) immer.
simnón, sinnon (184) immer.
sīmo sw. M. (154) Strick.
sīn Pron. (329. 330. 2) sein.
singan abl. 3, 1 (166b) singen.
sinhīwun sw. N. Pl. (164. 312)
Gatten.
~līf N. a. ewiges Leben.
~wéldi N. ja. (275, 4) großer
Wald.
sinkan abl. 3, 1 (166b) (ver)sin-
ken, fließen; *bi~* (486b) ver-
sinken, -gehen.
sinnon s. *simnon*.
siok (482, 1) siech, krank.
sittian abl. 5 (240. 441. 488c)
sitzen, verharren; *gi~* sich
setzen.
siu F. (331) sie.
siun F. i. (257e) Gesicht, Auge;
gi~ F. i. N. ja. (103 Anm. 2).
299 Anm. 3) Erscheinung.
siuwian sw. 1 (168) nähen.
skado M. wa. (167. 281) Schatten.
skađo sw. M. Übeltäter.
skadowan, -oian sw. 2(?) (144.
165 Anm. 1) beschatten.
-skaft F. i. (256a. 298) -schaft;
gi~ Bestimmung.
skāla sw. F. Trinkschale.
skamil M. a. (77 Anm. 1) Schemel.

skap N. a. Gefäß.

~*ward* M. a. Kellermeister.

skāp N. a. (29, 2) Schaf.

skaperêda F. (149) Stellbrett.

gi-skapu N. a. Pl. Schöpfung, Geschöpfe.

skarp (144) scharf.

skat M. a. (240. 253, 1) Besitz, Geld, Münze.

skauwon sw. 2 (100) schauen.

skêdan red. 2, 2 (451) (sich) scheiden, absondern, teilen.

skêdia F. jō. Scheide.

skêdunga F. ō. (242) Scheidung.

skeld s. *skild*.

skeldan abl. 3, 2 (436*) schelten.

skênkio sw. M. Schenk.

-*skêpi*, -*skipi* M. N. i. (126. 291 Anm. 2) -schaft.

skêppian 1. abl. 6 (237. 444) schaffen; geben.

skêppian 2. sw. 1 a (237) schöpfen.

skêrian sw. 1. a zu-, einteilen, bestimmen.

skêrning M. a. (187. 241 Anm. 1) Schierling.

skîdan abl. 1 (430 Anm. 3) scheiden.

skild M. u. (84 Anm. 1. 241 Anm. 1. 304) Schild.

skilling M. a. (241 Anm. 1. 265, 5) Schilling; 12 Stück.

skīn sicht-, offenbar.

skīnan abl. 1 (488b) scheinen, glänzen.

skion M. Wolkendecke.

skip N. a. Schiff.

-*skipi* s. -*skêpi*.

skīr(i) a. ja. (360 Anm.) rein, lauter.

bi-skirmian sw. 1 (84 Anm. 2) beschirmen.

bi-skirmiri M. ja. Beschirmer.

skōh M. a. (134 Anm. 2. 265, 5. 266 Anm.) Schuh.

skok N. a. Schock, 60 Stück.

skola F. ō. Schar.

skolo sw. M. (350c. 480, 5. 514 Anm. 1) Schuldner; s. *wesan* etwas verwirkt haben.

skôni ja. (368. 370. 481, 2) schön, glänzend.

skrīban abl. 1 (220) schreiben.

skrīdan abl. 1 (488b) schreiten, gehen; weichen von.

skridskōh M. a. (139) Schlittschuh.

skuddian sw. 1 a. (250. 458) schütteln.

skūfla sw. F. (198. 222) Schaufel.

skulan Prt.-Prs. 4 (242 Anm. 2. 470, 1. 500 Anm. 1 u. 2) sollen, werden.

skuld F. i. Schuld, Abgabe.

~*lakan* N. a. Laken als Abgabe.

gi-skuldian sw. 1 (486, 2 e) sich schuldig machen.

sukldig (480, 5. 500 c) schuldig.

skundian sw. 1 b (461) antreiben.

skutala sw. F. (87. 130. Anm.) Schüssel.

slahan abl. 6 (209 Anm.* 257 d. 443 Anm. 1) (er)schlagen; *a*~ erschlagen.

slāpan red. 2, 1. schlafen.

slêgi M. i. (290) Schlag, Erschlagung.

slêu wa. (361 Anm. 1) stumpf.

sliumo Adv. (103 Anm. 2. 177 Anm. 2) schleunig.

slund M. a. (156) Schlund.

slūtan abl. 2 (431 Anm. 2) schließen.

slutil Ma. (139. 265,5) Schlüssel.

smero N.? wa. (165. 280, 2. 281) Schmer, Fett.

smītan abl. 1. schmeißen; *bi*~ beflecken.

smultro Adv. (88) heiter, ruhig.

snari F. i. Pl. (292 Anm.) Saiten.

snêgig (164 Anm. 1. 173 Anm. 3) schneeig.

snêo M. wa. (281) Schnee.

sniumi ja. (177 Anm. 2) schnell.

sniumo Adv. (103 Anm. 2. 177 Anm. 2) schleunig.

sō I. Adv. (166 Anm. 1) so, also; nun; gar, sehr; *sō bëzt* am allerbesten; *sō samo*, *sō self* desgleichen, ebenso; *alsō* ganz so. — II. Konj. (524 e. 533. 535. 537. 538. 540 Anm. 1)

wie; da, als, indem, während;
wie, als ob; ohne daß; sodaß;
indem, da; wenn. — III. Kor-
rel. *sō—sō* so—wie, so—daß,
da—so, als—so; *sō — èndi* sowohl — als auch; *sō lango —
sō* so lange als; verallgemeï-
nernd: *sō hwē sō* (348) wer
auch immer, *sō hwan sō* wann
auch immer etc.

sōđ (29, 7. 106. 191) wahr; *te
sōđan* der Wahrheit gemäß.

sōkian sw. 1 b (462. 488 c) suchen,
aufsuchen; begehren; begehen

solari M. ja. (276) Söller.   [an.

sômari M. ja. (99) Säumer.

sōmi ja. passend.

sorga F. ō. (144) Sorge, Kummer.

sorgon sw. 2 (486, 2 b) sorgen
(um), Sorge haben.

soster, suster M. a. (82 Anm. 2.
131. 137 Anm. 215 Anm. 275,2)
Sechter (ein Maß).

spāh(i) a. ja. (360 Anm. 367.
480, 5. 482, 2) klug, weise.

spanan abl. 6 (487. 495,2) antreiben.

spēgal M. a. (92) Spiegel.

spekswīn N. a. fettes Schwein.

spènnian sw. 1 a (461 Anm.) ent-
wöhnen.

gi-spènsti N. ja. (192) Verlockung.

spildian sw. 1 b. verderben, töten;
far∾ zerstören.

spīwan abl. 1 (164 Anm. 2. 430
Anm. 2) speien.

un-spōd F. i. (71) Böses.

spōdian sw. 1 b. fördern, Erfolg
verleihen.

sprāka sw. F. ō. (284 Anm. 1)
Sprache, Rede, Sprachver-
mögen; Unterredung.

sprekan abl. 4 (488 c. 526 Anm.)
sprechen.

spunsia F. jō. (172. 192 Anm.
210 Anm. 1. 285) Schwamm.

spurihalz (hochd.) Lahmen.

spurihélti F. ī. dasselbe.

spurnan abl. 3, 2 (88) treten.

stađ M. a. (160. 257 b) Gestade,
Ufer.

stađal M. a. (201) Stand.

staf M. a. (29, 1. 223 Anm.) Stab.

stamn M. a. (184) Steven.

stān unth. (91 Anm. 477) stehen;
af∾ stehn-, zurückbleiben.

standan abl. 6 (257 b. 445.
488 b) stehen, stehen bleiben;
gereichen, widerfahren; *st. an*
eintreten, fallen auf; *af∾*
stehen-, zurück bleiben; *and∾*
aushalten; *far∾* verstehen,
erkennen; stocken; *widar∾*,
(488 a Anm. 1) entgegentreten.

ar-standenussi F. Auferstehung.

stank M. (297 Anm. 2) Gestank.

stark Adj. a. (481, 2) stark, böse.
∾*mōd* mutig.

stèdi F. i. (78. 126. 160. 257 b.
292) Stätte, Stadt.

stèhli N. ja. (79 Anm.) Stahl.

stekul (84 Anm. 1) rauh.

stelan abl. 5. stehlen; *far∾* dass.

stemna sw. F. ō. (84 Anm. 1.
184. 284. Anm. 1 u. 2) Stimme.

stēn M. a. Stein, Fels.
∾*fat* N. a. (149) steinernes Gefäß.

stèppian abl. 6 (444) stapfen,
schreiten.

steppon sw. 2 (237) steppen.

sterđan abl. 3, 2 (144) sterben.

stèrkian sw. I b. bestärken.

sterro sw. M. (181) Stern.

stidi s. *stèdi*.

stīgan abl. 1 (485, 5) steigen.

stiki M. i. (288) Stich.

stilli ja. (369) still, ruhig.

stillian sw. 1 b (461) stillen.

stillo Adv. still.

stillon sw. 2. still, ruhig werden.

stokko sw. M. (243) Stock.

stōl M. a. (159) Stuhl, Thron.

stoppo sw. M. (86*. 237) Krug.

storm M. a. (86) Sturm.

stōtan red. 3, 2 (453) stoßen.

strāla F. ō. Pfeil.

strang stark.

strāta sw. F. (89) Straße.

strèngia F. jō. (293 Anm. 2)
Stärke.

strèunga F. jō. (167 Anm. 2)
Streuung.

strīd M. i. Streit; Eifer. — *-iun*
D. Pl. (490, 2) mit Mühe.

gi-strīdi N. ja. Zanksucht.

strīdin streitbar.

strôian sw. I b (167 Anm. 2. 460
Anm. 2) streuen, bestreuen.

strôm M. a. Strom, Flut.

studlia F. jō. (201) Reihe.

stukki N. ja. (278) Stück.

stulina F. ō. (157) Diebstahl.

stum stumm.

sūðron sw. 2 (222) säubern.

sūdar (191) südwärts.

suga F. ō. (164 Anm. 3) Sau.

suht F. i. (155. 256 b. 298) Krankheit.

sulīk (166 a. 177 Anm. 1*. 345.
355) solch.

sulwian sw. 1 b (165) besudeln.

sum (88. 346 a. 355) irgend ein,
ein gewisser, mancher; *fahoro
sum* mit wenigen.

sumar M. a. (88) Sommer.

sumbal N. a. Gastmahl.

gi-sund gesund, heil.

sundar Adv. (142 Anm.) abge-
sondert, besonders.

sundia sw. F. jō. (285 Anm. 2
u. 4) Sünde.

sundig sündig.

sundion sw. 2. sündigen.

gi-sūn-fader M. k. (137. 302, 1.
319) Sohn u. Vater.

sunna sw. F. ō. (315 Anm. 2)
Sonne.

sunnia F. jō. Not.

sunno sw. M. (315 Anm. 2)
Sonne.

sunu M. u. (153. 301. 302) Sohn.

sus (166 a) so.

suster s. *soster*.

gi-sustridi N. ja. (84 Anm. 3.
166 Anm. 3) Geschwister.

gi-sustruoni N. ja. dass.

swala sw. F. (165 Anm. 1. 286.
317) Schwalbe.

swār (370) schwer.

swart schwarz.

sweðal M. a. Schwefel.

sweðan M. a. (143. 222. 267.
269 Anm. 1) Traum.

swebbian sw. 1 (457) einschläfern.

swefrëstia F. jō. Ruhelager.

sweltan abl. 3, 2 (166 Anm. 1)
sterben, umkommen.

swêpan red. (451) treiben.

swerd N. a. Schwert.

~*drago* sw. M. (253, 3) Schwertträger.

swerian abl. 6 (444 Anm. 1.
486, 2 e) schwören, fluchen.

swerkan abl. 3, 2 (496, 2 f) finster,
stürmisch werden.

swēslīk (29, 3. 91) eigen.

swestar F. k. (319) Schwester.

swêt M.? a. Schweiß; Blut.

swīd(i) a. ja. (191. 482, 2) stark.

swīðo Adv. stark, sehr.

swīðra Komp. F. (138, 2. 369)
die Rechte (Hand).

swigli ja. (231 Anm.) hell.

swīkan abl. 1 (486 c u. Anm. 3.
489 a) im Stich lassen, untreu,
kleinmütig werden; *bi*~ betrügen.

swīn N. a. Schwein.

swingan abl. 3, 1. sich schwingen,
stürzen.

swiri M. ja. (276) Vetter.

swōgan red. 3, 1. rauschen.

swōti ja. (166 a. 368) süß, angenehm.

t.

tafla sw. F. (139 Anm. 222)
Tafel.

tand M. (192 Anm. 257 Anm. 2.
323) Zahn.

tanstudli N. ja. (201. 249. 323)
Zahnreihe.

te, ti I. Adv. zu. — II. Präp.
m. D. u. I. (119. 510) zu, nach,
bis, in, an, gemäß, für; von;
te daga heutzutage; *te hwī*
wozu; *te thiu* dazu, deswegen;
te thiu that bis dahin, daß.
— III. Präf. (119. 227) zer-.

tēgal M. a. (92) Ziegel.

tegégnes Adv. (139) entgegen,
gegenüber, vor.

tēgla F. (231) Ziegel.

tegođo (135. 191. 257 d. 388 Anm. 1) zehnte.

tehan, -in, tein, tian (83. 102. 125. 257 d. 380 Anm.) zehn.

tehando (388 Anm. 1) zehnte.

têkan N. a. (142. 241 Anm. 3. 242 Anm. 1) Zeichen.

téllian sw. 1 a (458. 493, 2 u. Anm. 1) erzählen, sagen, nennen, erklären.

teman abl. 4 (192) geziemen.

tempel M.? a. (84 Anm. 1) Tempel.

temperon sw. 2 (84 Anm. 1) mäßigen.

bi-tēngi ja. (68. 481, 2. 482, 1) bedeckend, bedrückend, verbunden.

tërian sw. 1 a. verzehren; *far⌢* vernichten.

ti s. *te.*

tian s. *tehan.*

tīd F. i. (299 Anm. 1) Zeit, Stunde.

tīhan abl. 1. zeihen; *af⌢* (498 a) versagen.

tilian sw. 2 (486, 2 d) erlangen.

timbrian sw. 1 (143) zimmern.

timbrio, timmero sw. M. (143. 245) Zimmermann.

timbron sw. 2 (183) zimmern, bauen.

timmero s. *timbrio.*

tins M. i. (192 Anm. 238 Anm. 2. 297) Zins.

tiohan abl. 2 (257 d. 421. 332) ziehen, erziehen.

tiono sw. M. Übeltat.

gi-tiunian sw. 1 (488 a) schaden.

tīr M. (93) Ruhm, Ehre.

tō I. Adv. (94 Anm. 2. 119. 510 Anm.) zu, hinzu; * āhtian aldres, ferahes tō* trachten nach.' — II. Präp. m. D. = *te.*

tôgian 1. sw. 1 b (116 Anm. 232) zeigen.

⌢ 2. (172) machen (got. *taujan*).

tolna F. ō. (139 Anm.) Zoll.

tōm(i) a. ja. (480, 5) ledig, frei.

tōmian sw. 1 b (494 a) erlösen, befreien.

torht, -līk (144. 239) glänzend.

tōte Präp. m. D. (510 Anm.) zu.

tou N. wa. (100. 281) das Tau.

tōwardig (126) zukünftig.

trāgi F. ī. (294) Trägheit.

trahni M. i. Pl. (79. 297) Tränen.

trasa s. *tresur.*

tredan abl. 5 (438*) treten.

tregan abl. 5 (488 a) leid sein.

treo, trio N. wa. (83. 167. 281) Baum, Balken.

tresu(r)-, trasahūs N. a. (82 Anm. 2. 134. 179 Anm.) Schatzkammer.

treuhaft (104. 286 Anm. 2) treu. *⌢lôs* (169) treulos.

treuwa F. ō. (104. 168. 286) Treue; Sicherheit, Schutz.

triuwi ja. (105. 168. 370) treu.

trôstian sw. 1 b (254, 3) trösten.

trūon sw. 2 (155) trauen; *gi⌢* (486, 2 a u. Anm. 2, 3. 488 a Anm. 1) trauen.

tu s. *thū.*

tuht F. i. (298) Zucht, Zug.

tulgo (88 Anm. 1. 362) sehr.

tunga sw. F. (313) Zunge.

tungal N. a. (142. 272) Gestirn.

turf M.? (88) Rasen.

twā, twê s. *twêne.*

twêdi ja. (390) halb.

tweho sw. M. (379 Anm. 2) Zweifel;

twélif (73, 1. 77 Anm. 1. 78 Anm. 129. 197 Anm. 381 Anm.) zwölf.

twêne, twā, twê (98. 379, 2) zwei.

twêntig (151. 234 Anm. 1) zwanzig.

twīđon sw. 2 (232. 498 a) gewähren.

twīhôbdig (221 Anm. 1. 379 Anm. 2) zweihäuptig.

twīfli ja. (198. 379 Anm. 2) zweifelnd.

twīflon sw. 2 (198) zweifeln.

twilif s. *twélif.*

twīo (164. 391) zweimal.

gi-twisan sw. M. Pl. (379 Anm. 3) Zwillinge.

twisk (389) zweifach; *undar twisk* untereinander; als Präp. m. A. (512) zwischen.

twulif s. *twélif.*

th.

thāhin (218) tönern.

thahs M. a. (215) Dachs.

gi-thāht Fi. (214) Sinn, Gedanke, Denkweise, Glaube.

than I. Adv. (127 Anm. 1. 148) dann, alsdann, damals, nun. — II. Konj. (482 Anm. 2. 533. 536 u. Anm.) als, als daß, als bis, um so (beim Kompar.); als, da, wann, sobald als, wenn; *than lang(o) the* so lange als. — In negat. Sätzen beim Kompar. unübersetzbar.

thanan(a) Adv. (376. 524 d) von dannen, von da aus, von da (an), daher, woher.

thank M. a. Dank; Gnade, Wille; Freude; *te thanke* mit Dank; zur Zufriedenheit.

thankon sw. 2 (488 a. 498 a) danken.

thanna, -e I. Adv. da, dann, damals. — II. Konj. als (nach Kompar.).

thār ther I. Adv. (125. 148. 205. 524 a u. b) da(r), dort(hin); rel. wo, wohin. — II. Konj. (533. 540 Anm. 1. 541) während, da, als; wenn.

un-bi-tharƀi ja. (73, 2. 79 Anm. 144. 188) unnütz.

tharƀon sw. 2 (486, 2 d) entbehren.

tharf F. ō. (144. 283, 2) Bedarf, Bedürfnis, Not; *mī is th.* ich bedarf.

tharm M. i. (297) Darm.

tharod dorthin, dahin.

tharp s. *thorp.*

that (125. 205. 527. 537. 539) daß, damit, so daß.

thau M. wa. (100. 169. 281) Sitte, Gewohnheit.

the, F. *thiu,* N. *that* (92. 108 b. 335—7. 524) der, die, das, rel. welcher.

thē, thie, thi I. rel. Part. (524 b, c u. Anm. 3) der, welcher, wo (alle Gen., Num. u. Kas. vertretend). — II. Konj. (482 Anm. 2. 533. 536 Anm. 2.

539 Anm. 540 Anm. 1) als, da, wo, daß. — III. Konj. (523. 526) oder (in Doppelfragen).

thegan M. a. (143 Anm. 269 Anm. 2) Mann, Knabe. ∼*līk* männlich, tüchtig. ∼*skėpi* M. i. (149) Jüngerschaft.

a-thėngian sw. 1 (430 Anm. 2) vollbringen.

thėnkian sw. 1 b (256 b. 462. 486, 2 a u. Anm. 3) (ge)denken, aufmerken, überlegen.

ther s. *thār.*

bi-thėrbi s. *tharƀi.*

these, thius, thit (338. 339. 354, 6—7) dieser.

thiggian sw. 1 a (486, a c. 494 a Anm.) bitten, empfangen, auf-, einnehmen; *at* von (511).

thīhan abl. 1 (75 a 4. 257 d. 426. 430 Anm. 2. 488 b) gedeihen, wachsen; *bi*∼(486, 2 e) zustandekommen.

thikki ja. (243 Anm. 1) dick.

thili F. i. (292) Diele.

thim (226) dunkel.

thīn (138, 4. 329. 355 Anm. 1) dein.

thing N. a. Gericht, Ding, Sache. ∼*līk* (252) gerichtlich.

gi-thingi N. ja. Fürsprache, -bitte.

thingon sw. 2. verhandeln.

thiod(a) F. ō. i. (283, 2—6) Volk, Menge. ∼*malli* (201) Ortsn. Detmold.

thiodan M. a. (124. 138, 4. 267. 269 Anm. 1) König.

thiof M. a. Dieb.

thionon sw. 2 (488 a) dienen.

thionost N. a. (134) Dienst, Feier. ∼*mon* M. k. Dienstmann, Diener.

thior Adj. ?

thiorna sw. F. Jungfrau, Mädchen.

thīsla sw. F. (215) Deichsel.

thit s. *these.*

thiu s. *thē* und *thiuwa.*

thius s. *these.*

thiustri N. ja. Finsternis. ∼ Adj. ja. (103 Anm. 3) finster, dunkel.

thiu(wa), thiuwi sw. F. jō. (105.
168. 169. 285 Anm. 3) Magd.

thō I. Adv. (94 Anm. 2) da, nun,
damals. — II. Konj. (533) als,
indem.

thoh I. Adv. (86 Anm. 2) doch.
— II. Konj. (542) obgleich.

thôian sw. 1 (167, Anm. 2) tauen;
far∾ verdauen.

tholon sw. 2 (86 u. Anm. 1.
486. 2 d u. Anm. 1) (er)dulden,
leiden, ausharren; entbehren,
verlustig gehen.

thon s. *than.*

thorn M. a. (304) Dorn.

thoro s. *thuruh.*

thorp, tharp N. a. (86 Anm. 1)
Dorf.

thorron sw. 2. verdorren, -gehen.

thräd M. i. (297) Draht, Faden.

thräwerk N. a. (167 Anm. 1) Pein.

thrémbil s: *drémbil.*

thria (85. 103 Anm. 1. 379, 3) drei.

thriddio (388 Anm. 2) dritte.

thrīhêndig (379 Anm. 5) dreihändig.

thrim? Leid, Kummer.

thrimman abl. 3, 1 (486, 2 f)
schwellen.

thringan abl. 3, 1. sich drängen,
bedrängen.

thrītig (257 d) dreißig.

thrī(w)o (164. 391) dreimal.

gi-thrôian sw. 1 (167 Anm. 1)
bedräuen.

thrūfla F. (198 Anm.) Kelle.

thruftig s. *thurftig.*

thrukkian sw. 1 (459 b) drücken.

thrum M. i. (297) Gewalt.

thū, tu (107. 205. 326) du.

gi-thuld F. i. (298) Geduld.

gi-thungan Part. (75 a 4. 257 d.
430 Anm. 2) gediegen, trefflich,
tüchtig.

thunkian sw. 1 b (462) dünken.

thur s. *thuru.*

thurƀan Prt.-Prs. 3, 2 (88 Anm. 2.
144. 200 Anm. 1. 469, b 2.
500 Anm. 3) Veranlassung haben, nötig h., bedürfen, brauchen; *bi∾* (486, 2 d) bedürfen.

thurftig (140. 180. 196) bedürftig,
arm.

thurst M. (180) Durst.

thurstian sw. 1 b. dürsten.

thuru(h) Präp. m. A. (88 Anm. 3.
214 Anm. 2. 234 Anm. 1. 257 e.
508) durch, vermittelst, aus
(kausal), wegen, um — willen;
th. that Konj. weil.
∾frémid Part. (67) vollkommen.

thūsundig (386) tausend.

thwahan abl. 6 (166 a. 443 Anm. 2)
waschen.

thwerstōl M. a. (214) Querbank.

thwingan abl. 3, 1 (166 a. 434
Anm. 2) zwingen, bedrängen;
bi∾ dass.

gi-thwing N. a. Not.

u.

uƀil N. a. Übel, Böses.
∾ (355. 371) übel, böse, schlecht.

ūder N.? a. (272 Anm. 1) Euter.

ūdia sw. F. (191. 285 Anm. 2)
Welle.

ūhta sw. F. ō. (96. 108 Anm. 1.
286 Anm. 1. 317) Morgenfrühe.

ūhtfugal M. a. Morgenvogel, Hahn.

ūla F. (96) Topf.

umbêtian s. *undƀ-.*

umbi I. Adv. (245. 253, 3) her-
um. — II. Präp. m. A. (507
Anm. 508) um, wegen, über;
gegen.
∾hwarf M. i. (220 Anm. 1. 297)
Umlauf.

un- Präf. (70) un- (s. das Hauptwort).

und Konj. (156. 249. 507) bis;
und êr bis; *und that, unt(h)at*
(205) bis daß.

undar I. Adv. unter. — II. Präp.
m. D., I. u. A. (512) unter,
zwischen; *u. bak(a)* rückwärts,
rücklings; *∾im, ∾twisk* untereinander; *∾ thiu* unterdes;
Konj. (533) während.

undern, -orn M. a. (130 Anm.)
Vormittag.

unka (138, 2. 329. 354, 7) unser
beider.

unnan Prt.-Prs. 3, 1 (469 a 1.
498 a) gönnen; *af∾* miß-
gönnen.
unt s. *und.*
up Adv. auf, hinauf, darauf; *up
dōn* aufziehen.
uppa Adv. (88. 237) oben.
uppan I. Adv. oben, hinauf. —
II. Präp. m. D. u. A. (511) auf.
urdéli N. ja. (88 Anm. 3) Urteil.
∾kundio sw. M. (88 Anm. 3.
225. 257 b) Zeuge.
∾lagi, logi s. *orl-.*
∾thank M. a. (88 Anm. 3) Beweis.
ūsa (106. 191. 329 Anm. 1) unser.
ust F. i. (191) Sturmwind.
ūt Adv. her-, hinaus, aus.
ūta(n), *-e* draußen, heraus; *bi∾*,
būtan, botan (117. 122) außer;
nach Komp. als; *∾that* (541)
außer daß, wenn nicht.
ūtar Präp. m. Ak. (508) außer;
far∾ dass.

v s. f.

W.

wād F. i. (275, 5. 296, 2) Kleid,
Gewand.
gi-wādi N. ja. (91. 151 Anm. 1)
Gewand, Kleidung.
wado sw. M. (311) Wade.
wāg M. a. (158. 297) Woge, Flut.
∾līdand M. k. (321) Seefahrer.
wagan M. a. (269) Wagen.
wāgi s. *wēgi.*
wagneri M. ja. (321 Anm. 2)
Wagner.
wāh N. a. (89) Böses, Wehe.
wahs N. a. (215) Wachs.
wahsan abl. 6 (215. 488 b)
wachsen.
wahta sw. F. ō. (166 b. 286 Anm.
317) Wache, Wacht.
wakon sw. 2. wachen.
wal M. a. Mauer, Wand.
wala s. *wel.*
wald M. a. (304) Wald.
∾ -wald, in Eigennamen (166 c).
gi-wald F. i. N. a. (299) Gewalt,
Herrschaft.

waldan red. 1. walten (über); *bi∾*
beherrschen; *gi∾* (486, 2 b
Anm. 2. 488 a. Anm. 1. 502
Anm.) walten, Macht haben
über.
waldand M. k. (240. 321 Anm. 1
u. 2) Herrscher.
waldo sw. M. (321 Anm. 1)
Herrscher.
gi-waldon sw. 2. walten, Macht
haben.
wallan red. 1. wallen, fließen,
sieden, strömen.
wām N. a. Böses, Frevel; Adj.
frevelhaft.
∾dād F. i. Übeltat.
∾skado sw. M. Frevler, Ver-
brecher.
wan s. *hwan.*
wān M.? F.? (500 c) Hoffnung.
∾liko Adv. schön.
wānam (138, 3. 357) glänzend.
gi-wand N. a. (156) Ende.
wang M. a. Aue, Flur.
wanga sw. F.? (312) Wange.
wānian sw. 1 b (29, 6. 486, 2 a.
500 a) hoffen, sich versehen,
meinen, glauben; *bi∾* (497 b)
sich vermessen.
wankol (355) schwankend.
wāpan N. a. (272) Waffe.
∾berand M. k. (321 Anm. 1)
Waffenträger, Krieger.
war(o) (480, 5. 520 a) gewahr;
vorsichtig.
wār wahr; *te wārun* in Wahrheit.
∾hêd F. u. Wahrheit.
∾liko Adv. in Wahrheit.
∾sago sw. M. (73, 1) Prophet.
wara F. ō. Schutz, Aufmerksamkeit; *∾liko* Adv. (149) vorsichtig.
warag M. a. Frevler.
ward M. a. Wart, Wächter.
-ward Suff. (125 Anm. 161)
-wärts.
a-wardian s. *werdian.*
wardon sw. 2 (486, 2 b u. Anm. 1)
auf der Hut sein; hüten,
schützen; *bi∾* achthaben;
far∾ (486, 2 b) regieren.

wargian sw. 1 b (144) peinigen.

warht s. *wirkian.*

waro s. *war.*

warold s. *werold.*

waron 1. sw. 2 (488 b) wahren, hüten; wahrnehmen; begehn; aufsuchen; *aftar*∾ (496 c) achthaben.

∾ sw. 2. dauern, währen.

gi-wāron 2. sw. 2. bewahrheiten.

waskan abl. 6. waschen.

wastom M. a. (142. 185 Anm. 4. 215 Anm. 238 Anm. 1. 269) Wachstum, Wuchs, Gedeihen;

wat s. *hwat.*   [Gewächs.

water N. a. Wasser.

we s. *wī.*

wê N. a. Wehe.

wĕbbi N. ja. (277) Gewebe.

wedar N. a. (143. 272 Anm. 1) Wetter, Sturm; ∾*wīs* wetterkundig.

wedar M. a. (82. 269 Anm. 1. 304) Widder.

wĕddi N. ja. (277) Pfand.

gi-wēdi s. *wād.*

weg M. a. (83) Weg, Straße.

wêg M. a. (175. 304) Mauer.

wegan abl. 5 (421) wägen, wiegen.

wegescêth (149) Wegscheide.

wĕggi M. ja. (252a Anm.) Weck, Keil.   [Schale.

wêgi N. ja. (232. 278) Gefäß,

wêgian sw. 1 b. peinigen.

wehsal M. N. a. (143 Anm. 269 Anm. 2) Wechsel, Handel; Geld.

wĕhsitafla sw. F. (79 Anm.) Wachstafel.

wehslian, -on sw. 2 (215. 490, 3) wechseln, tauschen.

wĕkkian sw. 1 a (243. 458) wecken; a∾ erwecken, erregen.

wel(a), wala, wola I. Adv. (157. 373) wohl, gut. — II. Int. wohlan, fürwahr.

wĕlik s. *hwilīk.*

wĕllian 1. s. *willian.*

∾ 2. sw. 1 (165) rollen.

welo sw. M. Gut, Besitz.

wĕndian sw. 1 b (80 Anm. 1. 156) (sich) wenden, abwenden.

wĕnkian sw. 1 b (486, 2 c) untreu werden, sein Wort nicht halten.

wer M. a. Mann.

wêr N. ja (277 Anm. 1) Wehr.

werd M. a. (82 u. Anm. 1. 304) Wirt.

∾*skĕpi* M. i. (82 Anm. 1) Mahl.

werđ (480, 5) wert, passend.

∾*līko* Adv. freundlich.

werđan abl. 3, 2 (83 Anm. 88 Anm. 3. 257 b. 421. 437. 488 b. 505 Anm. 520 c) werden; geschehen; *w. an* geraten in; *gi*∾ geraten; gut dünken.

a-wêrdian sw. 1 (79. 156. 257 b. 459 a) verderben.

gi-werđirian sw. 1 (84 Anm. 2) vergleichen.

gi-werđon sw. 2. geruhen.

wêrian 1. sw. 1 a (253 a 1. 488 a) (sich) wehren, abwehren, hindern.

∾ 2. sw. 1 a (got. *wasjan*) bekleiden, ausrüsten; Part. *un-wêriđ* (71) unbekleidet.

werk N. a. (83 Anm. 144. 156) Werk, Arbeit, Tat; Mühsal.

gi-werki N. ja. (84 Anm. 2) Werk.

werkian s. *wirkian.*

werkon sw. 2 (486, 2 e) handeln, tun; *far*∾ (486, 2 c) verwirken, sich versündigen.

gi-wêrnian sw. 1 (498 a) verweigern.

werod N. a. (134) Volk, Leute, Schar.

werold M. F. k. (82 Anm. 2. 127. 299) Welt, Erde; Menschheit; Leben.

∾*rīki* N. ja. Welt, Reich.

∾*skat* M. a. irdischer Besitz.

∾*stunda* F. ō. irdisches Leben.

werpan abl. 3, 2. werfen; *bi*∾ (497 Anm.) werfen, ausstrecken, umgeben; *far*∾ wegwerfen, verstoßen.

werran abl. 3, 2. verwirren, in Not bringen (s. *worrian*).

werson sw. 2 (84 Anm. 2) verderben.

wesan abl. 5 (257 c. 440 Anm. 2. 486, 1. 488 c. 500 Anm. I. 504 a. 505 Anm.) sein.

wesl s. *wehsal.*

weslean s. *wehsl.*

westan(a) von Westen.

westroni ja. (134) westlich.

wî, we (228. 326) wir.

wîd weit.

wid̄ Präp. m. D., I. u. A. (512) wider, gegen, für, vor, über, wegen, mit; *w. thiu* dagegen.

widar I. Adv. wieder, zurück. — II. Präp. m. D., I. u. A. (512) wider, gegen, für, vor; *w. thiu* dagegen; *w. thiu the* dafür, daß.

~*sako* sw. M. Widersacher.

~*ward* (408, 5. 481, 2) feindselig, widerwärtig.

wideri M. ja. Holzarbeiter.

gi-wideri N. ja. (143) Gewitter.

widohoppa sw. M. (237) Widehopf.

widu M.? u. (303 Anm. 2) Holz.

widuwa sw. F. (130) Witwe.

wîf N. a. (514, 1) Weib.

wîg M.? a. (234 Anm. 1) Kampf.

wîgand M. k. a. (321 Anm. 2) Kämpfer.

wig(gi) N. ja. (277 Anm. 1) Roß.

gi-wiggi N. ja. (151 Anm. 1. 252 a Anm.) Dreiweg.

wîh M. a. Tempel.

wîheda F. Reliquie.

wîhian sw. I b (460 a) weihen, segnen.

wîhrôk M. Weihrauch.

wiht F. i. (296, 2. 298. 299 Anm. 1. 346 i. 506 b) Ding, etwas; Pl. Dämonen; *ni w.* nicht(s); *ni wihti* mit nichten.

wîk M.? i. (265, 4. 297) Wohnung, Dorf.

wika sw. F. (84) Woche.

wikkia F. jō. (243) Wicke.

wildi ja. (203) wild.

willian unth. 5 (178. 478 f. 500 Anm. 1) wollen.

willig (234 Anm. 1. 480, 5) willig.

willio sw. M. Wille, Wunsch; Gnade, Freude, Wohlgefallen.

wîlon s. *hwîl.*

wilspel N. a. willkommene Kunde.

wîn M. N. a. Wein.

gi-win N. a. Kampf, Toben.

wind M. a. Wind.

windan abl. 3, 1 (421) sich winden, wenden; *bi*~ umwickeln.

winding F. ō. (189 Anm. 249 Anm. 283, 2) Binde.

wini M. i. Freund, Genosse.

winistar (138, 2) link.

winnan abl. 3, I. kämpfen, erlangen; leiden; *gi*~ erwerben, zustande bringen.

winning s. *winding.*

wintar M. k. (142. 323) Winter; Jahr.

wiodon sw. 2. jäten.

wirdig (84 Anm. 2. 480, 5. 481, 2) würdig, wert, angenehm.

wirdskėpi s. *werd-.*

wirkian sw. 1 b (84 Anm. 2. 144. 156. 401 Anm. 462 Anm. 1) wirken, handeln, tun, machen, bereiten; *and*~ (462) umbringen; *far*~ (486, 2 c. 488 c) verwirken, sich versündigen; Part. Prt. ~*warht* verworfen.

wîrôk s. *wîhrôk.*

wirs Adv. Komp. (375. 481, 2) schlimmer.

wirsa Adj. Komp. (210 Anm. 2. 226. 371. 480, 6) schlimmer, schlechter.

wis gewiß, sicher, zuverlässig.

~*kumo* sw. M. (350 c) gewiß kommend.

wîs (154. 256 c. 480, 5. 482, 2) weise, kundig.

~*dōm* M. a. Weisheit.

~*liko* weise.

wîs(a) sw. F. ō. (283, 4. 284 Anm. 1) Art und Weise.

a-wîsan abl. 1 (173 Anm. 2. 430. 491) sich enthalten.

wîsian sw. 1 b (488 b Anm. 2) weisen, zeigen, lehren, verkünden.

wîson sw. 2 (486, 2 c) be-, heimsuchen. [sicher.

wissungo Adv. (256 c. 373 Anm. 2)

wit (326—28) wir beide.

gi-wit N. ja. (277) Verstand, Klugheit.

wita (328, 1. 395. 408 Anm. 3) laßt uns! wohlan!

witan Prt·Prs. 1 (256 c. 467, 1. 502) wissen, kennen.

witan 1. abl. 1. vorwerfen.

gi-wītan 2. abl. 1. gehen.

witi N. ja. Strafe, Böses, Pein.

witneri M. ja. (275, 2) Peiniger.

wītnon sw. 2 (138, 4. 495, 1) bestrafen, töten.

gi-wittıg (138, 7) verständig.

wliti M. i. Glanz, Aussehen.

wlōh (214) Flocke.

wōđi ja. (368) süß, angenehm.

wōl Verderben.

wola s. *wela.*

wolkan N. a. Wolke.

∾*skion* M. Wolkendecke.

won- s. *wun-.*

gi-wono (88 Anm. 1. 350 c. 480, 5. 500 c. 520 a) gewohnt.

∾*hêd* F. u. (88 Anm. 1) Gewohnheit.

wōp M.? a. Klage.

wōpian red. 3, 1 (be)klagen.

word N. a. Wort.

∾ˌ*pāh(i)* a. ja. redekundig.

wōrig entkräftet.

workian s. *wurkian.*

worrian sw. 1 (§ 88 Anm. 3*) verwirren (s. *werran*).

wōstin(nia) F. jō. (285 Anm. 1) Wüste.

wrāka F. ō. Rache.

wrêđ (356. 369) zornig, böse, feindselig.

wrēđian sw. 1 a (208) stützen.

wrēđian sw. 1 b. sich erzürnen.

wrekan abl. 4. rächen, vergelten, bestrafen.

wrisilīk (290) riesig.

wrītan abl. 1. schreiben.

wulf M. a. (88) Wolf.

wund (482, 1) verwundet.

wunda sw. F. Wunde.

wundar N. a. (142 Anm. 272 Anm. 1) Wunder; *te wundrun* aufs höchste.

∾*quala* F. ō. Marter.

wundron sw. 2 (486, 2 f) sich wundern.

wunnia F. jō. Wonne, Freude.

gi-wuno s. *-wono.*

wunodsam (88 Anm. 1. 355) erfreulich.

wunon sw. 2 (88 Anm. 1. 171) wohnen, verweilen, bleiben.

wunsam (285 Anm. 4. 370) lieblich.

gi-wunst M. (192. 299 Anm. 1) Gewinnst.

wurd F. i. (156) Schicksal, Verhängnis.

wurgarin F. jō. (285 Anm. 1) Würgerin.

wurgil M.? a. (144) Strick.

far-wurht F. i. (68) Übeltat.

gi∾ (462 Anm. 1) Tat.

wurhtio sw. M. (144. 156) Arbeiter.

wurkian sw. 1 b (88 Anm. 3. 462 Anm. 1) wirken.

wurm M. i. (151) Wurm, Schlange.

wurt F. i. Wurzel; Blume, Kraut.

C. F. Wintersche Buchdruckerei.